TABLE DES MATIÈRES

Édition 2002

PORTRAITS

UTILITAIRES

PÊLE-MÊLE

INDEX DES PROGRAMMES PAR SECTEURS DE FORMATION

SECTEUR 18 Cuir, textile et habillement 310

SECTEUR 19 Santé 322

SECTEUR 20 Services sociaux, éducatifs et juridiques 360

AVIS IMPORTANT

COMMENT INTERPRÉTER L'INFORMATION

Les pages 66 à 377 présentent des témoignages portant sur les programmes techniques menant à un diplôme d'études collégiales (DEC technique).

DEC technique : Les programmes de formation technique au collégial durent généralement trois ans (six sessions). Ils comprennent les cours composant la base de la formation générale, en plus d'une série de cours spécifiquement reliés au programme choisi.

Chaque texte vous offre les témoignages d'un diplômé et d'un spécialiste de l'enseignement du programme concerné, de même que des données statistiques tirées des enquêtes *Relance* du ministère de l'Éducation (voir aussi page 419).

Chaque en-tête de texte présente les renseignements suivants :

EXEMPLE :

SECTEUR 3 ALIMENTATION ET TOURISME

CNP 6441 | CUISEP 123-000.CP

Techniques de tourisme

PROG. 414.01/414.A0
PRÉALABLE : 0, voir page 11

Secteur : Le ministère de l'Éducation a effectué un regroupement des programmes selon 20 secteurs de formation. Vous pouvez connaître le nom correspondant aux différents numéros de secteurs en consultant l'index des programmes en page 6.

Nom et numéro du programme : Nom et numéro en vigueur du programme, en accord avec le répertoire du ministère de l'Éducation. Lorsque deux numéros apparaissent, le programme est en voie d'être modifié. Le second numéro sera utilisé aussitôt que la nouvelle version du programme sera implantée.

Code CNP : Le code CNP correspond à la description de la ou des fonctions principales auxquelles mène le programme, selon la Classification nationale des professions établie par Développement des ressources humaines Canada (DRHC). Ce code peut servir à consulter certains répertoires de formations ou certaines bases de données offrant des renseignements sur les différents métiers et professions au Canada.

Code CUISEP : Le code CUISEP correspond à un classement établi à l'usage des responsables de l'orientation scolaire et professionnelle. Il sert notamment à la consultation du logiciel Repères, base de données portant sur les métiers et professions utilisée principalement au Québec par ces spécialistes. Repères est accessible dans la plupart des établissements d'enseignement.

Préalable(s) : Le ou les chiffres correspondent aux codes de préalables nécessaires pour être admis dans le programme.

DÉFINITION DES CODES DES PRÉALABLES

- 0 : Aucun préalable
- 10 : Mathématiques 426
- 11 : Mathématiques 436
- 12 : Mathématiques 526
- 13 : Mathématiques 536
- 20 : Sciences physiques 436
- 30 : Chimie 534
- 40 : Physique 534
- 50 : Musique 534
- 55 : Anglais 514
- 80 : DES, réussite des cours du 5e secondaire en danse classique ou en danse contemporaine (Arts – études)
- 90 : DEP
- 9A : Aménagement de la forêt
- 9B : Électromécanique de systèmes informatisés
- 9C : Pêche professionnelle
- 9D : Réparation et installation d'appareils électroniques domestiques
- 9E : Infirmière ou infirmier auxiliaire ou l'équivalent
- 9F : Intervention ou sécurité incendie
- 9G : Techniques d'usinage

Mentionnons que les préalables s'ajoutent à la condition générale d'admission au niveau collégial qu'est, pour les élèves ayant terminé leurs études secondaires après le 31 mai 1999, l'obtention du diplôme d'études secondaires ou du diplôme d'études professionnelles (DES ou DEP), incluant la réussite des mathématiques de 5e secondaire ou de 4e secondaire (niveau de difficulté comparable), de l'anglais (ou de la langue seconde) de 5e secondaire, des sciences physiques de 4e secondaire, de l'histoire de 4e secondaire et de la langue d'enseignement de 5e secondaire.

Date de publication : Chacun des portraits affiche une date à la fin du texte. Cette date indique le mois et l'année de première publication du portrait. Cependant, tous les textes sont relus à chaque nouvelle édition et font l'objet d'une mise à jour ou d'une refonte, si nécessaire. Un texte complètement refait porte la date de sa réécriture la plus récente.

L'offre des programmes : Le tableau inséré dans ce guide montre l'offre des programmes par établissement d'enseignement.

AU SUJET DES STATISTIQUES

Les statistiques publiées dans ce guide sont tirées de la plus récente étude *La Relance au collégial*, réalisée par le ministère de l'Éducation. Celle-ci rassemble des données colligées dans tout le Québec, 10 mois après la fin des études de la cohorte de diplômés concernés. Ces données sont présentées À TITRE INDICATIF et doivent être interprétées avec réserve. En effet, l'instabilité du marché du travail dans certains secteurs d'emploi peut avoir changé les conditions offertes aux jeunes diplômés depuis la dernière enquête. Afin de donner un aperçu de cette évolution, nous présentons aussi les données de la même enquête obtenues au cours des deux années précédentes. Nous offrons aussi en page 419 les renseignements complémentaires des enquêtes *Relance*. Pour obtenir les plus récentes statistiques disponibles, communiquez directement avec les établissements offrant la formation qui vous intéresse. Vous en trouverez les coordonnées en page 379. Vous pouvez aussi lire les résultats d'une enquête maison en page 22.

ATTENTION!

Divers facteurs peuvent influencer l'interprétation des données.

C'est le cas du NOMBRE DE DIPLÔMÉS : plus ce nombre est faible, plus les données obtenues risquent d'être moins représentatives de l'ensemble du marché du travail pour ce type de professionnels. C'est pourquoi nous indiquons toujours le nombre de diplômés.

IL FAUT TENIR COMPTE DE L'EMPLOI RELIÉ : Le taux d'emploi relié indique le lien entre l'emploi occupé et le domaine d'études. C'est un indicateur essentiel pour juger de manière plus réaliste de la qualité de la situation d'emploi.

IL NE FAUT PAS CONFONDRE les propos des représentants enseignants interrogés dans la partie témoignage (Défis et perspectives) avec les données statistiques. Les statistiques sont d'ordre provincial, alors que les avis des personnes interrogées dans les écoles concernent généralement une situation observable sur le plan local. Un certain écart entre les deux perceptions peut ainsi ressortir. Il est donc important de tenir compte de cette distinction.

N'OUBLIEZ PAS!

Il faut éviter de baser son choix de carrière uniquement sur une statistique de placement ou une moyenne salariale. Afin d'effectuer une bonne démarche de choix de carrière, n'hésitez pas à consulter un conseiller d'orientation ou un conseiller en information scolaire et professionnelle.

	A	B	C	D	
	Salaire hebdo moyen	**Proportion de dipl. en emploi**	**Emploi relié**	**Chômage**	**Nombre de diplômés**
2000	xxx $	xxx %	xxx %	xxx %	xxx
1999	xxx $	xxx %	xxx %	xxx %	xxx
1998	xxx $	xxx %	xxx %	xxx %	xxx

Statistiques tirées de la Relance - Ministère de l'Éducation. Voir données complémentaires, page 419.

A L'indicateur salarial présente le salaire hebdomadaire brut moyen chez des jeunes diplômés 10 mois après la fin de leurs études.

B La proportion de diplômés en emploi représente le pourcentage des répondants ayant déclaré travailler pour leur compte ou pour autrui sans étudier à temps plein.

C L'indicateur d'emploi relié présente le pourcentage des répondants ayant un emploi à temps plein, relié en tout ou en partie à leur formation.

D L'indicateur de chômage est le rapport du nombre de répondants en recherche d'emploi sur l'ensemble de la population active visée (en recherche d'emploi et en emploi).

DES PERSPECTIVES
SANS PRÉCÉDENT
EN FORMATION
PROFESSIONNELLE
ET TECHNIQUE
Pour
qu'éclatent
les
passions
LES TOP 50

Certains programmes se distinguent encore plus nettement : ***on s'y arrache littéralement les diplômées et diplômés.***

VOICI HUIT DOMAINES D'ACTIVITÉ OÙ LES RECRUTEURS SONT TRÈS ACTIFS :

1. **La transformation des matières plastiques. On y trouve des dizaines d'offres d'emploi dans les journaux à toutes les fins de semaine :**
   - Techniques de transformation des matières plastiques (DEC)
   - Conduite et réglage de machines à mouler (DEP)
   - Fabrication de moules (ASP)

2. **La photonique. La fibre optique scintille et connaît une croissance exponentielle à Québec et à Montréal :**
   - Technologie physique (DEC)
   - Montage de câbles et de circuits en aérospatiale (DEP) (Ce programme vise principalement à former des assembleuses et des assembleurs de composants électroniques)

3. **La production agricole. La relève la plus recherchée :**
   - Gestion et exploitation d'entreprise agricole (DEC)
   - Production laitière (DEP)

4. **La production industrielle. Où il y a plus d'emplois que de diplômées et diplômés :**
   - Techniques de production manufacturière (DEC)
   - Technologie du génie industriel (DEC)
   - Conduite de machines industrielles (DEP)

La formation professionnelle et technique couvre plus de 300 programmes d'études qui mènent à des métiers qualifiés ou à la profession de technicien. L'an dernier, plus de 70 p. 100 des sortants et sortantes ont trouvé, grâce à cette formation, un emploi stimulant et rémunérateur. La situation économique actuelle, très favorable, fera en sorte que les personnes détenant ce profil de formation seront encore plus recherchées par les employeurs.

5. **Le meuble et bois ouvré. Les exportations y ont été multipliées par quatre depuis l'accord du libre-échange :**
   - Techniques du meuble et du bois ouvré (DEC)
   - Fabrication en série de meubles et de produits en bois ouvré (DEP)
   - Finition de meubles (DEP)

6. **La mécanique du bâtiment. Les préoccupations pour la conservation de l'énergie y ont un impact majeur sur la création d'emploi. Les trop rares diplômées et diplômés pourraient vous en parler :**
   - Technologie de la mécanique du bâtiment (DEC)
   - Mécanique de machines fixes (DEP)

7. **La métallurgie. Des développements importants dans la transformation des métaux et l'assemblage métallique n'attendent qu'une main-d'œuvre formée :**
   - Procédés métallurgiques (DEC)
   - Soudage-montage (DEP)

8. **La fabrication mécanique. Ce secteur est à la base de plusieurs industries de pointe au Québec, dont l'aérospatiale :**
   - Techniques de génie mécanique (DEC)
   - Construction aéronautique (DEC)
   - Techniques d'usinage (DEP)
   - Outillage (ASP)
   - Matriçage (ASP)
   - Montage de structures en aérospatiale (DEP)

DEC : Diplôme d'études collégiales DEP : Diplôme d'études professionnelles
ASP : Attestation de spécialisation professionnelle

http://www.meq.gouv.qc.ca
http://www.inforoutefpt.org

LES DOSSIERS CHAUDS!

PAGES 22 ⇓ 30

À BRAS OUVERTS

Le marché du travail réserve un bel accueil aux diplômés de la formation technique. Les statistiques le confirment : au cours des quatre dernières années, le nombre d'emplois occupés par des titulaires d'un diplôme d'études collégiales a augmenté de 23 %, et les conditions de travail s'améliorent. Dans tous les secteurs, les employeurs se préparent à recruter une relève outillée pour faire face aux défis de demain. Une vingtaine de formations sont en tête du peloton. Découvrez-les!

LA RÉCOLTE EST BONNE!

Agriculture, pêches et transformation des aliments : trois secteurs de l'économie québécoise en voie de créer une industrie bioalimentaire moderne, inventive et compétitive. La superficie des fermes s'accroît, les cultures se diversifient, l'aquaculture promet, les aliments sont transformés à grands renforts technologiques. Mère Nature est décidément au goût du jour et elle couve de nombreuses possibilités d'emploi.

À bras ouverts!

Par Julie Leduc

Effectuée au printemps 2001, une tournée des établissements d'enseignement collégial confirme que les diplômés de 2000 ont été accueillis à bras ouverts par les employeurs. Plusieurs responsables des services de placement ont remarqué une hausse des offres d'emploi au cours de cette période, accompagnée, dans certains cas, d'une amélioration des conditions de travail. L'optimisme était aussi au rendez-vous pour les diplômés de 2001.

«L'an 2000 a été une année record, souligne Claude Mongrain, conseiller en emploi au Cégep de Rimouski. On a placé 100 % de nos diplômés issus des formations techniques offertes dans notre établissement, et 85 % d'entre eux ont trouvé un emploi dans leur domaine d'études. C'était du jamais vu depuis 33 ans!»

Au Collège de Valleyfield, 93 % des sortants ont trouvé un emploi lié à leur formation. «Et la tendance se poursuit, précise Luc Thifault, conseiller en placement. Le ralentissement économique de 2001 ne semble pas nous toucher. Nos babillards sont remplis d'offres d'emploi pour les diplômés de mai 2001. La situation est très encourageante.»

«Ayant suivi des formations de pointe, les diplômés réussissent à transférer rapidement leurs connaissances en entreprise. De plus, la maîtrise de l'anglais s'impose pour la majorité des diplômés, peu importe leur formation.»

— Martine Boulet, Cégep de Limoilou

Le Cégep de Limoilou a de son côté enregistré un taux de placement de 91 % en 2000. Selon Martine Boulet, coordonnatrice du Service des stages et du placement, cette statistique prouve que les techniciens répondent bien aux besoins du marché. «Ayant suivi des formations de pointe, les diplômés réussissent à transférer rapidement leurs connaissances en entreprise.» Mme Boulet fait remarquer que la maîtrise de l'anglais s'impose pour la majorité des diplômés, peu importe leur formation.

Une seule ombre au tableau : une légère baisse en 2000 du nombre d'emplois offerts aux techniciens en informatique. Le taux de placement de ces diplômés a varié entre 81 % et 93 % selon les différents collèges, alors qu'il était de 100 % au cours des deux années précédentes. «Maintenant que les ajustements du bogue sont faits, l'embauche se stabilise», estime Léandre Bibeau, conseiller pédagogique au Collège Ahuntsic. Par ailleurs, on signale que ces emplois sont rares en région et que les techniciens doivent se déplacer vers les grands centres pour amorcer leur carrière.

URGENCE SANTÉ

Les besoins sont toujours aussi criants dans le secteur de la santé. La pénurie persiste en soins infirmiers. «Le recrutement des diplômés est devenu une véritable entreprise de marketing, note Joseph-Marie Bouchard, conseiller en emploi au Cégep de Chicoutimi. On vante la qualité de vie des municipalités hôtes, et plusieurs hôpitaux offrent de rembourser les frais de déménagement pour attirer des candidats.» Dans cet établissement, on estime que chaque diplômé de la cohorte 2000 en soins infirmiers aurait pu décrocher dix emplois différents. La situation semble également se maintenir en 2001. «Les diplômés en soins infirmiers sont très recherchés. Je reçois des appels d'employeurs de toutes les régions du Québec, de l'Ontario et même de l'Alberta», affirme pour sa part Claude Mongrain du Cégep de Rimouski.

Un manque de diplômés est également signalé en techniques de radio-oncologie, d'inhalothérapie, d'électrophysiologie médicale, de même qu'en technologie de laboratoire médical. Dans plusieurs établissements, ces formations affichaient un taux de placement de 100 %.

SERVICES SOCIAUX : UNE REMONTÉE

La popularité du programme de garderies à 5 $ continue d'avantager les diplômés en techniques d'éducation en services de garde. Au Collège de Sherbrooke, 95 % des diplômés de l'an dernier ont intégré le marché du travail. «La demande de main-d'œuvre devrait se maintenir au cours des cinq prochaines années, avec l'ouverture prévue de nouvelles places», souligne Sylvio Lebrun, conseiller pédagogique. Il précise toutefois que beaucoup d'emplois sont à temps partiel dans ce secteur.

La formation en techniques d'éducation spécialisée fait aussi bonne figure. Au Cégep régional de Lanaudière à Joliette, le taux de placement a bondi de 57 % en 1995 à 92 % en 2000, ce qui ne laisse aucun doute sur les besoins croissants dans ce domaine. Par ailleurs, l'intégration au marché de l'emploi se fait souvent par le biais de listes de rappel, les emplois temporaires étant fréquents.

DES CHOIX INGÉNIEUX

Plusieurs titulaires d'un diplôme lié à la construction sont favorisés par le dynamisme actuel de cette industrie. La majorité des collèges placent notamment tous leurs diplômés en technologie du génie civil. Ces technologues profitent notamment des travaux du programme gouvernemental d'infrastructures (construction ou rénovation de routes, ponts, aqueducs, égouts, etc.). «Avec tous les projets de construction menés par le gouvernement et les entreprises privées, la demande devrait demeurer forte cette année», estime Sylvie Morneau, responsable du Service de placement au Cégep de l'Abitibi-Témiscamingue. En 2001, cet établissement a d'ailleurs réussi à doubler le nombre d'élèves inscrits à cette formation. Cela permettra de mieux répondre aux offres d'emploi provenant des quatre coins de la province.

Les possibilités d'emploi sont également excellentes en technologie du génie industriel, en techniques de génie mécanique et en technologie de maintenance industrielle. Cette dernière formation enregistrait l'an dernier un taux de placement de 90 % au Cégep de Rimouski. «Les salaires sont intéressants, précise Claude Mongrain. Nous avons reçu des offres de 25 $ l'heure, pour des débutants! Mais les jeunes ont souvent une mauvaise perception de cette profession. Ils croient, à tort, qu'ils auront les bras dans l'huile toute la journée, alors que les diplômés sont plutôt voués à faire de l'entretien préventif sur des appareils de technologie de pointe.»

Au Collège de l'Outaouais, Michel Laporte, conseiller pédagogique, note une forte demande de techniciens en cartographie. «Nous éprouvons encore des difficultés à recruter des élèves. Notre collège pourrait en accueillir de 10 à 15 de plus par année. Tous nos sortants trouvent du travail.»

La formation en techniques de procédés chimiques continue d'être une bonne option au Collège de Maisonneuve, affichant un taux de placement de 89 %. «La nouvelle usine Interquisa Canada inc. qui s'établit à Montréal-Est devrait, à elle seule, embaucher notre soixantaine de sortants. Les pétrolières engagent aussi. Les diplômés de la cohorte 2001 n'auront donc pas de difficulté à se trouver du travail», estime Maryse Lemay, responsable du Service de placement dans cet établissement. Elle ajoute qu'à partir de 2002, le besoin de techniciens en procédés chimiques sera croissant en raison de prises de retraite massives dans ce secteur. ▶

▷ De son côté, Léandre Bibeau, conseiller pédagogique au Collège Ahuntsic, remarque un besoin important de personnel en techniques de transformation des matières plastiques. «L'an dernier, j'ai reçu une soixantaine d'offres d'emploi pour les 22 sortants! Toutefois, certains salaires offerts tournent autour de 12 $ l'heure.»

NOUVELLES TECHNOLOGIES

Il semble que le ralentissement que connaît l'industrie des télécommunications n'ait pas réellement nui à l'embauche de technologues en électronique. «Même si Nortel Networks, par exemple, a récemment connu des difficultés, plusieurs entreprises de technologie de pointe fonctionnent toujours très bien», estime Claude Mongrain du Cégep de Rimouski. Dans cet établissement, ces technologues profitaient l'an dernier d'un taux de placement de 90 %.

Au Collège de Valleyfield, l'option électrodynamique de la formation Technologie de l'électronique industrielle connaît un taux de placement de 100 % depuis trois ans. Même son de cloche au Cégep de l'Abitibi-Témiscamingue. «On place tous nos sortants depuis deux ans, explique Sylvie Morneau. Les principaux employeurs sont les entreprises minières et manufacturières. Le salaire initial moyen est de 19 $ l'heure.»

Les diplômés en techniques de bureautique sont aussi recherchés. Les collèges de Maisonneuve et de Valleyfield ont placé tous leurs diplômés.

AU CHAMP COMME DANS L'ASSIETTE

À l'Institut de technologie agroalimentaire de Saint-Hyacinthe, tous les sortants de 2000 en techniques de gestion et exploitation d'entreprise agricole ont décroché un emploi dans leur spécialité. La plupart des diplômés prennent la relève de la ferme familiale. Céline Laliberté, agente de placement, confirme que le placement a également été de 100 % dans les cinq autres programmes liés au secteur bioalimentaire, dont la technologie de la production horticole et de l'environnement, la technologie des équipements agricoles et la technologie de la transformation des aliments. «Les employeurs commencent à recruter de plus en plus tôt afin de sélectionner les meilleurs candidats.»

À l'Institut de tourisme et d'hôtellerie du Québec, le taux de placement des formations techniques était de 96 % en 2000, en hausse d'environ 7 % par rapport à 1999. «Tous les sortants des techniques de gestion des services alimentaires et de restauration avaient trouvé un emploi dans leur domaine six mois après la fin de leurs études», affirme Bernard Légaré, responsable du Service de placement. La situation est aussi encourageante pour les diplômés des techniques de tourisme et de gestion hôtelière. «Les employeurs reconnaissent davantage leur formation et ils améliorent leurs conditions salariales pour les attirer.»

Bernard Légaré croit que le marché du tourisme et de l'hôtellerie demeure prometteur. «Dans le Vieux-Montréal par exemple, la construction de petits hôtels se poursuit. Montréal connaît de très bonnes années dans le domaine touristique, et rien n'indique un ralentissement de ce côté.» ◉

Note : Les statistiques quantitatives publiées dans ce texte sont tirées des compilations réalisées par les établissements d'enseignement. Ces statistiques ont été rendues publiques au printemps 2001, au moment où Le groupe de recherche Ma Carrière effectuait sa tournée des services de placement. Les données qualitatives publiées souhaitent donner un premier aperçu du placement des diplômés de mai 2001.

Des chiffres qui ont du pif!

Par Julie Leduc

Le marché du travail est de plus en plus favorable aux titulaires d'un diplôme d'études collégiales en formation technique. Le taux de chômage de ces diplômés est en baisse depuis 1996, et le nombre d'emplois occupés par les techniciens ne cesse d'augmenter. Voici quelques faits saillants tirés de la plus récente *Relance au collégial en formation technique*, enquête publiée par le ministère de l'Éducation du Québec (MEQ).

- Dix mois après l'obtention de leur diplôme d'études collégiales en formation technique (DEC), 74,1 % des 15 404 diplômés de la promotion 1998-1999 occupaient un emploi, 4,3 % étaient à la recherche d'un emploi, 19,6 % étaient toujours aux études, et 2 % des diplômés étaient inactifs.
- Alors que le nombre de diplômés croissait de 13 % entre 1996 eet 2000, le nombre d'emplois occupés par des titulaires d'un DEC technique augmentait pour sa part de 23 % au cours de cette même période.
- De 1996 à 2000, le nombre d'emplois occupés par des titulaires d'un DEC a augmenté d'environ 23 %, passant de 9 300 à 11 408.
- Les conditions de travail des techniciens s'améliorent! En 2000, près de 87 % des nouveaux arrivés sur le marché de l'emploi travaillent à temps plein (30 heures et plus par semaine), soit une hausse de 10 % depuis 1996. De plus, 84 % des travailleurs ont un emploi dans leur domaine de formation, comparativement à 72 % il y a quatre ans.
- Cette année encore, le taux de chômage des techniciens est en baisse. Il est passé de 6,8 %, en 1999, à 5,5 % en 2000. En fait, le taux de chômage de ces diplômés a diminué de plus de la moitié depuis 1996, alors qu'il se situait à 13,3 %.
- La rémunération de l'ensemble des diplômés de la formation technique est en légère hausse depuis quatre ans. Leur salaire hebdomadaire brut moyen est passé de 425 $, en 1996, à 496 $ en 2000. Les femmes sont cependant moins bien rémunérées que les hommes. Elles reçoivent un salaire hebdomadaire moyen de 454 $, par rapport à 558 $ pour les hommes.

Alain Vigneault, coordonnateur des enquêtes *Relance* menées par le MEQ, soutient que divers facteurs peuvent expliquer ces bons résultats. «La conjoncture économique favorable y est pour quelque chose, mais aussi beaucoup d'efforts ont été fournis au cours des dernières années pour promouvoir la formation technique et attirer des élèves dans les différents programmes. En outre, les employeurs reconnaissent de plus en plus la valeur d'un diplôme d'études collégiales en formation technique.»

Le taux de chômage de diplômés de la formation collégiale technique était de 5,5 % en 2000. Il a diminué de plus de la moitié depuis 1996, alors qu'il se situait à 13,3 %.

DES FORMATIONS EN TÊTE

Parmi les formations prometteuses, M. Vigneault signale des programmes considérés, à la fois par le MEQ et par la Direction générale de la formation professionnelle et technique, comme offrant de très bonnes perspectives d'emploi. C'est le cas pour les programmes suivants :

- Technologie de l'électronique : option télécommunications;
- Gestion et exploitation d'entreprise agricole;
- Technologie de la mécanique du bâtiment;
- Techniques de génie mécanique;
- Technologie du génie industriel.

L'enquête du MEQ constate depuis deux ans une baisse notable du taux de chômage des diplômés dans divers secteurs, dont l'agriculture et les pêches ainsi que le bâtiment et les travaux publics.

Dans ces programmes, au moins 89 % des travailleurs occupent un emploi à temps plein, et le taux de chômage y est inférieur ou égal à 5,5 %.

L'enquête du MEQ constate depuis deux ans une baisse notable du taux de chômage des diplômés dans divers secteurs, dont l'agriculture et les pêches, où le taux a diminué de 4,9 %, s'établissant à 2,5 % en 2000. On note aussi un recul du chômage de 6,1 % dans le secteur du bâtiment et des travaux publics, avec un taux de 4,1 % en 2000. Ce secteur comprend, entre autres, des programmes de formation tels que les technologies de l'architecture, de la cartographie, de la mécanique du bâtiment et du génie civil.

Par ailleurs, le taux de chômage est demeuré très bas dans le secteur de la santé (1,9 % en 2000). Un besoin criant de main-d'œuvre qualifiée y est signalé, et de nombreuses formations affichent un taux de chômage nul. C'est le cas, notamment, des techniques dentaires, d'inhalothérapie, de médecine nucléaire, de soins infirmiers et de radio-oncologie. ◎

Source : *La Relance au collégial en formation technique*, situation au 31 mars 2000 des personnes diplômées en 1998-1999, Ministère de l'Éducation du Québec, janvier 2001.

La récolte est bonne!

Par Kareen Quesada

D'immenses fermes automatisées, un essor explosif de l'aquaculture, des milliers de produits transformés : l'industrie bioalimentaire québécoise est aujourd'hui moderne, compétitive et elle s'internationalise. Qui dit mieux?

L'industrie bioalimentaire, c'est bien plus que le simple labeur du fermier. Elle regroupe la production agricole – biologique ou non –, les pêches et l'aquaculture (l'élevage d'espèces aquatiques en eau douce ou salée), ainsi que la transformation des aliments. À ces grands champs d'activité se greffent également d'autres secteurs très divers : la vente et la commercialisation des produits alimentaires, la recherche et le développement, l'exportation, l'inspection et la salubrité des aliments, l'horticulture et les travaux paysagers, de même que l'industrie de la restauration.

«Il y a une telle diversité d'emplois dans le secteur bioalimentaire, que tout le monde peut y trouver son compte, lance Nadine Girardville, directrice du Développement de la main-d'œuvre du bioalimentaire au ministère de l'Agriculture, des Pêcheries et de l'Alimentation du Québec (MAPAQ). Différentes formations collégiales techniques sont offertes. On peut œuvrer autant en recherche, pour le défi intellectuel, que dans une profession plus manuelle.»

Au Québec, un emploi sur neuf découle de la générosité de Mère Nature, soit 400 000 emplois, de même que 8 % du produit intérieur brut (PIB) de la province. La province exporte ses produits alimentaires dans 150 pays et connaît un boum des exportations de ses produits bioalimentaires aux États-Unis. «La valeur de notre monnaie et notre proximité géographique nous rendent très compétitifs. Nous approvisionnons le nord-est des États-Unis, ce qui n'est pas rien!» s'exclame Roger Martin, conseiller en formation à la Direction du développement de la main-d'œuvre du bioalimentaire au MAPAQ. Les entreprises de transformation de la viande, notamment du porc, sont les plus actives sur le marché international.

AGRICULTURE : NOUVEAUX HORIZONS

L'agriculture est l'activité la plus importante du secteur primaire au Québec. Surpassant la vitalité économique des mines et de la foresterie réunies, elle représente 78 000 emplois. Avec ses trois milliards de litres de lait en 1999, la production laitière se hisse au premier rang de la production agricole au Québec, suivie de la production de porcs, de volailles, de bovins et de produits végétaux.

Les exploitations agricoles ont bien changé. L'informatisation et la robotisation des équipements imposent un nouveau savoir-faire, auquel les travailleurs agricoles s'adaptent. Ainsi, les fermes s'agrandissent, se modernisent, et dans la foulée, l'agriculteur devient homme d'affaires. «Les entreprises agricoles diversifient leurs activités, explique Roger Martin. Elles cultivent notamment de nouveaux produits, comme des aliments exotiques.»

«Plus de la moitié des agriculteurs du Québec ont plus de 50 ans. La province aura donc bientôt besoin d'une relève compétente.»

— Roger Martin, MAPAQ

Le contexte économique favorable, la forte concurrence et le vieillissement des travailleurs de ce secteur engendrent un manque évident de main-d'œuvre qualifiée. «Plus de la moitié des agriculteurs du Québec ont plus de 50 ans, souligne Roger Martin. La province aura donc bientôt besoin d'une relève compétente.» D'autant plus que les entreprises ne forment plus «sur le tas», comme c'était le cas auparavant. «Former les nouveaux employés exige trop de temps et coûte trop cher», explique Nadine Girardville. Les employeurs veulent des gens compétents et rapidement efficaces en milieu de travail.

Photo : PPM

L'avenir des producteurs agricoles réside désormais dans le développement de créneaux spécialisés.

Les passionnés de la ferme sont donc les bienvenus, surtout s'ils sont diplômés de la formation collégiale Gestion et exploitation d'entreprise agricole (GEEA). Au terme de leurs études, la plupart des titulaires d'un tel diplôme prennent les rênes de la ferme familiale, auparavant gérée par leurs parents. Ceux qui souhaitent devenir propriétaires d'une entreprise agricole se tournent habituellement vers la formule de l'association et du partenariat, ce qui facilite l'achat : une ferme coûte en moyenne 850 000 $.

L'avenir des producteurs agricoles réside désormais dans le développement de créneaux spécialisés. «Les jeunes qui choisissent ce métier doivent être innovateurs, et bien connaître leurs propres forces et faiblesses, de même que celles de leurs concurrents», spécifie Nadine Girardville. Ils doivent se montrer polyvalents et suivre les nouveaux courants à la trace.

Avec l'informatisation des procédés et des équipements, les technologues en équipement agricole sont également recherchés. De l'avis de Roger Martin, le principal défi de ces «maîtres réparateurs» est de continuellement garder leurs connaissances à jour.

PÊCHES : MARÉE MONTANTE

Au Québec, l'industrie des pêches et de l'aquaculture représente 15 000 emplois. Selon le MAPAQ, c'est aussi 130 millions de dollars de produits pêchés, 240 millions de dollars de produits transformés et 15 millions de dollars générés par l'aquaculture.

En 1992, le moratoire sur la pêche de poissons de fond, comme la morue et le sébaste, a porté un dur coup à l'industrie. Cependant, celle-ci s'en est remise grâce, entre autres, à l'exploitation des crustacés et des mollusques, surtout le homard et la crevette, et à celle de nouvelles espèces telles que l'aiguillat, le crabe araignée et l'oursin. «Depuis quelques années, on note un virage vers la diversification des produits», explique Sylvain Lafrance, directeur du Comité sectoriel de main-d'œuvre des pêches maritimes.

«On est aussi à l'ère de l'utilisation optimale des ressources marines, telle l'extraction de biomolécules dans les produits marins, à des fins de recherche médicale. Cependant, il faut pousser encore plus loin la transformation, et chercher à extraire tout ce qui peut être récupéré des produits de la mer», poursuit-il.

L'exportation des produits marins est spectaculaire : 80 % de ce qui est produit au Québec est exporté. «Influencés par ce qu'ils voient à la télévision, les gens croient que l'industrie des pêches se porte mal. Au contraire, elle va très bien! La consommation de produits marins est à la hausse. Avec les problèmes auxquels se heurte la filière de la viande, on peut même penser que la consommation de poisson va continuer d'augmenter. L'avenir se veut donc prometteur dans ce secteur», prédit Sylvain Lafrance.

Quant à l'aquaculture, elle est en pleine expansion. «La mariculture, l'élevage en eau salée, est l'industrie qui connaît la plus forte croissance à l'échelle mondiale, dans le domaine de l'alimentation. On prévoit que d'ici à trois ans sa production sera dix fois supérieure à ce qu'elle est actuellement», avance Sylvain Lafrance.

Les diplômés en exploitation et production des ressources marines sont par conséquent recherchés, de même que les techniciens en transformation des produits de la mer. Ces derniers profitent de l'exploitation de plus en plus variée des produits marins. La recherche et le développement se déploient également dans ce secteur; avis, donc, aux techniciens en chimie et en biochimie.

Le domaine des pêches, comme celui de l'agriculture, est soumis au rythme des saisons. «Les diplômés doivent être autonomes et responsables, car ils sont à la merci du climat et de ses contrecoups. Ils doivent savoir composer avec les aléas de la production», ajoute Roger Martin.

TRANSFORMATION : LE RÈGNE DE LA DIVERSITÉ

Au Québec, la transformation des aliments et des boissons représente 54 500 postes et constitue l'employeur le plus important du secteur manufacturier québécois. Les activités de transformation sont majoritairement concentrées dans la grande région de Montréal, mais elles contribuent également à la vigueur économique de plusieurs autres régions.

La population accorde de moins en moins de temps à la préparation des repas. Elle souhaite des produits transformés – mais pas n'importe lesquels –, qu'elle peut rapidement apprêter et servir. «Les gens veulent des produits de qualité, dits "santé", et ne contenant pas, par exemple, d'agents de conservation. De plus, les emballages de ces produits doivent être recyclables, car la population devient de plus en plus sensible à l'agroenvironnement», ▶

Terres fertiles

Ébranlés par les crises de la vache folle et de la fièvre aphteuse, curieux des débats sur la pertinence des organismes génétiquement modifiés (OGM), les consommateurs deviennent exigeants et font évoluer l'industrie bioalimentaire.

Ainsi, la demande d'aliments biologiques est grandissante, et ce type de culture, en essor. Encore peu nombreux, les 500 «producteurs bio» du Québec écoulent grains, produits horticoles, plantes médicinales, viandes et lait, principalement dans les boutiques d'aliments naturels et, quelquefois, dans les supermarchés. Selon Roger Martin, le manque de points de vente constitue, actuellement, le principal frein au développement de ce marché.

De son côté, la production horticole est également à la hausse, conséquence directe de l'engouement récent de la population québécoise pour l'horticulture en général. Les diplômés en technologie de la production horticole et de l'environnement peuvent donc espérer se tailler rapidement une place au soleil. «Toutefois, s'ils ne démarrent pas leur propre entreprise, ils s'apercevront que les emplois peuvent être saisonniers et les salaires peu élevés», souligne Nadine Girardville.

explique Jean-Pierre Lessard, directeur de l'enseignement de la transformation des aliments et de la formation continue à l'Institut de technologie agroalimentaire de Saint-Hyacinthe.

Les entreprises doivent répondre à ces nouvelles exigences, et la concurrence est féroce. En région, les entreprises se spécialisent dans les produits du terroir. «Il y a 10 ou 15 ans, les produits régionaux étaient vendus à l'état brut. Aujourd'hui, ils sont plus raffinés, tant dans leur conception, que dans la façon dont ils sont présentés aux consommateurs», poursuit Jean-Pierre Lessard.

Par ailleurs, l'exportation des aliments transformés devrait s'accroître, conséquence directe de l'ouverture des marchés et de la mondialisation. Parallèlement à cet essor, l'exotisme de la cuisine multiethnique, déjà offerte dans une variété de restaurants, devrait rapidement se propager aux produits transformés vendus dans les supermarchés. Les besoins des différentes communautés culturelles seront ainsi mieux comblés.

«L'effervescence technologique qui se vit dans les usines de transformation des aliments est comparable à celle que l'on retrouve dans l'industrie pharmaceutique, affirme Jean-Pierre Lessard. Cette nouvelle donne fait maintenant partie du quotidien des gens qui œuvrent dans ce secteur.»

La formation collégiale en technologie de la transformation des aliments est la principale rampe d'accès menant aux emplois offerts dans les usines de transformation. Le nombre de diplômés dans ce domaine ne suffit pas à répondre à la demande des employeurs, en quête de recrues capables de relever le défi technologique de cette industrie.

LES GUIDES PRATIQUES

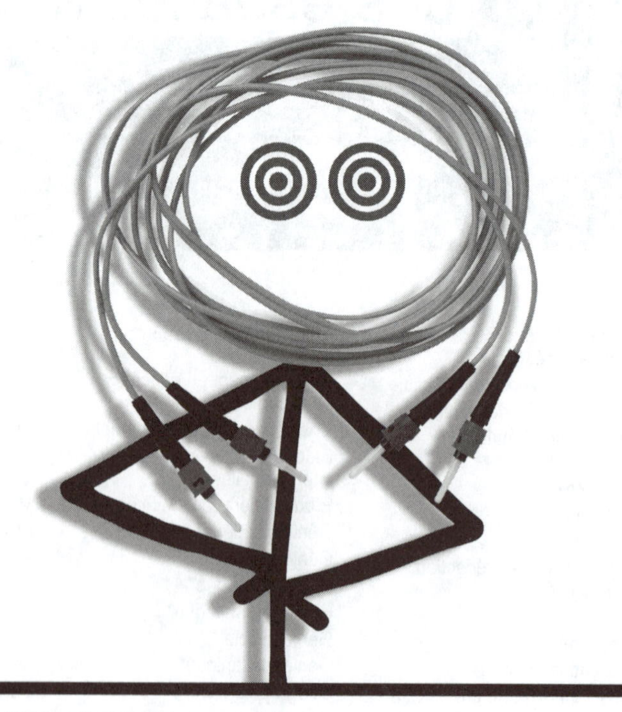

PAGES 34 ⇓ 53

SUIVEZ LE GUIDE!

Arts, lettres ou langues? Sciences humaines ou sciences tout court? Les formations préuniversitaires sont multiples, et le nombre de possibilités offertes, déroutant. Quel chemin prendrez-vous? Pour y voir clair, faites d'abord un premier tour de piste.

APPRENDRE À 200 KM/H...

La nouvelle formule DEC-bac intégré permet à l'élève de cumuler un diplôme d'études collégiales et un baccalauréat, en seulement quatre années d'études. Économie de temps, certes, mais pas d'énergie! L'apprentissage est de type Formule 1 et le droit à l'erreur, presque nul. Pour «pros» de la vitesse seulement.

DÉVELOPPEZ VOS HABILETÉS POUR L'EMPLOI

À travers toutes sortes d'expériences quotidiennes, vous développez de nombreuses compétences utiles sur le marché du travail. Quelles sont-elles? Mario Charette, conseiller d'orientation, se prononce.

Suivez le guide!

Par Guylaine Boucher

Avec leurs multiples options, les formations préuniversitaires offrent des possibilités étendues. Difficile de faire un choix éclairé? Au contraire, rien n'est plus simple quand on a une petite idée de là où on veut aller!

Les études préuniversitaires se divisent essentiellement en quatre branches : les sciences humaines, les sciences de la nature, les arts et lettres et les formations menant aux diplômes d'études collégiales (DEC) plus particuliers comme le baccalauréat international.

Contrairement aux formations collégiales techniques qui s'échelonnent sur trois ans, les formations préuniversitaires se limitent à deux ans d'études et constituent la route la plus directe pour entrer à l'université.

SCIENCES HUMAINES : UN VASTE MONDE

S'intéressant principalement au comportement humain, les formations en sciences humaines se scindaient, auparavant, en sciences humaines simples et sciences humaines avec mathématiques. Même si ces catégories existent encore aujourd'hui dans certains établissements d'enseignement, la majorité des collèges offre désormais le choix entre quatre profils : Administration, Individu, Société et International.

En sciences humaines, la majorité des collèges offre désormais le choix entre quatre profils : Administration, Individu, Société et International.

L'option Administration attire généralement les gens désireux d'entreprendre des études universitaires en économie, en administration ou en sciences comptables. L'élève friand de chiffres y trouvera donc son compte, car cette voie propose la plus grande concentration de cours de mathématiques.

Le cheminement Individu étudie plus particulièrement les comportements individuels et concerne davantage les personnes captivées par la relation d'aide et les professions liées à ce type d'intervention : psychologue, travailleur social, etc. Les cours de psychologie y sont d'ailleurs assez nombreux.

Troisième en liste, le parcours Société s'intéresse davantage aux interactions entre la société et les individus. Les principales matières au programme sont, cette fois, la sociologie et la politique. Les sortants optent souvent pour des formations universitaires en droit, en environnement, en sociologie et en criminologie, par exemple.

De son côté, le profil International se concentre sur l'actualité internationale, en particulier sur les enjeux économiques et politiques mondiaux. Les passionnés de politique, d'histoire et de géographie s'y sentiront dans leur élément. D'ailleurs, les diplômés sont nombreux à s'orienter vers l'un ou l'autre de ces domaines, à l'université. Fait à noter, plusieurs collèges offrent, dans le cadre de cette formation, la possibilité de faire des stages d'études ou de coopération à l'étranger, notamment en Europe et en Amérique latine.

Le nom et l'étendue de ces quatre cheminements peuvent varier considérablement d'un établissement à l'autre. Toutefois, tous les élèves obtiennent le même diplôme, celui-ci ouvrant la porte aux formations universitaires du secteur des sciences humaines.

Enfin, certains collèges proposent aussi un DEC en histoire et civilisation. Similaire à l'option Société, cette formation se penche plus particulièrement sur l'histoire, l'anthropologie et l'archéologie, et prépare généralement aux disciplines universitaires du même nom.

SCIENCES : POUR MORDUS SEULEMENT

Si les neutrons, la loi de la gravité et les formules mathématiques complexes vous font vibrer plus que la politique et l'histoire, le DEC en sciences de la nature vous est probablement tout désigné.

La plupart du temps, le programme en sciences de la nature ne comporte pas d'options spécifiques. Il arrive, cependant, que certains établissements créent des champs distinctifs d'apprentissage. Dans ce cas, cette branche offre trois parcours – Sciences de la nature, Sciences de la vie et de la santé, et Sciences et génie –, lesquels mènent à un seul et même diplôme.

Dans les collèges, on est d'avis que les élèves en Sciences de la nature sont plus nombreux à opter pour des formations universitaires comme la biologie et la médecine vétérinaire. Pour leur part, les diplômés ayant suivi la voie Sciences de la vie et de la santé penchent davantage vers la médecine et d'autres professions du secteur. Quant aux diplômés en Sciences et génie, le domaine des sciences appliquées leur sourit généralement, en commençant par l'ingénierie proprement dite.

Même si elle a longtemps été perçue comme une formation polyvalente menant à une grande variété d'emplois, l'option Sciences de la nature devrait plutôt être réservée aux vrais amateurs. En effet, plusieurs élèves commencent cette formation dans le but de s'ouvrir plus d'horizons. Or, beaucoup se pénalisent en ne performant pas aussi bien qu'ils le pourraient dans le secteur qui les intéresse vraiment.

ARTS, LETTRES ET LANGUES : UN UNIVERS EN SOI

Rien ne vous passionne davantage que quelques poèmes, concerts, spectacles ou œuvres visuelles bien sentis? Les établissements collégiaux offrent un large éventail de choix aux amoureux des arts, des lettres et des langues. Comme celle des sciences humaines, cette branche présente le plus grand nombre d'options, cinq au total : Cinéma et Communications, Arts visuels, Lettres, Langues et, finalement, Arts d'interprétation.

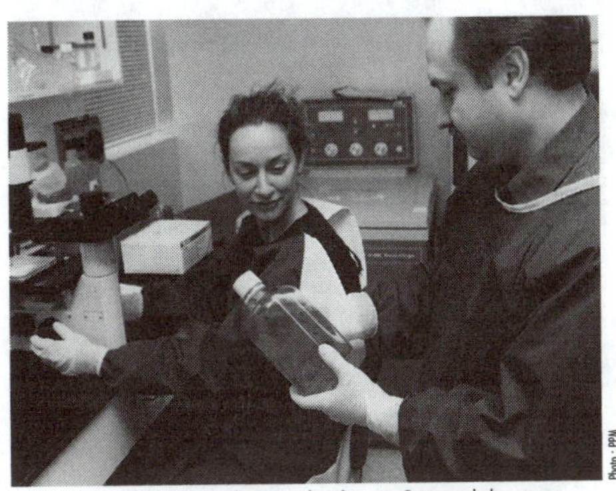

Photo : PPM

Dans les collèges, on est d'avis que les élèves en Sciences de la nature sont plus nombreux à opter pour des formation universitaires comme la biologie et la médecine vétérinaire.

L'option Cinéma et Communications permet aux intéressés d'approfondir l'univers du septième art et des médias, pour s'orienter principalement, à l'université, vers le cinéma ou le journalisme.

Axée sur la création artistique et l'histoire de l'art, la voie Arts visuels prépare bon nombre d'élèves aux formations universitaires du même type.

Les DEC en Sciences de la nature devraient être réservés aux vrais amateurs. Beaucoup se pénalisent en ne performant pas aussi bien qu'ils le pourraient dans le secteur qui les intéresse vraiment.

S'intéressant plus particulièrement aux arts et lettres, l'orientation Lettres attire les adeptes de la langue française. Plusieurs cours de littérature et de création littéraire sont au menu, et le tout mène très souvent à un baccalauréat en littérature ou, quelquefois, en journalisme.

Proches cousines des arts et des lettres, les Langues constituent le quatrième cheminement de cette branche. L'apprentissage de l'espagnol, de l'anglais et de l'allemand jalonne généralement ce parcours. La traduction, la littérature, les communications et l'enseignement d'une langue seconde semblent être, par la suite, les options privilégiées des diplômés.

Photo : SON

Certains collèges québécois offrent également une formation préuniversitaire en musique, en danse et en arts plastiques.

Le cinquième et dernier choix, Arts d'interprétation, s'attarde à l'univers de la scène, plus particulièrement le théâtre. Une formation d'intérêt, si l'idée de devenir interprète ou comédien vous sourit.

Le baccalauréat international connaît une popularité grandissante. Accessible dans une dizaine d'établissements, son contenu s'inspire autant des sciences humaines que des sciences de la nature.

Notez que ces cinq cheminements du secteur arts, lettres et langues varient considérablement d'un établissement à l'autre. Dans chaque cas, le diplôme décerné demeure le DEC en arts et lettres.

Toujours dans le domaine des arts, certains collèges québécois offrent également une formation préuniversitaire en musique, en danse et en arts plastiques. Ces programmes mettent alors l'accent sur le développement des habiletés techniques, la création et l'histoire propres à la discipline.

FAIRE BANDE À PART

La chimie vous fascine et la musique vous stimule? Entre ces deux disciplines, votre cœur balance? Depuis quelques années, de plus en plus d'établissements d'enseignement proposent des programmes préuniversitaires doubles, menant à l'obtention de deux diplômes, à l'intérieur d'une période de trois ans.

Au total, 11 programmes de ce genre sont offerts un peu partout au Québec. Les «duos» sont diversifiés : musique et sciences humaines, arts et sciences de la nature, etc. Suivant la même logique, un programme en sciences, lettres et arts est aussi offert par 12 établissements du réseau collégial.

Autre exception, le baccalauréat international connaît une popularité grandissante. Accessible dans une dizaine d'établissements, son contenu s'inspire autant des sciences humaines que des sciences de la nature. Les élèves y acquièrent une solide connaissance de l'anglais et, parfois même, d'autres langues. L'engagement dans la communauté est l'une des «matières» enseignées. En effet, l'élève doit consacrer plusieurs heures à des activités bénévoles, créditées. La possibilité de suivre une formation universitaire à l'étranger caractérise également ce programme, réputé pour être très exigeant. ◉

Apprendre à 200 km/h...

Par Kareen Quesada

Obtenir un diplôme d'études collégiales (DEC) et un baccalauréat universitaire (bac) en quatre ans d'études au lieu de six, voilà une aubaine! Économie de temps, certes, mais pas d'énergie! Les élèves du DEC-bac intégré doivent être bien préparés, car l'apprentissage est de type Formule 1, et le droit à l'erreur, presque nul.

Formation hybride combinant les enseignements collégial et universitaire, le programme DEC-bac intègre, en quatre ans, l'ensemble des connaissances habituellement acquises au cours d'une formation collégiale technique et d'un baccalauréat. Dans un cheminement normal d'études, l'élève obtient généralement ces deux diplômes au terme de six années.

Comment réussit-on à condenser six années d'études en seulement quatre? «On récupère une première année en éliminant les chevauchements de cours. Puis, on en gagne une deuxième en réorganisant le calendrier scolaire», explique Louise Cloutier, agente d'information au Campus Notre-Dame-de-Foy, le premier collège québécois à s'être lancé dans «l'aventure DEC-bac», en 1998.

Actuellement, les programmes DEC-bac sont majoritairement offerts en techniques administratives ou dans les options connexes.

PLAN DE COURS MODIFIÉ

Actuellement, les programmes DEC-bac sont majoritairement offerts en techniques administratives ou dans les options connexes (finances, comptabilité, gestion des services financiers, etc.). Toutefois, quelques établissements devraient commencer à le proposer en soins infirmiers. (Pour plus de détails, consultez le Tableau de l'offre des programmes inséré dans cette publication.)

Pour être admis, l'élève doit avoir réussi son cours de mathématiques 436 et posséder une moyenne scolaire variant, selon les exigences des établissements d'enseignement concernés, entre 70 % et 80 %. Cependant, vu l'intensité de ce parcours particulier, l'élève qui a réussi le cours de mathématiques 536 sera généralement privilégié au moment de la sélection.

À quelques différences près, la formule est la même dans la douzaine d'établissements où elle est offerte. L'élève termine d'abord deux années d'études collégiales. Puis, alors qu'il achève ses cours directement liés à sa formation technique, il suit les cours de formation générale tels que français et philosophie. Dans la plupart des établissements, l'élève se retrouve dans un groupe restreint, le même tout au long de ses études collégiales.

Une fois cette étape terminée, le candidat fait son entrée à l'université, où il complète deux années d'études. «Au cours de la première année, il termine son DEC et commence son baccalauréat», explique Francine Rancourt, directrice du module des sciences de l'administration de l'Université du Québec à Hull (UQAH). Dès la fin de cette première année, il reçoit son diplôme d'études collégiales en formation technique. La deuxième année d'études universitaires lui permettra de décrocher son baccalauréat.

UN RYTHME EFFRÉNÉ

Pour réussir ce parcours intensif avec brio, les élèves doivent retrousser leurs manches. Au Campus Notre-Dame-de-Foy, ceux inscrits en administration des affaires étudient toute l'année, exception faite des deux mois de vacances, l'été. Trois sessions, ou modules, de 12 semaines divisent l'année scolaire. Les élèves se retrouvent donc à enchaîner les trimestres d'automne, d'hiver et d'été, à raison de cinq cours par session.

«J'avoue que les fins de session sont ardues. À la fin de ma quatrième session, j'ai dû prendre trois jours de congé pour me changer les idées!» explique Sylvain Houle, élève de deuxième année en administration des affaires au Campus Notre-Dame-de-Foy.

À l'université, la cadence accélère. À l'UQAH par exemple, les sessions d'automne, d'hiver et d'été se succèdent encore, et l'élève n'a que deux semaines de vacances pour souffler avant la rentrée d'automne. Toutefois, il peut aussi décider de suivre quatre sessions étalées sur deux ans.

«Tous nos élèves ont cependant choisi le cheminement accéléré, explique Francine Rancourt. Les avantages de terminer rapidement les études l'emportent sur l'importante charge de travail.»

«Nous étions 40 élèves au début de la formation et, aujourd'hui, nous ne sommes plus que 15. Certains abandonnent à cause de la vitesse d'apprentissage.»

— Simon Houle, élève

Les principaux avantages du DEC-bac sont évidents : l'élève économise du temps et de l'argent. «Je m'épargne deux années d'études, ce qui réduira au bout du compte le montant total de prêts d'études accumulés. Le temps que je gagne en étudiant à un rythme accéléré, je le récupérerai en temps rémunéré, une fois sur le marché du travail», affirme Sylvain Houle.

De plus, combinées à des stages en entreprises, les solides connaissances acquises, tant au collège qu'à l'université, assurent une formation presque à toute épreuve.

Où s'offre le DEC-bac?

Voici la liste des établissements d'enseignement ayant confirmé offrir un programme DEC-bac intégré pour l'année scolaire 2001-2002.

Établissements d'enseignement collégial
- Cégep de Chicoutimi
- Cégep de Jonquière
- Cégep de Lévis-Lauzon
- Cégep de Matane
- Cégep de Sainte-Foy
- Cégep de Trois-Rivières
- Collège de Lévis
- Collège de Limoilou
- Collège François-Xavier-Garneau
- Séminaire de Sherbrooke

Établissements d'enseignement universitaire
- Université du Québec à Hull
- Université du Québec à Rimouski
- Université du Québec à Trois-Rivières

Attention : cette liste est sujette à changement. D'autres collèges et universités peuvent aussi se préparer à offrir cette formule. Renseignez-vous auprès de votre établissement d'enseignement.

Photo : Courtoisie UQTR

Pour réussir ce parcours intensif avec brio, les élèves doivent retrousser leurs manches.

QUE LE MEILLEUR GAGNE

Avantage pour certains, écueil pour d'autres, le cheminement rapide imposé dans le DEC-bac ne sied pas à tous. «Il faut être déterminé ▷

et se montrer disponible à faire des études accélérées. Un élève ayant une capacité d'apprentissage moyenne aura de la difficulté à garder le rythme», explique Réal Denis, aide pédagogique au Cégep de Trois-Rivières.

Photo : Courtoisie UQTR

Les diplômés qui franchissent la ligne d'arrivée ont un atout de taille pour impressionner les employeurs potentiels.

Simon Houle partage cet avis. «Ce type de cheminement ne convient pas à tout le monde. Nous étions 40 élèves au début de la formation et, aujourd'hui, nous ne sommes plus que 15. Certains abandonnent à cause de la vitesse d'apprentissage.»

Cet établissement offre le DEC-bac en techniques administratives, option finances. «Les élèves n'ont pas beaucoup d'heures de loisirs et travaillent sous pression. De plus, ils n'ont pas vraiment le droit à l'échec. Si l'élève échoue un cours, il devra le reprendre, ce qui ralentira la cadence de ses études. Dans ces circonstances, les études accélérées ne sont plus vraiment pertinentes pour cet élève», poursuit Réal Denis.

Selon Robert Paré, directeur général du Campus de Lévis de l'Université du Québec à Trois-Rivières, certaines qualités et aptitudes sont essentielles pour obtenir un DEC-bac. «L'élève doit être très motivé, autonome, responsable, et doit maîtriser une vraie discipline de travail.»

Une fois sur le marché du travail, les diplômés du DEC-bac sont-ils avantagés par rapport à leurs confrères issus du cheminement régulier? Difficile à dire pour l'instant. La première cohorte de diplômés d'un DEC-bac a vu le jour en 2001. Certains employeurs se montrent déjà intéressés à les recruter. Il semble que les sortants du DEC-bac en gestion des services financiers, offert au Séminaire de Sherbrooke, sont particulièrement attendus. Ils seront d'excellents conseillers financiers, très au fait des nouvelles réalités du marché du travail et des modifications entraînées par l'entrée de vigueur d'une nouvelle réglementation touchant ce secteur.

Chose certaine, les diplômés qui franchissent la ligne d'arrivée ont un atout de taille pour impressionner les employeurs potentiels. «En plus de prouver que j'ai une bonne capacité d'adaptation, j'aurai établi que je peux travailler rapidement et sous pression», avance Simon Houle, confiant.

Un autre raccourci...

Saviez-vous que 40 % des diplômés issus de la formation collégiale technique poursuivent des études universitaires? Si vous êtes du nombre, voici un raccourci à connaître.

Une passerelle permet désormais aux diplômés de la formation technique de faire créditer dix cours réussis pendant leur formation collégiale. L'élève épargne ainsi une année d'études universitaires.

Cette passerelle est offerte dans des formations spécifiques. Les personnes intéressées peuvent se renseigner auprès de leur établissement d'enseignement.

GUIDE PRATIQUE

DÉVELOPPEZ VOS HABILETÉS POUR L'EMPLOI

Les dix histoires qui suivent (page 42 à 51), tirées de scénarios de la vie de tous les jours, prouvent que les compétences demandées par les employeurs se développent grâce à toutes sortes d'expériences. En lisant, vous découvrirez peut-être que vous avez déjà utilisé plusieurs d'entre elles, dans des situations différentes ou semblables.

Il n'y a pas de recette toute faite pour développer ses habiletés pour l'emploi. L'important est surtout de pouvoir les reconnaître et de se poser quelques questions.

En lisant chaque histoire :

- Pouvez-vous nommer une expérience personnelle où vous avez utilisé une ou plusieurs compétences qui ressemblent à celles décrites?
- Pouvez-vous imaginer une situation ou une activité qui vous aiderait à développer certaines de ces compétences?
- Selon vous, quelles sont les compétences que vous avez déjà mises en pratique et que vous pourriez améliorer?
- Quelles sont les compétences que vous aimeriez développer et comment?

Vous trouverez à la page 52 le résumé de toutes les compétences décrites dans les textes précédents.

Bonne lecture et bonne réflexion!

The Conference Board of Canada

Conception et direction : Mario Charette, c. o. **Rédaction :** Hélène Roy
Ce document est basé sur le guide **Compétences relatives à l'employabilité 2000+**, produit par le **Conference Board du Canada**. Des centaines d'éducateurs et de dirigeants d'entreprise, provenant de tout le Canada, ont participé à sa création. Le guide reflète les attentes des entreprises envers les nouveaux diplômés de tous les niveaux d'enseignement.

À propos du Conference Board du Canada :
Le Conference Board est un organisme de recherche indépendant, sans but lucratif, possédant des filiales à New York, Bruxelles et Ottawa. Sa mission est d'aider ses entreprises-membres à prévoir et à gérer les changements créés par l'économie mondiale. Le Conference Board produit et distribue des études sur les stratégies organisationnelles, les grandes tendances économiques et sociales et les politiques gouvernementales. Depuis 1954, le Conference Board se consacre à la recherche de pratiques innovatrices et à la conception de nouvelles stratégies d'affaires. Il fournit à ses membres les informations, l'expertise et les connaissances les plus récentes pour leur permettre de prospérer sur les marchés canadiens et internationaux.

Visitez le site Web du Conference Board à : **http://www.conferenceboard.ca/nbec**

Communiquer

blabla bla
blablabla bla bla bla
bla blabla bla blablabla
bla blablabla blabla
bla blablabla

COMPÉTENCES

NATHALIE ET LES ÉCLAIRS

En vacances au chalet de son oncle pendant l'été, Nathalie voit un orage à la campagne pour la première fois. Elle est très impressionnée, surtout par les grands éclairs qui déchirent constamment le ciel.

Intriguée, Nathalie veut en savoir plus. Qu'est-ce qui produit un éclair? Cette question lui reste dans la tête jusqu'à l'automne et, lorsque le professeur de sciences physiques demande aux élèves d'expliquer un phénomène naturel devant la classe, Nathalie a déjà son sujet.

Pour se préparer, Nathalie doit trouver, lire et comprendre de l'information.

Nathalie se lance dans une recherche; elle fouille dans Internet et dans des encyclopédies. Après avoir organisé l'information par thèmes et l'avoir résumée, elle crée une présentation de 10 minutes avec un logiciel courant.

Nathalie utilise du matériel à la fine pointe de la technologie pour présenter ses découvertes. Elle organise l'information dans un ordre logique et donne des exemples pour que tout le monde puisse comprendre.

En classe, Nathalie utilise l'ordinateur lié à Internet et le projecteur numérique. En se servant de sa recherche, elle explique d'abord qu'un éclair est une décharge électrique visible produite par la rencontre de charges positives et négatives dans un nuage, ou entre un nuage et le sol. Avec la vidéo d'une tempête sur l'écran (téléchargée d'Internet), elle souligne que la décharge électrique maximale est de 20 000 ampères et que sa température moyenne est de 30 000 °C.

Pour rendre sa présentation plus précise, Nathalie se sert de sa recherche et y inclut des connaissances du monde des sciences.

Elle précise ensuite que les éclairs proviennent de nuages nommés cumulonimbus. Grâce à des dessins, elle montre à quoi ils ressemblent et explique comment les distinguer des autres nuages. Elle décrit aussi ce qu'est le tonnerre, ce bruit que produit un éclair quand il surchauffe l'air subitement.

Parce qu'elle est bien préparée, Nathalie peut faire face aux questions et en poser lorsqu'elle ne connaît pas les réponses.

Un élève lui demande pourquoi on entend le tonnerre après avoir vu l'éclair. Grâce à sa recherche, Nathalie peut lui répondre que la lumière de l'éclair se déplace beaucoup plus vite que le bruit du tonnerre. Elle demande ensuite au professeur de donner les valeurs de vitesse exactes. ◎

Votre histoire

Avez-vous déjà utilisé certaines de ces compétences? Comment ça s'est passé? Pouvez-vous donner un nom à cette expérience?

Gérer l'information

LE MORDU!

Simon est un mordu de hockey. Son joueur préféré : Saku Koivu, d'origine finlandaise et capitaine des Canadiens de Montréal depuis 1995.

COMPÉTENCES

Simon a décidé de se constituer une base de données personnelle sur le joueur. D'abord, il numérise les documents imprimés et les photos de Koivu qu'il découpe dans les journaux et les magazines spécialisés. Il visite régulièrement le site canadiens.com pour avoir les dernières nouvelles qui le concernent. Il consulte les sites spécialisés, en français et parfois en anglais, qu'il trouve à l'aide de moteurs de recherche et de grands répertoires dans le Web. Il a même déniché un cédérom des Canadiens pour mieux connaître l'histoire du club.

Simon sait où et comment chercher l'information qui l'intéresse. Il sait aussi utiliser les nouvelles technologies pour l'aider dans ce travail.

Simon décide d'organiser sa base de données selon ces thèmes :
- les informations générales sur Koivu;
- les renseignements personnels comme les goûts de la vedette en matière de musique, de cinéma, etc.;
- les faits saillants de sa carrière;
- les nouvelles.

Pour chaque thème, il ajoute des photos. Puis, il crée un cédérom en y intégrant de la musique.

Il est capable de regrouper les renseignements selon des sujets ou des thèmes choisis.

Simon présente son travail à son cousin Pierre. Il lui explique l'importance de savoir lire correctement les statistiques au hockey. «Par exemple, durant la saison 2000-2001, Koivu a accumulé le plus grand nombre de points chez les joueurs des Canadiens, à égalité avec un autre joueur. Mais Koivu a compté ses points en 54 matchs, comparativement à son coéquipier, qui a réalisé la même performance en 81 parties. C'est bien différent.»

Simon se sert de connaissances mathématiques liées à ses champs d'intérêt.

«Sais-tu d'où vient le H qui se trouve sur le chandail des Canadiens? poursuit Simon. Du mot Habs, utilisé par les anglophones pour parler des joueurs de ce club.» Les cousins passent la soirée à regarder le cédérom de Simon et à visiter des sites à la recherche de nouvelles informations. ◎

Simon utilise ses connaissances de l'histoire et des langues qui sont liées à ses champs d'intérêt.

Votre histoire

Avez-vous déjà utilisé certaines de ces compétences? Comment ça s'est passé? Pouvez-vous donner un nom à cette expérience?

Utiliser les chiffres

COMPÉTENCES

LE JUSTE PRIX

Lan vient de décrocher son premier vrai emploi. Il rêve de pouvoir enfin s'offrir LA chaîne audio qui comblera sa passion pour la musique. Il s'est déjà renseigné sur les prix : 6 000 $ pour la chaîne haut de gamme munie de haut-parleurs de qualité professionnelle qu'il lorgne depuis plusieurs mois; 2 500 $ pour une autre chaîne qu'il a examinée et qui lui semble intéressante. «Laquelle puis-je me payer?» se demande-t-il. À l'aide de calculs, il décide d'étudier les possibilités pour prendre une décision finale.

Lan démontre qu'il est capable de déterminer ce qui doit être calculé.

Comme Lan devra emprunter, il commence par consulter les sites des banques pour vérifier les taux d'intérêt en vigueur.

Lan se sert des outils et des méthodes qui lui permettent d'obtenir les données dont il a besoin. Il sait faire des estimations à l'aide des chiffres et vérifier ses calculs.

Une fois les taux connus, il utilise la calculette d'emprunt dans le site www.consommateur.qc.ca. «Si j'emprunte 6 000 $ sur un an, à un taux d'intérêt de 9,15 %, mes versements mensuels seront de 525 $, et le coût total des intérêts atteindra 300 $, remarque-t-il. Sur deux ans, le taux bancaire se chiffre à 9,65 % pour un versement de 275 $ par mois. Total de mon coût d'emprunt : 600 $.»

Lan se donne des critères qui lui permettront de prendre une décision basée sur les calculs.

Avec la calculette, Lan effectue les mêmes opérations pour un emprunt de 2 500 $, ce qui donne, bien sûr, des coûts beaucoup plus raisonnables. Mais peut-il se permettre la chaîne la plus chère? «Prenons le problème autrement, se dit-il. Quel montant et quel terme me conviendraient le mieux?» Il serait plus à l'aise avec des paiements mensuels de 225 $ échelonnés sur deux ans. Il se sert de nouveau de sa calculette et arrive à la possibilité d'un emprunt de 4 893 $; coût des intérêts : 507 $. «Ça implique que je devrai me servir de mes économies pour combler la différence.»

Lan démontre qu'il peut mettre en mémoire les calculs qu'il a effectués à l'aide d'un outil approprié.

Afin de suivre de près ses mensualités, c'est-à-dire le montant payé chaque mois en capital et en intérêts, Lan établit une grille d'emprunt. Il pourra également savoir combien il aurait à débourser pour liquider son emprunt avant terme. Lan aura sa super chaîne audio, sans «se mettre dans le rouge».

Votre histoire

Avez-vous déjà utilisé certaines de ces compétences? Comment ça s'est passé? Pouvez-vous donner un nom à cette expérience?

Réfléchir et résoudre des problèmes

POUR ÉVITER L'ÉCHEC!

COMPÉTENCES

À l'âge de 12 ans, Odile a rendu visite à son cousin hospitalisé. Depuis, elle rêve de devenir médecin. Elle étudie maintenant au cégep en sciences. Odile a obtenu de très bonnes notes l'an dernier en chimie et en biologie. Mais cet automne, elle semble avoir perdu la motivation que lui donnait son rêve : elle remet ses travaux en retard et ses notes baissent.

Odile démontre qu'elle peut évaluer sa situation et reconnaître la présence d'un problème. Elle peut rechercher divers points de vue sur les raisons de son problème et les évaluer.

«Qu'est-ce qui m'arrive?» se demande-t-elle en recevant les résultats décevants de son dernier examen de biologie. «Les cours sont-ils trop difficiles pour moi?» Prise de panique, elle en discute avec ses deux meilleures copines. Elles lui font remarquer qu'elle est distraite durant les cours et qu'elle a l'air fatigué.

Avec de l'aide, Odile examine les divers aspects du problème et se montre capable de définir précisément ce qui lui arrive.

Elle se tourne aussi vers son grand frère, en qui elle a confiance. Elle lui demande de l'aider à trouver une solution pour éviter l'échec. Stéphane lui demande de décrire son emploi du temps. Le programme en sciences pures est très exigeant : 35 heures de cours et de labo par semaine. De plus, Odile devrait consacrer de trois à quatre heures par jour aux travaux scolaires. Pourtant, elle sort plusieurs fois par semaine et rentre souvent tard. Par ailleurs, pour augmenter son argent de poche, Odile travaille 20 heures par semaine dans un restaurant. Son emploi du temps est simplement trop chargé. «Mon année est compromise», pense-t-elle au bord des larmes.

En discutant avec Stéphane, Odile cherche des solutions créatives. Elle est capable de décider des solutions à adopter et sait utiliser des stratégies pour résoudre son problème.

Son frère tente de la rassurer. «On peut trouver des solutions», dit-il. Après avoir discuté de plusieurs possibilités, les deux finissent par s'entendre. Odile n'a pas d'autre choix que de réduire ses sorties du soir et de quitter son travail de façon à se consacrer entièrement à ses études. Son frère lui propose de déterminer les matières dans lesquelles elle a le plus de retard et de leur donner davantage de place dans son horaire. Un tuteur pourra l'aider à rattraper le retard. Odile reprend courage. ◎

Votre histoire

Avez-vous déjà utilisé certaines de ces compétences? Comment ça s'est passé? Pouvez-vous donner un nom à cette expérience?

Démontrer une attitude et des comportements positifs

CHRONIQUE DE SPORT

Étienne est défenseur dans l'équipe de football de son collège. Il aime ce sport, et ses coéquipiers le complimentent souvent sur ses excellentes habiletés de «bloqueur». L'équipe l'apprécie et dépend de lui.

COMPÉTENCES

Récemment, Étienne a rencontré Sophie, la rédactrice en chef du journal du collège. Elle lui parle du journal avec enthousiasme. «Nous avons justement besoin d'un autre collaborateur», dit-elle. Étienne a toujours été attiré par le journalisme et a envie d'accepter. Toutefois, il n'a pas le temps de jouer au foot et de travailler au journal. Sa santé et ses études pourraient en souffrir. Il sait qu'il doit choisir.

Étienne sait garder ses priorités à l'esprit (bien-être, études).

Après une bonne réflexion, Étienne annonce son départ à l'équipe de foot. Plusieurs de ses coéquipiers essaient de le faire changer d'idée, mais Étienne a bien réfléchi et se sent à l'aise avec son choix. Il sait qu'il les déçoit, mais il a confiance en sa décision.

Étienne aborde ici le problème auquel il est confronté de façon franche. Il est honnête avec ses coéquipiers. Il choisit des activités qui l'aident à se sentir bien et à voir l'avenir avec confiance.

Une fois arrivé au journal, Étienne se rend compte que, comme au football, l'équipe est très importante. Sophie a donné à chacun des tâches précises. Il y a les journalistes, les réviseurs, les infographistes et les distributeurs. Chacun doit travailler fort pour publier un bon journal à temps.

Étienne reconnaît la valeur des efforts des autres, tout comme celle de ses propres efforts.

Sophie lui propose d'être le nouveau journaliste sportif. «D'accord, dit Étienne, mais j'aimerais bien en profiter pour en apprendre davantage sur la production d'un journal.» Ainsi, en plus de travailler fort à son premier article, il passe quelques heures avec les infographistes et participe à la mise en pages à l'aide de QuarkXpress.

Étienne fournit les efforts voulus et manifeste de l'intérêt et de l'initiative.

Lorsqu'il voit son article dans le journal, Étienne sait qu'il a fait le bon choix. ◎

Votre histoire

Avez-vous déjà utilisé certaines de ces compétences? Comment ça s'est passé? Pouvez-vous donner un nom à cette expérience?

Être responsable

COMPÉTENCES

LE LAVE-AUTO

Amélie n'oubliera jamais le jour où elle s'est jointe à la chorale; chanter est pour elle un grand plaisir, et elle y consacrerait tout son temps. Elle apprend que la chorale a la possibilité de donner un concert à Québec dans un mois. Mais il faut trouver les fonds nécessaires pour payer une partie des frais du voyage. On décide donc d'organiser un lave-auto dans deux semaines. Amélie accepte de s'occuper de la comptabilité.

Amélie sait se fixer des buts tout en conservant un équilibre entre ses obligations scolaires et ses loisirs. Elle planifie et gère son temps de façon à atteindre ses objectifs.

Le lendemain, elle affronte une tout autre réalité : «Les examens de fin d'année approchent. Je dois donner un bon coup si je veux conserver ma moyenne.» Amélie écrit son horaire : «Si j'étudie tous les matins d'ici aux examens, je réussirai à revoir toutes mes matières. Je pourrai consacrer les deux prochains week-ends à l'organisation du lave-auto et assister aux répétitions supplémentaires de la chorale le soir.» Ce ne sera pas facile mais, si elle respecte son horaire à la lettre, elle y arrivera.

Amélie se rend compte que Brigitte risque d'être déçue, mais elle trouve le moyen de faire face à cette situation rapidement.

Amélie se rappelle soudain qu'elle a promis à Brigitte d'aller camper avec elle et ses parents aux États-Unis dans deux semaines. Elle ne peut plus y aller. Brigitte va être déçue. Elle se rend aussitôt chez son amie pour lui expliquer la situation. «Je me suis engagée envers la chorale, et on compte sur moi.» Les parents de Brigitte promettent d'amener Amélie une autre fois. Les deux filles sont contentes.

Par sa participation à cette activité bénévole, Amélie contribue au bien-être de sa chorale… et de son quartier!

Arrive le jour du lave-auto. Les membres de la chorale s'activent en chantant. Amélie tient la caisse, comptant le nombre de voitures lavées et l'argent recueilli.

En corrigeant rapidement son erreur, Amélie se montre responsable des gestes qu'elle a posés.

De retour à la maison, épuisée mais heureuse, elle reçoit un téléphone de la responsable du lave-auto qui lui dit que la caisse ne balance pas. Elle se précipite aussitôt au local de la chorale. L'énigme est vite résolue, et les profits dépassent les prévisions. La chorale ira à Québec. Mission accomplie. ◎

Votre histoire

Avez-vous déjà utilisé certaines de ces compétences? Comment ça s'est passé? Pouvez-vous donner un nom à cette expérience?

Être flexible

LE DÉPANNEUR

COMPÉTENCES

Comme la majorité des étudiants, Michel voulait travailler à temps partiel. Il a déniché un emploi dans un dépanneur à raison de 15 heures par semaine. Il y travaille seul la plupart du temps.

Michel s'est vu confier plusieurs responsabilités. Il doit s'occuper de la caisse, voir à l'entretien et au fonctionnement d'un appareil à crème glacée et s'assurer que le réfrigérateur est toujours rempli de boissons variées. En plus, son patron lui a demandé de laver les vitres et de faire l'inventaire de certains produits au début de son horaire de travail. Il faut que ces tâches soient terminées avant son arrivée. C'est beaucoup de pain sur la planche!

Michel doit démontrer sa capacité à travailler de façon autonome et à réaliser plusieurs tâches à la fois.

Parfois, Michel sent la panique le gagner. Quand il travaille dans le réfrigérateur, il lui faut quand même surveiller l'entrée, ce qui n'est pas facile. Lorsque des clients entrent, il doit abandonner sa tâche pour pouvoir les servir. Cela prend du temps et il craint toujours de ne pas réussir à tout faire. Il a aussi peur que sa nervosité paraisse et que les clients lui trouvent un «air bête».

Michel fait face à l'incertitude que les changements de situation créent dans son travail. Il doit apprendre à s'adapter à ces changements.

Michel en discute avec son patron, qui lui indique qu'il a installé dans le réfrigérateur une sonnette reliée à la porte d'entrée. Cela lui permettra d'entendre les clients entrer.

Michel trouve l'idée excellente, mais il suggère une autre amélioration : «Je vais fabriquer un petit panneau, que je laisserai près de la caisse lorsque je dois travailler dans le réfrigérateur. J'y inscrirai : «Je vous ai entendu entrer. J'arrive.»

Michel se montre innovateur et capable d'apporter de nouvelles idées pour accomplir son travail et en atteindre les objectifs.

Son patron est d'accord, mais il prévient Michel qu'il devra se diriger rapidement vers la caisse. Michel propose ensuite des améliorations par rapport à la disposition du comptoir, qui permettront d'éviter des pas inutiles et de gagner du temps. C'est au tour du patron de trouver la solution très valable. Ensemble, ils forment une bonne équipe. ◎

Michel sait tirer profit des difficultés et accepter les commentaires sur son travail.

Votre histoire

Avez-vous déjà utilisé certaines de ces compétences? Comment ça s'est passé? Pouvez-vous donner un nom à cette expérience?

Apprendre constamment

COMPÉTENCES

LA CURIEUSE

Aïcha aime beaucoup entendre son oncle François, ingénieur chez Bombardier Aéronautique, parler de son travail. Avec une équipe de spécialistes, il conçoit les ailes d'avion et en supervise la construction. Chaque fois qu'il est en visite à la maison, Aïcha le questionne sur ce sujet.

Un jour, François l'emmène à son club d'aéromodélisme, où des passionnés fabriquent des modèles réduits d'avions, qui volent comme les vrais. Aïcha, piquée par la curiosité, se rend compte que la construction d'avions l'intéresse vraiment et demande à François de lui montrer comment ça fonctionne.

Aïcha démontre clairement son désir d'apprendre.

Aïcha s'inscrit au club. Son but : apprendre à fabriquer son premier avion. Or, même si c'est un appareil miniature, la construction en est compliquée. «Pour construire un avion et le faire voler, lui explique son oncle, il faut connaître plusieurs notions sur les matériaux, la mécanique de vol, les micromoteurs et même sur le pilotage.» Prête à fournir les efforts nécessaires, Aïcha établit un plan de travail avec un instructeur : avec l'aide de François, elle fabriquera d'abord un petit appareil qui fonctionne au moyen d'un ruban de caoutchouc.

Aïcha découvre qu'elle doit d'abord déterminer ce qu'elle a à apprendre et se fixer des objectifs d'apprentissage réalistes.

Aïcha démontre une facilité surprenante à comprendre les notions de physique, mais elle est moins habile de ses mains. Le balsa, un bois léger qu'elle utilise, cède souvent sous la pression. Ses angles de coupe sont parfois mauvais. Patiente, elle recommence à tailler de fines languettes qui serviront à joindre les ailes au fuselage. Son oncle lui donne des trucs pour limiter les dégâts. «J'ai l'intention de devenir aussi habile que toi. Je vais m'exercer», lui dit-elle.

Aïcha reconnaît les difficultés qu'elle éprouve et utilise les occasions d'aller plus loin dans son apprentissage.

Le planeur est terminé et le lancement s'effectue sans problème. Aïcha a réussi la première des étapes qui la mèneront vers la réalisation de son rêve. ◎

Votre histoire

Avez-vous déjà utilisé certaines de ces compétences? Comment ça s'est passé? Pouvez-vous donner un nom à cette expérience?

Travailler avec d'autres

MAUVAISE PASSE...

COMPÉTENCES

Encore une défaite! Quatre d'affilée. Trop, c'est trop! L'équipe de hockey de Martin a le moral à plat. Dans le vestiaire des joueurs, certains reprochent à d'autres de manquer d'habiletés. Puis les premiers sont accusés à leur tour de garder la rondelle pour eux, comme s'ils étaient seuls sur la glace.

Martin se montre capable de définir le problème du groupe. Il se rend compte que les objectifs de l'équipe doivent être clairs.

Comme capitaine, Martin en conclut que les joueurs ont perdu confiance les uns envers les autres. L'entraîneur est d'accord avec lui. Il faut corriger la situation.

Martin comprend que le conflit doit être exprimé si on désire parvenir à une solution. Il accueille les idées de tous les membres de l'équipe. Il respecte aussi la diversité des points de vue, en s'assurant que tous soient entendus.

L'entraîneur et Martin décident d'en discuter avec toute l'équipe au prochain entraînement. Martin dirigera une partie de la rencontre. Dès le début de la discussion, les joueurs recommencent leurs disputes. L'entraîneur a bien dit de ne pas essayer d'éteindre le conflit. Martin laisse plutôt chacun donner son opinion sans être interrompu.

Martin présente son opinion sur le comportement de l'équipe sans attaquer personne et en cherchant à améliorer la situation. Il encourage et motive l'équipe.

Quand tout le monde a fini, l'entraîneur invite Martin à exprimer sa propre opinion. Martin explique que cette dispute montre que les membres de l'équipe ont perdu confiance les uns envers les autres. D'après lui, trouver les coupables de la mauvaise performance de l'équipe est devenu plus important que de jouer au hockey. C'est très difficile, dans ces conditions, d'avoir du plaisir à être ensemble. D'autres joueurs approuvent et proposent qu'on cherche des solutions concrètes. Selon Martin, les Tigres peuvent réussir à bien finir la saison si tout le monde y met du sien pour améliorer le jeu d'équipe.

Martin et l'entraîneur ont réussi ensemble à gérer et à résoudre le conflit au sein de l'équipe.

L'entraîneur explique alors une série d'exercices qui permettront d'améliorer le jeu et d'aider chacun à utiliser ses forces et à réduire ses faiblesses. Le moral revient. Tous se remettent à l'entraînement, encouragés. ◎

Votre histoire

Avez-vous déjà utilisé certaines de ces compétences? Comment ça s'est passé? Pouvez-vous donner un nom à cette expérience?

Participer au projet et aux tâches

SOIR DE BAL

COMPÉTENCES

Un bal de fin d'études, c'est plus que le choix d'une robe ou d'un smoking. Mélanie le sait bien, puisqu'elle a accepté la responsabilité d'organiser le bal de cette année. Un comité de quatre élèves l'épaulera d'ici au 5 juin, date du grand événement.

Mélanie commence par établir des normes de qualité pour la réalisation du projet. Elle démontre sa capacité de le planifier et de le mettre en route. Mélanie prévoit des moments pour revenir sur ce qui a été fait avec son équipe. Ces rencontres permettront ensuite de tester la réalisation du projet.

À la première rencontre, Mélanie leur demande quel genre de bal plairait à tous, selon eux. Les idées sont nombreuses : beaucoup de bonne musique, un grand espace pour danser, de la bonne bouffe, un prix d'entrée raisonnable, etc. Mélanie propose de faire une liste de toutes les tâches à accomplir : réserver une salle, choisir la décoration, installer l'éclairage, négocier avec les traiteurs, trouver un photographe… la liste est longue. Elle répartit les tâches entre tous et le comité décide d'un horaire pour leur réalisation. D'autres rencontres sont alors prévues pour vérifier si tout va bien.

Mélanie sait utiliser l'informatique pour l'aider dans son projet. Elle et son comité démontrent qu'ils sont capables d'améliorer la planification et l'organisation de leur fête.

Mélanie décide d'utiliser l'ordinateur pour créer un tableau. Sur chaque ligne, elle inscrit une des tâches à accomplir, le nom de la personne responsable et la date prévue pour terminer le travail. Elle alloue aussi un montant d'argent à chaque tâche, pour être sûre de ne pas trop dépenser.

À la rencontre suivante, Mélanie présente son budget aux autres membres du comité. Sarah, qui est responsable d'acheter les décorations, lui dit qu'elle n'a pas alloué suffisamment d'argent pour cela. Les décorations désirées coûtent beaucoup plus cher que le montant prévu à cet effet. Louis propose des changements à l'éclairage, ce qui en réduirait les coûts. Mélanie fait la liste de toutes ces suggestions. Il faut adapter la planification pour qu'elle reflète l'information recueillie depuis la dernière rencontre. Le comité s'entend pour apporter des changements au budget, en modifiant les allocations aux diverses tâches. ◎

Mélanie s'adapte aux situations et à l'information changeantes.

Votre histoire

Avez-vous déjà utilisé certaines de ces compétences? Comment ça s'est passé? Pouvez-vous donner un nom à cette expérience?

Synthèse

Dans chacune des histoires précédentes, on présente différentes façons d'utiliser un groupe de compétences dans la vie de tous les jours. Ces compétences sont toutes utiles quand on arrive sur le marché du travail. En pensant à des expériences semblables, cochez ☑ les compétences que vous avez déjà utilisées. Quelles sont celles que vous pourriez améliorer et comment? Relisez l'histoire si vous avez besoin d'inspiration!

COMMUNIQUER (NATHALIE PAGE 42)

- ❑ Lire et comprendre de l'information
- ❑ Écrire et parler afin de favoriser la compréhension
- ❑ Écouter et poser des questions
- ❑ Partager l'information grâce aux technologies
- ❑ Expliquer à l'aide de connaissances du monde des sciences

GÉRER L'INFORMATION (SIMON PAGE 43)

- ❑ Repérer et recueillir de l'information
- ❑ Organiser de l'information
- ❑ Utiliser les technologies de l'information

UTILISER LES CHIFFRES (LAN PAGE 44)

- ❑ Décider de ce qu'il faut calculer et quand
- ❑ Recueillir et sauvegarder des données
- ❑ Faire des calculs, des estimations et les conserver

RÉFLÉCHIR ET RÉSOUDRE DES PROBLÈMES (ODILE PAGE 45)

- ❑ Définir un problème
- ❑ Recueillir divers points de vue sur le problème
- ❑ En reconnaître les dimensions pertinentes (humaines, scientifiques, etc.)
- ❑ Déterminer sa source
- ❑ Rechercher des solutions innovatrices
- ❑ Utiliser des connaissances du monde des sciences pour résoudre des problèmes
- ❑ Évaluer la valeur de diverses solutions possibles
- ❑ Adopter des solutions
- ❑ Vérifier leur efficacité

DÉMONTRER UNE ATTITUDE ET DES COMPORTEMENTS POSITIFS (ÉTIENNE PAGE 46)

- ❑ Bien se sentir dans sa peau, être confiant
- ❑ Aborder les problèmes, les personnes de façon franche et honnête
- ❑ Reconnaître la valeur de son travail et de celui des autres
- ❑ Mettre sa santé en priorité
- ❑ Faire preuve d'initiative et faire des efforts

ÊTRE RESPONSABLE (AMÉLIE PAGE 47)

- ❑ Fixer des buts en conservant son équilibre
- ❑ Planifier et gérer son temps, son argent
- ❑ Évaluer et gérer les risques
- ❑ Se montrer responsable de ses actions
- ❑ Contribuer au bien-être d'un groupe

ÊTRE FLEXIBLE (MICHEL PAGE 48)

- ❑ Travailler de façon autonome
- ❑ Effectuer plus d'une tâche à la fois
- ❑ Découvrir des façons innovatrices de faire le travail
- ❑ Réagir de façon positive aux changements
- ❑ Accepter la rétroaction des autres
- ❑ Savoir faire face à l'incertitude

APPRENDRE CONSTAMMENT (AÏCHA PAGE 49)

- ❑ Vouloir apprendre
- ❑ Évaluer ses propres besoins d'apprentissage
- ❑ Se fixer des objectifs d'apprentissage
- ❑ Déterminer et utiliser diverses occasions d'apprentissage
- ❑ Atteindre ses objectifs d'apprentissage

TRAVAILLER AVEC D'AUTRES (MARTIN PAGE 50)

- ❑ Comprendre le fonctionnement d'un groupe
- ❑ S'assurer que les buts du groupe soient clairs
- ❑ Accueillir et respecter les idées des autres
- ❑ Reconnaître et respecter la diversité des membres du groupe
- ❑ Donner son opinion de façon positive et respectueuse
- ❑ Partager ses informations et son expertise
- ❑ Savoir soutenir et motiver un groupe
- ❑ Comprendre l'importance du conflit
- ❑ Résoudre un conflit

PARTICIPER AU PROJET ET AUX TÂCHES (MÉLANIE PAGE 51)

- ❑ Concevoir un projet, planifier
- ❑ Prévoir des moments pour en vérifier le déroulement
- ❑ Utiliser des normes de qualité
- ❑ Utiliser des outils ou des technologies appropriés au projet
- ❑ S'adapter au changement de circonstances
- ❑ Superviser et améliorer la réalisation des tâches ◎

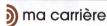

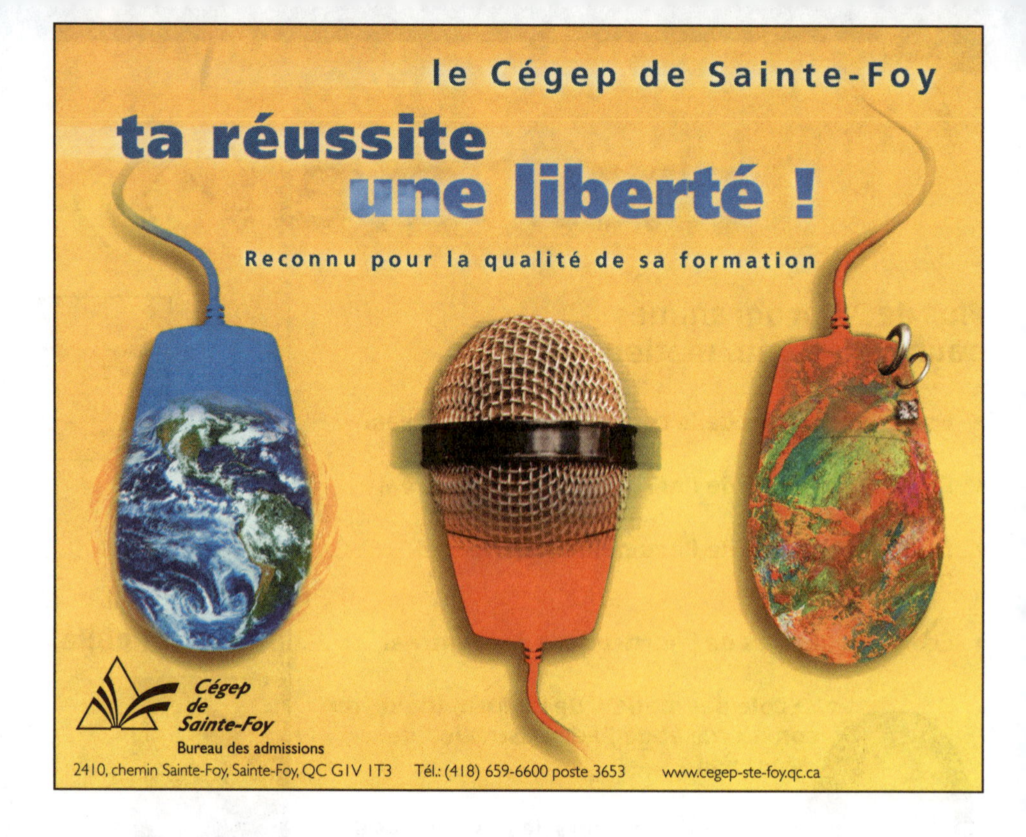

le Cégep de Sainte-Foy
ta réussite
une liberté !
Reconnu pour la qualité de sa formation
Cégep de Sainte-Foy
Bureau des admissions
2410, chemin Sainte-Foy, Sainte-Foy, QC G1V 1T3
Tél.: (418) 659-6600 poste 3653
www.cegep-ste-foy.qc.ca

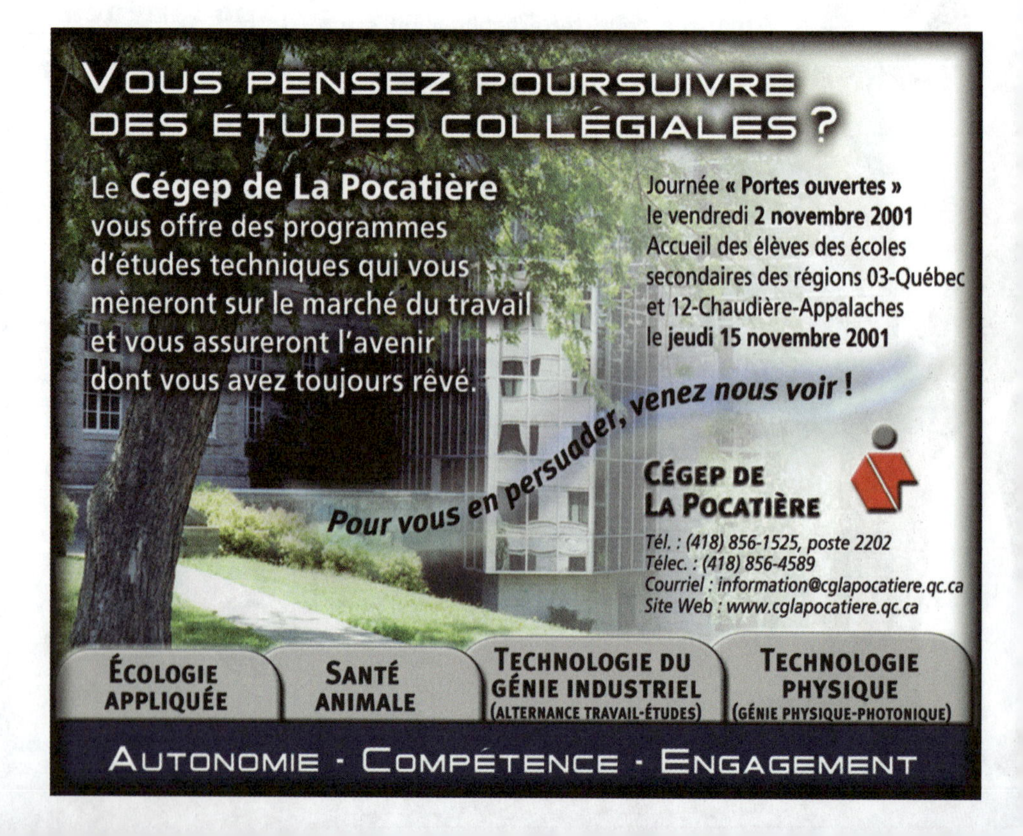

Vous pensez poursuivre des études collégiales ?
Le Cégep de La Pocatière vous offre des programmes d'études techniques qui vous mèneront sur le marché du travail et vous assureront l'avenir dont vous avez toujours rêvé.
Journée « Portes ouvertes » le vendredi 2 novembre 2001
Accueil des élèves des écoles secondaires des régions 03-Québec et 12-Chaudière-Appalaches le jeudi 15 novembre 2001
Pour vous en persuader, venez nous voir !
Cégep de La Pocatière
Tél. : (418) 856-1525, poste 2202
Télec. : (418) 856-4589
Courriel : information@cglapocatiere.qc.ca
Site Web : www.cglapocatiere.qc.ca
Écologie appliquée
Santé animale
Technologie du génie industriel (alternance travail-études)
Technologie physique (génie physique-photonique)
Autonomie · Compétence · Engagement

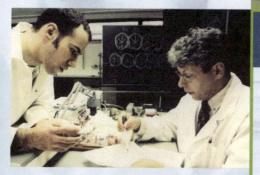

ADMINISTRATION, COMMERCE ET INFORMATIQUE

Une formation en administration, commerce et informatique offre de bons débouchés pour qui sait composer avec l'évolution rapide des technologies et la mondialisation des marchés.

Selon le site Emploi-Avenir Québec de Développement des ressources humaines Canada (DRHC), la forte pénétration de l'informatique dans les organismes publics et dans les entreprises, la complexification des réseaux et la multiplication des applications informatiques devraient entraîner une demande importante de techniciens en informatique, et plus généralement dans les technologies de l'information. On ne prévoit pas de ralentissement dans ce domaine au Québec et au Canada avant 2005.

Dans le domaine des assurances, c'est le développement de créneaux spécialisés qui offrira le plus de possibilités. La demande de services financiers personnalisés, d'assurance-maladie privée et de services d'assurances pour les pays d'outre-mer devrait augmenter et multiplier les ouvertures. Le marché de l'assurance-salaire pour les travailleurs autonomes et les travailleurs à domicile se développe également.

Une formation en administration, commerce et informatique offre de bons débouchés.

Finalement, la demande est également très bonne du côté des institutions financières et bancaires, où la comptabilité informatisée et les échanges informatiques de documents ont remplacé la comptabilité traditionnelle. Selon les données de DRHC, en comptabilité, le taux moyen de placement chez les diplômés en formation professionnelle est de 80 %. Ce taux grimpe à près de 90 % au niveau collégial et frôle les 100 % chez les comptables professionnels. 05/01

INTÉRÊTS

- aime se sentir efficace et responsable
- aime travailler avec les mots ou les chiffres (symboles, langages spécialisés, règles et normes)
- aime utiliser un langage et un support informatiques
- aime analyser, vérifier, classer
- a un grand souci de l'ordre et de l'exactitude

APTITUDES

- au classement (données, chiffres)
- esprit rigoureux, logique et méthodique
- efficacité, fiabilité et rapidité d'exécution
- autonomie, ordre, minutie, souci du détail
- sens de l'organisation et flexibilité (à l'endroit des exigences et des personnes)

LE SAVIEZ-VOUS ?

Le Séminaire de Sherbrooke reçoit en moyenne trois fois plus d'offres d'emploi en administration, option assurances, qu'il n'y a de candidats. Selon Édith Lachance, enseignante, le marché enregistre une pénurie de main-d'œuvre, car il n'y a pas de relève. «Les jeunes entretiennent des préjugés à l'endroit des agents d'assurances. Plusieurs ignorent que les conditions de travail sont très intéressantes.»

Source : *Les carrières d'avenir au Québec*, Le groupe de recherche Ma Carrière, édition 2001.

RESSOURCES INTERNET

DESCRIPTION DES PROGRAMMES DU SECTEUR
http://www.meq.gouv.qc.ca/ens-sup/ens-coll/Cahiers/sect-01.htm
Sur cette page, on trouve une description des programmes du secteur, comprenant les exigences d'admission et un bref résumé de chaque cours. Pour chaque programme, on peut aussi accéder à la liste des établissements qui l'offrent et à la dernière relance de ses diplômés.

WEBFIN.COM
http://webfin.com
Les élèves en finance trouveront ici des nouvelles du monde économique et financier, ainsi qu'une série de liens qui permettent de mieux comprendre l'univers des finances.

CONSEIL DE LA COOPÉRATION DU QUÉBEC
http://www.coopquebec.qc.ca/
Ceux qui s'intéressent au programme d'administration et coopération trouveront dans ce site des informations intéressantes sur les secteurs de l'activité coopérative et des indications sur un programme de stage.

Administration et coopération

Tout comme leurs collègues des finances et du marketing, les diplômés en administration et coopération ont choisi la gestion. Ce qui les distingue? Leurs connaissances des valeurs et des réalités propres aux coopératives. Un avantage non négligeable qui leur permettra d'élargir leur champ d'action.

PROG. 413.01
PRÉALABLE : 11, VOIR PAGE 11

INTÉRÊTS

- aime le défi et la compétition
- aime communiquer, persuader et superviser
- s'intéresse à l'argent, au pouvoir et aux affaires
- aime prendre des décisions et assumer des responsabilités
- aime calculer, évaluer, planifier, organiser et contrôler

APTITUDES

- dynamisme, initiative et leadership
- sens critique et sens de l'organisation
- facilité pour les mathématiques
- bilinguisme et habileté à la communication
- sens de la méthode et objectivité

OFFRE DU PROGRAMME PAR RÉGIONS
Chaudière-Appalaches, Estrie, Mauricie

RÔLE ET TÂCHES

Fille d'entrepreneurs, Caroline Cinq-Mars a depuis toujours été attirée par le monde des affaires. Elle a choisi la formation en administration et coopération surtout parce que cela lui permettrait de toucher à tous les aspects d'une entreprise, de la comptabilité aux finances, en passant par le marketing.

Aujourd'hui titulaire d'un DEC, elle est commis-comptable pour la coopérative agricole Covilac à Nicolet, dans la région de Trois-Rivières. Responsable de la facturation pour la division des engrais et de l'analyse des sols, Caroline voit à ce que chaque produit ou service vendu soit facturé au client. La mise à jour d'une liste de prix qui varient toutes les semaines est également de son ressort. Elle doit aussi fournir aux clients des renseignements concernant les prix et les produits vendus.

Sa tâche étant étroitement liée à une activité saisonnière, Caroline profite de la période plus tranquille pour se consacrer aux relations entre la coopérative et ses sociétaires. Ainsi, elle organisera certaines activités ou réunions d'information avec les membres.

QUALITÉS RECHERCHÉES

Parce que chacune des informations qu'elle traite peut avoir une incidence sur la facture des clients de la coopérative, Caroline est extrêmement méticuleuse et attentive aux détails.

	Salaire hebdo moyen	Proportion de dipl. en emploi	Emploi relié	Chômage	Nombre de diplômés
2000	376 $	52,8 %	83,3 %	0,0 %	48
1999	394 $	45,8 %	85,7 %	15,4 %	32
1998	370 $	57,1 %	90,0 %	0,0 %	30

Statistiques tirées de la Relance - Ministère de l'Éducation. Voir données complémentaires, page 419.

Comment interpréter l'information, page 10.

À l'instar de la majorité des gens en administration, elle œuvre dans une petite entreprise, au sein d'une équipe réduite. En raison de ce contexte, elle considère que les jeunes désirant suivre sa trace se doivent d'être productifs le plus rapidement possible. La débrouillardise et l'esprit d'initiative sont aussi des qualités essentielles.

Le contact avec les clients faisant partie intégrante de ses fonctions, Caroline doit faire preuve de courtoisie et de patience. «Quand un problème survient sur le plan de la facturation, les gens sont rarement contents, dit-elle. Le calme, la diplomatie et l'humour sont alors les seuls alliés possibles.» Enfin, parce que son travail est aussi ponctué de réunions et occupé par l'organisation d'événements mettant à contribution diverses personnes, il lui faut avoir un bon esprit d'équipe et une certaine facilité à communiquer.

Elle a choisi la formation en administration et coopération surtout parce que cela lui permettrait de toucher à tous les aspects d'une entreprise, de la comptabilité aux finances, en passant par le marketing.

DÉFIS ET PERSPECTIVES

Tout comme la majorité des emplois de bureau, le travail du technicien en administration et coopération repose de plus en plus sur l'utilisation de l'informatique et des nouvelles technologies. En fait, selon Lisette Laterreur, professeure et coordonnatrice du programme au Collège Laflèche, les changements survenus sont tels, que l'utilisation des ordinateurs fait désormais partie intégrante de la formation. «Les logiciels de gestion et de comptabilité ont presque complètement remplacé la calculatrice dans les bureaux des commis-comptables», affirme-t-elle. Si une place aussi importante est accordée aux nouvelles technologies, c'est en raison de la complexité et de l'étendue grandissante des responsabilités incombant aux techniciens.

Photo : PPM

Outre l'introduction des nouvelles technologies, les diplômés du programme ont aussi vu leur champ de pratique s'élargir au cours des dernières années. Selon la coordonnatrice du programme, alors qu'ils étaient traditionnellement confinés aux entreprises de nature coopérative, ils sont maintenant de plus en plus nombreux à travailler dans les entreprises privées conventionnelles. «Contrairement à ce que le nom du programme peut faire croire, ils ont la même formation que tous les autres diplômés en administration de niveau collégial. Ils ont même un avantage sur ces derniers, puisqu'ils sont familiers avec les concepts relatifs au monde coopératif.» 03/01

HORAIRES ET MILIEUX DE TRAVAIL

- Les diplômés peuvent trouver du travail dans les petites, moyennes et grandes entreprises privées, de même que dans les coopératives.
- En général, les horaires sont réguliers, soit de 37,5 heures par semaine.
- Il est possible d'avoir à travailler le soir, notamment dans les caisses populaires, et on peut s'attendre à faire des heures supplémentaires en période de pointe.

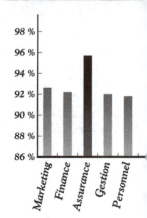

Techniques administratives : assurances

Kim Arsenault est imbattable pour trouver la solution la plus adaptée aux besoins de ses clients! Elle aime son travail et ça se voit. «En tant qu'agente d'assurances de dommages, je dois offrir un service complet aux gens qui me contactent et surtout savoir le leur expliquer», dit-elle.

PROG. 410.12
PRÉALABLE : 11, VOIR PAGE 11

INTÉRÊTS
- aime le contact avec le public
- aime prendre des décisions
- aime assumer des responsabilités
- aime calculer et évaluer

APTITUDES
- sens de la communication
- tact et diplomatie
- patience et force de caractère
- connaissances en informatique
- bilinguisme (atout)

OFFRE DU PROGRAMME PAR RÉGIONS
Chaudière-Appalaches, Estrie, Laval, Montérégie, Montréal-Centre, Québec, Saguenay–Lac-Saint-Jean

RÔLE ET TÂCHES

Kim travaille pour les assurances générales des caisses Desjardins. Elle vend des solutions d'assurances. Elle reçoit des demandes par téléphone ou rencontre les clients à la caisse. Elle établit ensuite des soumissions. «Je dois être très attentive à la description du bien que les clients désirent assurer ainsi qu'à l'usage qu'ils en font, afin de leur proposer une solution qui cadre parfaitement avec la couverture dont ils ont besoin, explique-t-elle. Certaines personnes sont déjà clientes chez nous et m'appellent simplement pour modifier leur contrat parce qu'elles changent de voiture ou qu'elles déménagent.»

L'agent d'assurances doit, bien sûr, connaître sur le bout des doigts les produits et les services offerts par sa compagnie, mais il doit surtout être en mesure de les expliquer à ses interlocuteurs. «Il faut un grand sens de la communication lorsqu'on travaille dans ce domaine, a constaté Kim. Encore davantage dans mon cas, car je suis une agente de remplacement. Je remplace les agents malades ou non disponibles. Ça demande une bonne faculté d'adaptation, car on a à créer des liens rapidement, tant avec le personnel qu'avec la clientèle.»

Si Kim a un rôle de conseillère, elle n'oublie pas pour autant sa mission de vendeuse. «Je ne travaille pas à commission, dit-elle. J'ai un salaire fixe, ce qui me permet d'offrir mes conseils en toute objectivité. Lorsqu'un client est assuré chez un concurrent et que je lui soumets un service équivalent à un prix plus élevé, je n'ai pas de scrupule à lui dire qu'il possède déjà une

	Salaire hebdo moyen	Proportion de dipl. en emploi	Emploi relié	Chômage	Nombre de diplômés
2000	463 $	78,2 %	91,2 %	4,7 %	104
1999	431 $	81,3 %	93,6 %	5,5 %	85
1998	429 $	84,9 %	88,4 %	8,2 %	57

Statistiques tirées de la Relance - Ministère de l'Éducation. Voir données complémentaires, page 419.

Comment interpréter l'information, page 10.

bonne couverture. Les clients veulent qu'on les considère comme des gens intelligents. Ils veulent comprendre les conditions du contrat et les avantages de nos produits. Mon rôle n'est pas de vendre à tout prix, mais de créer un lien de confiance.»

QUALITÉS RECHERCHÉES

Pour réussir dans ce domaine, le technicien doit avoir une bonne aptitude à communiquer et faire preuve de diplomatie. «Quand on fait du service à la clientèle, il faut savoir s'adapter au discours de son interlocuteur, dit Kim. Il faut aussi être très patient lorsqu'on tombe sur un client énervé.»

«Quand on fait du service à la clientèle, il faut savoir s'adapter au discours de son interlocuteur.»

— Kim Arsenault

L'autonomie et le sens des responsabilités sont également nécessaires. «Il faut bien connaître son sujet pour ne pas laisser de questions sans réponse. Lorsqu'un client appelle à la suite d'un sinistre, on doit lui donner la bonne information même si ce n'est pas de notre ressort.» L'agent doit aussi maîtriser l'ordinateur et le programme informatique de sa compagnie pour rédiger des soumissions et gérer les dossiers. Le bilinguisme est un atout très recherché.

DÉFIS ET PERSPECTIVES

Johanne Giguère est coordonnatrice du programme au Cégep de Sainte-Foy. Elle admet qu'un gros travail doit être fait pour améliorer l'image de la profession. «Les jeunes ne rêvent pas de devenir assureurs. Ils imaginent encore l'agent faisant du porte-à-porte. C'est un cliché tenace qui n'a plus rien à voir avec la réalité. Les organismes professionnels font beaucoup d'efforts pour changer cette fausse perception. Ils essaient d'expliquer aux jeunes que l'assurance est aujourd'hui un domaine qui propose d'excellentes conditions de travail, des salaires et des avantages très intéressants ainsi que des missions stimulantes.»

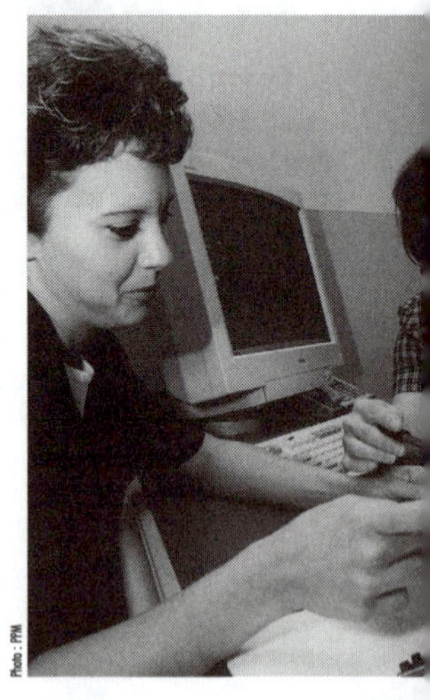
Photo : PPM

La coordonnatrice mentionne que deux voies différentes sont possibles dans ce domaine : l'assurance de dommages et l'assurance de personnes.

Les diplômés entrent généralement au service à la clientèle et accèdent rapidement à des postes de gestion, comme chefs de services ou responsables de petites équipes de vente. Ils peuvent également devenir experts en sinistres ou travailler dans le courtage. 02/01

HORAIRES ET MILIEUX DE TRAVAIL

- Les diplômés sont embauchés comme agents d'assurances, courtiers, souscripteurs ou experts en sinistres.
- Ils travaillent pour des compagnies d'assurances, des bureaux de courtiers, des cabinets d'expertise en règlement de sinistres ou des caisses populaires.
- C'est un milieu de travail très informatisé en raison de la gestion des soumissions et des dossiers.
- Les employés de ce domaine travaillent de jour, selon des horaires de bureau réguliers. Ils peuvent toutefois avoir à rencontrer des clients le soir ou la fin de semaine.

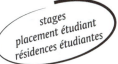

Techniques administratives : commerce international

Bruno Burelle travaille comme agent de relâche chez Livingstone International, une compagnie de courtage en douane. Depuis toujours, il est passionné de commerce international. C'est pour cette raison qu'il a choisi de suivre cette option des techniques administratives.

PROG. 410.12
PRÉALABLE : 11, VOIR PAGE 11

INTÉRÊTS

- aime la vente, le commerce et la négociation
- aime le contact avec les clients
- aime le travail de bureau
- aime les déplacements, les voyages

APTITUDES

- esprit méthodique et sens de l'organisation
- connaissance de l'informatique
- facilité à communiquer et à persuader
- bilinguisme

OFFRE DU PROGRAMME PAR RÉGIONS
Centre-du-Québec, Montréal-Centre, Québec

RÔLE ET TÂCHES

«Livingstone International est la deuxième plus grosse entreprise de courtage en douane au pays, affirme Bruno. Elle aide ses clients à importer ou à exporter des marchandises en respectant les lois, les règlements et les taxes qui régissent le commerce international. J'ai la fonction d'agent de relâche : je fais le relais entre les entreprises qui importent des produits et les services de douane. Mon travail consiste à vérifier si les produits importés par nos clients sont conformes à la réglementation et à communiquer ces informations aux douanes afin que celles-ci laissent entrer la marchandise sur le territoire.» Les agents de relâche sont répartis par secteurs industriels. Bruno est en charge des produits agricoles. «C'est le domaine qui comporte le plus d'exigences et où il est le plus difficile de faire passer les produits. Mes clients travaillent dans le domaine agroalimentaire. Ils m'envoient par télécopieur la description de leur commande et de leur fournisseur et m'indiquent quel sera le point d'entrée de la marchandise sur le territoire. Je compile ces données et je les communique ensuite par ordinateur aux douanes canadiennes.»

Bruno considère que ce n'est pas un travail pour ceux qui veulent perdre leur temps... «Je dois veiller à ce que les avions ne soient pas retardés, à ce que les camions passent et que les bateaux ou les trains ne soient pas bloqués à quai, explique-t-il. Je traite ainsi une trentaine de dossiers par jour. Et les problèmes sont fréquents.» Ainsi, il arrive régulièrement que les douanes refusent l'entrée d'une cargaison. C'est Bruno qui doit alors se démener pour faire relâcher la marchandise du client.

	Salaire hebdo moyen	Proportion de dipl. en emploi	Emploi relié	Chômage	Nombre de diplômés
2000	n/d	n/d	n/d	n/d	n/d
1999	n/d	n/d	n/d	n/d	n/d
1998	n/d	n/d	n/d	n/d	n/d

Statistiques tirées de la Relance - Ministère de l'Éducation. Voir données complémentaires, page 419.

Comment interpréter l'information, page 10.

QUALITÉS RECHERCHÉES

Avec la mondialisation des marchés et les différents accords de libre-échange, le commerce international est passé à la vitesse supérieure. «Il faut être extrêmement organisé et débrouillard dans ce milieu, dit Bruno. On jongle avec les transactions, les devises et les règlements en matière d'import-export. Dans ce domaine, le temps, c'est vraiment de l'argent.»

Qu'ils fassent de la vente ou du service à la clientèle, les diplômés en commerce international doivent faire preuve d'un bon sens du contact. «Quand un client t'appelle en criant pour faire débloquer sa marchandise alors qu'elle n'est même pas encore passée en douane, il faut savoir garder son calme et être très diplomate.»

La compagnie aide ses clients à importer ou à exporter des marchandises en respectant les lois, les règlements et les taxes qui régissent le commerce international.

Le travail étant presque entièrement géré par ordinateur, le diplômé devra être à l'aise avec l'informatique pour rester autonome. Il doit également se tenir constamment au courant des dernières réglementations concernant les produits ou des derniers pays placés sous embargo. La maîtrise de l'anglais est obligatoire.

DÉFIS ET PERSPECTIVES

«Le principal défi des diplômés en commerce international est de se faire connaître auprès d'employeurs potentiels», estime Gérard-Philippe Réhayem, qui enseigne dans ce programme au Collège de Rosemont.

Photo : PPM

M. Réhayem considère que l'avenir se trouve auprès des petites et moyennes entreprises qui font désormais du commerce international. Selon lui, c'est un segment où les diplômés du programme peuvent faire valoir leurs compétences ainsi que leur productivité et sortir gagnants d'une comparaison avec des employés formés à l'interne.

«Dans l'import-export, il leur faudra mettre à l'épreuve leur esprit d'initiative, leur capacité à analyser l'information et à gérer les imprévus. Les transactions internationales sont soumises à des impondérables qu'il faut aborder avec sang-froid.»

M. Réhayem ajoute que ceux qui désirent compléter l'aspect opérationnel du DEC par une vision plus stratégique du métier peuvent poursuivre leurs études en commerce international à l'université. 03/01

HORAIRES ET MILIEUX DE TRAVAIL

- Les diplômés de ce secteur peuvent être employés par des compagnies marchandes ou de services.
- Ils font de la vente, de la recherche de fournisseurs, du courtage en douane, du soutien technique à la transaction.
- C'est un milieu de travail informatisé et polyglotte.
- Le travail de bureau s'effectue selon des horaires réguliers.
- Il est possible que l'on doive travailler le soir ou les jours fériés, pour des raisons de décalage horaire ou de service à la clientèle.

Techniques administratives : finance

Karine Plante est technicienne en administration chez Résidences Pro-Fab, une entreprise fabriquant des maisons préusinées. «Grâce à ma formation en finance, je possède les compétences nécessaires pour traiter les aspects comptables de la compagnie. Pour les amateurs de chiffres, c'est vraiment l'emploi parfait.»

PROG. 410.12
PRÉALABLE : 11, VOIR PAGE 11

INTÉRÊTS

- aime la comptabilité, la fiscalité, l'administration et l'organisation du travail
- aime le travail de bureau et le contact avec le public
- aime travailler sur support informatique
- aime prendre des décisions et des responsabilités

APTITUDES

- habileté en mathématiques
- esprit méthodique et d'analyse
- facilité pour la communication
- autonomie
- connaissances de l'informatique et de l'anglais

OFFRE DU PROGRAMME PAR RÉGIONS
Abitibi-Témiscamingue, Bas-Saint-Laurent, Centre-du-Québec, Chaudière-Appalaches, Côte-Nord, Estrie, Gaspésie–Îles-de-la-Madeleine, Lanaudière, Laurentides, Laval, Mauricie, Montérégie, Montréal-Centre, Outaouais, Québec, Saguenay–Lac-Saint-Jean

RÔLE ET TÂCHES

Les techniciens en finance ont plusieurs cordes à leur arc. Leur mission est généralement de veiller à l'enregistrement et à l'analyse des opérations financières des entreprises. Cela couvre les domaines de la comptabilité, de la fiscalité et de l'administration. «C'est mon attrait pour la finance qui a motivé le choix de cette option à l'issue de ma deuxième année en techniques administratives, explique Karine. Il est certain qu'il faut posséder un certain talent en mathématiques si l'on veut poursuivre dans cette voie.»

La jeune femme est aujourd'hui chargée d'effectuer différentes tâches de comptabilité au sein de la compagnie. «Je m'occupe surtout des comptes à payer, précise-t-elle. Je dois m'assurer que les factures sont honorées dans les délais prévus. Je gère également les conciliations bancaires et j'aide au traitement des salaires. À la fin de chaque mois, je procède à la fermeture des livres et à la vérification des comptes.» L'environnement de travail des techniciens en finance est entièrement informatisé. «On me demande parfois de rédiger des rapports sur les comptes ou les états financiers. J'utilise alors les logiciels de comptabilité, de traitement de texte ou les tableurs qui conviennent pour réaliser ces documents, explique la jeune femme. Les tâches sont finalement assez variées. La complexité et la diversité des problèmes que l'on doit résoudre sont, pour moi, le meilleur remède contre la routine.»

QUALITÉS RECHERCHÉES

Le technicien en finance doit être très rigoureux. Cette rigueur demande au diplômé beaucoup de méthode, de minutie et d'organisation. Une bonne

	Salaire hebdo moyen	Proportion de dipl. en emploi	Emploi relié	Chômage	Nombre de diplômés
2000	409 $	50,1 %	76,6 %	7,3 %	1 047
1999	408 $	57,1 %	74,3 %	7,7 %	1 021
1998	398 $	59,4 %	76,8 %	8,2 %	770

Statistiques tirées de la Relance - Ministère de l'Éducation. Voir données complémentaires, page 419.

Comment interpréter l'information, page 10.

dose de persévérance est également utile quand il s'agit de dénicher l'erreur qui s'est glissée dans un bilan.

Bien que ces techniciens doivent être autonomes, ils n'ont pas pour autant l'habitude de travailler seuls. Le travail en équipe est de plus en plus répandu et nécessite certains talents de communication. En outre, on exige de leur part une discrétion et un sens éthique irréprochables.

La capacité d'aborder les changements de méthodes ou les évolutions technologiques sera aussi un atout. «Il faut être doté d'une certaine curiosité intellectuelle et savoir s'adapter rapidement, dit Karine. Si la comptabilité n'est pas une discipline très changeante en soi, la façon dont elle est mise en place peut varier d'une entreprise à l'autre.»

«Si la comptabilité n'est pas une discipline très changeante en soi, la façon dont elle est mise en place peut varier d'une entreprise à l'autre.»

— Karine Plante

DÉFIS ET PERSPECTIVES

«Environ un tiers des diplômés poursuivent une formation universitaire dans un champ plus spécifique, constate Marie-Claude Deschênes, responsable du programme au Cégep de La Pocatière. Ils s'orientent vers un certificat ou vers un bac en finance, en comptabilité ou même en marketing. Le baccalauréat en administration des affaires leur permet d'accéder au titre de comptable agréé ou de comptable général.» Mme Deschênes ajoute qu'il est essentiel, pour les jeunes diplômés, de suivre une formation continue une fois qu'ils sont en poste. Leurs compétences pourront ainsi évoluer au diapason des changements inévitables touchant leur entreprise ou leurs outils de travail. «Cette faculté d'adaptation sera déterminante pour leur avenir professionnel et pourra faciliter leur évolution de carrière au sein de la compagnie, explique-t-elle. Cette qualité, ajoutée à la curiosité intellectuelle et à beaucoup de persévérance, fait qu'on peut commencer comme commis aux enregistrements comptables, puis gravir les échelons pour accéder à des postes de soutien à la gestion.»

Photo : Cégep de Matane

Selon Mme Deschênes, les PME représentent, pour ce secteur, le plus gros bassin d'emploi. «Celles-ci sont particulièrement intéressées par les techniciens en finance depuis que leurs dirigeants ont réalisé qu'ils maîtrisaient les méthodes d'analyse de coûts et savaient synthétiser et interpréter les données informatisées.» 03/01

HORAIRES ET MILIEUX DE TRAVAIL

- Les techniciens en finance occupent des postes d'aides-comptables, de superviseurs, de gérants ou d'agents de vérification. Ils peuvent avoir quelques personnes à diriger.
- Il est à noter que leur environnement de travail est très informatisé.
- Le travail s'effectue durant les jours de semaine, à des horaires de bureau réguliers.
- Il est possible de faire des heures supplémentaires lorsque l'activité est plus importante.

Techniques administratives : gestion

Isabelle Mayrand gère, organise et planifie toutes les informations concernant les employés de la compagnie américaine Tellabs, installée à Saint-Laurent. «Ça fait moins d'un an que je suis diplômée en techniques administratives, option gestion, et j'ai déjà la passion de ce métier qui n'arrête pas de bouger.»

PROG. 410.12
PRÉALABLE : 11, VOIR PAGE 11

INTÉRÊTS

- aime travailler sur support informatique
- aime la gestion, la comptabilité et le marketing
- aime résoudre des problèmes
- aime le travail de bureau, seul ou en équipe

APTITUDES

- polyvalence, ténacité
- esprit logique et méthodique
- sens de l'organisation
- bilinguisme (atout)
- facilité pour la communication

OFFRE DU PROGRAMME PAR RÉGIONS
Abitibi-Témiscamingue, Bas-Saint-Laurent, Centre-du-Québec, Chaudière-Appalaches, Estrie, Gaspésie—Îles-de-la-Madeleine, Lanaudière, Laurentides, Laval, Mauricie, Montérégie, Montréal-Centre, Outaouais, Québec, Saguenay—Lac-Saint-Jean

RÔLE ET TÂCHES

Les diplômés doivent être polyvalents et pouvoir s'attaquer à des champs aussi variés que la comptabilité, les ressources humaines ou le marketing avant d'aborder la gestion plus spécifique d'un domaine en particulier. «Je me suis toujours beaucoup intéressée à ce qui a trait aux ressources humaines, confie Isabelle. Si c'est un peu par hasard que j'ai suivi une formation en techniques administratives, c'est bien par choix que j'ai accepté ce poste qui m'attirait depuis longtemps.» Le rôle d'Isabelle est aujourd'hui de veiller à la gestion des dossiers des 150 employés de l'entreprise. Elle travaille au service des ressources humaines et s'occupe de mettre à jour toutes les informations relatives à l'embauche, au salaire, au mérite et aux congés des employés. «Je suis un relais important dans l'organisation de l'entreprise, car la quasi-totalité des services dépend de l'information que je communique à mes patrons, explique-t-elle. Il faut que je sois particulièrement attentive à la façon dont je saisis les données, qu'elles concernent un curriculum vitæ ou une fiche de salaire.»

La jeune femme doit également remettre chaque mois des rapports qui permettront aux superviseurs de gérer les résultats de leur personnel. «Contrairement aux idées reçues, mon travail comporte des tâches extrêmement variées, affirme-t-elle. En plus de veiller à la gestion quotidienne des dossiers, je travaille parfois en collaboration avec les recruteurs pour effectuer des demandes de réquisition de personnel auprès de notre siège social. Je dois aussi mettre régulièrement à jour l'organigramme de la compagnie et effectuer toutes sortes d'autres tâches. C'est très intéressant et surtout très stimulant. À preuve, les journées paraissent toujours trop courtes...»

	Salaire hebdo moyen	Proportion de dipl. en emploi	Emploi relié	Chômage	Nombre de diplômés
2000	414 $	67,6 %	65,7 %	7,8 %	232
1999	405 $	67,5 %	72,7 %	1,9 %	207
1998	397 $	63,1 %	64,7 %	10,8 %	180

Statistiques tirées de la Relance - Ministère de l'Éducation. Voir données complémentaires, page 419.

Comment interpréter l'information, page 10.

QUALITÉS RECHERCHÉES

Comme on demande à ces techniciens beaucoup plus que la simple saisie de données, ils doivent posséder bien des qualités, dont un sens très poussé de l'organisation. En effet, planifier quotidiennement un grand nombre de tâches, toutes différentes, requiert la capacité de gérer à la fois son temps et surtout ses priorités. Il faut également être très minutieux pour éviter tout risque d'erreur dans l'interprétation des informations.

Savoir s'adapter, tant aux personnes qu'au matériel, est aussi essentiel. «Pour maîtriser le logiciel SAP, j'ai suivi une formation spéciale à Chicago, raconte Isabelle. Après ça, il ne te reste plus qu'à te lancer!» Des aptitudes en communication sont toujours de mise pour faciliter les échanges fréquents entre les services. Dans certaines compagnies, ou pour certaines spécialités, la connaissance de l'anglais sera considérée comme un atout précieux.

Les diplômés doivent pouvoir s'attaquer à des champs aussi variés que la comptabilité, les ressources humaines ou le marketing avant d'aborder la gestion plus spécifique d'un domaine en particulier.

DÉFIS ET PERSPECTIVES

«L'avantage majeur de l'option gestion est qu'elle procure à l'élève une formation qui demeure très générale et polyvalente, explique Denis Larue, responsable du département des techniques administratives au Cégep André-Laurendeau. Toutes les portes restent donc ouvertes pour les indécis qui voudraient poursuivre à l'université. Actuellement, c'est d'ailleurs le choix de la plupart des diplômés qui se spécialisent dans les domaines de l'informatique, des ressources humaines ou encore du marketing», ajoute-t-il.

Photo : PPM

Les places sont nombreuses dans les petites et moyennes entreprises, qui sont particulièrement attirées par les personnes polyvalentes. «L'esprit pratique et méthodique de ces diplômés, ainsi que leur sens de l'organisation, les destinent à des postes aussi différents que commis-comptable, gérant de rayon, responsable des inventaires ou technicien en gestion informatisée, dit Denis Larue. Les plus tenaces et les plus persévérants pourront même tenter de créer une entreprise, puisqu'une partie de leurs cours s'adressent à tous ceux qui veulent se lancer en affaires.»

Il faut constamment suivre l'évolution des technologies. «L'outil informatique est devenu incontournable, conclut M. Larue. On remarque également une très forte demande d'employés bilingues.» 03/01

HORAIRES ET MILIEUX DE TRAVAIL

- La plupart des diplômés de ce domaine sont employés par les petites et moyennes entreprises.
- Leur milieu de travail est très informatisé.
- Les employés travaillent durant les jours de semaine, selon les horaires réguliers de bureau.
- Les heures supplémentaires sont possibles, mais elles demeurent exceptionnelles.

Techniques administratives : gestion industrielle

«Dans notre métier, nous avons pour mission d'optimiser la production, tant sur le plan des délais que sur celui des coûts», explique la technicienne Jocelyne Asselin. Employée par le Groupe BPR, une entreprise de génie-conseil, elle met son expérience à profit pour planifier des projets d'envergure.

PROG. 410-12
PRÉALABLE : 11, VOIR PAGE 11

INTÉRÊTS
- aime superviser et coordonner des activités de production
- aime résoudre des problèmes
- aime le commerce et la négociation
- aime le contact avec le public et les employés
- aime prendre des décisions et des responsabilités

APTITUDES
- facilité pour le travail sous pression; seul ou en équipe
- capacité de communiquer et de persuader
- sens de l'observation et sens critique
- esprit d'analyse et méthodique
- bilinguisme (atout)

OFFRE DU PROGRAMME PAR RÉGIONS
Chaudière-Appalaches, Montréal-Centre

RÔLE ET TÂCHES

«Dans une compagnie de consultants comme BPR, je dois m'occuper des projets que nous confient les clients, précise Jocelyne. Mon rôle est notamment de diviser ces projets en plusieurs phases. J'en fais d'abord l'estimation, je calcule un budget prévisionnel et je planifie les besoins de main-d'œuvre. Une fois que le projet est lancé, je fais le suivi.» Pour relier ces activités les unes aux autres, Jocelyne Asselin utilise des logiciels conçus spécifiquement à cet effet. Elle compile les données du projet et traite l'information que lui donnent les contremaîtres concernant l'avancement du chantier ou de la production. «À partir de ces éléments, je réalise des projections me servant à optimiser les ressources, explique-t-elle. Si je m'aperçois que les prévisions sont dépassées dans les activités sur le terrain, j'émets un certain nombre de recommandations au client en lui remettant les rapports. Ces analyses et ces simulations permettent de suivre l'évolution des coûts et de prévenir les dépassements possibles.»

De manière générale, les techniciens en gestion industrielle veillent à la planification de la production et à l'organisation des méthodes de travail. Ils doivent éliminer les pertes d'efforts, de temps et d'argent en optimisant la main-d'œuvre, les délais et les coûts. «Je travaille actuellement à un projet pour l'aquarium de Québec, explique Jocelyne. Ils ont besoin d'un bassin pour accueillir des ours polaires. Mon rôle est de prévoir l'ingénierie des nouveaux bâtiments, d'analyser les soumissions, de planifier la relocalisation des animaux pendant les travaux, de gérer les besoins de main-

	Salaire hebdo moyen	Proportion de dipl. en emploi	Emploi relié	Chômage	Nombre de diplômés
2000	511 $	70,4 %	83,3 %	0,0 %	35
1999	450 $	84,2 %	62,5 %	0,0 %	23
1998	446 $	87,1 %	76,0 %	6,9 %	31

Statistiques tirées de la Relance - Ministère de l'Éducation. Voir données complémentaires, page 419.

Comment interpréter l'information, page 10.

d'œuvre, d'établir et de respecter les budgets. C'est un travail aussi passionnant que stressant.»

QUALITÉS RECHERCHÉES

Jocelyne considère que la maîtrise de méthodes de travail rigoureuses est probablement la plus importante des qualités lorsqu'on travaille en gestion industrielle. «Cela nécessite également un certain talent pour la gymnastique intellectuelle, faculté qui permettra d'analyser les échéanciers et de bien visualiser les étapes du projet auquel on travaille», ajoute-t-elle. Le technicien est en contact permanent avec de nombreuses personnes. «Il faut être en mesure de communiquer facilement afin d'exprimer clairement ses recommandations. C'est valable tant à l'oral qu'à l'écrit. On doit aussi pouvoir réagir rapidement aux difficultés qui se présentent. Il y a constamment de nouveaux logiciels pour la gestion du temps et des performances.»

«Si les entreprises manufacturières demeurent les principaux employeurs de nos diplômés, on remarque que le secteur tertiaire offre de plus en plus d'ouvertures.»

— Christian Benoît

DÉFIS ET PERSPECTIVES

Christian Benoît est coordonnateur de la technique au Cégep de Lévis-Lauzon. «Si les entreprises manufacturières demeurent les principaux employeurs de nos diplômés, le secteur tertiaire offre de plus en plus d'ouvertures, dit-il. Des hôpitaux ou des municipalités recrutent pour gérer leurs stocks ou leurs projets. Mais quel que soit le secteur d'activité, c'est plutôt dans les PME que se trouvent les débouchés.» M. Benoît explique que la polyvalence de la formation permet aux diplômés de relever des défis variés. Ainsi, ils peuvent se spécialiser dans la planification de production, dans l'analyse des méthodes de travail ou dans les achats. «La volonté de toujours fournir un meilleur service à la clientèle les dirige également en aval de la production, au contrôle de la qualité ou à la gestion des normes ISO.»

Photo : PPM

Selon lui, les possibilités d'avancement sont très bonnes. «La gestion industrielle est un champ souvent absent ou négligé dans les PME. À mesure que les entreprises se développent, leurs besoins de gestion augmentent. Nos diplômés sont là pour répondre à cette demande et peuvent accéder en quelques années à des postes de directeurs ou de chefs de services. Certains choisissent de compléter leur formation par un certificat universitaire en gestion des opérations, en ressources humaines, en santé et sécurité au travail, en contrôle de la qualité, entre autres.» 02/01

HORAIRES ET MILIEUX DE TRAVAIL

- Les diplômés de ce domaine sont embauchés par les compagnies de biens ou de services qui désirent améliorer leur productivité.
- Ils peuvent aussi travailler pour des bureaux de consultants, faire de l'inspection ou du contrôle de la qualité.
- Le travail se fait les jours de semaine, selon des horaires de bureau réguliers.
- Les heures supplémentaires sont possibles pour certains projets.

Techniques administratives : marketing

Après trois années passées comme foreur-dynamiteur dans le domaine de la construction, Sébastien Bouchard est retourné aux études. Il est aujourd'hui représentant commercial pour Distribution PLP, qui vend du matériel et des pièces détachées au secteur industriel.

PROG. 410.12
PRÉALABLE : 11, VOIR PAGE 11

INTÉRÊTS

- aime les affaires; élaborer des stratégies
- aime décider et assumer des responsabilités
- aime le contact avec le public
- aime superviser et coordonner

APTITUDES

- créativité, polyvalence
- habileté à communiquer et à persuader
- facilité pour le travail en équipe
- motivation
- bilinguisme (atout)

OFFRE DU PROGRAMME PAR RÉGIONS
Bas-Saint-Laurent, Chaudière-Appalaches, Estrie, Lanaudière, Laurentides, Laval, Mauricie, Montérégie, Montréal-Centre, Québec, Saguenay–Lac-Saint-Jean

RÔLE ET TÂCHES

Sébastien sillonne les routes de la province pour offrir à ses clients les produits commercialisés par son entreprise. «Il faut être prêt à passer plusieurs heures par jour au volant de sa voiture pour aller visiter des clients un peu partout à travers son secteur.» Sébastien ajoute qu'il passe généralement deux heures par jour au bureau afin de préparer la journée suivante. À son avis, il est bien d'avoir un bon sens de l'organisation pour planifier efficacement son emploi du temps. Il fait également de la prospection par téléphone et rédige des soumissions. «On ne peut être représentant qu'avec le goût et la passion de la vente, affirme Sébastien. Il faut aimer le contact avec les gens, savoir présenter ses produits et avoir une liste d'arguments toujours prêts à être utilisés. C'est un défi quotidien», affirme-t-il. Après avoir fait le tour de ses clients de la journée, Sébastien repasse toujours au bureau avant de rentrer chez lui. «Tous les soirs, je mets à jour les dossiers de mes nouveaux clients et je communique les bons de commande au contrôleur qui, lui, les transmet aux fournisseurs, explique-t-il. J'en profite également pour répondre aux nombreux messages enregistrés dans ma boîte vocale. C'est un métier qui apporte de grandes satisfactions, mais pour lequel il ne faut vraiment pas compter ses heures.»

QUALITÉS RECHERCHÉES

Qu'ils travaillent en agence ou sur la route, les diplômés en marketing sont avant tout de grands communicateurs. Ils doivent bien sûr aimer les gens et être à l'aise à leur contact. Ils doivent aussi être méthodiques et organisés.

	Salaire hebdo moyen	Proportion de dipl. en emploi	Emploi relié	Chômage	Nombre de diplômés
2000	465 $	47,5 %	63,0 %	7,2 %	287
1999	403 $	50,6 %	63,0 %	5,5 %	230
1998	397 $	53,7 %	65,8 %	8,0 %	170

Statistiques tirées de la Relance - Ministère de l'Éducation. Voir données complémentaires, page 419.

Comment interpréter l'information, page 10.

En raison de la nature de leur travail, il leur faut constamment être en forme, dynamiques, de bonne humeur et enthousiastes. La persévérance est également une qualité qui leur sera des plus utiles. «Il arrive parfois qu'un client te fasse revenir neuf ou dix fois avant d'essayer un seul de tes produits», illustre Sébastien. En outre, les techniciens en marketing ont souvent besoin de formations complémentaires afin de bien connaître les nouveaux produits ou services. Ils doivent être en mesure d'analyser avec précision les besoins de leurs clients s'ils veulent les satisfaire adéquatement. La motivation, la disponibilité et le bilinguisme sont aussi des atouts majeurs.

Qu'ils travaillent en agence ou sur la route, les diplômés en marketing sont avant tout de grands communicateurs.

DÉFIS ET PERSPECTIVES

«Les diplômés en marketing peuvent occuper des catégories d'emplois très différentes, dit Paul-Dominique Gagnon, enseignant en marketing au Cégep de Jonquière. Généralement, ils s'orientent vers trois types de secteurs. La grande majorité d'entre eux sont employés à titre de représentants commerciaux pour des entreprises de biens ou de services. Une autre partie des diplômés occupent des postes de gérants ou de gérants adjoints dans le commerce de détail. Finalement, certains deviennent entrepreneurs et tirent profit de leur formation pour mettre en marché les produits ou les services qu'ils désirent commercialiser.» On songe même à rebaptiser l'option de la façon suivante : «Commerce de détail et entrepreneurship».

Photo : Photodisc

Le diplômé peut également choisir de poursuivre ses études à l'université. «Environ 20 % des jeunes décident ainsi d'étudier en marketing, dit Paul-Dominique Gagnon. Un bac en graphisme ou une formation en design leur permettra, par exemple, de travailler dans le domaine de la publicité. Une chose est sûre, leur formation est très importante.»

M. Gagnon ajoute que le marketing est un domaine extrêmement prometteur pour tous ceux qui aiment les défis personnels et professionnels. «De très bons salaires attendent les représentants commerciaux motivés, dit-il. Avec de l'initiative et un sens bien développé du service à la clientèle, on peut, après quelques années, devenir gestionnaire d'une équipe de vente et accéder à un poste de cadre.» 02/01

HORAIRES ET MILIEUX DE TRAVAIL

- Les représentants passent beaucoup de temps en automobile.
- Leur salaire de base est complété par des commissions et des primes aux résultats.
- L'activité des représentants déborde les horaires de bureau.
- Dans le commerce de détail, ces employés travaillent le soir et les fins de semaine.

Techniques administratives : personnel

Stéphanie Tremblay est technicienne en ressources humaines à la Direction générale Amériques du Cirque du Soleil. «Durant ma formation en techniques administratives, l'option "personnel" m'est apparue comme un choix logique, car les relations humaines ont toujours été pour moi une priorité.»

PROG. 410.12
PRÉALABLE : 11, VOIR PAGE 11

INTÉRÊTS
- aime la planification, l'organisation
- aime le contact avec le public
- aime tout ce qui touche aux ressources humaines
- aime travailler en équipe
- aime le travail de bureau

APTITUDES
- sens de l'organisation
- esprit méthodique
- dynamisme et flexibilité
- diplomatie et grand sens de la communication
- discrétion

OFFRE DU PROGRAMME PAR RÉGIONS
Montréal-Centre

RÔLE ET TÂCHES

Le technicien en personnel est concerné par tout ce qui touche à la gestion des ressources humaines. «J'interviens sur tous les plans du processus de recrutement, explique Stéphanie. Je suis notamment chargée de placer les offres d'emploi dans les journaux. Je dois trouver les forfaits les plus intéressants pour la compagnie et cibler les médias les plus susceptibles de toucher un maximum de candidats.» Stéphanie s'occupe ensuite de faire passer des entrevues aux candidats retenus. «Je contacte aussi les agences de placement afin de pourvoir aux postes temporaires et je prépare notre participation aux différents salons de l'emploi, ajoute-t-elle. J'administre également les tests d'anglais et de français auxquels sont soumises les personnes sélectionnées.» Parmi cet éventail d'activités, c'est le contact avec les gens et la partie relationnelle qui lui plaisent le plus.

Le Cirque du Soleil emploie quelque 2 000 personnes à travers le monde. «C'est une entreprise qui n'arrête pas de se développer avec une centaine de postes à pourvoir chaque année, dit Stéphanie. Je travaille en équipe avec une dizaine de personnes pour répondre à ces besoins. Et c'est sans compter le recrutement des artistes qui est confié à un département bien spécifique.»

QUALITÉS RECHERCHÉES

Les rapports humains sont à la base de l'activité du technicien en personnel. Il lui faut donc avoir des qualités exceptionnelles en matière de communication et de relations interpersonnelles. «C'est un métier où il faut garder

	Salaire hebdo moyen	Proportion de dipl. en emploi	Emploi relié	Chômage	Nombre de diplômés
2000	475 $	78,6 %	50,0 %	8,3 %	17
1999	417 $	68,4 %	58,3 %	0,0 %	25
1998	397 $	57,1 %	42,9 %	11,1 %	14

Statistiques tirées de la Relance - Ministère de l'Éducation. Voir données complémentaires, page 419.

Comment interpréter l'information, page 10.

l'esprit ouvert, être sociable et diplomate.» L'esprit d'initiative n'est pas une qualité superflue. «Lorsque les gens nous quittent de façon inopinée, il faut être capable de les remplacer rapidement, [...] De bonnes connaissances en informatique sont essentielles, ajoute Stéphanie. Je travaille beaucoup sur ordinateur pour consulter notre base de données, recevoir les CV sur messagerie électronique ou vérifier l'affichage des annonces dans le site Internet de la compagnie.» Finalement, la maîtrise de l'anglais est indispensable aux techniciens qui font passer des entrevues.

Les rapports humains sont à la base de l'activité du technicien en personnel.

DÉFIS ET PERSPECTIVES

«À l'issue de leur formation collégiale, environ 50 % des élèves diplômés en option "personnel" poursuivent des études universitaires», explique Christiane Éthier, professeure en techniques administratives au Collège de Maisonneuve. La plupart des programmes de baccalauréat en rapport avec l'administration sont ouverts à ces élèves.

Christiane Éthier est confiante quant aux perspectives d'emploi des diplômés de cette option. «C'est une formation fort utile dans le marché; les employeurs apprécient de plus en plus ces techniciens. Ils ont des compétences très pratiques dans le domaine des ressources humaines, explique-t-elle. On leur confie aussi bien des tâches de recrutement que la réalisation d'enquêtes salariales ou la mise en place de programmes de formation. Ils peuvent calculer le taux d'absentéisme, s'occuper de l'aspect santé et sécurité au travail ou de l'application des conventions collectives. Ce sont également eux qui font l'accueil des nouveaux employés, suivent leurs dossiers et répondent à leurs questions sur les avantages sociaux.»

Photo : PPM

Généralement, les entreprises de plus de 150 employés ont une personne assignée à la gestion des ressources humaines. Et plus les compagnies sont importantes, plus elles emploient de techniciens en personnel. Plus ces derniers, aussi, sont responsables de tâches spécialisées. «Dans les entreprises de moindre importance, j'ai vu certains de mes élèves démarrer des services de ressources humaines entiers, raconte Christiane Éthier. Il y a vraiment dans ce secteur des occasions de carrière très intéressantes pour ceux qui savent s'adapter aux changements rapides.» 03/01

HORAIRES ET MILIEUX DE TRAVAIL

- Les diplômés de ce secteur sont employés par les grandes et moyennes entreprises qui possèdent un service de ressources humaines.
- Ils peuvent devenir techniciens ou agents en ressources humaines, agents en avantages sociaux, techniciens ou agents en recrutement, ou occuper de nombreux autres emplois reliés à leur formation.
- Leur environnement de travail est très informatisé.
- Ils travaillent selon des horaires de bureau réguliers.

Techniques administratives : services financiers

Mathieu Desrosiers est coordonnateur aux services financiers de la Banque de Montréal. «Travailler dans un bureau et ne jamais rencontrer âme qui vive, j'en suis incapable, dit-il. Ce que j'aime de mon travail, c'est tout ce qui touche au service à la clientèle. J'aime aider les gens...»

PROG. 401.12
PRÉALABLE : 11, VOIR PAGE 11

INTÉRÊTS

- aime travailler avec les chiffres et l'argent
- aime travailler sur support informatique
- aime le travail de bureau
- aime le contact avec le public

APTITUDES

- facilité pour les mathématiques
- entregent; bilinguisme (atout)
- sens du détail et minutie
- discrétion et professionnalisme
- honnêteté et sens des responsabilités

OFFRE DU PROGRAMME PAR RÉGIONS
Montréal-Centre

RÔLE ET TÂCHES

Dans la succursale de la Banque de Montréal où il travaille, Mathieu joue un peu le rôle d'un centre nerveux. «Je dois répondre à toutes les questions de nos clients, que ce soit par télécopieur, par téléphone, par courrier ou en personne, dit-il. Je leur indique la marche à suivre, je les conseille ou je les oriente vers un conseiller financier. Lorsqu'on fait du soutien à la clientèle, on doit connaître tous les produits sur le bout de ses doigts», ajoute-t-il.

Les besoins des clients sont très variés. Cela va de la commande de chèques à la recherche de paiement, en passant par les conseils sur les investissements ou la façon de changer son NIP. Au service à la clientèle, la courtoisie est de mise. «Il arrive que des clients se présentent au guichet après une mauvaise journée, raconte Mathieu. Mon rôle est d'éponger leur frustration avec professionnalisme afin qu'ils se calment et repartent avec le sourire.»

Le responsable des services financiers a comme mission d'expliquer aux clients les avantages des nouveaux services offerts par la banque. «Je dois leur faire comprendre que les guichets automatiques ne servent pas à réduire le service à la clientèle, mais bien à faire gagner du temps à leurs utilisateurs, dit Mathieu. Je leur explique que la consultation ou la gestion de leurs comptes par Internet sont également des services supplémentaires.» Les techniciens en services financiers amorcent habituellement leur carrière au poste de caissier. Mathieu n'a pas dérogé à la règle. «Après quelques mois de travail à la caisse, les responsabilités augmentent, dit-il. J'aimerais me diriger vers un poste où la relation avec les clients est plus

	Salaire hebdo moyen	Proportion de dipl. en emploi	Emploi relié	Chômage	Nombre de diplômés
2000	n/d	n/d	n/d	n/d	n/d
1999	n/d	n/d	n/d	n/d	n/d
1998	n/d	n/d	n/d	n/d	n/d

Statistiques tirées de la Relance - Ministère de l'Éducation. Voir données complémentaires, page 419.

Comment interpréter l'information, page 10.

personnalisée, où je pourrais les accueillir lorsqu'ils désirent ouvrir un compte, faire leur profil d'investisseur ou les conseiller sur les meilleurs placements.»

QUALITÉS RECHERCHÉES

L'entregent est la qualité principale à posséder pour travailler dans le service bancaire. «Nous sommes les premières personnes que les clients voient en entrant dans la succursale. Il faut donc que ce contact soit excellent. Cela nécessite du tact, de la diplomatie et surtout un bon sens de la communication.» On demande aussi beaucoup de professionnalisme et de rigueur. «La confidentialité, l'honnêteté et le sens des responsabilités sont extrêmement importants lorsqu'on travaille avec l'argent des autres.» Le bilinguisme est une nécessité.

Le responsable des services financiers a comme mission d'expliquer aux clients les avantages des nouveaux services offerts par la banque.

DÉFIS ET PERSPECTIVES

Le principal défi des diplômés en services financiers est de réussir à faire le lien entre les services offerts par la banque et les besoins du client. C'est du moins ce qu'en pense Clément Morin, enseignant et coordonnateur de l'option au Collège de Bois-de-Boulogne. «Les travailleurs de ce domaine font de moins en moins d'opérations de caisse au profit d'un meilleur service à la clientèle, dit-il. Ils doivent répondre aux demandes en ayant soin d'expliquer au client la nature du produit proposé et les normes légales qui lui sont rattachées.» Selon M. Morin, pour éviter les attentes et offrir un service plus rapide, les banques ont automatisé les opérations les plus courantes. Cela permet du même coup de personnaliser davantage leur service à la clientèle. Cela signifie aussi, pour les techniciens, l'obligation de garder constamment à jour leur connaissance des produits financiers. Qui plus est, les diplômés doivent souvent suivre une formation à l'interne pour maîtriser les subtilités des produits propres à chaque établissement. «Cette formation leur permettra également de bien s'imprégner de la culture d'entreprise qui donne à chaque banque sa couleur particulière, explique Clément Morin. Les techniciens peuvent devenir directeurs de comptes, ajoute-t-il. Être en quelque sorte les conseillers privés de personnes auxquelles ils vont proposer et expliquer les différents produits. Il ne faut pas oublier que ce sont aussi des vendeurs avec, bien souvent, des quotas et des objectifs à atteindre.» 03/01

Photo : Photodisc

HORAIRES ET MILIEUX DE TRAVAIL

- Les diplômés peuvent trouver du travail dans toutes les institutions financières, banques et caisses populaires.
- Les travailleurs de ce domaine font principalement du service à la clientèle en succursale.
- Ils travaillent en équipe et sont en contact direct avec le client.
- Leur environnement de travail est très informatisé.
- Le travail s'effectue selon des horaires de bureau réguliers.

Techniques de bureautique : coordination du travail de bureau

Oubliez l'image de la secrétaire! Le technicien spécialisé en coordination du travail de bureau est un employé polyvalent qui joue un rôle clé au sein d'une entreprise. Il maîtrise la supervision de personnel tout comme la gestion du matériel et des logiciels informatiques.

PROG. 412.AO
PRÉALABLE : 0, VOIR PAGE 12

INTÉRÊTS
- aime travailler avec les chiffres et l'argent
- aime travailler sur support informatique
- aime le travail de bureau
- aime le contact avec le public

APTITUDES
- facilité pour les mathématiques
- entregent; bilinguisme (atout)
- sens du détail et minutie
- discrétion et professionnalisme
- honnêteté et sens des responsabilités

OFFRE DU PROGRAMME PAR RÉGIONS
Abitibi-Témiscamingue, Centre-du-Québec, Laurentides, Mauricie, Montérégie, Montréal-Centre, Outaouais, Québec

RÔLE ET TÂCHES

«La formation conduit à plusieurs emplois, explique Pierrette Dubois, coordonnatrice du département de bureautique au Collège de l'Outaouais. Les diplômés ont la possibilité de devenir coordonnateurs d'une équipe, adjoints administratifs, formateurs en milieu de travail ou techniciens de bureau.» Ils sont formés pour diriger et superviser un groupe de travail. «Ils peuvent, par exemple, coordonner le travail d'une équipe de commis ou se retrouver au service des ressources humaines et participer au processus d'embauche du personnel.» La formation et l'évaluation des employés sont également au nombre de leurs compétences.

Johanne Soucy, coordonnatrice du département de bureautique au Collège de Valleyfield, ajoute que la planification et l'organisation d'événements comme des colloques font aussi partie des tâches des diplômés. «En ce qui concerne la gestion de matériel, les techniciens peuvent obtenir la responsabilité d'un budget et superviser l'achat et le suivi de matériel pour les employés de bureau.» Ces techniciens ont appris à utiliser de nombreux logiciels de traitement de texte, de traitement de données, de comptabilité et de présentations multimédias. Ils connaissent également bien Internet.

QUALITÉS RECHERCHÉES

Un bon sens de l'organisation est indispensable au technicien en bureautique qui exécute une variété de tâches. «Le diplômé doit aussi développer son leadership, note Johanne Soucy. Il dirige des employés et, lors de leur

	Salaire hebdo moyen	Proportion de dipl. en emploi	Emploi relié	Chômage	Nombre de diplômés
2000	n/d	n/d	n/d	n/d	n/d
1999	n/d	n/d	n/d	n/d	n/d
1998	n/d	n/d	n/d	n/d	n/d

Statistiques tirées de la Relance - Ministère de l'Éducation. Voir données complémentaires, page 419.

Comment interpréter l'information, page 10.

évaluation, il doit pouvoir exprimer ce qui ne fonctionne pas bien.» Une bonne résistance au stress est également nécessaire. Le technicien possède également une facilité d'adaptation aux nouvelles technologies. «Quand on choisit de travailler en bureautique, on ne peut pas dire que notre formation se termine en quittant les bancs d'école, indique Pierrette Dubois. Le diplômé doit s'adapter rapidement aux changements et savoir faire ses propres recherches pour demeurer à la fine pointe de la technologie.» Le souci du travail bien fait et l'esprit d'équipe sont également appréciés.

Les premiers diplômés auront le défi de démontrer l'ensemble de leurs compétences, afin d'être utilisés à leur juste valeur au sein des entreprises.

DÉFIS ET PERSPECTIVES

Les premiers diplômés de cette formation révisée vont intégrer le marché de l'emploi en 2002. Grâce au programme d'alternance travail-études qui permet aux élèves d'effectuer des stages durant leur formation, le Collège de Valleyfield a déjà pu mesurer l'enthousiasme des employeurs. «Ils adorent notre nouveau programme. Ils nous disent : enfin on a quelqu'un qui peut gérer, réfléchir et prendre de vraies responsabilités!» Mme Soucy estime toutefois que les premiers diplômés auront le défi de démontrer l'ensemble de leurs compétences, afin d'être utilisés à leur juste valeur au sein des entreprises. Pierrette Dubois, abonde dans ce sens. «Ces nouveaux techniciens auront à imposer leurs connaissances et leur niveau de scolarité.» Une tâche parfois délicate pour ces jeunes diplômés qui devront former des employés comptant parfois de nombreuses années d'expérience au sein de la compagnie. Néanmoins, le métier ouvre de belles possibilités d'avancement. «Il n'est pas rare de voir des techniciens poursuivre des études à l'université en administration ou en comptabilité et accéder à des postes de direction», souligne Mme Dubois. «À titre d'enseignantes, on se cite souvent en exemple pour prouver aux élèves qu'il n'y a pas de limite, ajoute Johanne Soucy. Nous avons toutes commencé notre carrière comme secrétaires et, au fil des ans, nous sommes retournées à l'université. Nous avons gravi divers échelons et nous voilà dans l'enseignement. On encourage fortement les élèves à acquérir d'autres compétences.» 05/01

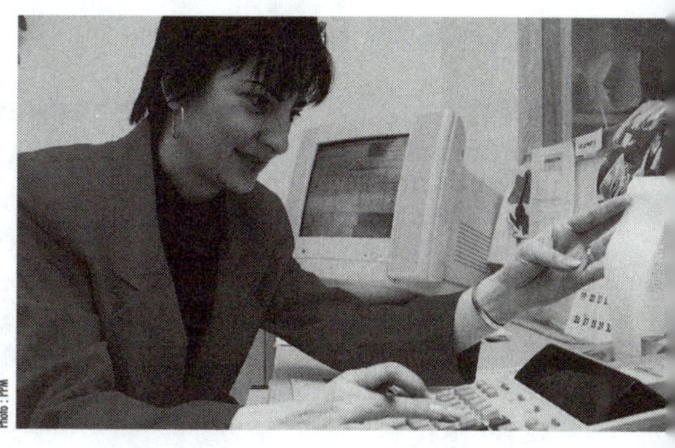
Photo : PPM

HORAIRES ET MILIEUX DE TRAVAIL

- Les principaux employeurs sont : le gouvernement fédéral et provincial, les municipalités, les commissions scolaires et, de façon générale, toute entreprise qui a besoin de personnel de bureau.
- Le technicien spécialisé en coordination du travail de bureau a un horaire régulier qui suit les heures normales d'ouverture des bureaux : de 8 h à 16 h ou de 9 h à 17 h. Sa semaine de travail compte de 35 à 37 heures.
- Les heures de travail supplémentaires sont occasionnelles et se font habituellement le soir.

Techniques de bureautique : microédition et hypermédia

«Ce programme développe à la fois la polyvalence et la spécialisation», affirme Lyne Roy, enseignante en microédition et hypermédia au Cégep de l'Abitibi-Témiscamingue. Les techniciens seront à la fois des as de la bureautique conventionnelle et des spécialistes des nouvelles technologies informatiques.

PROG. 412.A0
PRÉALABLE : 0, VOIR PAGE 11

INTÉRÊTS

- aime l'organisation, le classement, la méthode
- aime se sentir utile aux autres et aime le travail bien fait
- aime travailler avec les technologies de communication
- aime la communication, la lecture et l'écriture

APTITUDES

- respect de l'autorité et des consignes
- débrouillardise et autonomie
- méthode et sens de l'organisation
- bilinguisme et maîtrise des règles d'écriture
- facilité à utiliser la technologie

OFFRE DU PROGRAMME PAR RÉGIONS
Abitibi-Témiscamingue, Bas-Saint-Laurent, Côte-Nord, Laurentides, Mauricie, Montérégie, Montréal-Centre, Québec, Saguenay–Lac-Saint-Jean

RÔLE ET TÂCHES

Le nouveau programme a été implanté en septembre 2000 et la première cohorte d'élèves doit terminer en mai 2003. «Les connaissances en microédition de ces techniciens vont leur permettre de travailler à la mise en pages sur ordinateur de documents adaptés à l'entreprise, explique l'enseignante. Ce ne sont pas des graphistes, mais ils savent utiliser des conceptions graphiques existantes pour produire leurs documents», poursuit Mme Roy.

Régine Valois, coordonnatrice du programme au Cégep de Rimouski, ajoute que les candidats pourront aussi se retrouver dans les imprimeries et les maisons d'édition à travailler à la mise en pages informatique de journaux ou de documents publicitaires. «Dans le domaine de l'hypermédia, nos diplômés seront aussi appelés à faire l'intégration à l'écran de sites Internet. Ils pourront également être responsables de la maintenance et de la mise à jour de pages Web.» Ce technicien maîtrise donc une panoplie de logiciels de mise en pages, de conception graphique, de présentations multimédias et de création de pages Web. Dans une firme de communication, il est en quelque sorte le bras droit du graphiste et de l'infographiste. Dans une entreprise plus traditionnelle, il est l'employé chargé de la production et de la mise en pages de cahiers de formation, de formulaires, de rapports, de pages publicitaires, de journaux internes, de présentations multimédias et de sites Internet. «Il ne faut pas oublier que nos diplômés sont aussi des généralistes formés pour travailler avec des logiciels de traitement de texte courants et accomplir des tâches générales de bureau», précise Régine Valois.

	Salaire hebdo moyen	Proportion de dipl. en emploi	Emploi relié	Chômage	Nombre de diplômés
2000	n/d	n/d	n/d	n/d	n/d
1999	n/d	n/d	n/d	n/d	n/d
1998	n/d	n/d	n/d	n/d	n/d

Statistiques tirées de la Relance - Ministère de l'Éducation. Voir données complémentaires, page 419.

Comment interpréter l'information, page 10.

QUALITÉS RECHERCHÉES

Le technicien en bureautique doit posséder une grande capacité d'adaptation aux différents logiciels informatiques. «Une bonne dose de créativité et l'esprit d'initiative sont aussi des atouts», note Mme Valois. Le sens de l'esthétique et le souci du détail sont d'autres qualités qui caractérisent le spécialiste de la microédition et de l'hypermédia. Devant la variété des tâches qui l'attendent, le diplômé devra aussi faire preuve de polyvalence et d'un très fort sens de l'organisation. «Le technicien doit également avoir la capacité de poursuivre sa formation après son DEC, ajoute Régine Valois. Dans le domaine de l'hypermédia en particulier, les outils et les logiciels changent fréquemment.» L'autonomie est une autre qualité à cultiver, soutient Lyne Roy. «Le technicien travaillera souvent seul à la production de ses documents. Il peut aussi devenir travailleur autonome.» L'enseignante ajoute que le diplômé qui est responsable de la rédaction de ses projets doit avoir une excellente maîtrise du français en plus de posséder une bonne connaissance de l'anglais.

Le technicien spécialisé en microédition et en hypermédia maîtrise une panoplie de logiciels de mise en pages, de conception graphique, de présentations multimédias et de création de pages Web.

DÉFIS ET PERSPECTIVES

«Bien des entreprises ont leur propre site Internet mais n'ont pas d'employé pour le mettre à jour. Et je crois que nos élèves vont pouvoir jouer un rôle important sur ce plan, souligne Régine Valois. On est en train de définir un nouveau métier. Le premier défi des diplômés consistera à faire reconnaître leurs compétences.»

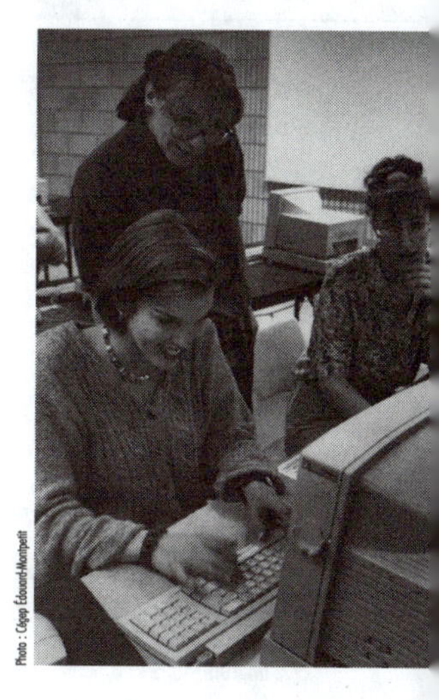

Photo : Cégep Édouard-Montpetit

Reste encore à voir si les entreprises vont adapter le salaire à l'expérience des techniciens. Actuellement, les employés qui remplissent ces nouveaux postes ont appris leur métier sur le terrain et même la fonction publique n'exige pas encore le DEC pour ce genre d'emploi.

Lyne Roy demeure malgré tout très optimiste quant à l'intégration sur le marché du travail de ces nouveaux spécialistes. «Notre taux de placement en bureautique se situe au-dessus de 90 % depuis plusieurs années. Et on note déjà une demande de main-d'œuvre qualifiée en microédition et hypermédia. Les diplômés ont un curriculum vitæ très engageant pour les employeurs. Ils sont à la fois polyvalents et spécialisés dans un domaine en pleine expansion!» 05/01

HORAIRES ET MILIEUX DE TRAVAIL

- Le diplômé peut trouver du travail auprès des entreprises qui ont besoin de personnel de bureau, des imprimeries, des maisons d'édition, des firmes de communication et de graphisme, des entreprises de multimédia.
- Le technicien peut aussi offrir ses services à titre de travailleur autonome.
- Le travail se déroule généralement de jour suivant un horaire régulier : de 8 h à 16 h ou de 9 h à 17 h.
- La production de documents dans un délai serré pourra toutefois mener à des heures de travail supplémentaires le soir ou la fin de semaine.

Techniques de l'informatique : informatique de gestion

«J'ai été technicien en électronique pendant quelques années, raconte Pierre Fréchette, analyste-programmeur chez SISCA, puis j'ai suivi un cours accéléré au Collège de Sherbrooke. Mais avec le temps, je me suis découvert des aptitudes, et même une passion, pour la logique, l'analyse structurale.»

PROG. 420.01 / 420.A0
PRÉALABLE : 13, VOIR PAGE 11

INTÉRÊTS

- aime la technologie et l'innovation
- aime jongler avec des concepts, des abstractions (symboles, langage numérique et informatique)
- aime résoudre des problèmes complexes
- aime écouter et expliquer

APTITUDES

- esprit très curieux, objectif et méthodique
- facilité pour les mathématiques et la logique
- grande capacité d'analyse et d'apprentissage
- créativité et habileté à résoudre des problèmes

OFFRE DU PROGRAMME PAR RÉGIONS
Abitibi-Témiscamingue, Bas-Saint-Laurent, Centre-du-Québec, Chaudière-Appalaches, Côte-Nord, Estrie, Gaspésie—Îles-de-la-Madeleine, Lanaudière, Laurentides, Laval, Mauricie, Montérégie, Montréal-Centre, Outaouais, Québec, Saguenay—Lac-Saint-Jean

RÔLE ET TÂCHES

Dans la firme de consultants en informatique où il travaille, Pierre s'occupe de la gestion du tirage de journaux comme *La Presse*, *Le Soleil* et *Le Droit* : «Je mets au point des programmes adaptés à mes clients, en réponse à des besoins spécifiques. Ils veulent un certain genre de rapport d'analyse très précis sur leurs abonnés, par exemple, et je leur fournis des outils pour analyser toute une somme de données et produire un rapport qui répond à leurs questions.»

À titre d'analyste, Pierre Fréchette détermine précisément les besoins informatiques de son client, puis, dans son rôle de programmeur, il code une séquence de commandes qui amèneront l'ordinateur à effectuer les opérations nécessaires à l'accomplissement d'une tâche bien définie. Il faut noter que nombre de diplômés en techniques informatiques choisissent de se concentrer en programmation, laissant à d'autres le soin d'analyser les besoins des employeurs ou des clients.

«Nous formons surtout des programmeurs, précise Francine Fontaine, coordonnatrice des stages en entreprise pour les techniques de l'informatique au Collège de Sherbrooke, mais nous donnons des notions de base en analyse, ce qui permet aux diplômés de se perfectionner dans cette direction, soit sur le terrain en acquérant de l'expérience en milieu de travail, soit à l'université, ce que choisissent plusieurs "mordus" d'informatique qui cumulent emploi et études.»

	Salaire hebdo moyen	Proportion de dipl. en emploi	Emploi relié	Chômage	Nombre de diplômés
2000	593 $	80,5 %	89,9 %	5,5 %	1068
1999	577 $	80,8 %	92,8 %	4,5 %	879
1998	564 $	79,4 %	94,3 %	5,6 %	777

Statistiques tirées de la Relance - Ministère de l'Éducation. Voir données complémentaires, page 419.

Comment interpréter l'information, page 10.

QUALITÉS RECHERCHÉES

Mme Fontaine insiste sur le perfectionnisme exigé des programmeurs : «Cela demande beaucoup de minutie, car l'employeur doit pouvoir se fier entièrement au programme pour obtenir des résultats précis, à partir desquels il peut être amené à prendre des décisions parfois capitales. Il faut aussi avoir toujours le goût d'apprendre, être curieux, motivé, aimer relever des défis.»

Un des fondements de la programmation est la logique; il importe donc d'avoir un esprit bien structuré, méthodique, et d'aimer suivre un cheminement logique pour arriver à une solution précise. La polyvalence est aussi un atout, car on peut avoir à faire du dépannage et de la programmation dans tous les domaines où s'applique l'informatique de gestion. Souvent appelé à initier des profanes aux mystères de l'informatique, le diplômé a intérêt à se montrer patient; bon communicateur, il gagne à être pédagogue et à savoir décoder ce qui peut sembler incompréhensible aux autres. Bien que le programmeur soit généralement seul devant son écran à mettre au point des formules compliquées, il doit aussi savoir travailler en équipe, surtout s'il désire faire de l'analyse et, un jour, devenir chargé de projet.

«Il faut avoir toujours le goût d'apprendre, être curieux, motivé, aimer relever des défis.»

— Francine Fontaine

DÉFIS ET PERSPECTIVES

«On ne cesse de trouver de nouvelles applications à l'informatique, souligne Francine Fontaine, et les outils évoluent toujours. Avec l'avènement d'Internet, la demande de spécialistes en transfert d'informations augmente, et il faut développer de nouveaux programmes, des commandes adaptées à la gestion de l'information à distance.

«Depuis deux ans, la plupart de nos élèves trouvent du travail avant même d'avoir fini leurs études, poursuit-elle, et au bout de deux mois, tous ont déniché un emploi. Il faut dire que nous enseignons le langage PROGRESS, un langage de programmation de quatrième génération particulièrement orienté sur la gestion et qui ne s'enseigne pas partout ailleurs. C'est un excellent atout pour nos diplômés.»

Photo : Cégep du Vieux Montréal, Frédéric Moretti

«J'ai beaucoup d'avenir chez SISCA, fait remarquer Pierre Fréchette. J'ai déjà fait mon chemin comme analyste-programmeur, et je poursuis dans cette veine pour devenir analyste à plein temps, puis chargé de projet. Qui sait si un jour je ne mettrai pas sur pied une nouvelle division?» 09/99

HORAIRES ET MILIEUX DE TRAVAIL

- Le technicien en informatique peut faire du soutien aux usagers dans la fonction publique, de l'implantation de systèmes, de la gestion de réseau ou de la mise à jour d'équipements au sein d'une grande entreprise.
- Les horaires sont généralement réguliers, mais il faut parfois répondre à des urgences et se montrer disponible même en dehors des heures normales de travail.

Techniques de l'informatique : informatique industrielle

«J'ai l'impression d'être au cœur de l'avancement de la technologie! Je travaille pour une compagnie qui crée des logiciels destinés à être utilisés par des robots.» Claude Nally est diplômé en informatique industrielle, une option du programme en techniques de l'informatique.

PROG. 420.01 /420.A0
PRÉALABLE : 13, VOIR PAGE 11

INTÉRÊTS

- aime la technologie et l'innovation
- aime jongler avec des concepts, des abstractions (symboles, langage numérique et informatique)
- aime résoudre des problèmes complexes
- aime écouter et expliquer

APTITUDES

- esprit très curieux, objectif et méthodique
- facilité pour les mathématiques et la logique
- grande capacité d'analyse et d'apprentissage
- créativité et habileté à résoudre des problèmes

OFFRE DU PROGRAMME PAR RÉGIONS
Chaudière-Appalaches, Laurentides

RÔLE ET TÂCHES

Le technicien en informatique industrielle est spécifiquement formé pour créer des logiciels qui seront utilisés par des robots et des automates. «Son rôle est très près de celui du technicien en informatique traditionnelle – aussi appelée informatique de gestion – qui, lui, est formé pour créer des logiciels qui serviront à des humains. Après une courte période d'adaptation, cependant, ces techniciens peuvent créer les deux types de logiciels», explique Stéphane Chassé, coordinateur du département de l'informatique au Collège Lionel-Groulx.

La création d'un logiciel débute par l'analyse des besoins de l'entreprise. Par exemple, une compagnie qui a fait appel aux services de l'employeur de Claude limitait l'accès d'employés à certains locaux. Jusqu'alors, des gardes de sécurité étaient responsables de l'identification des personnes à l'aide d'un livre réunissant les photos des employés et certaines données sur ces derniers. L'entreprise voulait simplifier et accélérer cette façon de faire. Il fallait donc automatiser le système. «On a conçu un logiciel pour ce qu'on appelle du "badging" dans notre vocabulaire, qui permettait d'entrer du texte et des photos de personnes afin de pouvoir faire des recherches associant les deux. Ce type de logiciel est utilisé à des fins de gestion ou de validation de cartes d'identité», raconte Claude. Dans certains cas, l'analyse des besoins a été faite et le programme est imaginé. Le technicien doit alors le mettre sur pied selon les spécifications qui lui sont remises. Il entre des codes en langage de programmation afin de créer une architecture qui

	Salaire hebdo moyen	Proportion de dipl. en emploi	Emploi relié	Chômage	Nombre de diplômés
2000	552 $	57,9 %	63,6 %	21,4 %	23
1999	577 $	80,8 %	92,8 %	4,5 %	879
1998	564 $	79,4 %	94,3 %	5,6 %	777

Statistiques tirées de la Relance - Ministère de l'Éducation. Voir données complémentaires, page 419.

Comment interpréter l'information, page 10.

réponde aux besoins qui ont été déterminés. Ensuite, il doit rendre le logiciel fonctionnel. Dans d'autres cas, le technicien s'occupe plutôt de la maintenance, de l'entretien et des ajustements ou modifications nécessaires à un programme déjà implanté. Le travail du technicien se fait principalement à l'ordinateur, mais la création et la production d'un logiciel impliquent souvent une interdépendance des informaticiens et des clients qui ont fait la demande du produit.

QUALITÉS RECHERCHÉES

Aimer la technologie et l'informatique est primordial dans ce domaine. Il faut aussi avoir une bonne dose de curiosité intellectuelle afin de se tenir à la fine pointe de la technologie. De la rigueur scientifique alliée à beaucoup de créativité sont indispensables, car pour un problème donné, il peut y avoir une foule de solutions envisageables. Il faut trouver la plus appropriée et les outils nécessaires à sa conception. «Beaucoup de facilité à visualiser les concepts abstraits que nous devons manipuler est une précieuse qualité», explique Claude. Comme le technicien en informatique industrielle travaille en équipe, il doit être doué pour les relations interpersonnelles et avoir le sens des responsabilités.

Le technicien en informatique industrielle est spécifiquement formé pour créer des logiciels qui seront utilisés par des robots et des automates.

DÉFIS ET PERSPECTIVES

«Ça va bouger beaucoup dans les années à venir, selon M. Chassé. Les employeurs nous appellent pour savoir si on a des diplômés à leur envoyer. L'automatisation des PME, technologie oblige, fait en sorte que nos techniciens en informatique industrielle sont très recherchés.» Le diplômé doit assumer lui-même sa formation continue, mais la très grande majorité des entreprises offrent régulièrement des sessions de perfectionnement. «Le fait que l'élève effectue un stage en entreprise de douze semaines pour l'obtention de son diplôme fait réaliser aux employeurs l'importance de leur rôle. C'est un aspect très positif pour les techniciens en informatique industrielle», remarque M. Chassé. «Nous avons des outils de programmation beaucoup plus efficaces qu'il y a quelques années. Notre façon de programmer est donc très différente. En fait, toutes les percées technologiques influencent notre domaine. Il faut être constamment à la recherche de la dernière nouveauté», conclut Claude Nally. 09/99

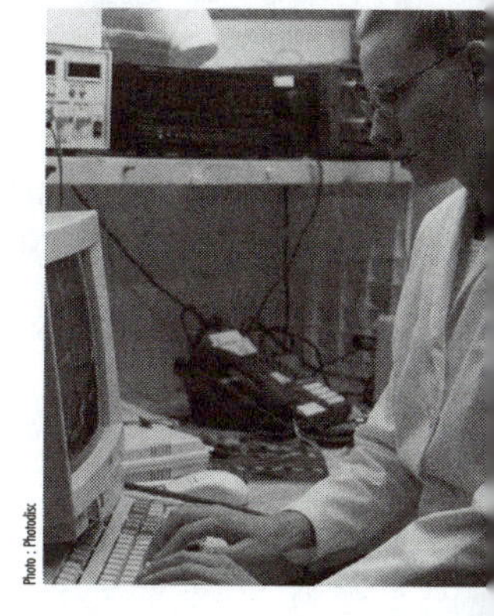

HORAIRES ET MILIEUX DE TRAVAIL

- De plus en plus de PME s'ouvrent à l'automatisation et toutes les entreprises qui l'utilisent font appel aux compétences du technicien en informatique industrielle.
- Les firmes de consultants en informatique industrielle embauchent aussi des diplômés.
- Les horaires sont plutôt réguliers, sauf en cas de «bogue» informatique. Dans ce cas, le technicien peut être appelé le soir ou la fin de semaine.

AGRICULTURE ET PÊCHES

L'industrie bioalimentaire est un secteur dynamique et en constante évolution. On dénombre au-delà de 400 000 emplois, ce qui représente un emploi sur neuf au Québec. De plus, 15 000 nouveaux postes devraient être créés d'ici à 2005 en agriculture et en transformation alimentaire. Les débouchés se répartissent toutefois de façon inégale entre les différents secteurs d'activité, et l'emploi y est généralement saisonnier.

L'AGRICULTURE

Selon le ministère de l'Agriculture, des Pêcheries et de l'Alimentation du Québec (MAPAQ), l'industrie agricole offre de belles perspectives. Elle génère plusieurs milliards de dollars et représente 78 300 emplois. L'industrie connaît actuellement une pénurie de main-d'œuvre qualifiée, surtout du côté des techniques agricoles. Enfin, le secteur de l'horticulture ornementale (paysage et commercialisation en horticulture ornementale et technologie de la production horticole et de l'environnement) est, lui aussi, toujours à la recherche de travailleurs qualifiés.

LES PÊCHES

D'après le MAPAQ, les perspectives sont plus sombres pour cette industrie. L'aquiculture suscite toutefois beaucoup d'intérêt pour son grand potentiel de développement. L'élevage d'espèces aquatiques en eau douce ou salée permettrait d'offrir des produits à longueur d'année, ce qui devrait générer des ouvertures intéressantes pour qui veut poursuivre des études dans ce domaine. Au Québec, l'industrie de la pêche et de l'aquiculture représente 15 000 emplois.

LA TRANSFORMATION DES ALIMENTS

Selon le MAPAQ, au Québec, la transformation et la distribution bioalimentaires assurent 178 000 emplois et génèrent des livraisons et des recettes totalisant 27 milliards de dollars par année. L'un des plus grands défis de cette industrie est de rester concurrentielle en faisant entrer les nouvelles technologies et la recherche dans ses usines. C'est pourquoi, selon l'Institut de technologie agroalimentaire de Saint-Hyacinthe, tous les diplômés en technologie de la transformation des aliments décrochent actuellement un emploi. 05/01

INTÉRÊTS

- fait preuve de curiosité et de sensibilité à l'égard de la nature
- aime les sciences : biologie, zoologie, chimie
- aime suivre le rythme de vie de la nature ou de la ferme
- aime bouger, faire un travail physique et manuel
- aime analyser et résoudre des problèmes concrets

APTITUDES

- sens de l'observation développé
- dextérité et précision
- autonomie, discernement et sens des responsabilités
- facilité pour les sciences, l'analyse et la résolution de problèmes
- résistance physique et grande capacité de travail

LE SAVIEZ-VOUS ?

Les biotechnologies pourraient donner un nouvel élan au secteur de la pêche. Sylvain Lafrance, coordonnateur du Comité sectoriel de main-d'œuvre des pêches maritimes, affirme que des industries comme les pâtes et papiers, les cosmétiques et les produits pharmaceutiques se tournent depuis deux ou trois ans vers la mer pour y trouver de nouvelles ressources.

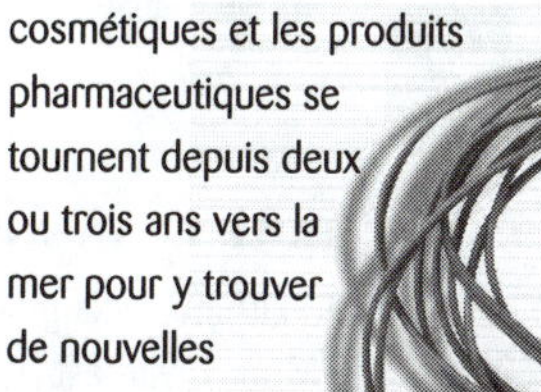

Source : *Les carrières d'avenir au Québec*, Le groupe de recherche Ma Carrière, édition 2001.

RESSOURCES INTERNET

DESCRIPTION DES PROGRAMMES DU SECTEUR
http://www.meq.gouv.qc.ca/ens-sup/ens-coll/Cahiers/sect-02.htm
Vous trouverez sur cette page une description des programmes de ce secteur de formation, comprenant les exigences d'admission et un bref résumé de chaque cours. Pour chaque programme, vous pourrez aussi accéder à la liste des établissements qui l'offrent et à la dernière relance de ses diplômés.

ASSOCIATION QUÉBÉCOISE DE L'INDUSTRIE DE LA PÊCHE
http://www.quebecweb.com/aqip/introfranc.html
Ce site vous permettra de mieux comprendre les entreprises du secteur de la pêche. Vous pouvez faire une recherche dans le répertoire selon leur région d'activité ou leurs produits.

CARRIÈRES DANS L'AGRICULTURE ET L'AGROALIMENTAIRE
http://www.cfa-fca.ca/careers/findex.html
De bonnes descriptions de plusieurs métiers et professions de ce secteur d'activité. Elles incluent des indications sur les salaires et les perspectives d'avenir!

Exploitation et production des ressources marines (aquiculture)

Jonathan Alix estime que l'avenir des ressources marines passe par l'aquiculture et une meilleure information du public sur la préservation des richesses des rivières et des océans. C'est ce qui l'a incité à suivre la technique en exploitation et production des ressources marines du Centre spécialisé des pêches.

PROG. 231.04
PRÉALABLE : 10, 20, VOIR P. 11

INTÉRÊTS

- aime l'eau et la nature
- aime travailler à l'extérieur et en équipe
- aime observer, analyser et prendre des décisions

APTITUDES

- capacité d'analyse, esprit pratique et sens des responsabilités
- bonne résistance physique
- sens de l'observation
- initiative, autonomie et mobilité

OFFRE DU PROGRAMME PAR RÉGIONS
Gaspésie–Îles-de-la-Madeleine

RÔLE ET TÂCHES

Jonathan s'occupe des pensionnaires aquatiques du Biodôme de Montréal. «Mon travail est passionnant à plus d'un titre et ma formation en aquiculture me sert quotidiennement», explique Jonathan. En tant que préposé aux collections aquatiques, son rôle est de veiller au bien-être de toutes les espèces de poissons vivant sur le site – le site regroupe sous un même toit trois écosystèmes : la forêt tropicale, la forêt laurentienne et le Saint-Laurent marin. Jonathan s'occupe de nourrir les poissons et de surveiller leur état de santé. Il lui arrive également de plonger dans les bassins pour effectuer des travaux de maintenance et d'entretien.

Le jeune homme fait remarquer qu'il existe des différences fondamentales entre la mission d'un centre d'exposition et celle d'une ferme d'élevage. «Mes tâches et mes priorités ne sont pas les mêmes que celles d'un technicien travaillant en production. Je ne suis pas intéressé à engraisser les poissons à tout prix, illustre-t-il. J'essaie plutôt de faire en sorte qu'ils soient en santé et beaux pour le public qui vient les découvrir.»

Les responsabilités de Jonathan vont bien au-delà de ce que voit le public. Ainsi, il s'occupe des bassins qui sont en réserve. Ces bassins servent à mettre en quarantaine les poissons prélevés en milieu naturel. On y place également ceux qui sont nés en captivité. «Presque toutes les espèces se reproduisent de façon naturelle, dit-il. Cela nous permet de renouveler les spécimens en cas de mortalité. Je collabore aussi avec les chercheurs qui utilisent ces bassins pour leurs projets sur les biofiltres ou pour étudier les

	Salaire hebdo moyen	Proportion de dipl. en emploi	Emploi relié	Chômage	Nombre de diplômés
2000	511 $	80,0 %	100,0 %	0,0 %	5
1999	n/d	n/d	n/d	n/d	n/d
1998	n/d	n/d	n/d	n/d	n/d

Statistiques tirées de la Relance - Ministère de l'Éducation. Voir données complémentaires, page 419.

Comment interpréter l'information, page 10.

espèces menacées. Je veille ainsi sur des spécimens uniques au monde, le chevalier cuivré, par exemple. On ne le trouve que dans la rivière Richelieu. Cette espèce est en voie de disparition.»

QUALITÉS RECHERCHÉES

Jonathan estime que l'aquiculture est un domaine qui demande beaucoup d'engagement. «Il faut parfois être mobile géographiquement si l'on veut profiter de bonnes occasions, dit-il. Et une fois en place, il ne faut pas avoir peur de prendre des initiatives.» Le jeune homme ajoute qu'il est important de savoir s'adapter aux développements technologiques. À son avis, il est également bien utile d'être plongeur sous-marin. C'est un atout qui ouvre des portes, notamment dans l'élevage en cages marines.

«Mon travail au Biodôme est passionnant à plus d'un titre et ma formation en aquiculture me sert quotidiennement.»

— Jonathan Alix

Dans le cas un peu plus spécifique d'un emploi semblable à celui qu'il occupe au Biodôme, Jonathan considère qu'on doit aimer travailler avec le public et avec les animaux. «Cela nécessite aussi un bon sens de l'observation, notamment pour détecter les signes de maladie, dit-il. Il faut être conscient de notre degré de responsabilité. La moindre petite erreur peut facilement être fatale à toute une population de poissons.»

Photo : C.S. Nigaushe

DÉFIS ET PERSPECTIVES

«L'aquiculture est un domaine rempli de nouveaux défis, lance Claude Levasseur, coordonnateur de la formation au Centre spécialisé des pêches de Grande-Rivière, en Gaspésie. Les diplômés devront optimiser le grossissement des organismes, contrôler la qualité de l'eau, maintenir les organismes en santé... Sans parler qu'ils auront à réduire les coûts en voyant à la gestion des stocks et du personnel de même qu'en gérant l'entretien des équipements», dit le coordonnateur en ajoutant que le recours à une filtration biologique dans la circulation des eaux pourrait devenir une nouvelle avenue permettant de réduire les coûts.

M. Levasseur explique que les diplômés devront aussi s'adapter aux besoins de l'industrie. «La tendance est de travailler avec de nouvelles espèces. Le loup atlantique, le pétoncle géant et l'oursin vert, par exemple, font déjà l'objet d'importants travaux de recherche. Dans tous les cas, le développement technologique sera important.» 03/01

HORAIRES ET MILIEUX DE TRAVAIL

- Les diplômés sont employés par les instituts de recherche, les services de Pêches et Océans Canada, les centres d'exposition, les piscicultures, les écloseries.
- Leur environnement de travail est généralement humide et froid.
- Ils travaillent le plus souvent selon des horaires réguliers, mais aussi le soir, les fins de semaine et les jours fériés.
- L'aquiculture exige une grande disponibilité.

Gestion et exploitation d'entreprise agricole (productions animales)

Sophie Pouliot caresse le rêve d'avoir un jour sa propre ferme de moutons. «Je me donne encore 10 ans avant d'y arriver!» Entre-temps, la jeune femme s'entraîne : elle élève trois moutons pour la reproduction et vend leurs agneaux. Chaque été, elle prend aussi soin de 100 poulets de grain et de 50 lapins.

PROG. 152.A0
PRÉALABLE : 0, VOIR PAGE 11

INTÉRÊTS

- aime le travail manuel et l'effort physique
- aime la nature et les animaux
- aime le rythme de vie de la ferme
- aime l'organisation, la gestion

APTITUDES

- polyvalence, sens de l'organisation et débrouillardise
- initiative, jugement et leadership
- sens des responsabilités et de la planification
- bonne résistance physique et grande capacité de travail (sept jours sur sept)

OFFRE DU PROGRAMME PAR RÉGIONS
Bas-Saint-Laurent, Centre-du-Québec, Chaudière-Appalaches, Estrie, Lanaudière, Montérégie, Montréal-Centre, Saguenay–Lac-Saint-Jean

RÔLE ET TÂCHES

Ce n'est pas d'hier que Sophie mène une vie de fermière. Elle a grandi sur une ferme laitière dans la région de Saint-Charles-de-Bellechasse. Elle a cependant décidé assez vite de laisser à son frère le soin de prendre la relève de l'entreprise familiale. «Je trouve que le travail en production laitière est beaucoup trop contraignant, explique-t-elle. J'ai donc fait un baccalauréat en géographie et j'ai travaillé trois ans à l'Université Laval comme professionnelle de recherche. Mais je m'ennuyais du lien direct avec l'agriculture.» Elle est alors retournée étudier en gestion et exploitation d'entreprise agricole, au Cégep de Lévis-Lauzon, et avait pour projet de diriger un jour une ferme ovine. Sa formation lui a appris à connaître les soins à prodiguer aux animaux. «On apprend comment les protéger de certaines maladies, comment les nourrir et quoi cultiver pour subvenir à leurs besoins. Comme j'ai fait mon stage dans une ferme de moutons, je peux dire que la formation répondait bien à mes questions.» Pour le moment, ses trois moutons ne demandent pas trop de soins. «Je loue une terre à un voisin et lui me fournit le fourrage pour les nourrir.» La jeune fermière voit aussi au suivi de reproduction de ses bêtes en plus de gérer la mise en marché de ses agneaux. Toutes ces tâches ne sont, pour le moment, qu'un loisir pour Sophie puisque depuis l'obtention de son diplôme, elle travaille pour un club agroenvironnemental. «Je rencontre des producteurs agricoles et je les conseille sur la façon de cultiver leurs champs dans le respect de l'environnement. Je les renseigne sur les moyens de tirer le meilleur de leurs terres sans polluer. Je leur indique, par exemple, le type d'engrais à utiliser et le moment où ils doivent l'appliquer.»

	Salaire hebdo moyen	Proportion de dipl. en emploi	Emploi relié	Chômage	Nombre de diplômés
2000	n/d	n/d	n/d	n/d	n/d
1999	n/d	n/d	n/d	n/d	n/d
1998	n/d	n/d	n/d	n/d	n/d

Statistiques tirées de la Relance - Ministère de l'Éducation. Voir données complémentaires, page 419.

Comment interpréter l'information, page 10.

QUALITÉS RECHERCHÉES

«Il faut aimer l'agriculture et les animaux pour réussir dans ce métier, affirme Sophie. Ça prend aussi de la passion parce que ce n'est pas vraiment payant d'avoir une ferme. Et il ne faut pas compter ses heures. Il faut être disponible sept jours sur sept pendant de longues heures. En production laitière, par exemple, la traite des vaches se fait le matin et le soir, idéalement à 12 heures d'intervalle. Moi, j'ai toujours vu mon père travailler», raconte la jeune femme, tout en ajoutant qu'un tel métier demande évidemment une bonne forme physique. La polyvalence est un autre atout. «On ne peut pas se limiter aux soins des animaux; il faut être bon dans tout. Il faut maîtriser la culture des champs, mais aussi avoir quelques notions sur l'entretien de la machinerie et la réparation des bâtiments de ferme.» Le sens des affaires est également indispensable à l'exploitant d'une entreprise agricole de même que le leadership permettant de bien gérer une équipe d'employés.

«On ne peut pas se limiter aux soins des animaux; il faut être bon dans tout.»

— Sophie Pouliot

DÉFIS ET PERSPECTIVES

Germaine Fortier, coordonnatrice du programme de gestion et exploitation d'entreprise agricole (productions animales) au Cégep de Lévis-Lauzon, remarque un important manque de relève au sein des entreprises agricoles. «La majorité de nos élèves se trouvent du travail un an avant d'obtenir leur diplôme. Les producteurs qui les prennent en stage leur assurent souvent un emploi à la fin de leurs études.»

L'industrie agricole reconnaît bien la profession, ajoute Mme Fortier. «Les employeurs recherchent les compétences de nos diplômés. Les producteurs ne sont plus intéressés à former un ouvrier du début à la fin. Ils veulent être certains d'avoir des employés en mesure de les remplacer adéquatement durant leur absence. Les employeurs recherchent des travailleurs polyvalents qui, par exemple, sauront quoi faire si un animal du troupeau est malade.» Les diplômés vont œuvrer dans un domaine où les innovations technologiques sont abondantes. «Ils auront le défi d'évaluer la nécessité d'implanter de nouveaux appareils en fonction des besoins de l'entreprise. Il est important que les techniciens fassent preuve d'un bon jugement et gardent un œil critique sur l'évolution des équipements et de la machinerie.» 03/01

Photo : Ma Carrière

HORAIRES ET MILIEUX DE TRAVAIL

- Le technicien en gestion et exploitation d'entreprise agricole peut être embauché par les fermes agricoles, les entreprises de production laitière, les porcheries, les entreprises commercialisant des volailles, les fermes ovines, les centres d'insémination, les compagnies de produits agricoles ou les firmes de consultants agroenvironnementaux.
- Il peut aussi exploiter sa propre entreprise.
- Le métier exige une très grande disponibilité. Les animaux ont besoin de soins, sept jours sur sept, durant toute l'année. L'exploitant d'une ferme agricole ne compte pas ses heures. Il est à l'œuvre bien souvent du petit matin jusqu'au soir.

Gestion et exploitation d'entreprise agricole (productions végétales)

Bruno Bellavance a découvert l'agriculture vers l'âge de 10 ans. Il travaillait alors l'été, à faire les foins et à récolter le maïs dans les champs. Un emploi saisonnier qui, petit à petit, est devenu son choix de carrière. C'est donc sans hésitation qu'il s'est inscrit en gestion et exploitation d'entreprise agricole.

PROG. 152.A0
PRÉALABLE : 0, VOIR PAGE 11

INTÉRÊTS

- aime le travail manuel et l'effort physique
- aime la nature et les animaux
- aime le rythme de vie de la ferme
- aime l'organisation, la gestion

APTITUDES

- polyvalence, sens de l'organisation et débrouillardise
- initiative, jugement et leadership
- sens des responsabilités et de la planification
- bonne résistance physique et grande capacité de travail (sept jours sur sept)

OFFRE DU PROGRAMME PAR RÉGIONS
Bas-Saint-Laurent, Centre-du-Québec, Chaudière-Appalaches, Estrie, Lanaudière, Montérégie, Montréal-Centre, Saguenay–Lac-Saint-Jean

RÔLE ET TÂCHES

Bruno est représentant pour Nutrite, une division d'Hydro Agri Canada, un des plus importants fabricants d'engrais au pays. L'entreprise offre aux marchés agricole et horticole des engrais minéraux et organiques, des semences de même que des pesticides pour la protection des récoltes.

«À titre de représentant des ventes, je suis responsable de la supervision de trois centres de services de Nutrite dans la région de Saint-Jean-sur-Richelieu, explique Bruno. C'est moi qui prends les commandes des clients et qui m'assure de la distribution des produits. Je m'occupe aussi de la gestion du personnel. Notre entreprise engage des ouvriers saisonniers d'avril à juillet pour effectuer les mélanges d'engrais. Je fais les entrevues et procède à l'embauche de ces travailleurs.»

Le travail de Bruno se fait également sur la route. Le représentant compte une centaine de clients, essentiellement des maraîchers et des producteurs de maïs et de soya. «Je rencontre les cultivateurs et évalue, avec eux, leurs besoins de semences et d'engrais. En ce qui concerne les pesticides, j'effectue d'abord un dépistage dans leurs champs pour voir quelles sont les herbes à éliminer avant de recommander un produit.» Bruno retourne également faire un suivi sur les terres pour vérifier l'efficacité des produits. Il ajuste le traitement au besoin.

QUALITÉS RECHERCHÉES

Selon Bruno, l'entregent est une qualité indispensable au bon représentant. Lui se voit un peu comme un consultant pour ses clients. «C'est important

	Salaire hebdo moyen	Proportion de dipl. en emploi	Emploi relié	Chômage	Nombre de diplômés
2000	n/d	n/d	n/d	n/d	n/d
1999	n/d	n/d	n/d	n/d	n/d
1998	n/d	n/d	n/d	n/d	n/d

Statistiques tirées de la Relance - Ministère de l'Éducation. Voir données complémentaires, page 419.

Comment interpréter l'information, page 10.

d'être à l'écoute des cultivateurs et de savoir lire entre les lignes... Ça permet de répondre adéquatement à leurs besoins.»

Le diplômé en gestion et exploitation d'entreprise agricole (productions végétales) peut aussi devenir maraîcher ou cultivateur. Bruno aspire d'ailleurs à devenir un jour producteur de céréales, de maïs et de soya. Cet aspect du métier exige un grand esprit d'initiative et de la débrouillardise. L'agriculteur doit aussi savoir s'adapter au temps qu'il fait. «Quand vient le moment des semailles à la fin du mois d'avril, les producteurs de grande culture (maïs, soya, grain) n'ont qu'un mois pour semer, explique François Mercier, coordonnateur du département de gestion et exploitation d'entreprise agricole au Cégep de Saint-Jean-sur-Richelieu. Compte tenu qu'ils ne peuvent semer quand il pleut, certains doivent travailler jusqu'à 18 heures par jour pour terminer à temps. Ils doivent constamment ajuster leurs plans et avoir une solution de rechange pour ne pas perdre leur journée de travail. Par exemple, s'ils avaient prévu un arrosage de pesticides et que le vent se lève, les cultivateurs doivent occuper leurs ouvriers à d'autres tâches.»

«C'est important d'être à l'écoute des cultivateurs et de savoir lire entre les lignes... Ça permet de répondre adéquatement à leurs besoins.»

— Bruno Bellavance

Aimer travailler à l'extérieur et avoir une bonne résistance physique sont aussi des qualités essentielles aux diplômés. La polyvalence est un autre atout. L'exploitant d'une entreprise agricole doit posséder de bonnes connaissances de la culture des végétaux et connaître certains aspects techniques de l'entretien de sa machinerie. Sans parler qu'il se doit d'être habile à diriger des employés et à effectuer la mise en marché de sa récolte.

Photo : PFM

DÉFIS ET PERSPECTIVES

François Mercier affirme que les perspectives d'emploi sont bonnes et que les diplômés n'ont pas de mal à se trouver du travail. Cependant les métiers liés à l'exploitation d'une entreprise agricole sont de plus en plus exigeants. «L'exploitant d'une entreprise agricole a le défi de demeurer compétitif tout en respectant les règles environnementales, dit-il. Il existe des normes restreignant la production des cultivateurs et certains d'entre eux sont tentés d'y contrevenir pour rentabiliser leur entreprise...» M. Mercier ajoute que la compétition est forte et que les coûts de production sont en hausse, alors que la mondialisation des marchés a amené une importante baisse des revenus. Les agriculteurs doivent donc produire davantage pour que leur entreprise demeure rentable. 03/01

HORAIRES ET MILIEUX DE TRAVAIL

- Le diplômé peut devenir cultivateur ou prendre la relève de l'entreprise familiale.
- Il peut aussi être employé par les producteurs de grains et de céréales, les producteurs de grande culture, les producteurs maraîchers, les fournisseurs de produits (semences, engrais, pesticides), les coopératives et syndicats agricoles ou les firmes de consultation agroalimentaire.
- Le travail se déroule généralement de jour, suivant un horaire variable.
- La période de pointe se situe d'avril à octobre; c'est le moment de la préparation des sols, des semailles, de l'entretien et des récoltes. Les journées de travail, à cette période, comptent plus de 12 heures.
- Le travail est au ralenti en janvier et en février. Plusieurs cultivateurs en profitent pour prendre des vacances ou faire réparer leur machinerie. D'autres utilisent leurs tracteurs pour effectuer du déneigement.

Paysage et commercialisation en horticulture ornementale

Mélanie Dumont a toujours aimé les plantes, et elle n'a pas eu à se tourmenter bien longtemps pour faire son choix de carrière. «Je voulais absolument travailler à l'extérieur. Comme je suis très créative, je trouvais que l'horticulture et l'aménagement paysager me permettaient de mettre à profit tous mes talents!»

PROG. 153.C0
PRÉALABLE : 0, VOIR PAGE 11

INTÉRÊTS
- aime la nature et le monde végétal
- aime faire un travail manuel et minutieux
- aime travailler avec le public
- aime créer, agencer des formes et des couleurs

APTITUDES
- polyvalence et leadership
- minutie et sens des responsabilités
- très bon sens de l'observation
- facilité à communiquer
- sens esthétique et créativité

OFFRE DU PROGRAMME PAR RÉGIONS
Laval, Montérégie

RÔLE ET TÂCHES

Mélanie a obtenu un emploi au Centre de la nature de Laval deux ans avant d'achever sa formation au Collège Montmorency. La jeune femme est jardinière pour le parc public et veille à l'entretien des différents jardins du centre. «Dans la serre des plantes tropicales, je procède à l'arrosage et à la taille des plantes. Je prépare également les semis de fleurs qui seront plantées dehors au printemps, explique-t-elle. L'été, je travaille essentiellement dans les jardins extérieurs. Je fais notamment la conception de plates-bandes fleuries. Pour cela, je conçois l'aménagement et je choisis les fleurs à planter.» Les besoins d'eau et de lumière des plantes, de même que l'agencement des couleurs et le jeu des hauteurs déterminent les choix de la paysagiste. La diplômée en paysage et commercialisation d'horticulture ornementale a également appris à concevoir les bordures, les murets de pierres et les structures de bois qui complètent un aménagement de jardin. Elle est aussi capable de mettre en place un système d'irrigation des plantes et un éclairage d'ambiance. Au Centre de la nature de Laval, Mélanie s'occupe d'au moins quatre types de jardins : ceux des arbres et arbustes, des fleurs annuelles, des plantes vivaces et des espèces des sous-bois. «J'aime tous les aspects de mon travail, avoue-t-elle. De la plantation jusqu'à l'arrosage des fleurs. Je trouve qu'il est très valorisant de voir s'épanouir les plantes au fil des jours!»

QUALITÉS RECHERCHÉES

«Il faut avoir une bonne endurance physique pour travailler en aménagement paysager, confie Mélanie. On doit retourner le sol, pelleter de la terre

	Salaire hebdo moyen	Proportion de dipl. en emploi	Emploi relié	Chômage	Nombre de diplômés
2000	n/d	n/d	n/d	n/d	n/d
1999	n/d	72,2 %	n/d	7,1 %	48
1998	353 $	61,1 %	70,0 %	18,5 %	41

Statistiques tirées de la Relance - Ministère de l'Éducation. Voir données complémentaires, page 419.

Comment interpréter l'information, page 10.

et soulever des roches. Des tâches qui demandent un grand effort physique. On est souvent penché, ce qui est éreintant pour le dos. Et puis, l'été, il faut pouvoir travailler malgré la chaleur!»

La jardinière ajoute que le sens de l'organisation est aussi essentiel. «C'est important de bien planifier sa journée pour ne pas perdre son temps. Je prépare tous mes instruments le matin avant de commencer à travailler. Il faut aussi savoir diriger une équipe d'ouvriers. Comme je travaille souvent avec des gens plus âgés que moi, je tente de les diriger sans donner d'ordres. Je ne veux pas faire le petit *boss*!» Les diplômés qui veulent exploiter une jardinerie doivent posséder un bon sens des affaires. Il leur est aussi nécessaire de maîtriser la gestion des stocks de même que la mise en marché et la vente de leurs produits. La minutie est une autre qualité à cultiver. «Les fleurs, surtout les annuelles, sont fragiles. Je dois les manipuler avec délicatesse. Mon travail exige également beaucoup d'attention. Je dois être une fine observatrice pour détecter le manque d'eau d'une plante ou le début d'une maladie.»

Les besoins d'eau et de lumière des plantes, de même que l'agencement des couleurs et le jeu des hauteurs déterminent les choix de la paysagiste.

Photo : ITA de Saint-Hyacinthe

DÉFIS ET PERSPECTIVES

«Les entreprises s'arrachent les diplômés, soutient Luc Dethier, coordonnateur du programme de paysage et commercialisation en horticulture ornementale au Collège Montmorency de Laval. Nos élèves se placent plusieurs mois avant d'obtenir leur diplôme. Notre collège devrait former deux fois plus de diplômés dans ce domaine pour pouvoir répondre à la demande.» Pourquoi n'en est-il pas ainsi? Il semble que le programme soit encore mal connu et que les établissements collégiaux aient du mal à recruter des élèves.

Pourtant, le domaine de l'horticulture est en expansion dans nos villes et villages depuis une quinzaine d'années. Et s'il faut en croire M. Dethier, cet engouement n'est pas prêt de s'évanouir! «L'horticulture est un des rares marchés à être demeuré à la hausse malgré les récessions. Si, pendant longtemps, le fait d'avoir un beau jardin était considéré comme un luxe, c'est aujourd'hui chose courante. De plus en plus de gens aménagent leur terrain et consomment des biens horticoles.» Les besoins de main-d'œuvre se font donc sentir, tant dans la vente que dans l'entretien et l'aménagement paysagers. 03/01

HORAIRES ET MILIEUX DE TRAVAIL

- Les principaux employeurs du milieu de l'horticulture ornementale sont les jardineries, les entreprises d'entretien et d'aménagement paysagers, les bureaux d'architectes paysagistes, les municipalités, les golfs et les centres de villégiature.
- La semaine de travail compte environ 40 heures. En période de pointe (de mai à juillet), la semaine de travail peut facilement s'allonger jusqu'à 60 heures.
- Le travail du technicien en paysage et commercialisation d'horticulture ornementale n'est pas saisonnier; il se déroule durant les 12 mois de l'année. Il s'effectue toutefois à l'extérieur, d'avril à décembre, alors que les mois d'hiver sont consacrés à la planification (réalisation de plans, embauche d'ouvriers).

Techniques de santé animale

Sa passion pour les animaux l'a poussée à suivre la formation en techniques de santé animale. Aujourd'hui jeune diplômée, Isabelle Caron ne regrette pas ce choix qui lui permet d'être quotidiennement en contact avec les animaux.

PROG. 145.A0
PRÉALABLE : 20, VOIR PAGE 11

INTÉRÊTS

- aime la médecine et adore le contact avec les animaux
- aime observer et faire des analyses de laboratoire
- aime seconder, assister, coopérer
- aime informer et conseiller les personnes

APTITUDES

- grande sensibilité à la vie animale
- dextérité et sens de la précision
- grande faculté d'observation
- sang-froid, force physique et résistance au stress
- facilité à communiquer, à vulgariser
- n'est pas dédaigneux

OFFRE DU PROGRAMME PAR RÉGIONS
Bas-Saint-Laurent, Estrie, Laurentides, Mauricie, Montérégie, Montréal-Centre

RÔLE ET TÂCHES

La jeune femme travaille dans le domaine de la recherche, pour le département d'anatomie et de physiologie de l'Université Laval. Le programme des techniques de santé animale vise à former des techniciens aptes à travailler dans tous les secteurs d'activité reliés à la santé et à l'utilisation des animaux. «Mon travail au sein des laboratoires de recherche de l'Université consiste à assister les chercheurs qui utilisent des animaux pour leurs travaux, explique Isabelle. Mon rôle est de veiller au bien-être des animaux et d'aider les chercheurs en effectuant des prélèvements, des injections et parfois même des actes de petite chirurgie. Je dois également m'assurer que les protocoles appliqués respectent les normes et les règlements relatifs à l'expérimentation animale.» Dans le cadre de ce travail, Isabelle effectue des tâches très variées. «Je dois avoir une grande polyvalence et des compétences dans des domaines aussi divers que l'informatique, la chirurgie, l'analyse ou même la cuisine.» Pour la diplômée en techniques de santé animale, assister les chercheurs est un défi fort stimulant. Elle se consacre à des projets en ophtalmologie, en pharmacologie ou à des thèmes de recherche plus spécifiques, comme l'obésité. «L'animalerie de l'Université est assez bien garnie. Outre les rats et les souris, nous avons également des chats, des chiens, des lapins, des brebis, des cochons et même des singes. Mon rôle est d'expliquer aux chercheurs comment manipuler ces différents animaux. Lorsque le cas se présente, c'est aussi à moi de pratiquer les euthanasies. Je dois malgré tout le faire de la meilleure façon possible pour éviter toute souffrance à l'animal.»

	Salaire hebdo moyen	Proportion de dipl. en emploi	Emploi relié	Chômage	Nombre de diplômés
2000	372 $	89,5 %	86,9 %	2,8 %	200
1999	366 $	86,6 %	89,5 %	4,0 %	149
1998	360 $	89,1 %	91,9 %	4,5 %	135

Statistiques tirées de la Relance - Ministère de l'Éducation. Voir données complémentaires, page 419.

Comment interpréter l'information, page 10.

QUALITÉS RECHERCHÉES

Le métier de technicien en santé animale nécessite également une certaine habileté technique. «Je me suis aperçue qu'être ambidextre est une qualité précieuse lorsqu'on doit faire une prise de sang à un animal récalcitrant», dit Isabelle. Quand on travaille en recherche, il faut bien sûr aimer les animaux et veiller à leur bien-être, mais aussi être en mesure de prendre une certaine distance quant aux fins pour lesquelles on les utilise. Évidemment, ceux qui désirent orienter leur carrière dans ce domaine ne doivent pas souffrir d'allergies particulières aux animaux.

«Je dois avoir une grande polyvalence et des compétences dans des domaines aussi divers que l'informatique, la chirurgie, l'analyse ou même la cuisine.»

— Isabelle Caron

DÉFIS ET PERSPECTIVES

Grâce au nouveau programme, les élèves sont en contact avec les animaux dès la première année. «Nos élèves peuvent ainsi mettre à l'épreuve leur habileté technique et avoir une expérience concrète du secteur vers lequel ils désirent orienter leur carrière», explique Michel Lockquell, coordonnateur du programme au Collège de Sherbrooke. Le coordonnateur explique que les diplômés prennent en général deux voies distinctes. Une moitié d'entre eux se dirige vers les cliniques vétérinaires, alors que l'autre moitié rejoint le secteur de la recherche. Il tient à préciser que le travail en clinique a beaucoup évolué depuis quelques années, les techniciens n'étant plus cantonnés au nettoyage des cages. Ce sont aujourd'hui de véritables adjoints, formés pour assister le vétérinaire dans ses actes médicaux. La demande existe également en recherche. «De nombreux centres travaillent avec les animaux», dit M. Lockquell. C'est le cas des fermes expérimentales, des laboratoires de recherche universitaires et bien sûr des compagnies pharmaceutiques. Les techniciens en santé animale se trouvent aussi dans d'autres domaines. Certains exercent dans les jardins zoologiques, les salons de toilettage, les sociétés protectrices des animaux ou les élevages commerciaux. «Quel que soit l'endroit où l'on travaille, il est nécessaire de constamment mettre à jour ses connaissances et ses compétences, considère M. Lockquell. C'est ce que propose l'Association des techniciens en santé animale du Québec (ATSAQ), qui dispense de la formation et de l'information sur les nouveautés du métier.» 03/01

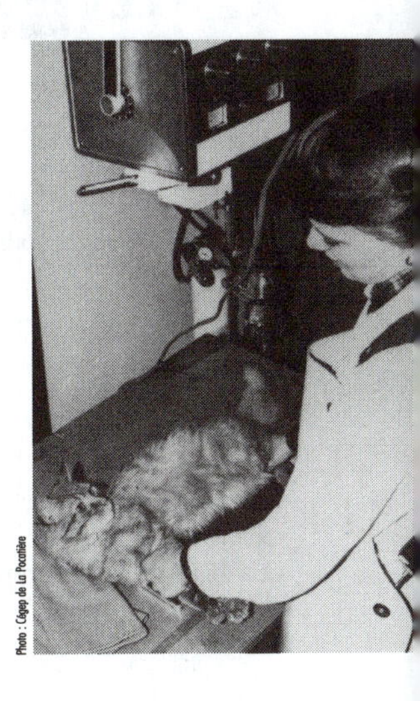

Photo : Cégep de La Pocatière

HORAIRES ET MILIEUX DE TRAVAIL

- Les diplômés peuvent travailler dans des cliniques vétérinaires, des laboratoires de recherche, des compagnies pharmaceutiques ou des fermes expérimentales.
- On trouve aussi ces diplômés dans des jardins zoologiques, des salons de toilettage, des sociétés protectrices des animaux ou des élevages commerciaux.
- Le contact avec les animaux implique un risque, minime, de griffure ou de morsure.
- Le travail se fait selon des horaires de bureau réguliers.
- Dans certains cas, les techniciens peuvent travailler tôt le matin, tard le soir ou les fins de semaine.
- Le milieu de travail est informatisé pour les techniciens qui œuvrent en recherche.

Techniques équines

Au départ, Danio Gagnon désirait être vétérinaire. Mais il s'est aperçu que cela risquait d'être trop théorique et trop long. Aujourd'hui, Danio est diplômé en techniques équines et travaille aux Fermes Dafflon, où il s'occupe des chevaux pensionnaires.

PROG. 155.A0
PRÉALABLE : 0, VOIR PAGE 11

INTÉRÊTS

- est passionné par les chevaux
- aime le travail physique et manuel
- aime assumer des responsabilités et relever des défis (entraînement)

APTITUDES

- possède force et résistance physique
- grande sensibilité et sens de l'observation
- patience et persévérance
- sens des responsabilités et facilité à communiquer

OFFRE DU PROGRAMME PAR RÉGIONS
Bas-Saint-Laurent

RÔLE ET TÂCHES

Les tâches de Danio se divisent en deux catégories : celles qui sont reliées à l'environnement des chevaux et celles qui sont liées aux chevaux eux-mêmes. Pour nourrir les chevaux, il faut du foin. «Trois coupes et 5 000 balles de foin par année», résume Danio. Ensuite, il y a les boxes. Le box, c'est l'endroit où couche le cheval. «Faire les boxes», comme le dit l'expression consacrée, c'est les nettoyer, enlever le fumier et l'urine. «Quand tu sors de La Pocatière, si tu penses que tu ne feras plus de box, tu te mets le doigt dans l'œil.» Le travail de palefrenier, c'est aussi réparer tout ce qui se brise, nettoyer, peinturer, rénover, etc.

«Avec les chevaux, c'est la plus belle partie. Si quelqu'un veut que j'entraîne son cheval, c'est 450 $ par mois, entraînement et pension. Avant de lui mettre la selle sur le dos, il faut mettre le poulain en confiance. Ensuite, tu lui montres à longer, à tourner autour de toi avec une longe, aux trois allures : le pas, le trot et le galop.»

«En somme, tu entraînes le poulain comme un athlète, autant physiquement que mentalement. Je ne veux pas me battre avec le cheval quand vient le temps de le monter. [...] Ça prend au moins un mois et demi d'entraînement au sol avant de pouvoir le faire.»

En plus d'entraîner des chevaux en vue des concours de plaisance, Danio peut simplement entraîner un cheval pour que son propriétaire le monte. En tant qu'instructeur de niveau I, il est aussi à même d'enseigner.

	Salaire hebdo moyen	Proportion de dipl. en emploi	Emploi relié	Chômage	Nombre de diplômés
2000	309 $	88,9 %	100 %	0,0 %	11
1999	285 $	88,9 %	62,5 %	0,0 %	11
1998	294 $	83,3 %	87,5 %	14,3 %	12

Statistiques tirées de la Relance - Ministère de l'Éducation. Voir données complémentaires, page 419.

Comment interpréter l'information, page 10.

QUALITÉS RECHERCHÉES

Il faut aimer les chevaux. «C'est la matière première, c'est avec ça qu'on travaille. Comme disait un entraîneur, quand tu entres dans l'écurie le matin, t'es tout seul avec les chevaux. Quand le client arrive, c'est une autre paire de manches. En entraînement, c'est important d'avoir un bon mandat avec le client. Faire en sorte que tout soit très clair.» La relation avec le client est presque aussi importante que celle entre le cavalier et son cheval. L'entregent et le professionnalisme sont des qualités nécessaires.

«Il faut avoir une bonne connaissance de ses qualifications. Ça prend aussi beaucoup, beaucoup de patience. Les poulains, c'est comme des enfants, ils ont peur de tout. Quand on va en compétition, par exemple, on leur rase le poil des oreilles. Imaginez combien de temps ça prend avant qu'ils se laissent faire... Patience aussi dans le sens où, avant de te faire un nom, ça peut prendre du temps. C'est un monde très fermé. Pour percer, il faut être bon.»

Il faut aimer les chevaux. C'est la matière première avec laquelle on travaille.

Danio doit avoir le sens des responsabilités. Quand son patron n'est pas là, il a une trentaine de pensionnaires à soigner. Dans l'industrie équestre, il est aussi primordial d'aimer le travail en plein air, le travail manuel et le travail physique.

Photo : MAPAQ

DÉFIS ET PERSPECTIVES

Depuis septembre 1997, l'ITA de La Pocatière offre à ses élèves en techniques équines un nouveau volet à la formation : randonnées et loisirs équestres. «Cela devrait ouvrir leur champ d'action, car ainsi ils seront bien préparés pour œuvrer dans un domaine supplémentaire», affirme Grégoire Lajoie, chef du département de techniques équines. En général, le placement demeure relativement bon, même si l'on note un manque de persévérance de la part de certains élèves. «Lorsqu'ils arrivent sur le marché du travail, certains trouvent cela difficile, explique M. Lajoie. Ils ne persistent pas assez longtemps et abandonnent avant d'avoir pu améliorer leur situation.» En outre, les professionnels diplômés en techniques équines doivent suivre l'évolution des techniques en vigueur dans ce domaine. Pour cela, il faut se tenir à jour et participer aux activités des différentes associations équestres. 09/98

HORAIRES ET MILIEUX DE TRAVAIL

- Les diplômés en équitation sont principalement instructeurs, dans les centres équestres, les colonies de vacances, etc.
- On peut aussi entraîner les chevaux en vue de concours hippiques.
- Les emplois saisonniers sont courants dans le domaine et plusieurs diplômés travaillent à la pige.
- Les conditions de travail sont parfois difficiles en raison d'horaires irréguliers qui peuvent être éprouvants, et de la somme de travail à effectuer.

Technologie de la production horticole et de l'environnement

Jérémie Brisset des Nos se qualifie lui-même de «gentleman farmer». Horticulteur de métier, il est un ex-citadin ayant fait un retour à la terre. Aujourd'hui copropriétaire des Serres de l'Étang en Montérégie, le jeune homme de 25 ans n'échangerait sa place pour rien au monde!

PROG. 153.BO
PRÉALABLE : 0, VOIR PAGE 11

INTÉRÊTS

- aime la nature et le travail en plein air
- aime la communication et la coopération
- aime observer, analyser et résoudre des problèmes concrets

APTITUDES

- excellent jugement et grand sens de l'observation
- respect de la nature et de l'environnement
- sens des responsabilités
- facilité à communiquer et à vulgariser

OFFRE DU PROGRAMME PAR RÉGIONS
Bas-Saint-Laurent, Lanaudière, Laurentides, Montérégie

RÔLE ET TÂCHES

Lorsque Jérémie est en 5e secondaire, ses parents décident d'acheter une maison à la campagne, une maison à laquelle des serres sont rattachées. C'est à ce moment que commence à germer dans son esprit l'idée de devenir horticulteur... Il décide alors de s'inscrire au programme donné à l'Institut de technologie agroalimentaire (ITA) de Saint-Hyacinthe. Après avoir terminé sa formation, il continue de travailler aux serres de ses parents. Deux ans plus tard, il devient responsable de la production pour finalement racheter l'entreprise familiale, en 1999, avec son ami Marc-André Lamontagne, lui aussi diplômé de l'ITA.

Aux Serres de L'Étang, on fait la production de plantes rares : Jérémie et Marc-André parcourent le monde pour trouver des semences de ces plantes pour ainsi pouvoir les reproduire. Attenante aux serres se trouve une jardinerie où l'on vend les spécialités de la maison, mais aussi des plantes plus communes et tous les outils nécessaires au jardinage. Côté jardin, Jérémie fait des boutures à partir des plantes mères et les rempote. Il s'occupe aussi de l'arrosage, de la fertilisation, du nettoyage et de la taille des plantes. De plus, il crée des arrangements floraux pour la jardinerie et fait parfois de l'aménagement paysager chez des particuliers. Côté cour, il s'occupe de la gestion de l'entreprise. En plus d'être responsable de la vente, il s'occupe des factures, des commandes, des achats, tant pour les serres que pour la jardinerie (semences, terre, engrais, produits finis, etc.). C'est aussi lui qui est chargé de commander les plantes rares et d'envoyer la liste de leurs produits dans les autres jardineries.

	Salaire hebdo moyen	Proportion de dipl. en emploi	Emploi relié	Chômage	Nombre de diplômés
2000	n/d	n/d	n/d	n/d	n/d
1999	406 $	70,8 %	86,7 %	10,5 %	32
1998	332 $	73,3 %	90,0 %	8,3 %	16

Statistiques tirées de la Relance - Ministère de l'Éducation. Voir données complémentaires, page 419.

Comment interpréter l'information, page 10.

Comme il y a une bonne demande de plantes aquatiques, Jérémie suit des cours, la fin de semaine, sur l'aménagement des jardins d'eau. «Je prends ces cours pour répondre à la demande, dit-il. Mais c'est aussi un domaine qui m'intéresse.» Le jeune homme considère que c'est un peu le rôle de l'horticulteur de sensibiliser les gens à l'environnement. «On leur conseille, par exemple, d'utiliser du compost plutôt que des engrais chimiques.»

QUALITÉS RECHERCHÉES

Ne devient pas horticulteur qui veut. Jérémie considère qu'il faut aimer travailler avec le public, savoir vulgariser l'information et... être de bonne humeur! «On travaille dans le beau, explique-t-il. Alors il n'y a pas de raison d'être de mauvaise humeur!»

L'un des grands défis de ce métier est de réussir à offrir un produit de la meilleure qualité, à des prix moins élevés.

Il faut aussi être prêt à travailler pendant de courtes périodes et, bien souvent, dans des emplois saisonniers. «Un bon horticulteur doit élargir son champ d'action et s'intéresser à beaucoup de choses pour pouvoir se trouver plus facilement du travail», dit-il, tout en ajoutant que l'esprit d'observation, le sens de l'analyse et la capacité de synthèse sont aussi des qualités recherchées dans le domaine.

Photo : ITA de Saint-Hyacinthe

DÉFIS ET PERSPECTIVES

En horticulture, les emplois saisonniers sont nombreux; on en compte cinq pour un diplômé. «Cela prend environ cinq ans avant que le diplômé ne se trouve un emploi permanent à temps plein», estime Jean-Claude Vigor, chef d'équipe du programme de technologie de la production horticole et de l'environnement à l'Institut de technologie agroalimentaire de Saint-Hyacinthe. L'un des grands défis de ce métier est de réussir à offrir un produit de la meilleure qualité, à des prix moins élevés. «Les consommateurs sont très sensibles aux prix», explique M. Vigor. Si dans certains secteurs – comme la production de carottes, de tomates et de laitues –, la robotisation et l'automatisation sont bien installées, ces techniques sont en voie de s'étendre à l'ensemble du domaine, pépinières incluses. Le diplômé fait donc face à des défis technologiques importants. Et on ne peut passer à côté de la demande de plus en plus forte de produits issus de la culture biologique. 03/01

HORAIRES ET MILIEUX DE TRAVAIL

- Les principaux employeurs de ces diplômés sont les producteurs agricoles, les fournisseurs horticoles, les municipalités. Les diplômés peuvent aussi offrir leurs services dans les serres, les jardineries, les pépinières ou les vergers.
- Dans ce domaine, on peut avoir à travailler le jour, le soir et les fins de semaine.
- Les emplois sont généralement de nature saisonnière.

Technologie des équipements agricoles

Depuis maintenant un an qu'il travaille chez Marcel Morissette inc., Martin Laferrière n'a vraiment pas le temps de s'ennuyer. Cette entreprise spécialisée dans l'équipement laitier lui permet de mettre à profit les connaissances acquises à l'Institut de technologie agroalimentaire (ITA) de Saint-Hyacinthe.

PROG. 153.DO
PRÉALABLE : 0, VOIR PAGE 11

INTÉRÊTS

- aime résoudre des problèmes concrets
- aime communiquer et travailler avec les personnes
- aime le milieu agricole, la machinerie et la mécanique
- aime la vente

APTITUDES

- pragmatisme et habileté à comprendre la technologie
- bilinguisme et mobilité
- sait bien communiquer : écouter, conseiller et vulgariser
- sait convaincre et négocier (vente)

OFFRE DU PROGRAMME PAR RÉGIONS
Montérégie

RÔLE ET TÂCHES

«Je suis technologue spécialisé dans la maintenance des systèmes de traite, explique Martin. Cela signifie que je veille au bon fonctionnement de l'équipement laitier qui est installé chez nos clients.» Le technologue diagnostique les pannes et choisit les solutions et les réglages les mieux adaptés au problème. Il peut aussi bien gérer un service de pièces, de réparation ou d'entretien, que vendre ou installer des machines et donner des conseils techniques. «Mon rôle auprès des clients comporte plusieurs aspects, précise Martin. D'abord, j'assure l'entretien de leur système de traite. En cas de pépin, je me rends sur place pour localiser et traiter les problèmes techniques. J'explique la nature de la panne au client et lui fait comprendre pourquoi il est peut-être nécessaire de changer une pièce. Ensuite, j'ai également un rôle de conseiller technique auprès des producteurs laitiers. Ensemble, nous analysons les méthodes de traite afin d'améliorer leur production. Enfin, mon travail a aussi un côté commercial. Je fais un peu de représentation et de prospection, je présente nos produits à des clients potentiels et je participe aux différents salons en rapport avec la production laitière.»

QUALITÉS RECHERCHÉES

Dans le domaine de l'équipement agricole, la qualité principale des intervenants reste la disponibilité. «Dans l'agriculture ou l'élevage, il n'y a ni jours fériés ni fins de semaine, dit Martin. Lorsque tout un système de traite tombe en panne, un dimanche à cinq heures du matin, c'est toi que le

	Salaire hebdo moyen	Proportion de dipl. en emploi	Emploi relié	Chômage	Nombre de diplômés
2000	584 $	100,0 %	100,0 %	0,0 %	5
1999	418 $	100,0 %	100,0 %	0,0 %	10
1998	446 $	53,8 %	57,1 %	12,5 %	13

Statistiques tirées de la Relance - Ministère de l'Éducation. Voir données complémentaires, page 419.

Comment interpréter l'information, page 10.

producteur appelle. J'aime bien ne pas travailler selon des horaires classiques, même si ce n'est pas toujours évident de marier travail et vie de famille.» Les relations humaines prennent également une grande importance dans ce domaine. «Tu dois être sociable et patient avec tes clients, car tu as autant besoin d'eux qu'ils ont besoin de toi, constate Martin. C'est un échange très enrichissant.» Comme dans tous les domaines techniques, une mise à jour régulière de ses connaissances est essentielle. Le jeune homme explique que, de l'alimentation à la traite, la gestion des troupeaux est entièrement informatisée. Les robots et l'électronique sont omniprésents. Le technologue doit s'attendre à utiliser un ordinateur pour l'aider à faire le diagnostic et la programmation des systèmes.

«Les développements technologiques sont si importants et si rapides dans le milieu agroalimentaire que les diplômés sont perpétuellement en formation.»

— Mario Laroche

DÉFIS ET PERSPECTIVES

Le principal défi des diplômés de ce secteur est de suivre le rythme effréné de l'avance technologique. «Les développements technologiques sont si importants et si rapides dans le milieu agroalimentaire que les diplômés sont perpétuellement en formation, indique Mario Laroche, enseignant en technologie des équipements agricoles à l'ITA de Saint-Hyacinthe. Tous les secteurs de la culture ou de l'élevage sont touchés par ce phénomène d'automatisation. Les diplômés doivent gérer la maintenance de robots de traite ou d'alimentation, de systèmes d'alarme ou de ventilation. Ils doivent s'occuper d'équipements de technologie de pointe qui coûtent parfois des centaines de milliers de dollars», ajoute l'enseignant.

Photo : Chapeau, les filles ! / PPM

M. Laroche affirme que les entreprises en équipements de ferme s'arrachent littéralement le peu d'élèves formés. «Si un jeune sur deux choisit aujourd'hui de travailler pour les grandes compagnies, il faut savoir que les meilleures possibilités d'évolution de carrière se situent souvent dans les PME, dit-il. Certains postes de contremaîtres ou de superviseurs donnent ainsi des possibilités intéressantes quant à la gestion et aux responsabilités. Si l'on désire à la fois répondre aux besoins techniques de la clientèle et aux besoins de représentation commerciale de l'entreprise, c'est un programme qui offre un grand intérêt et d'excellentes perspectives de carrière.» 03/01

HORAIRES ET MILIEUX DE TRAVAIL

- Les diplômés sont employés par les compagnies qui commercialisent du matériel agricole.
- Ils travaillent dans la vente, la gestion de pièces, l'entretien ou la réparation.
- Les travailleurs de ce domaine sont souvent en déplacement; ils travaillent à l'extérieur ou dans des bâtiments parfois bruyants.
- On utilise de plus en plus l'outil informatique dans la maintenance des systèmes.
- Il est possible de travailler le soir ou les fins de semaine.
- Parfois, un système de garde permettant d'être rejoint en tout temps est nécessaire pour répondre aux urgences des clients.

Technologie des productions animales

Francis Lajeunesse est représentant pour la Coopérative des Cantons au service du département de l'élevage porcin. Même s'il n'est pas issu du milieu agricole, Francis a une véritable passion pour ce secteur dans lequel il a choisi de travailler.

PROG. 153.A0
PRÉALABLE : 0, VOIR PAGE 11

INTÉRÊTS

- aime les animaux et l'agriculture (produits, aliments)
- accorde de l'importance au résultat, à la qualité (des produits)
- aime le travail de précision
- aime observer et manipuler, faire des tests et des analyses de produit

APTITUDES

- n'est pas dédaigneux (odeurs, manipulations)
- sens de l'observation et souci du détail
- aisance avec la technologie
- facilité à communiquer (préférablement bilingue)
- sens des responsabilités et de l'éthique professionnelle

OFFRE DU PROGRAMME PAR RÉGIONS
Bas-Saint-Laurent, Montérégie

RÔLE ET TÂCHES

La coopérative pour laquelle Francis travaille regroupe différents producteurs de la région des Canton-de-l'Est. «Nous nous occupons d'élevage porcin, d'élevage laitier et nous avons également un département végétal. Je fais partie d'une équipe de six représentants et mon rôle est de vendre, de promouvoir et de prospecter pour le secteur porcin.»

Au-delà de ses responsabilités commerciales, Francis a aussi comme mission d'apporter un soutien technique à ses clients. «Je vérifie avec eux si les conditions de vie des cochons que nous leur vendons sont idéales, explique-t-il. Au besoin, je rectifie la température ou la ventilation. Je conseille l'éleveur en ce qui concerne les programmes alimentaires et la composition des moulées qui sont distribuées aux animaux. Il m'arrive aussi de faire la tournée des fermes avec le vétérinaire lorsqu'on me signale un problème de santé dans un élevage.

S'il passe une grande partie de son temps sur la route et en visite chez ses clients, Francis doit également faire du travail de bureau pour gérer les aspects administratifs reliés à son activité de représentant. «J'effectue quotidiennement le suivi des entrées et des sorties de tous les animaux qui sont à l'engraissement, dit-il. La pouponnière de la coopérative produit environ 44 000 porcelets par année; ça fait des bêtes à surveiller! En général, les tâches administratives me prennent une ou deux heures par jour. J'en fais le matin, à mon arrivée, et le soir avant de partir. Entre-temps, je suis sur la route et je visite des clients. Comme la plupart des représentants, je dois

	Salaire hebdo moyen	Proportion de dipl. en emploi	Emploi relié	Chômage	Nombre de diplômés
2000	n/d	n/d	n/d	n/d	n/d
1999	463 $	82,1 %	96,6 %	5,9 %	51
1998	444 $	82,6 %	96,4 %	6,6 %	79

Statistiques tirées de la Relance - Ministère de l'Éducation. Voir données complémentaires, page 419.

Comment interpréter l'information, page 10.

aussi assister à plusieurs réunions chaque semaine et être présent à tous les salons ou colloques ayant un rapport avec le secteur porcin.»

QUALITÉS RECHERCHÉES

Le technologue en productions animales doit être particulièrement rigoureux dans sa démarche et son analyse des problèmes. «On travaille avec du matériel vivant, dit Francis. Il faut donc faire attention aux décisions qu'on prend, car les conséquences peuvent être assez graves.» Que l'on soit employé en production ou en représentation, que l'on travaille dans une exploitation, une coopérative ou un bureau de contrôle, il faut aimer servir et avoir le goût des contacts humains. «La relation avec les producteurs est très enrichissante, estime Francis. On doit gagner la confiance de nos clients en leur prodiguant de bons conseils.» Le domaine de la production animale exige aussi une certaine disponibilité, de la facilité à utiliser les technologies, un bon sens de l'observation et des responsabilités.

«Grâce à ma formation en productions animales à l'Institut de technologie agroalimentaire de Saint-Hyacinthe, je suis arrivé sur le marché du travail en ayant déjà touché un pis de vache.»

— Francis Lajeunesse

DÉFIS ET PERSPECTIVES

Carole Simon est directrice de l'enseignement à l'Institut de technologie agroalimentaire de Saint-Hyacinthe. Elle considère que leur mission est de former des technologues qui possèdent, en plus de leurs compétences techniques, un sens très poussé du service à la clientèle. «La majeure partie de nos diplômés est en effet appelée à occuper des postes de représentants, explique-t-elle. Pour conseiller les producteurs dans l'achat des produits, ils doivent être aussi à l'aise avec l'aspect technique qu'avec le côté commercial.» Mme Simon a remarqué que le nombre de diplômés qui intègrent chaque année le monde du travail est insuffisant pour répondre aux besoins du marché. Si l'industrie laitière demeure l'employeur numéro un des technologues en productions animales, d'autres secteurs se développent fortement. C'est le cas des élevages porcins et avicoles.

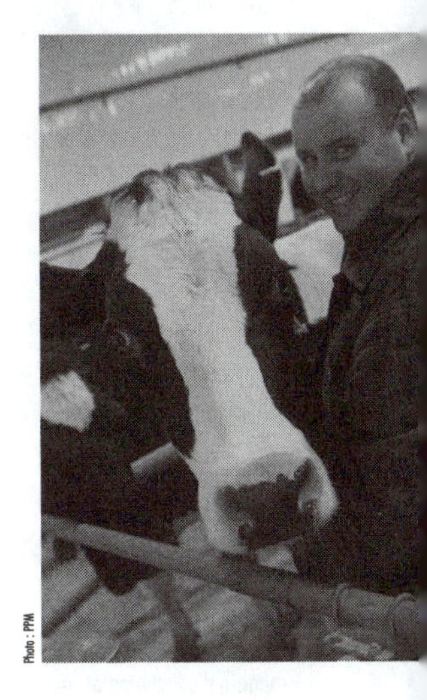
Photo : PPM

«Selon les conclusions des comités consultatifs auxquels nous participons, en partenariat avec les professionnels de l'industrie agroalimentaire, le principal défi que nos diplômés auront à relever sera de faire baisser les coûts de production pour répondre aux exigences de la mondialisation des marchés, estime Mme Simon. Ils ont d'excellentes perspectives de carrière et peuvent à moyen terme évoluer jusqu'à des postes de direction.» 03/01

HORAIRES ET MILIEUX DE TRAVAIL

- Les diplômés sont employés comme représentants par les coopératives ou les entreprises d'alimentation.
- Ils peuvent travailler dans les grosses unités de production laitière, porcine ou avicole.
- Ils sont aussi embauchés par le ministère de l'Agriculture, des Pêcheries et de l'Alimentation du Québec.
- Les milieux de travail, dans ce domaine, peuvent être bruyants et odorants.
- Les horaires de bureau des représentants peuvent varier.
- Il est possible de travailler le soir et les fins de semaine.

Transformation des produits de la mer

Alors qu'il n'avait que six ans, Pascal Noël allait à l'usine de transformation des produits de la mer où travaillait son père. Il observait les superviseurs et se disait que c'était ce qu'il ferait un jour. Vingt ans plus tard, il est superviseur du contrôle de la qualité pour Les Pêcheries Marinad.

PROG. 231.03
PRÉALABLE : 10, 20, VOIR P. 11

INTÉRÊTS

- aime faire des calculs et des analyses sur des produits
- aime travailler en usine et coopérer
- aime observer et manipuler
- aime résoudre des problèmes

APTITUDES

- facilité pour les sciences (mathématiques, chimie et biologie)
- sens critique et créativité
- autonome, très responsable et très méticuleux
- grande acuité de perception (visuelle, olfactive, gustative)
- capacité d'adaptation et facilité à communiquer

OFFRE DU PROGRAMME PAR RÉGIONS
Gaspésie–Îles-de-la-Madeleine

RÔLE ET TÂCHES

Pascal a toujours frayé dans le domaine des pêches. Son père y travaillait avant lui, et tous les emplois qu'il a lui-même occupés pendant ses études y étaient reliés. Une fois diplômé en transformation des produits de la mer, il a dû gravir les échelons avant d'obtenir son poste actuel. En tant que superviseur du contrôle de la qualité, Pascal s'assure que tous les produits des Pêcheries Marinad soient propres à la consommation et conformes aux normes de qualité. L'homme gère les trois équipes qui se partagent le travail sur 24 heures. En arrivant le matin, il vérifie la paperasse de la nuit et s'assure du respect de la réglementation. «Une réglementation qui répond aux exigences des clients comme à celles de l'usine», tient-il à préciser. Pascal supervise aussi les contremaîtres responsables de la qualité. De temps à autre, il se rend lui-même dans les usines et entrepôts avec lesquels Les Pêcheries Marinad font affaire, histoire de vérifier si le poisson est conforme aux normes établies. Lors de ces visites inopinées, il rencontre les employés chargés du contrôle de la qualité dans l'entreprise, pour s'assurer que ces gens font bien leur travail.

Il n'est pas toujours évident pour des employés plus âgés de respecter l'autorité d'un superviseur de 26 ans. «Au début, on a dû effectuer certains ajustements, explique Pascal. Mais maintenant, ça va bien», assure-t-il en ajoutant que c'est surtout sur le plan de l'informatisation des procédés qu'il a constaté le plus de réticences. «Les plus âgés m'appelaient "le pitonneux"», dit-il en riant.

	Salaire hebdo moyen	Proportion de dipl. en emploi	Emploi relié	Chômage	Nombre de diplômés
2000	n/d	n/d	n/d	n/d	n/d
1999	n/d	n/d	n/d	n/d	n/d
1998	n/d	n/d	n/d	n/d	n/d

Statistiques tirées de la Relance - Ministère de l'Éducation. Voir données complémentaires, page 419.

Comment interpréter l'information, page 10.

QUALITÉS RECHERCHÉES

Selon Pascal Noël, pour percer dans le métier, il faut du cœur au ventre et, surtout, ne pas avoir peur de foncer. «Plusieurs des élèves de ma promotion œuvrent aujourd'hui dans un autre domaine, déplore-t-il. Les autres, pour la plupart, ne travaillent qu'à mi-temps dans les pêches.»

Mais on aurait tort de croire qu'il suffit de foncer pour réussir. «Il faut aussi être novateur et créatif, et ne pas craindre de donner ses idées, dit Pascal Noël. On doit aimer aller au fond des choses et avoir le sens du leadership.» La dextérité manuelle, l'entregent, la minutie et les connaissances informatiques sont également fort utiles à ceux qui exercent un métier dans ce domaine.

«La mer est pleine, mais il y a beaucoup de choses que l'on ne mange pas. Un des récents défis pour cette profession est de développer de nouveaux produits marins, de nouvelles sortes de crustacés, de mollusques et de poissons.»

— Yves Tardif

DÉFIS ET PERSPECTIVES

«La mer est pleine, mais il y a beaucoup de choses que l'on ne mange pas. Un des récents défis pour cette profession est de développer de nouveaux produits marins, de nouvelles sortes de crustacés, de mollusques et de poissons», considère Yves Tardif, aide pédagogique individuel au Cégep de la Gaspésie et des Îles.

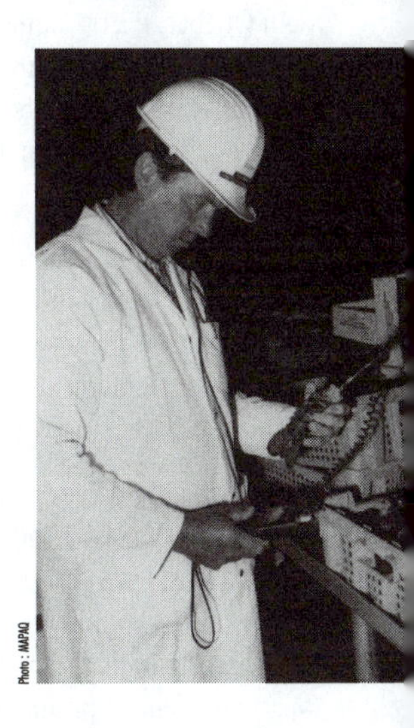

Photo : MAPAQ

Qui connaît l'aiguillat commun, le concombre de mer, la tanche tautogue ou le caviar de lompe? Ce sont tous des produits marins peu connus, et qui font une apparition timide sur le marché. Depuis le moratoire sur la morue en 1993, le milieu de la pêche a dû s'adapter pour découvrir de nouveaux produits marins propres à la consommation. Les diplômés en transformation de produits de la mer doivent trouver des façons de capturer ces espèces, imaginer différentes manières de les apprêter et repérer des marchés qui sauront exploiter ces nouveautés.

Les deuxième et troisième transformations devront être développées dans ce domaine. La première transformation étant le produit lui-même, la deuxième est le produit apprêté, et la troisième, le plat cuisiné. De larges horizons s'offrent donc aux diplômés qui aimeraient exercer leurs talents de cuisiniers. Le fait de relever ces défis élargira les champs d'activité dans le secteur de la pêche et, aspect non négligeable, permettra à l'industrie de fonctionner à longueur d'année. 03/01

HORAIRES ET MILIEUX DE TRAVAIL

- Les employeurs sont le ministère des Pêches et Océans Canada et celui de l'Agriculture, des Pêcheries et de l'Alimentation du Québec.
- Les diplômés peuvent aussi travailler pour des usines de transformation de poissons, des centres de recherche et des centres de distribution de produits marins.
- Dans ce milieu, on travaille le jour, le soir ou la nuit.
- Les emplois sont souvent saisonniers.

ALIMENTATION ET TOURISME

L'industrie du tourisme occupe une place importante dans l'économie québécoise. Au Québec, d'ici à l'année 2005, 73 000 nouveaux postes devraient s'ajouter aux 315 000 emplois recensés en 1998 par le Conseil canadien des ressources humaines en tourisme. Par ailleurs, selon l'Organisation mondiale du tourisme, ce secteur générera quelque 100 millions d'emplois à travers le monde en 2010. À cette date, le nombre de touristes dépassera le milliard de personnes!

Les secteurs de la restauration, des transports et de l'hébergement sont parmi les plus dynamiques au chapitre de l'emploi, où y œuvrent respectivement 51 %, 19 % et 12 % des travailleurs de cette industrie. Selon l'Institut de tourisme et d'hôtellerie du Québec, les diplômés en techniques de gestion des services alimentaires et de restauration se placent sans difficulté.

La population est férue de nouveaux produits de qualité supérieure, créés et transformés au Québec. L'industrie de la transformation et de la distribution des aliments assure ainsi l'emploi de plus de 178 000 travailleurs. La commercialisation des produits et la restauration demeurent des secteurs particulièrement prometteurs.

Les secteurs de la restauration, des transports et de l'hébergement sont parmi les plus dynamiques au chapitre de l'emploi.

Selon le site de Développement des ressources humaines Canada (DRHC), il y a aussi de bonnes occasions à saisir en techniques de gestion hôtelière. Enfin, les compagnies de transport, les agences de voyages, les chambres de commerce, les musées, les théâtres, les parcs nationaux, les bases de plein air et tous les services associés à l'industrie touristique sont aussi des débouchés potentiels pour les diplômés. 05/01

INTÉRÊTS

- aime les voyages et les pays étrangers, le Québec et le Canada
- aime faire un travail qui permet de parler et de rencontrer des personnes
- aime conseiller et expliquer
- aime la nouveauté et la diversité
- aime résoudre des problèmes concrets (pour les personnes)

APTITUDES

- facilité pour les langues, la géographie et les mathématiques
- facilité d'apprentissage de l'informatique
- grande curiosité, dynamisme et discernement
- autonomie et sens de l'organisation
- capacité d'écoute (comprendre, cerner le besoin)
- grande facilité d'expression

LE SAVIEZ-VOUS ?

D'après les prévisions de l'Association of Canadian Travel Agents-Québec, 40 % des réservations de voyages se feront au moyen d'Internet d'ici à 2002. Le métier d'agent de voyages se trouve ainsi menacé et doit se redéfinir. Selon le Conseil canadien des ressources humaines en tourisme (CCRHT), la croissance de l'emploi pour cette profession sera d'à peine 0,4 % d'ici à 2005 au Canada. Le CCRHT ne prévoit la création d'aucun nouveau poste au Québec.

Source : *Les carrières d'avenir au Québec*, Le groupe de recherche Ma Carrière, édition 2001.

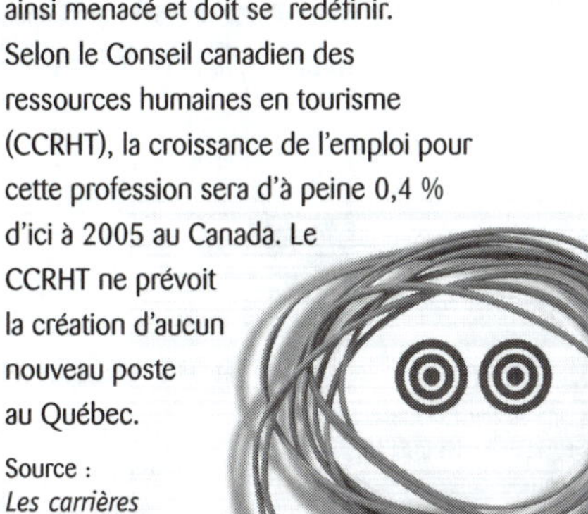

RESSOURCES INTERNET

DESCRIPTION DES PROGRAMMES DU SECTEUR
http://www.meq.gouv.qc.ca/ens-sup/ens-coll/Cahiers/sect-03.htm
Vous trouverez sur cette page une description des programmes de ce secteur de formation, comprenant les exigences d'admission et un bref résumé de chaque cours. Pour chaque programme, vous pourrez aussi accéder à la liste des établissements qui l'offrent et à la dernière relance de ses diplômés.

ESPACES, PLEIN AIR, VOYAGES ET DÉCOUVERTES
http://www.espaces.qc.ca/
Version électronique d'un magazine bien connu, «Espaces» est rempli d'articles passionnants pour tous ceux qui s'intéressent au tourisme et aux voyages au Québec, au Canada et ailleurs.

CONSEIL CANADIEN DES RESSOURCES HUMAINES EN TOURISME
http://www.cthrc.ca
Pour bien comprendre le marché du travail en tourisme, ce site présente de l'information sur les emplois, les compétences recherchées et propose un programme de stage pour les jeunes.

Techniques de gestion des services alimentaires et de restauration

Tout jeune, François Bouffard faisait déjà l'entretien de chambres d'hôtels comme travail d'été. Diplômé en techniques de gestion des services alimentaires et de restauration, il est maintenant au service d'un établissement dont la renommée dépasse largement nos frontières, le fameux Château Frontenac, à Québec.

PROG. 430.02
PRÉALABLE : 10, VOIR PAGE 11

INTÉRÊTS

- aime assumer des responsabilités et résoudre des problèmes concrets
- aime planifier, organiser et contrôler (la qualité des produits et services, un budget, des stocks, des horaires)
- aime communiquer, coordonner, superviser
- aime écouter, accueillir et servir la clientèle (hôtellerie)

APTITUDES

- polyvalence et disponibilité
- sens de l'organisation et de la planification
- leadership et sens des responsabilités
- grande acuité de perception
- bilinguisme, entregent (hôtellerie)

OFFRE DU PROGRAMME PAR RÉGIONS
Montréal-Centre, Québec

RÔLE ET TÂCHES

«Je suis entré au Château Frontenac comme serveur, raconte François. Je suis ensuite devenu assistant au maître d'hôtel et, maintenant, j'occupe le poste de gérant du Café de la Terrasse, l'un des deux restaurants de l'hôtel.» Ce travail lui permet d'expérimenter tous les aspects de la gestion d'un restaurant. Ainsi, c'est lui qui s'occupera de planifier les horaires du personnel en fonction de l'achalandage prévu et d'accueillir les clients en compagnie de l'hôtesse. Il s'assurera également du bon déroulement du service. François gère une équipe d'une trentaine de personnes. «Les normes de l'hôtellerie sont de plus en plus exigeantes et je dois veiller à ce que tout le monde offre le même service de qualité», dit-il. Une fois l'an, l'hôtel organise une journée de recrutement à laquelle se présentent entre deux et trois mille personnes. À cette occasion, François fait passer des entrevues aux candidats. Il supervise ensuite les nouveaux employés embauchés, qui seront parrainés par un membre de l'équipe durant leur formation.

La renommée du Château Frontenac en fait une destination de choix durant les festivals, les congrès ou les événements qui animent la région de Québec. «Ce sont des périodes très actives que nous préparons à l'avance avec le personnel d'encadrement, explique François. Je participe à l'élaboration des menus et au choix des vins qui viendront s'ajouter à notre carte. Ma formation et mon expérience me permettent également d'émettre mes idées au chef ou de donner des conseils sur l'hygiène ou l'entreposage des denrées. C'est un métier où les journées et les services se suivent mais ne se ressemblent pas», conclut-il.

	Salaire hebdo moyen	Proportion de dipl. en emploi	Emploi relié	Chômage	Nombre de diplômés
2000	453 $	82,1 %	85,7 %	2,1 %	74
1999	468 $	75,9 %	78,9 %	4,3 %	42
1998	404 $	93,8 %	77,8 %	3,2 %	39

Statistiques tirées de la Relance - Ministère de l'Éducation. Voir données complémentaires, page 419.

Comment interpréter l'information, page 10.

QUALITÉS RECHERCHÉES

Selon François, il faut absolument que restauration rime avec passion. «C'est essentiel pour exercer longtemps ce type de métier, affirme-t-il. Bien qu'on serve tous les jours les mêmes assiettes ou les mêmes vins, si on a la passion de son travail et la curiosité de faire chaque jour de nouvelles rencontres, on ne s'ennuiera jamais.» Des aptitudes pour l'organisation sont essentielles, à son avis. «Il faut planifier les emplois du temps, gérer des événements et du personnel. Ça demande un certain leadership, de la patience, mais aussi de la diplomatie pour régler les conflits.» Pour œuvrer dans ce domaine, il faut évidemment s'intéresser à la cuisine. De plus, dans le secteur privé, la disponibilité est de mise, car certaines semaines de travail peuvent parfois compter 50 ou 60 heures.

«Les normes de l'hôtellerie sont de plus en plus exigeantes et je dois veiller à ce que tout le monde offre le même service de qualité.»

— François Bouffard

DÉFIS ET PERSPECTIVES

Pour Richard Giguère, enseignant et coordonnateur du programme des techniques de gestion des services alimentaires et de restauration (TGSAR) du Collège Mérici, le prochain défi des diplômés sera probablement de répondre à des besoins très ciblés du marché. Par exemple, ils devront gérer ce que l'on appelle des «tables alimentaires adaptées». Il s'agit de menus spécialement développés pour des personnes atteintes de diabète ou d'autres maladies. À son avis, les perspectives des diplômés sont excellentes. De plus en plus de compagnies du secteur de l'alimentation recherchent des gens polyvalents qui connaissent la cuisine, le marketing, la gestion des coûts, des stocks ou des ressources humaines. «En fonction de leurs goûts ou de leur expérience, les diplômés peuvent aussi bien travailler dans le public que dans le privé, pour des hôpitaux, des écoles, des traiteurs, des compagnies de transport, des entreprises de restauration collective, des restaurants. Il n'y a pas de limites à partir du moment où l'on propose des services de restauration.

À relativement brève échéance, ils sont amenés à occuper des postes qui impliquent de nombreuses responsabilités, soit en tant que chefs de production, directeurs ou gérants. C'est un domaine qui ne connaît pas de frontières, explique Richard Giguère. Leurs compétences en gestion et en techniques de cuisine leur ouvrent des portes sur le plan international.» 03/01

Photo : Collège Mérici

HORAIRES ET MILIEUX DE TRAVAIL

- Les diplômés peuvent trouver du travail auprès de tous les établissements offrant des services de restauration.
- Le milieu de travail est légèrement informatisé.
- Le travail se fait selon des horaires stables et réguliers dans le secteur public.
- Les horaires sont irréguliers et très chargés dans le secteur privé.
- Dans tous les cas, le travail de soir et de fin de semaine est davantage la norme que l'exception.

Techniques de gestion hôtelière

Diplômé en techniques de gestion hôtelière, Stéphane Laberge occupe désormais le poste de réceptionniste à l'auberge La Camarine, de Sainte-Anne-de-Beaupré. «L'hôtellerie est un domaine de passionnés, dit-il. Tu dois avoir le goût de servir la clientèle et, surtout, ne pas compter tes heures.»

PROG. 430.01
PRÉALABLE : 10, VOIR PAGE 11

INTÉRÊTS

- aime assumer des responsabilités et résoudre des problèmes concrets
- aime planifier, organiser et contrôler (la qualité des produits et services, un budget, des stocks, des horaires)
- aime communiquer, coordonner, superviser
- aime écouter, accueillir et servir la clientèle (hôtellerie)

APTITUDES

- dynamisme, débrouillardise, polyvalence et disponibilité
- sens de l'organisation et de la planification
- leadership et sens des responsabilités
- grande acuité de perception : visuelle, olfactive et gustative (services alimentaires)

OFFRE DU PROGRAMME PAR RÉGIONS
Mauricie , Montréal-Centre, Québec

RÔLE ET TÂCHES

En tant que réceptionniste, Stéphane doit avant tout répondre aux demandes des clients et faire leurs réservations. L'auberge La Camarine est rattachée au restaurant gastronomique du même nom. Il s'occupe également des réservations de ce restaurant très réputé. «Je gère l'occupation de nos 31 chambres et la fréquentation du restaurant à l'aide d'un système informatique», dit-il. Son rôle à l'accueil est essentiel. Dans l'industrie du tourisme, le service à la clientèle fait souvent toute la différence. «Je suis toujours disponible pour donner des renseignements sur les restaurants, les tarifs, les attraits touristiques de la région, les activités proposées. Je dois me tenir au courant des nouveautés pour communiquer la meilleure information possible.» Stéphane doit savoir s'adapter aux besoins de chacun et personnaliser ses conseils. «En hiver, la plupart de nos clients arrivent de l'Ontario et des États-Unis. Ils viennent faire du ski dans les stations de la région. L'été, la clientèle est différente; j'accueille principalement des groupes de touristes européens.» Outre l'accueil et les réservations, Stéphane accomplit différentes tâches administratives. «Je dois faire la balance quotidienne, vérifier les factures et m'assurer que les tarifs sont bien appliqués. Je garde aussi un œil sur les entrées et les sorties du jour afin que les chambres soient toujours prêtes à l'heure.»

QUALITÉS RECHERCHÉES

La première qualité de ceux qui désirent travailler en hôtellerie, c'est la disponibilité. «Dans le domaine, dit Stéphane, on travaille surtout pendant

	Salaire hebdo moyen	Proportion de dipl. en emploi	Emploi relié	Chômage	Nombre de diplômés
2000	447 $	81,5 %	86,8 %	6,3 %	193
1999	440 $	92,1 %	87,2 %	2,1 %	145
1998	376 $	75,5 %	85,1 %	4,9 %	125

Statistiques tirées de la Relance - Ministère de l'Éducation. Voir données complémentaires, page 419.

Comment interpréter l'information, page 10.

que les autres sont en vacances. Et il peut nous arriver de travailler jusqu'à 70 heures dans une seule semaine.» Ce genre de travail exige beaucoup de débrouillardise et un bon sens de l'organisation. «Si ton client arrive et que sa chambre n'est pas encore prête, tu dois jongler avec les réservations pour le reloger rapidement, explique Stéphane. Tout va tellement vite que tu ne vois pas passer les journées.» Le jeune homme considère que le goût des contacts humains et du service à la clientèle est essentiel à ce type d'emploi. «Personnellement, c'est la partie que je préfère, dit-il. Rencontrer des gens qui viennent de partout à travers le monde.» Le bilinguisme est donc, évidemment, une nécessité.

Le jeune homme considère que le goût des contacts humains et du service à la clientèle est essentiel à ce type d'emploi.

DÉFIS ET PERSPECTIVES

L'industrie hôtelière offre d'intéressantes perspectives. C'est ce que confirme Patrick Talbot, coordonnateur des techniques de gestion hôtelière au Collège de Limoilou. «L'industrie du tourisme et de l'hôtellerie recherche de plus en plus de diplômés qualifiés pour gérer ses établissements, dit-il. Le DEC en gestion hôtelière est très fréquemment exigé pour pouvoir accéder à des postes de cadres.»

Photo : Collège Mérici

Il faut croire que le marché se porte bien, car la demande est toujours plus forte que l'offre. «Les établissements d'hébergement privés ainsi que les chaînes d'hôtels demeurent les plus gros pourvoyeurs d'emplois, mais il existe de bonnes ouvertures dans des secteurs moins connus comme les centres de villégiature ou les transporteurs aériens», affirme M. Talbot. Certains débouchés peuvent mener vers les restaurants ou les services de traiteurs même si ces postes s'adressent, en priorité, aux titulaires du DEC en gestion des services alimentaires et de restauration. «C'est un secteur plein de défis pour les jeunes diplômés motivés, ajoute Patrick Talbot. Si les techniciens en gestion hôtelière débutent souvent au bas de l'échelle à des postes d'exécution (accueil, chambres, entretien), ils obtiennent à plus ou moins brève échéance des postes de gestion. Ils deviennent maîtres d'hôtel, responsables de l'accueil, gérants et même directeurs. Ils doivent alors démontrer leurs qualités en supervision de personnel, en organisation d'événements spéciaux, en gestion des ressources humaines et en relations avec la clientèle. Toutes ces tâches demandent une grande disponibilité», tient-il à préciser. 03/01

HORAIRES ET MILIEUX DE TRAVAIL

- Les diplômés sont embauchés par les établissements hôteliers, les centres de villégiature, les transporteurs aériens.
- Ils occupent des postes de responsables et de gérants, supervisent le personnel et sont en contact avec les clients.
- Leur environnement de travail est informatisé.
- Le bilinguisme est essentiel.
- Le travail se fait selon des horaires très irréguliers, le jour, le soir, la nuit et les fins de semaine.

Techniques de tourisme

Si à la réception du Sheraton à Laval, une jeune femme répond à vos questions avec empressement et vous informe des activités de la région avec enthousiasme, vous avez probablement devant vous Valérie Audet, diplômée en techniques de tourisme et passionnée de son métier!

PROG. 414.01/414.A0
PRÉALABLE : 0, VOIR PAGE 11

INTÉRÊTS

- aime travailler avec le public
- aime chercher, traiter et transmettre de l'information
- aime travailler avec l'informatique
- aime organiser et promouvoir des services

APTITUDES

- dynamisme, grand sens de la communication
- curiosité, sens de l'écoute et de l'analyse des besoins
- initiative et créativité
- bilinguisme et aisance avec l'informatique

OFFRE DU PROGRAMME PAR RÉGIONS
Bas-Saint-Laurent, Laval, Mauricie, Montérégie, Montréal-Centre, Québec, Saguenay–Lac-Saint-Jean

RÔLE ET TÂCHES

Diplôme en poche, Valérie a travaillé six mois à Disneyland, à Paris, puis un an à Disneyworld, en Floride. De retour au Québec, elle a trouvé ce poste de réceptionniste au Sheraton Laval. «J'ai postulé comme réceptionniste parce que je n'avais pas d'expérience en hôtellerie, explique-t-elle. Ça me donnait l'occasion d'en apprendre plus sur l'hébergement.» En tant que réceptionniste, la jeune femme doit satisfaire les besoins de ses clients et faire en sorte que tout se passe bien durant leur séjour à l'hôtel. Elle est là pour répondre à leurs questions et les guider judicieusement dans le choix de leurs activités. Comme l'hôtel héberge un centre des congrès, une grande partie de la clientèle vient du domaine des affaires. Valérie doit donc se tenir au courant des activités organisées pour les congressistes. Pour la diplômée, cet emploi n'est que le premier échelon à gravir dans le milieu de l'hébergement. D'ici à quatre ou cinq ans, elle espère bien se retrouver parmi ceux qui organisent les congrès et événements spéciaux se tenant au Sheraton Laval. «Lorsqu'on travaille en tourisme, on accomplit des tâches tellement diversifiées, dit-elle d'un air enthousiaste. On peut tout aussi bien travailler au service à la clientèle qu'organiser des activités. Et quand on a acquis une certaine expérience, on devient libre de faire ce qui nous intéresse.» En attendant, Valérie Audet profite de son emploi de réceptionniste pour en apprendre encore davantage sur son métier.

QUALITÉS RECHERCHÉES

Pour travailler en tourisme, il faut être ouvert, curieux et respectueux des autres cultures. Il faut bien connaître les us et coutumes de chacune.

	Salaire hebdo moyen	Proportion de dipl. en emploi	Emploi relié	Chômage	Nombre de diplômés
2000	383 $	80,3 %	73,8 %	6,3 %	322
1999	361 $	83,7 %	70,8 %	7,6 %	284
1998	355 $	76,6 %	78,9 %	8,2 %	275

Statistiques tirées de la Relance - Ministère de l'Éducation. Voir données complémentaires, page 419.

Comment interpréter l'information, page 10.

La maîtrise de deux langues, voire de trois, est quasi obligatoire. Le tourisme d'aujourd'hui étant d'envergure internationale, l'apprentissage d'une quatrième langue est même tout à fait approprié. Il est aussi indiqué d'être bon communicateur et d'avoir de l'entregent. Et il est plus facile d'exercer ce métier pour quelqu'un d'organisé, tant sur le plan de l'esprit que dans la façon de travailler. L'initiative, le sens des responsabilités et du travail d'équipe sont d'autres atouts à posséder.

DÉFIS ET PERSPECTIVES

Pas question de se reposer sur ses lauriers lorsqu'on est technicien en tourisme. C'est un domaine qui bouge très vite. «Il faut constamment mettre à jour ses connaissances. Si une destination devient subitement populaire, le technicien doit pouvoir trouver rapidement de l'information sur cet endroit», affirme Marie-Josée Audet, coordonnatrice du département de techniques de tourisme au Cégep de Saint-Félicien.

Pour travailler en tourisme, il faut être ouvert, curieux et respectueux des autres cultures.

Mettre à jour ses connaissances, c'est aussi être à l'affût des nouvelles tendances. L'une des grandes tendances touristiques mondiales du moment est le tourisme «sauvage», au moyen duquel les gens tentent de faire un retour aux sources.

Photo : Cégep de Matane

Le Québec est une destination très prisée pour ce genre d'expéditions. Ses grands espaces et sa nature encore à l'état sauvage sont de plus en plus populaires. Parallèlement se développent ce qu'on appelle «l'éco-tourisme» ainsi que le tourisme autochtone. Des tendances qui devraient durer encore plusieurs années. Toutefois, avec des villes telles que Montréal et Québec, le tourisme urbain n'a rien à envier à son pendant plus sauvage...

Comme dans tous les domaines, le technicien en tourisme doit s'adapter aux nouvelles technologies. «Il doit connaître certains logiciels et savoir communiquer à l'aide des nouveaux moyens qui s'offrent à lui», explique Marie-Josée Audet.

Pour réussir dans ce métier, il est bien d'ajouter toutes sortes de ramifications à ses connaissances. Suivre des cours de langues ou de marketing, par exemple, ou aller travailler dans l'un des centres de Disney. «Ça produit un très bel effet dans un curriculum vitæ, dit Mme Audet. Moi, j'appelle ça l'école Disney...» 03/01

HORAIRES ET MILIEUX DE TRAVAIL

- On retrouve ces diplômés dans les lieux touristiques (musées, zoos, centres de plein air, etc.), les restaurants, les lieux d'hébergement, les centres touristiques, les bureaux d'information touristique.
- Ils peuvent aussi œuvrer dans des compagnies de transport, des agences de voyages et des associations touristiques régionales.
- Les horaires sont rarement réguliers. Bien souvent, les gens travaillant en tourisme doivent le faire les soirs et les fins de semaine. Ils peuvent aussi être appelés à voyager. Évidemment, à ces occasions, les horaires sont quasi inexistants...

Technologie de la transformation des aliments

Diplômée de l'Institut de technologie agroalimentaire (ITA) de Saint-Hyacinthe, Pascale Tardif travaille pour la filiale canadienne de la compagnie italienne Parmalat. Elle planifie et teste la production de cette compagnie laitière.

PROG. 154,A0
PRÉALABLE : 11, 20, VOIR P. 11

INTÉRÊTS

- aime faire des calculs et des analyses sur des produits
- aime travailler en usine et coopérer
- aime observer et manipuler
- aime résoudre des problèmes

APTITUDES

- facilité pour les sciences (mathématiques, chimie et biologie)
- sens critique et créativité
- autonome, très responsable et très méticuleux
- grande acuité de perception (visuelle, olfactive, gustative)
- capacité d'adaptation et facilité à communiquer

OFFRE DU PROGRAMME PAR RÉGIONS
Montérégie

RÔLE ET TÂCHES

«En tant que planificatrice, je dois déterminer avec précision les quantités à produire durant la journée, explique Pascale. Chez Parmalat, nous recevons du lait que nous conditionnons ou que nous transformons en crème et en crème glacée molle. Mon rôle est de superviser la production pour m'assurer qu'elle répond bien aux besoins de nos clients.» Pascale commence toutes ses journées en procédant à l'inventaire des produits finis. «Avec les superviseurs et les opérateurs, je vérifie les procédés de transformation du lait. Il est d'abord pasteurisé, puis envoyé dans l'écrémeuse, une machine qui sépare la crème du lait. Comme nous ne produisons pas de crème tous les jours, je dois surveiller attentivement la qualité des produits finis et leur quantité.»

Pascale souligne les difficultés que suppose le travail avec des denrées fragiles. «Il faut constamment veiller au maintien de la qualité, dit-elle. C'est pourquoi je suis, depuis peu, rattachée au département des tests.» En laboratoire, elle effectue toute une série de tests microbiologiques afin de détecter la présence possible de certaines bactéries. Avec des analyseurs à infrarouge, il est possible de connaître la composition exacte du lait ou de la crème et de contrôler leur qualité afin qu'elle réponde aux exigences et aux normes en vigueur. «La chimie et la biologie font partie de mon quotidien au même titre que la gestion de la production, dit-elle. Cela demande une grande polyvalence et une bonne connaissance des procédés, de la transformation jusqu'à la livraison.»

	Salaire hebdo moyen	Proportion de dipl. en emploi	Emploi relié	Chômage	Nombre de diplômés
2000	525 $	87,5 %	85,7 %	0,0 %	32
1999	519 $	91,3 %	95,2 %	4,5 %	30
1998	517 $	96,8 %	93,1 %	3,2 %	31

Statistiques tirées de la Relance - Ministère de l'Éducation. Voir données complémentaires, page 419.

Comment interpréter l'information, page 10.

QUALITÉS RECHERCHÉES

«Lorsqu'on gère quotidiennement la production, il faut avoir le sens des responsabilités, déclare Pascale. On doit constamment garder à l'esprit les impératifs de la production et les besoins du client. Si on se trompe dans nos prévisions, la compagnie subira des pertes sèches.» La jeune femme affirme qu'en contrôle de la qualité, comme en fabrication, il faut garder ses connaissances à jour. Les produits, les procédés et les tests évoluent rapidement. Il faut avoir l'esprit curieux, être débrouillard et savoir s'adapter aux changements technologiques. «Ça prend aussi de l'entregent et de la diplomatie quand, par exemple, il faut expliquer aux gens qu'ils devront mettre les bouchées doubles parce que l'embouteillage a pris du retard.»

«On ignore souvent que la transformation des aliments est, au Québec, le plus important secteur manufacturier quant au nombre d'emplois.»

— Jean-Pierre Lessard

DÉFIS ET PERSPECTIVES

«On ignore souvent que la transformation des aliments est, au Québec, le plus important secteur manufacturier quant au nombre d'emplois, déclare Jean-Pierre Lessard, directeur du programme à l'ITA de Saint-Hyacinthe. Environ 55 000 personnes travaillent aujourd'hui à la transformation des produits laitiers, en charcuterie, en boulangerie-pâtisserie ou dans le secteur des produits végétaux.» Selon lui, nos habitudes de consommation laissent présager d'excellentes perspectives pour les diplômés. «Nous recherchons de plus en plus des produits de qualité qui nous font gagner du temps, mais pas au détriment de la santé et du plaisir. Ces produits transformés nécessitent les compétences de nos techniciens. On remarque également un véritable engouement pour la transformation de nos produits régionaux. Les fromages québécois passent de l'artisanat à la microentreprise grâce au savoir-faire des gens qui sont formés pour comprendre et appliquer les procédés de production industriels.» M. Lessard estime que les défis qu'auront à relever les futurs diplômés seront variés. «En contrôle de la qualité, ils veilleront à la sécurité alimentaire en vérifiant l'innocuité des produits et le respect des normes. En contrôle des procédés, ils s'occuperont de l'analyse des risques et de la maîtrise des points critiques. Plus rarement, ils développeront de nouveaux produits ou feront de la représentation. Dans tous les cas, ils seront les personnes-ressources dans les usines et auront la possibilité d'accéder à des postes de direction ou de gestion. Enfin, la mondialisation des marchés leur donne de bonnes possibilités d'emploi à l'étranger.» 03/01

Photo : MAPAQ

HORAIRES ET MILIEUX DE TRAVAIL

- Les diplômés peuvent trouver de l'emploi dans tous les secteurs de la transformation des produits agroalimentaires.
- Il leur est également possible de travailler en laboratoire au contrôle de la qualité et en production au contrôle des procédés.
- Il existe des possibilités d'emploi en recherche et développement ou en représentation.
- Le travail se fait généralement selon des horaires réguliers, souvent en rotation de jour, de soir et de nuit.
- Il est possible d'effectuer des heures supplémentaires.
- Il peut être nécessaire de posséder un système de garde permettant d'être rejoint en tout temps les fins de semaine.

ARTS

Le secteur culturel est extrêmement vaste et la gamme des emplois disponibles tout aussi étendue. Selon Statistique Canada, ce secteur fait travailler plus de 900 000 personnes au pays, dont 100 000 artistes professionnels. Il fait une contribution directe de 30 milliards de dollars par année à l'économie canadienne, soit 4,8 % du PIB.

Au Québec, on connaît une croissance de l'emploi depuis une dizaine d'années. Dans l'ensemble, les techniciens et les professionnels s'en tirent mieux que les créateurs, mais les conditions de travail ne sont pas toujours faciles. La moitié des artisans de la culture sont des travailleurs autonomes, contractuels et pigistes.

Selon l'Association québécoise des designers industriels, le marché est plutôt favorable pour les diplômés de ce domaine, les entreprises faisant de plus en plus appel à leurs services. Par ailleurs, le design d'intérieur et le design de présentation demeurent à la merci des fluctuations de l'économie.

D'après la Société de développement des entreprises culturelles (SODEC), les arts du cirque, du cinéma et de la vidéo, et le monde télévisuel connaissent une bonne progression depuis quelques années. On reconnaît toutefois que certains champs d'activité éprouvent des difficultés. C'est le cas notamment des métiers d'art, de la danse, de la musique et du théâtre. C'est pourquoi les artistes polyvalents qui excellent dans plus d'une discipline ont davantage de chances de décrocher un emploi.

La moitié des artisans de la culture sont des travailleurs autonomes, contractuels et pigistes.

Le marché du livre, quant à lui, est en période de mutation. L'impact du commerce électronique, auquel il doit s'adapter, touche la distribution et l'édition autant que la vente. Les modes de diffusion doivent donc être repensés afin de répondre aux nouvelles habitudes des consommateurs. 05/01

INTÉRÊTS

- aime les arts et la culture en général
- aime imaginer et donner forme à des idées
- aime le travail de création, manuel ou physique
- aime un travail autonome, à forfait ou selon un horaire variable

APTITUDES

- grande imagination et acuité de perception sensorielle (vision, toucher)
- dextérité et sens de l'observation très développés
- talent particulier pour la création (aptitude à transformer et à créer de la nouveauté dans un domaine artistique précis)
- polyvalence, originalité, sens esthétique et sens critique très développés
- patience et persévérance

LE SAVIEZ-VOUS ?

Les candidats les plus recherchés en arts du cirque possèdent des aptitudes en danse, en acrobatie et en expression dramatique.
Le passeport de la réussite : une grande ouverture sur le monde et sur tous les arts de la scène.

Source :
Les carrières d'avenir au Québec, Le groupe de recherche Ma Carrière, édition 2001.

RESSOURCES INTERNET

DESCRIPTION DES PROGRAMMES DU SECTEUR
http://www.meq.gouv.qc.ca/ens-sup/ens-coll/Cahiers/sect-04.htm
Vous trouverez sur cette page une description des programmes de ce secteur de formation, comprenant les exigences d'admission et un bref résumé de chaque cours. Pour chaque programme, vous pourrez aussi accéder à la liste des établissements qui l'offrent et à la dernière relance de ses diplômés.

MINISTÈRE DE LA CULTURE ET DES COMMUNICATIONS
www.mcc.gouv.qc.ca
Pour connaître les grandes lignes du domaine des arts et de l'action du secteur public dans le domaine.

PHOTOGRAPHIE.COM
http://www.photographie.com/
Un excellent site pour le futur photographe! On y trouve des nouvelles, des informations techniques et, bien entendu, des photos!

CULTURENET
http://www.culturenet.ca/indexfr.html
Une fenêtre électronique ouverte sur la culture canadienne.

Arts du cirque

Son baccalauréat en chimie en poche, Patrick Léonard travaillait depuis deux ans dans une compagnie d'expertise médico-légale lorsqu'il a décidé de repartir à zéro. À l'âge de 24 ans, il s'est inscrit à l'École nationale de cirque, où il a décroché son DEC en arts du cirque.

PROG. 561.08
PRÉALABLE : 0, VOIR PAGE 11

INTÉRÊTS

- passion du monde du cirque
- aime la scène et le contact avec le public
- aime créer et exécuter des numéros
- aime la discipline
- aime travailler à forfait et selon des horaires variables

APTITUDES

- polyvalence et autonomie
- curiosité, créativité et grande sensibilité artistique
- persévérance, motivation, perfectionnisme
- esprit ouvert et grande capacité de travail
- excellente forme physique

OFFRE DU PROGRAMME PAR RÉGIONS
Montréal-Centre

RÔLE ET TÂCHES

Spécialisé en jonglerie, Patrick Léonard manipule son diabolo avec une grande dextérité. Pourtant, c'est pour ses qualités d'acrobate qu'il a d'abord été admis à l'École. «Le diabolo est un appareil de jonglerie d'origine chinoise. C'est une sorte de bobine que l'on fait évoluer sur un fil. Cette discipline combine la technique du diabolo, mais aussi les mouvements du corps et la danse.»

À l'École nationale de cirque, on n'apprend pas seulement la jonglerie. Toutes les disciplines sont touchées. «Lorsqu'on est diplômé, on devient alors artiste de cirque professionnel, souligne Daniela Arendasova, directrice des services pédagogiques de l'École. Mais on se spécialise dans une discipline particulière comme acrobate, clown, voltigeur, fildeferiste, trapéziste, etc.» Chaque artiste de cirque exercera son métier dans la spécialité qui lui est propre, mais pourra aussi être appelé à participer à des numéros de groupe faisant appel à d'autres habiletés. Il doit être très polyvalent : danser, jouer et exécuter des acrobaties par exemple.

QUALITÉS RECHERCHÉES

Les artistes de cirque doivent posséder une grande créativité et une personnalité bien adaptée aux arts de la scène. Confrontés au jugement du public, ils doivent aussi savoir attirer son attention et sa sympathie, tout en présentant leur numéro. Selon Mme Arendasova, «il faut avoir une grande sensibilité artistique, un esprit curieux et créatif. On doit posséder une bonne

	Salaire hebdo moyen	Proportion de dipl. en emploi	Emploi relié	Chômage	Nombre de diplômés
2000	n/d	75,0 %	n/d	0,0 %	6
1999	n/d	n/d	n/d	n/d	n/d
1998	n/d	n/d	n/d	n/d	n/d

Statistiques tirées de la Relance - Ministère de l'Éducation. Voir données complémentaires, page 419.

Comment interpréter l'information, page 10.

concentration dans son travail, être déterminé et ne pas compter ses efforts.» Sur le plan physique, c'est un métier très exigeant qui demande des qualités particulières en fonction de la discipline exercée. «Par exemple, un contorsionniste doit faire preuve d'une grande flexibilité. D'autres devront développer la vitesse de réaction, la force ou l'orientation spatiale», commente Daniela Arendasova.

Patrick ajoute qu'il faut avoir une certaine résistance à la douleur. «Il faut prévenir et soigner les blessures. En ce qui me concerne, je crois qu'il n'y a pas un matin où je n'ai pas mal quelque part en me levant!» Autre aspect à ne pas négliger : l'angoisse du créateur est au rendez-vous! «Lorsqu'on crée un numéro, on ne sait pas encore si ça va plaire au public, si ça va se vendre et si on va pouvoir en vivre. C'est l'incertitude, et il faut être persévérant, toujours travailler pour améliorer son numéro ou en inventer de nouveaux», conclut Patrick.

«Il faut avoir une grande sensibilité artistique, un esprit curieux et créatif.»

— Daniela Arendasova

DÉFIS ET PERSPECTIVES

Les diplômés de l'École nationale de cirque semblent se placer sans trop de difficulté. Depuis la création de cette école – la seule à donner le programme –, on estime que 90 % des diplômés travaillent dans le domaine des arts du cirque, tous programmes de formation confondus. Patrick ne fait pas exception à la règle, puisqu'il est sur le point de partir en Allemagne pour un contrat de plusieurs mois. Ensuite, direction New York, au cirque Big Apple! Toutefois, ce beau début de carrière ne s'est pas produit en criant lapin... «Il faut s'investir à fond et multiplier les efforts. Bien sûr, le talent tient aussi une place importante», raconte Patrick.

Photo : Christian Tremblay

Au Québec, on pense au Cirque du Soleil, évidemment, dont le développement fulgurant laisse présager de nombreuses ouvertures pour les artistes de cirque. On trouve aussi d'autres troupes, comme le Cirque Éloize. De plus, on assiste depuis quelques années à l'émergence de compagnies de production spécialisées qui conçoivent des spectacles «à la carte». Enfin, en Europe, un courant de modernisation du cirque traditionnel a permis l'intégration de numéros plus originaux ainsi que la création de nouvelles troupes. Voilà qui devrait être favorable aux jeunes artistes de cirque! 09/97

HORAIRES ET MILIEUX DE TRAVAIL

- Dans ce domaine, on peut travailler au Canada ou à l'étranger.
- Les artistes peuvent travailler dans un cirque, mais ils peuvent aussi décrocher des contrats pour présenter des spectacles dans des cabarets ou lors de congrès.
- Les artistes de cirque, même lorsqu'ils ne sont pas en représentation, travaillent constamment. L'horaire est très exigeant, et les déplacements et les voyages sont fréquents.
- L'entraînement, les répétitions et les représentations demandent beaucoup d'assiduité. Sans compter la recherche de nouvelles idées de numéros.

Danse – interprétation

«La danse est un métier absolument passionnant dans lequel on est en perpétuelle relation avec des créateurs, des chorégraphes, des musiciens et des compositeurs», explique Didier Chirpaz, directeur général artistique et pédagogique de l'École supérieure de danse du Québec.

PROG. 561.BO
PRÉALABLE : 80, VOIR PAGE 11

INTÉRÊTS

- passion de l'univers de la danse
- aime la scène et le contact avec le public
- aime travailler en relation avec des créateurs et des chorégraphes
- aime la discipline
- aime travailler à forfait et selon des horaires variables

APTITUDES

- excellente forme physique et résistance à l'effort
- sens du rythme et sens esthétique très développés
- grande capacité de travail et d'adaptation
- ténacité, force de caractère, maturité intellectuelle
- créativité et capacité d'apprentissage rapide

OFFRE DU PROGRAMME PAR RÉGIONS
Montréal-Centre, Québec

RÔLE ET TÂCHES

La danse est un métier qui recèle beaucoup de contraintes et qui demande certains sacrifices sur le plan personnel. «Ce type de carrière artistique développe l'individu intellectuellement, moralement et physiquement. Mais on ne peut le faire autrement que par passion», explique M. Chirpaz. «Effectivement, il faut être conscient que dans ce métier il y a beaucoup d'appelés et peu d'élus», renchérit Daniel Rompré, en charge des services pédagogiques de l'École.

Néanmoins, en dépit des difficultés éprouvées, les danseurs de ballet estiment que leur activité professionnelle est une expérience unique d'extériorisation, qui leur permet de donner une vie et un sens artistique aux mouvements de leur corps.

À ce titre, ils pourront œuvrer au sein de compagnies de danse ou travailler à forfait pour des chorégraphes dans le but de participer à des spectacles. Les danseurs ne se limitent pas qu'au ballet, puisqu'une fois leur diplôme d'études collégiales en poche, ils pourront se diriger vers la danse moderne, contemporaine ou le ballet jazz.

QUALITÉS RECHERCHÉES

Le métier de danseur classique est extrêmement exigeant et requiert des qualités physiques et morales particulières. «Le côté ludique que voit le public n'existe pas dans la réalité du danseur, estime Didier Chirpaz. Il faut être passionné et posséder beaucoup de maturité, car en danse classique, les

	Salaire hebdo moyen	Proportion de dipl. en emploi	Emploi relié	Chômage	Nombre de diplômés
2000	n/d	n/d	n/d	n/d	n/d
1999	n/d	n/d	n/d	n/d	n/d
1998	n/d	n/d	n/d	n/d	n/d

Statistiques tirées de la Relance - Ministère de l'Éducation. Voir données complémentaires, page 419.

Comment interpréter l'information, page 10.

aspects intellectuel, sensoriel, émotionnel, ainsi que le sens de l'esthétique sont très importants.» Du point de vue physique, il faut faire preuve d'une grande résistance à l'effort et à la fatigue, car, comme le souligne M. Chirpaz, «même s'il y a des "bonnes" et des "mauvaises" douleurs, dans les faits, on a toujours mal quelque part». Il faut aussi posséder un physique harmonieux et un corps bien proportionné, de façon à répondre à certains critères de nature esthétique. «Psychologiquement, on devrait avoir une grande ténacité et de la force de caractère, de l'expressivité et de la créativité, ainsi qu'un bon sens musical et une capacité d'apprentissage rapide. En outre, il faut être capable de s'adapter à ce que les chorégraphes attendent de vous», ajoute Daniel Rompré.

Ce métier implique le respect d'une bonne alimentation de même qu'un rythme de vie régulier, de manière à pouvoir relever les défis qui attendent les danseurs dans leur vie professionnelle.

«Ce type de carrière artistique développe l'individu intellectuellement, moralement et physiquement. Mais on ne peut le faire autrement que par passion.»

— Didier Chirpaz

DÉFIS ET PERSPECTIVES

Dans le métier de la danse, il existe une forte compétition. De plus, c'est une carrière qu'il faut généralement abandonner assez jeune, habituellement vers l'âge de 30 ou 35 ans, bien qu'il y ait certaines exceptions. Malgré ces contraintes, il y a toutefois de la place pour ceux et celles qui font preuve de ténacité, de volonté, et bien sûr qui possèdent du talent.

Comme le fait remarquer Didier Chirpaz, «cette profession a souffert de la récession économique. Pas plus que les autres métiers, mais pas moins non plus. Cependant, je crois qu'après une certaine période de réapprentissage nécessaire pour s'adapter aux nouvelles conditions, la danse connaîtra un développement inévitable. Bientôt – si ce n'est pas pour demain, cela sera sans doute pour après-demain! – la danse sera un domaine en pleine expansion, comme la plupart des professions axées sur les contacts humains, les communications et les arts.» 09/97

Photo : École supérieure de danse du Québec

HORAIRES ET MILIEUX DE TRAVAIL

- Un danseur professionnel peut être engagé par des compagnies de danse classique ou contemporaine, mais les possibilités sont limitées au Canada. Il faudra peut-être penser à s'expatrier en Europe ou aux États-Unis. Il est aussi possible de travailler à titre de pigiste avec des chorégraphes qui recherchent des danseurs pour monter un spectacle.
- On peut aussi se tourner vers l'enseignement ou la chorégraphie, ou vers certains métiers reliés au corps, comme la massothérapie, les soins pour les danseurs.
- L'entraînement occupe beaucoup de temps dans la vie de l'artiste. Les classes d'entraînement ont généralement lieu le matin. L'après-midi est consacré aux répétitions et la soirée, au spectacle, le cas échéant.
- Des périodes de repos sont prévues à intervalles réguliers, pour la récupération physique et mentale.

Design de présentation

Marlène Labrecque adore la création, la conception, le design, l'imprévu et les défis. Chez Lambert présentation visuelle, elle est comblée! Elle peut s'adonner tous les jours à ses passions favorites en concevant et en fabriquant des décors pour toutes sortes d'événements spéciaux.

PROG. 570.02
PRÉALABLE : 0, VOIR PAGE 11

INTÉRÊTS

- aime les arts
- aime le travail en atelier (travail physique et manuel)
- aime créer à partir d'un besoin concret
- aime le travail d'équipe

APTITUDES

- talent pour les arts et le travail manuel
- excellent jugement et grand sens esthétique
- esprit pratique et créativité
- sens du marketing (entregent, facilité à convaincre)
- bilinguisme et habileté à utiliser l'informatique

OFFRE DU PROGRAMME PAR RÉGIONS
Bas-Saint-Laurent, Montréal-Centre, Québec

RÔLE ET TÂCHES

L'entreprise qui emploie Marlène est spécialisée dans la réalisation de décors pour des événements corporatifs ou commerciaux. «Le client arrive avec son concept et il nous explique ses attentes. Ensuite, c'est à nous de concevoir les éclairages et la sonorisation, de fabriquer et de peindre la structure du décor.» Marlène donne l'exemple d'un décor réalisé lors d'une fête organisée pour les employés d'une grande banque. Le slogan de la compagnie étant «J'embarque!», Marlène et ses collègues ont retenu le thème de la croisière. «Nous avons loué un bateau factice qui bloquait une rue entière, raconte-t-elle. Puis, nous avons fabriqué, à l'intérieur, des îlots représentant les cinq continents. Nous avons même fait appel à des acteurs chargés de l'animation à bord!» La jeune femme se souvient aussi de la conception d'une vitrine animée pour le compte d'une marque de shampooing. «Tous les éléments de la vitrine étaient peints de couleur argent et l'éclairage accentuait l'effet de brillance», dit-elle.

Marlène travaille souvent en collaboration avec les services de relations publiques ou de marketing des compagnies qui lui soumettent des projets. «Il nous arrive aussi de répondre aux demandes de particuliers qui organisent des fêtes ou des mariages à gros budget», dit-elle.

QUALITÉS RECHERCHÉES

La créativité et la débrouillardise apparaissent comme des qualités naturelles en design de présentation. «On n'est jamais à bout de ressources, dit

	Salaire hebdo moyen	Proportion de dipl. en emploi	Emploi relié	Chômage	Nombre de diplômés
2000	396 $	76,0 %	70,6 %	11,6 %	64
1999	381 $	68,3 %	74,2 %	14,6 %	77
1998	358 $	80,3 %	66,7 %	12,5 %	72

Statistiques tirées de la Relance - Ministère de l'Éducation. Voir données complémentaires, page 419.

Comment interpréter l'information, page 10.

Marlène. Si un client nous appelle à la dernière minute parce qu'il vient de casser le trophée qu'il devait remettre, on prend deux bouteilles de champagne que l'on décore, et le tour est joué.» La capacité à régler les problèmes et le sens de la communication sont également importants. «Lorsqu'un client a des idées bien arrêtées sur ce qu'il veut, mais que nous savons à l'avance que tout va s'écrouler, il faut lui expliquer gentiment. C'est la même chose si le projet est disproportionné par rapport au budget alloué. Nous devons trouver le meilleur compromis.» C'est un domaine d'activité qui demande une bonne habileté manuelle. «Ma spécialité, précise Marlène, c'est plutôt la peinture que le travail du bois. Mais nous devons savoir tout faire, y compris manier l'ordinateur, car nous collaborons souvent avec des graphistes.»

Le domaine permet aux diplômés d'accéder à divers postes : designer de vitrines ou d'étalages, fabricant de présentoirs ou de décors, accessoiriste pour le cinéma, styliste en photographie, designer de kiosques ou de stands et même concepteur d'expositions pour les musées.

DÉFIS ET PERSPECTIVES

«En design de présentation, il y en a vraiment pour tous les goûts», constate Youri Blanchet, enseignant et responsable de cette formation au Cégep de Rivière-du-Loup. Le domaine permet aux diplômés d'accéder à divers postes : designer de vitrines ou d'étalages, fabricant de présentoirs ou de décors, accessoiriste pour le cinéma, styliste en photographie, designer de kiosques ou de stands et même concepteur d'expositions pour les musées. «Aujourd'hui, la communication visuelle est omniprésente, dit M. Blanchet. L'esthétique n'est plus un luxe superflu, mais plutôt un argument de vente et un signe de reconnaissance. Les commerçants, par exemple, prennent de plus en plus conscience que l'apparence de leur vitrine et de leurs produits constitue un atout essentiel pour attirer l'œil du client.» L'enseignant déplore que la formation des designers de présentation soit, somme toute, assez peu connue des professionnels; certains se privent des compétences des designers et agencent eux-mêmes leurs vitrines et leurs présentoirs avec un résultat parfois approximatif. «Un des défis de ces diplômés sera probablement d'accroître la notoriété de leur formation», estime M. Blanchet. À son avis, des perspectives très intéressantes se dégagent du secteur conception et agencement de stands d'exposition. «C'est un marché qui se développe de plus en plus grâce à l'augmentation phénoménale des congrès et des salons en tous genres organisés à travers la province.» 03/01

Photo : Collège Inter-Dec

HORAIRES ET MILIEUX DE TRAVAIL

- On peut trouver de l'emploi dans ce domaine comme étalagiste, designer de décors, concepteur de stands, styliste en photo, accessoiriste de cinéma, concepteur d'expositions pour les musées, etc.
- Les diplômés peuvent travailler à la pige.
- L'informatique est utilisée pour faire du dessin assisté par ordinateur.
- Habituellement, le travail se fait selon des horaires de bureau réguliers.
- Il est possible que le designer de présentation doive effectuer des heures supplémentaires ou qu'il travaille le soir et les fins de semaine pour accommoder certains clients.

Design d'intérieur

S'il existe un terme qui peut servir de leitmotiv à Shade Gosselin, c'est bien le mot «défi». Déterminée comme pas une, cette jeune femme a su relever tous ceux qui se sont présentés à elle avant d'atteindre son poste actuel de designer chez MSM Design.

PROG. 570.03
PRÉALABLE : 0, VOIR PAGE 11

INTÉRÊTS

- aime les arts
- aime écouter, être utile et conseiller
- aime créer et résoudre des problèmes concrets
- aime dessiner et agencer les formes, les textures et les couleurs

APTITUDES

- talent artistique (dessin) et excellent sens de l'observation
- excellent jugement et grand sens esthétique
- esprit pratique et créativité
- sait communiquer, écouter et convaincre
- a du tact (sait respecter les goûts du client)

OFFRE DU PROGRAMME PAR RÉGIONS
Bas-Saint-Laurent, Lanaudière, Mauricie, Montérégie, Montréal-Centre, Outaouais, Québec

RÔLE ET TÂCHES

«J'aime relever les défis. Dans le domaine du design, on est toujours en quête d'un nouveau contrat, on doit sans cesse aller plus loin. Créer des concepts est un défi. Comprendre les besoins du client et lui apporter ce qu'il veut est un autre défi», explique Shade Gosselin. Pour arriver là où elle est, elle a dû se tailler une place. Vendeuse chez Bouclair pendant ses études, elle a réussi à obtenir un poste de gérante. Puis, elle s'est retrouvée vendeuse dans une boutique de meubles haut de gamme, et ensuite chez Armoires Design Plus, où tout a vraiment commencé... «Je créais des armoires et je conseillais les gens pour l'aménagement de leur cuisine. C'est là que j'ai commencé à affiner mes goûts et que je me suis mise à créer. C'est aussi là que j'ai réalisé que j'étais une bonne vendeuse.» Un soir, le téléphone a sonné; le patron de MSM Design lui offrait un emploi.

MSM Design est une entreprise de designers concepteurs dont la clientèle est commerciale. La compagnie s'occupe de l'aménagement d'espaces commerciaux. «Quand on "design", on ne décore pas, on crée», explique Shade. Chez MSM Design, elle aide donc à créer. Avec son patron, elle imagine l'aménagement des intérieurs auxquels elle travaille. C'est elle qui fait la recherche des matériaux et qui rencontre les fournisseurs. Avec eux, elle se transforme en femme d'affaires. Elle négocie les contrats et les prix. Shade se rend aussi sur les chantiers de construction, c'est-à-dire ceux des centres commerciaux, des boutiques et des restaurants. Son casque protecteur sur la tête, elle dirige les équipes d'électriciens, de plombiers et autres spécialistes de la construction, leur don-

	Salaire hebdo moyen	Proportion de dipl. en emploi	Emploi relié	Chômage	Nombre de diplômés
2000	383 $	81,0 %	65,6 %	5,7 %	185
1999	357 $	74,4 %	71,2 %	9,4 %	168
1998	360 $	73,0 %	77,5 %	12,0 %	165

Statistiques tirées de la Relance - Ministère de l'Éducation. Voir données complémentaires, page 419.

Comment interpréter l'information, page 10.

nant ses directives pour que le résultat corresponde au plan initial. C'est aussi elle qui se charge de régler les inévitables pépins. Son prochain défi? Aller chercher les contrats elle-même car, pour le moment, c'est la responsabilité de son patron. «En ce moment, j'apprends, dit-elle. Dans une dizaine d'années, je voudrais avoir ma propre entreprise. C'est le rêve de tout diplômé en design.»

QUALITÉS RECHERCHÉES

«Ceux qui désirent travailler en design doivent être débrouillards, imaginatifs et aimer créer, dit Shade. Ils ne doivent pas craindre les défis, mais avoir du leadership et être en mesure de mener leurs idées à terme.» Savoir travailler en équipe, être disponible, minutieux et curieux sont d'autres qualités recherchées, selon elle. À son avis, l'anglais est un atout important qui permet d'élargir ses horizons. Comme c'est une langue qu'elle ne maîtrise pas, la jeune femme a bien l'intention de remédier à cette lacune en suivant bientôt des cours. Pierre Bilodeau, coordonnateur au département de design d'intérieur au Cégep François-Xavier-Garneau, croit pour sa part qu'un bon designer doit pratiquer l'écoute active s'il veut adapter l'environnement qu'il va créer à la façon de vivre de son client».

«J'aime relever les défis. Dans le domaine du design, on est toujours en quête d'un nouveau contrat, on doit sans cesse aller plus loin.»

— Shade Gosselin

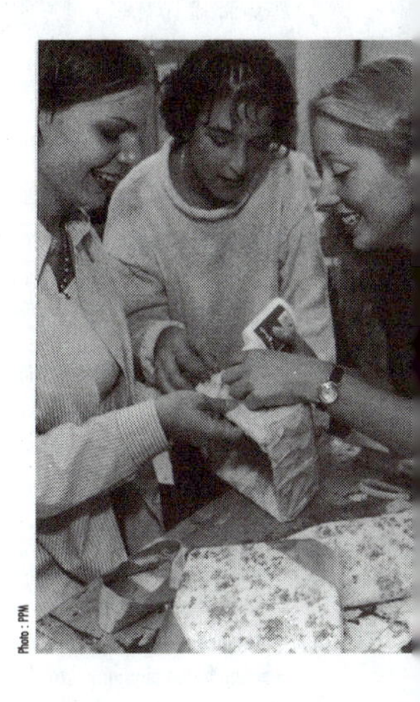
Photo : PPM

DÉFIS ET PERSPECTIVES

Le principal défi de tout designer est d'être constamment au fait des nouvelles tendances. «Le diplômé doit sans cesse se renouveler, affirme Pierre Bilodeau. Être au courant, par exemple, des couleurs et des finis qui sont à la fine pointe de la mode.» Il doit faire preuve d'ouverture et se montrer réceptif aux nouveaux produits qui lui sont présentés. Les nouvelles technologies influent également sur le domaine du design, et elles changent toute l'organisation du travail. Les diplômés se servent de plus en plus de logiciels spécialisés, ce qui leur permet de fournir un meilleur rendement. On constate déjà la percée du design informatisé, mais la tendance promet de se développer encore davantage au cours des prochaines années.

Selon Pierre Bilodeau, d'ici à 5 ou 10 ans, tout sera informatisé. «Les clients exigeront de plus en plus les services de designers informatisés afin, par exemple, de pouvoir visualiser le plan tridimensionnel de leur aménagement sur ordinateur, prédit-il. Dans deux ans, la cohorte qui va sortir de l'école sera complètement informatisée.» 03/01

HORAIRES ET MILIEUX DE TRAVAIL

- Les employeurs sont les firmes de designers, les bureaux d'architectes, les boutiques de décoration, les magasins de vente au détail, les quincailleries.
- Le designer peut travailler de 9 h à 17 h, mais aussi les soirs et les fins de semaine si ses contrats l'exigent.
- Il est possible pour lui de travailler pour son compte, c'est-à-dire de façon contractuelle.

Interprétation théâtrale

C'est le hasard qui a mené David La Haye vers la technique de théâtre – interprétation théâtrale au Cégep de Saint-Hyacinthe. Étudiant en sciences humaines à ce même cégep, il se destinait au journalisme lorsqu'il a commencé à faire de l'improvisation à l'heure du dîner avec des élèves en théâtre. Du coup, celui qu'on a pu voir dans les séries *Urgence* et *Omertà*, à la télévision, et dans *L'Enfant d'eau*, au cinéma, a eu la piqûre de la scène.

PROG. 561.01
PRÉALABLE : 0, VOIR PAGE 11

INTÉRÊTS

- passion de l'univers du théâtre
- aime la lecture et le travail de création
- aime interpréter des rôles et transmettre des émotions
- aime la scène et le contact avec le public
- aime travailler à forfait et selon des horaires variables

APTITUDES

- sensibilité et curiosité
- bon sens de l'observation; persévérance
- concentration et sens du rythme
- présence et assurance sur scène
- bonne forme physique; grande motivation

OFFRE DU PROGRAMME PAR RÉGIONS
Laurentides, Montérégie, Montréal-Centre

RÔLE ET TÂCHES

Le programme de théâtre – interprétation théâtrale vise d'abord à former des comédiens de théâtre professionnels. Toutefois, plusieurs autres secteurs des arts de la scène sont aussi abordés, comme la télévision et le cinéma, question de donner la plus grande polyvalence possible. Mais, quel que soit le domaine dans lequel il se trouvera, le comédien aura toujours à jouer des rôles, à les intérioriser, à les rendre le plus crédibles possible, tout en leur apportant une touche personnelle. De plus, sa formation lui aura appris à jouer avec les autres, à analyser des textes ainsi qu'à effectuer un travail de recherche concernant les personnages.

Il n'en demeure pas moins qu'une bonne partie de la formation est axée sur le jeu. «On nous enseigne des techniques pour le corps et la voix, explique David La Haye. Mais il n'y a pas de recette miracle pour devenir comédien; c'est sûr qu'il y a quelques trucs et techniques à apprendre, mais le pouvoir de faire naître une émotion, par exemple, c'est inné.»

David La Haye se considère comme chanceux. «Le plus chanceux des chanceux, en fait», précise-t-il. En effet, à peine 10 jours après la fin de son DEC, il se retrouvait sur le plateau du film *Dans le ventre du dragon*, où il tenait l'un des rôles clés. «Ma chance, je la dois aussi au fait que j'ai débuté au moment où on voyait naître des agences pour jeunes acteurs, explique David. Avant, ça n'existait pas. Je me suis donc trouvé un agent rapidement, et cela m'a beaucoup aidé. Je n'avais pas à aller me vendre moi-même.» Il a ensuite enchaîné avec des rôles tant au théâtre qu'à la télévision. Et depuis

	Salaire hebdo moyen	Proportion de dipl. en emploi	Emploi relié	Chômage	Nombre de diplômés
2000	367 $	87,5 %	54,5 %	0,0 %	19
1999	n/d	76,0 %	n/d	17,4 %	31
1998	232 $	69,0 %	30,0 %	20,0 %	33

Statistiques tirées de la Relance - Ministère de l'Éducation. Voir données complémentaires, page 419.

Comment interpréter l'information, page 10.

quelques années, il a ajouté une autre corde à son arc. «J'ai commencé à faire des voix pour de la publicité, raconte-t-il. J'en fais aussi pour des contes pour enfants, pour des séries à Radio-Canada. C'est une avenue intéressante pour les périodes plus creuses dans une carrière.»

QUALITÉS RECHERCHÉES

Quand on lui demande quelles sont les qualités essentielles pour être comédien, David La Haye répond sans hésiter. «La sensibilité et la curiosité. Ce sont vraiment les deux qualités les plus importantes selon moi.»

Pour être comédien, il faut également être en bonne forme physique. «Il faut que notre corps soit capable de répondre aux demandes physiques. La machine doit être prête à recevoir les émotions du personnage. Il faut aussi être en forme pour pouvoir suivre les horaires de travail qui sont souvent difficiles. Pour un tournage comme *Urgence* par exemple, on commençait à 7 h pour terminer à 20 h. Ensuite, il faut apprendre les textes pour le lendemain. Et à travers tout ça, il faut faire les essayages, les tests de maquillage ou de caméra. Et c'est comme ça pendant six mois.»

«Il n'y a pas de recette miracle pour devenir comédien; c'est sûr qu'il y a quelques trucs et techniques à apprendre, mais le pouvoir de faire naître une émotion, par exemple, c'est inné, on l'a ou pas.»

— David La Haye

Photo : Collège Lionel-Groulx

Par ailleurs, sur un plan plus pratique, on attendra d'un comédien qu'il possède un bon sens de l'observation, de la concentration ainsi que le sens du rythme. On cherchera aussi à sentir sa présence et son assurance sur scène, ainsi que sa compréhension du texte avec lequel il travaille.

David ajoute que dans ce métier, il faut également savoir subir le stress de l'insécurité. «C'est permanent, confie-t-il. Même quand ta carrière va bien, tu ne sais jamais ce qui t'attend, et les périodes creuses sont inévitables.»

DÉFIS ET PERSPECTIVES

«Je trouve assez paradoxal de former des acteurs pour le théâtre, alors qu'on sait très bien que pour le moment, il est presque impossible de vivre du théâtre au Québec, estime Robert Lavoie, professeur au Cégep de Saint-Hyacinthe. Alors nos diplômés n'ont d'autre choix que de vivre de la télévision, de la publicité ou du cinéma. Je crois que le principal défi d'un acteur est de savoir conserver l'équilibre entre tout ça. Il doit savoir retourner au théâtre de temps à autre; c'est ce qui lui donne sa crédibilité», soutient-il. 09/96

HORAIRES ET MILIEUX DE TRAVAIL

- Le programme d'interprétation théâtrale prépare à une foule de métiers reliés au théâtre, ou de façon plus générale, au domaine des arts.
- On verra des diplômés jouer au théâtre, au cinéma ou à la télévision, alors que d'autres se dirigeront vers l'animation d'émissions pour enfants, le théâtre de marionnettes, le mime ou même la danse. Le journalisme oral et la postsynchronisation sont des avenues à explorer.
- Quant à l'horaire de travail régulier, aussi bien dire qu'il n'existe pas.
- Les périodes de vaches maigres succèdent aux moments d'intense activité. Il faut donc savoir gérer son temps et se montrer très souple quand des contrats se présentent.

Musique populaire

«Si tu veux faire une carrière dans la musique, il faut que ce soit une passion», affirme Vincent Pellerin, diplômé du DEC en musique populaire au Cégep de Saint-Laurent. Claviériste et saxophoniste, il fait partie de cinq groupes différents. Il travaille également comme arrangeur et directeur musical.

PROG. 551.02
PRÉALABLE : 50, VOIR PAGE 11

INTÉRÊTS

- passion de l'univers de la musique
- aime jouer d'un instrument, composer et lire de la musique
- aime réaliser des arrangements musicaux
- aime la scène et le contact avec le public
- aime travailler à forfait et selon des horaires variables

APTITUDES

- polyvalence et autonomie
- créativité et sens du rythme
- persévérance et grande motivation
- esprit ouvert et grande capacité de travail

OFFRE DU PROGRAMME PAR RÉGIONS
Centre-du-Québec, Lanaudière, Laurentides, Montréal-Centre, Québec, Saguenay–Lac-Saint-Jean

RÔLE ET TÂCHES

Vincent cumule les tâches et multiplie les heures de travail. «Je crois que, pour réussir, il faut aimer suffisamment la musique pour pouvoir en jouer 24 heures par jour. Mais il faut aussi être très polyvalent et capable de toucher un peu à tout.» C'est d'ailleurs le but recherché par la formation offerte en musique populaire. Comme l'explique Johanne Fraser, responsable du département de musique au Cégep de Saint-Laurent, «être musicien, ce n'est pas seulement jouer d'un instrument et lire de la musique. Il faut aussi pouvoir réaliser des arrangements musicaux. Ces deux éléments sont indissociables pour fonctionner sur le marché du travail en musique populaire.»

Par conséquent, un musicien peut jouer de son instrument seul ou en groupe, en studio ou sur scène, pour des émissions de télévision, des publicités, etc., mais il peut aussi faire des arrangements, de la composition, être directeur musical, produire des spectacles, des disques, etc. Certains se dirigent vers l'enseignement, ce qui est également le cas de Vincent.

QUALITÉS RECHERCHÉES

Être musicien suppose plusieurs qualités essentielles. Hormis la créativité, il faut aussi être polyvalent. Selon Johanne Fraser, «le musicien doit être souple et autonome, car il devra s'adapter à des environnements très variés. Par exemple, il peut travailler dans des bars enfumés, jouer à l'extérieur ou dans des restaurants où tout le monde parle... De plus, le travail varie beaucoup d'une semaine à l'autre : tu peux travailler pendant trois mois sur des

	Salaire hebdo moyen	Proportion de dipl. en emploi	Emploi relié	Chômage	Nombre de diplômés
2000	321 $	17,6 %	40,0 %	14,3 %	45
1999	n/d	33,3 %	100,0 %	18,2 %	35
1998	296 $	26,7 %	0,0 %	11,1 %	33

Statistiques tirées de la Relance - Ministère de l'Éducation. Voir données complémentaires, page 419.

Comment interpréter l'information, page 10.

arrangements pour un disque, partir en tournée avec une chanteuse, ensuite produire un spectacle avec un groupe, etc.»

Toutes ces situations demandent donc de grandes qualités, aussi bien musicales que personnelles. Bien sûr, il faut aussi aimer la scène, le contact avec le public et apprendre à vivre avec le trac...

«C'est un métier formidable. Mais il faut le faire à fond ou pas du tout. C'est pourquoi on doit être très motivé, persévérant et surtout avoir une bonne attitude : être prêt à évoluer et à travailler fort pour y arriver», souligne Vincent Pellerin.

«Je crois que, pour réussir, il faut aimer suffisamment la musique pour pouvoir en jouer 24 heures par jour.»

— Vincent Pellerin

DÉFIS ET PERSPECTIVES

Ce n'est pas une carrière facile, mais à titre d'encouragement, on peut dire que depuis quelque temps, on note une nouvelle tendance dans le domaine. «Pendant longtemps, on a préféré utiliser de la musique de synthétiseur. Mais maintenant, on revient à l'acoustique et on a recours à de plus en plus de musiciens pour la musique de spectacles, d'émissions et pour des disques», explique Johanne Fraser.

Malgré tout, la situation n'est pas toujours rose, notamment du côté de la rétribution. «Les musiciens doivent acheter de l'équipement qui coûte cher. D'un autre côté, ils sont souvent sous-payés. À Montréal, c'est actuellement très difficile; on a calculé que les tarifs n'ont pas augmenté depuis 15 ans. En région, c'est probablement plus facile parce que les musiciens sont moins nombreux. La concurrence étant moins forte, ils peuvent travailler davantage et obtenir une meilleure rémunération», conclut Mme Fraser. 09/97

Photo : Collège Vanier

HORAIRES ET MILIEUX DE TRAVAIL

- Si les musiciens peuvent œuvrer dans plusieurs domaines, ils restent toujours des travailleurs autonomes qui doivent gérer leur carrière et obtenir des contrats. Des agents d'artistes peuvent les aider dans cette tâche, mais ce n'est pas toujours le cas.
- Les horaires fluctuent beaucoup et dépendent des contrats.
- Pour ceux qui choisissent l'interprétation, il faut penser qu'en plus des spectacles le soir, il faut répéter, travailler son instrument, travailler seul ou avec son groupe durant le jour.
- Même durant les périodes calmes, il faut travailler, préparer les programmes pour la prochaine saison musicale.

Photographie

«C'est à travers le voyage que j'ai découvert la photo. Je fixais mes rencontres et mes souvenirs sur pellicule. L'idée m'est venue de vivre de ma passion.» Martin Morissette a suivi son cours de photographie au Cégep du Vieux Montréal. Il est maintenant photographe indépendant, spécialiste des événements culturels.

PROG. 570.04
PRÉALABLE : 0, VOIR PAGE 11

INTÉRÊTS

- aime observer et créer des images
- aime travailler avec la technologie (utiliser des appareils et l'informatique)
- aime communiquer et vendre

APTITUDES

- sens esthétique et grande acuité de perception visuelle et spatiale (autant du détail que de l'ensemble)
- imagination, jugement et débrouillardise
- esprit vif et excellents réflexes
- facilité à communiquer et à convaincre
- disponibilité, flexibilité, résistance au stress

OFFRE DU PROGRAMME PAR RÉGIONS
Bas-Saint-Laurent, Montréal-Centre

RÔLE ET TÂCHES

Le travail de photographe est constitué de diverses tâches. «Je dois notamment trouver des clients, dit-il. Je vais les chercher dans le milieu culturel. Je couvre les productions théâtrales ou musicales pour le compte des organisateurs. Une autre partie de mon travail consiste à effectuer les prises de vues. J'apporte mon matériel sur les lieux de l'événement et je fais mes photos en me laissant inspirer par le sujet.»

Les commanditaires de Martin lui laissent généralement une grande latitude sur le plan créatif. Il discute préalablement avec eux pour savoir, par exemple, s'ils veulent de la couleur, du noir et blanc ou des cadrages particuliers. «Il m'arrive de faire quelques contrats commerciaux. J'ai aussi d'autres activités, courantes en photographie, telles que le portrait pour les particuliers et les photos de distribution pour les acteurs.» Le jeune homme s'occupe également des tirages dans son laboratoire.

Pour faire connaître son travail, il utilise de plus en plus les nouvelles technologies numériques. Il envoie des échantillons de son œuvre par Internet à ses clients. «J'ai même un site en construction», annonce-t-il fièrement.

QUALITÉS RECHERCHÉES

Martin explique que le temps consacré à la prise de vues, comme telle, est finalement assez restreint. «Je consacre la majeure partie de mon temps à trouver des clients, dit-il. Il faut donc pas mal d'entregent pour réussir dans ce métier. Quand on fait du bon travail, le bouche à oreille est la meilleure publicité.»

	Salaire hebdo moyen	Proportion de dipl. en emploi	Emploi relié	Chômage	Nombre de diplômés
2000	294 $	76,9 %	53,6 %	4,8 %	69
1999	n/d	67,6 %	n/d	14,8 %	54
1998	394 $	67,6 %	70,6 %	10,7 %	42

Statistiques tirées de la Relance - Ministère de l'Éducation. Voir données complémentaires, page 419.

Comment interpréter l'information, page 10.

La patience et l'écoute sont aussi des qualités indispensables permettant de bien saisir les désirs et les besoins du client. Pour le travail en laboratoire, le souci du détail et l'habileté technique seront fort utiles. «Il faut être très disponible, dit Martin. Ce n'est pas un métier où l'on compte ses heures...» Le jeune photographe est persuadé qu'il faut être pourvu d'un certain talent pour la photographie si l'on veut réussir dans ce métier. «On doit être rapide, attentif, et surtout avoir "l'œil" pour déclencher au bon moment. Ça ne s'apprend pas. Ce talent, tu l'as ou tu ne l'as pas», affirme-t-il.

André Bourbonnais est responsable de la coordination du département de photographie au Cégep du Vieux Montréal. Il est tout à fait d'accord avec Martin lorsqu'il s'agit de déterminer les qualités essentielles pour exercer ce métier. «Le talent est une qualité incontournable pour réussir en photographie, dit-il. L'aspect créatif aussi. Mais il ne faut pas oublier le côté "business" du métier. Les photographes sont aussi des vendeurs qui gèrent leur petite entreprise. Ils doivent payer leurs factures, leurs taxes. Pour mener à bien tout ça, ils doivent avoir le sens des affaires et une facilité à entretenir de bonnes relations avec les clients.»

L'avènement du numérique est un défi auquel vont être confrontés les diplômés.

DÉFIS ET PERSPECTIVES

M. Bourbonnais met en garde les futurs diplômés : avant d'espérer exercer le métier dont ils rêvent, ça prend en général trois ou quatre ans. Il faut donc être doté d'une persévérance sans faille. Il explique que les diplômés empruntent trois pistes différentes en quittant le cégep. Une bonne partie d'entre eux travaillent dans les laboratoires photo ou comme adjoint aux photographes, d'autres se lancent en affaires en tant que photographes indépendants, et certains continuent à l'université pour accomplir un bac en communication, en cinéma ou en photo.

Photo : PPM

L'avènement du numérique est un défi auquel vont être confrontés les diplômés. «De la prise de vues à l'impression, la technologie numérique s'est emparée de la photographie, dit-il. Paradoxalement, face à ces développements technologiques, on remarque un retour à des procédés plus anciens. Il n'en reste pas moins que de nombreux secteurs tels que la photo médicale, la photo d'architecture, l'édition de catalogues ou la réalisation des circulaires sont déjà passés au numérique.» 03/01

HORAIRES ET MILIEUX DE TRAVAIL

- Les photographes sont souvent des travailleurs indépendants.
- Ils peuvent aussi être employés comme photographes de presse ou faire de la photo publicitaire, médicale, etc.
- Les bureaux d'architectes, les grandes entreprises, les organismes publics se prévalent souvent de leurs services.
- Le travail s'effectue généralement selon des horaires variables, sauf dans les laboratoires où les horaires sont réguliers.

Techniques de design industriel

Embauché à l'Institut national d'optique (INO) à Sainte-Foy, Pascal Leroux a trouvé l'occasion de mettre à profit ses talents de technicien en design industriel. «Les projets sont très complets et me permettent de faire aussi bien de la recherche esthétique que du dessin de pièces assisté par ordinateur», dit-il.

PROG. 570.C0
PRÉALABLE : 11, 40, VOIR P. 11

INTÉRÊTS

- aime les sciences et la technologie
- aime travailler avec un ordinateur
- aime calculer et dessiner
- aime coopérer et résoudre des problèmes pratiques

APTITUDES

- facilité pour les sciences (math, géométrie, informatique)
- talent pour le dessin
- esprit pratique et méthodique
- grandes capacités d'adaptation et de communication
- jugement et créativité

OFFRE DU PROGRAMME PAR RÉGIONS
Montréal-Centre, Québec

RÔLE ET TÂCHES

Le jeune homme travaille actuellement à un projet de boîtier qui doit recevoir des éléments optiques. Son rôle est de créer un objet à la fois ergonomique, esthétique et fonctionnel. «Je suis en relation étroite avec toute une équipe de chercheurs, d'ingénieurs et de concepteurs qui me fournissent un cahier des charges très précis, explique-t-il. Lors de nos réunions, je lance des idées dont je réalise des croquis sur papier puis, une fois que ces croquis sont validés, j'en fais des études plus détaillées.» Plus le projet avance, plus les données doivent être affinées. L'optique étant un domaine de très haute précision, la justesse des mesures est un facteur essentiel. C'est pourquoi, après les études préliminaires, Pascal dessine ses boîtiers sur ordinateur à l'aide des plus récents logiciels. Il lui arrive également d'en faire des prototypes virtuels animés. Cette seconde phase l'aide à visualiser l'objet et ses défauts possibles. En cours de projet, il peut aussi réaliser d'authentiques maquettes à l'échelle et en trois dimensions. «L'INO étant un centre de recherche sur des technologies de pointe, la confidentialité des informations est vitale, confie Pascal. J'ai un devoir de réserve concernant les projets dont je m'occupe. Ma fonction comporte de nombreuses responsabilités. Je participe à la prise de décisions importantes. Le choix des matériaux est également de mon ressort. C'est un métier plein de défis où l'on doit chaque jour conjuguer les impératifs techniques et l'esthétique.»

	Salaire hebdo moyen	Proportion de dipl. en emploi	Emploi relié	Chômage	Nombre de diplômés
2000	490 $	68,8 %	95,2 %	12,0 %	42
1999	471 $	75,8 %	83,3 %	7,4 %	45
1998	429 $	79,3 %	86,4 %	4,2 %	32

Statistiques tirées de la Relance - Ministère de l'Éducation. Voir données complémentaires, page 419.

Comment interpréter l'information, page 10.

QUALITÉS RECHERCHÉES

La créativité est une qualité primordiale du technicien en design. Même si ce dernier exerce dans le milieu industriel, on fera toujours appel à son imagination et à ses talents artistiques, tant pour soigner l'aspect esthétique des objets que pour trouver la solution à un problème de design. «La créativité, ça se cultive plus que ça ne s'apprend, affirme Pascal. Il faut en être pourvu au départ. C'est un état d'esprit qui aide autant dans la conception que dans le dessin.» Ce technicien doit, bien entendu, avoir le souci du détail et être très minutieux. «Les outils informatiques m'aident beaucoup à atteindre ce niveau de précision, explique Pascal. En revanche, ils ne dispensent pas d'être organisé et méthodique. Gérer en même temps plusieurs aspects d'un projet est une chose qui me plaît particulièrement.» Pascal travaille toujours en équipe avec les chercheurs et les concepteurs. «Il faut savoir communiquer ses idées clairement à travers son discours ou ses dessins et saisir les besoins et les concepts de ses partenaires.»

«C'est un métier plein de défis où l'on doit chaque jour conjuguer les impératifs techniques et l'esthétique.»

— Pascal Leroux

DÉFIS ET PERSPECTIVES

«Les entreprises commencent à découvrir les qualités de nos techniciens en design industriel, constate Michel Lévesque, coordonnateur du programme au Cégep de Sainte-Foy. Grâce à des projets de fin d'études, nos élèves se sont placés dans plus de 150 entreprises de la province et ont ainsi été capables de démontrer leur savoir-faire. C'est d'ailleurs l'un des défis des jeunes diplômés : faire connaître et expliquer les services qu'ils offrent et les avantages que les compagnies peuvent en retirer», considère-t-il.

Photo : Département de design industriel du Cégep de Sainte-Foy

À son avis, si les grandes compagnies n'emploient quasiment que des bacheliers, le marché des PME est très ouvert aux techniciens, qui peuvent remplacer les services des bureaux de design ou les compléter. «À l'heure de la mondialisation et du libre-échange à trois, de nombreuses entreprises mettent sur pied des équipes en recherche et développement ou en amélioration de produits. Ce sont autant de possibilités pour les techniciens en design», fait remarquer Michel Lévesque. De plus, les logiciels de conception et de dessin assistés par ordinateur évoluent aussi vite que l'appareillage et les matériaux comme le plastique ou les composites. «En fonction du secteur où ils exercent, il faudra donc que les diplômés se tiennent toujours au courant des nouveautés», conclut M. Lévesque. 02/01

HORAIRES ET MILIEUX DE TRAVAIL

- Les diplômés travaillent dans le secteur manufacturier, principalement pour les PME.
- Les firmes de design, les bureaux d'ingénieurs ou d'architectes sont des employeurs potentiels.
- L'informatique est utilisée pour le dessin et la conception des pièces.
- Les travailleurs de ce secteur font très souvent partie d'une équipe et collaborent avec des ingénieurs et des concepteurs.
- Le travail s'effectue selon des horaires de bureau réguliers.

Techniques de métiers d'art : céramique

En visitant l'École-atelier de céramique de Québec, Danielle Bélisle a eu le coup de foudre. «Je suis tombée amoureuse de la terre, du travail de l'argile», témoigne-t-elle. Diplômée du Cégep de Limoilou, elle est aujourd'hui potière.

PROG. 573.01
PRÉALABLE : 0, VOIR PAGE 11

INTÉRÊTS

- aime manipuler l'argile (hautes températures)
- aime créer, concevoir et fabriquer des objets utilitaires ou décoratifs
- aime travailler en atelier, seul
- aime jouer avec les formes et les couleurs

APTITUDES

- créativité, imagination et curiosité
- bonne dextérité manuelle; endurance physique
- patience et persévérance
- connaissances de base en chimie (atout)
- esprit d'entreprise

OFFRE DU PROGRAMME PAR RÉGIONS
Montréal-Centre, Québec

RÔLE ET TÂCHES

Le programme de céramique forme des créateurs-producteurs d'objets tridimensionnels en argile cuite (qui comprend la faïence, le grès et la porcelaine). Ces objets peuvent être utilitaires ou artistiques, selon l'orientation qu'on donne à sa pratique professionnelle. La formation couvre différents secteurs de la céramique : façonnage manuel, tournage, moulage et finition. On complète l'apprentissage par des cours de technologie des matériaux de céramique et de construction des équipements. Le diplômé devient céramiste.

Les contrats qu'obtient Danielle Bélisle sont fort différents les uns des autres. «Cet hiver, j'ai eu à faire d'énormes cache-pot pour un architecte, et plus récemment, j'ai aussi fait des bénitiers», explique-t-elle.

L'essentiel de son travail s'effectue dans son atelier. «Quand je commence une journée, je dois d'abord préparer mes matériaux. Je fais le pesage, puis le pétrissage de l'argile. Je m'assieds à mon tour de potier (sorte de plateau rotatif) et je tourne une pièce. Ensuite, je la fais cuire au four. Comme je travaille le grès, cela nécessite de très hautes températures. Si j'ai des pièces tournées de la veille, je peux les continuer, c'est-à-dire enlever l'excédent d'argile et, éventuellement, les décorer. Pour cela, je fais de l'émaillage sur les pots, soit par trempage, soit par application au pinceau. Et je peux aussi décider de peindre des motifs par-dessus cet émail, selon la commande. Au total, il faut compter environ une semaine pour faire une pièce.»

	Salaire hebdo moyen	Proportion de dipl. en emploi	Emploi relié	Chômage	Nombre de diplômés
2000	n/d	n/d	n/d	n/d	n/d
1999	n/d	n/d	n/d	n/d	n/d
1998	333 $	60,0 %	81,3 %	22,6 %	45

Statistiques tirées de la Relance - Ministère de l'Éducation. Voir données complémentaires, page 419.

Comment interpréter l'information, page 10.

Les instruments dont le céramiste se servira tous les jours sont le tour de potier (qui peut être électrique, comme celui de Danielle), le four pour cuire la poterie, ainsi que différents outils de finition : éponge, pinceaux et compas.

QUALITÉS RECHERCHÉES

«Le travail de céramiste demande de bonnes habiletés manuelles de même que beaucoup de créativité, croit Danielle. De plus, il faut un peu aimer la chimie parce qu'on travaille avec des matériaux qui peuvent nous causer des surprises. Parfois on n'obtient pas les résultats escomptés... Il faut aussi aimer jouer avec les couleurs pour la finition. On peut développer nos propres couleurs; ça nécessite une bonne base en chimie. C'est un peu comme la cuisine tout ça, finalement!»

Métier de création, la céramique exige une certaine ouverture sur le monde, un intérêt pour tout ce qui nous entoure.

Métier de création, la céramique exige une certaine ouverture sur le monde, un intérêt pour tout ce qui nous entoure. «Il faut être très curieux, et aimer les découvertes et les surprises, car on ne sait pas toujours ce qui nous attend quand on commence une pièce.»

Ce métier demande de la persévérance et beaucoup d'expérience pour évoluer constamment. Les outils principaux du céramiste sont ses mains, et l'apprentissage des différentes techniques peut être long et ardu. Une bonne dose de patience est nécessaire.

Photo : École-atelier de céramique de Québec

DÉFIS ET PERSPECTIVES

Mimi Belleau est professeure à l'École-atelier de céramique de Québec. Selon elle, les futurs céramistes devront se battre pour trouver leur place. «À l'heure actuelle, nous préparons la relève alors qu'il y a encore un grand vide dans ce domaine; il y a très peu de potiers au Québec, raconte-t-elle. Mais je sens que nos futurs diplômés sont bien décidés à prendre une place qui est actuellement occupée par des produits importés. Pour cela, ils devront être très créatifs et déterminés», conclut-elle. 09/96

HORAIRES ET MILIEUX DE TRAVAIL

- De façon générale, le diplômé gère son propre atelier ou partage un atelier avec d'autres.
- Dans certains cas, le céramiste fait une partie du travail pour quelqu'un d'autre qui finira la pièce lui-même.
- Les horaires de travail dépendent de chaque céramiste, du rythme que chacun souhaite donner à sa production.
- Selon la période de l'année, le travail est plus ou moins abondant, donc les horaires plus ou moins chargés.

Techniques de métiers d'art : construction textile

«Un jour, j'ai vu à la télévision des gens qui tissaient sur un métier traditionnel. J'ai trouvé ça très attirant.» Quelques années plus tard, Jean Fortier répondait à l'appel «Maîtrisez vos talents, devenez tisserand» lancé par le Centre de formation textile de l'est du Québec et le Cégep de Limoilou, en s'inscrivant en construction textile.

PROG. 573.01
PRÉALABLE : 0, VOIR PAGE 11

INTÉRÊTS

- aime le dessin
- aime agencer les formes et les couleurs
- aime la création à partir de fibres
- aime travailler sur support informatique
- aime le contact avec le public (clients)

APTITUDES

- sens artistique et esthétique
- bonne capacité de visualisation
- créativité et imagination
- patience et méticulosité
- bonne dextérité manuelle

OFFRE DU PROGRAMME PAR RÉGIONS
Montréal-Centre, Québec

RÔLE ET TÂCHES

Le rôle d'un créateur textile est de créer des objets utilitaires ou décoratifs à partir d'une matière première, le fil. Les principales techniques utilisées pour y arriver sont le tissage ou le tricot-machine, qui consiste à tricoter un tissu à l'aide d'une machine tout en conservant une procédure artisanale, c'est-à-dire un objet à la fois (si l'on compare à la production industrielle). Le diplômé du programme de construction textile possède également des notions en tapisserie, en courtepointe, en broderie, ainsi qu'en teinture des fils, des fibres et des tissus. Le créateur textile peut décider d'orienter sa pratique vers l'une ou l'autre des deux grandes spécialités (le tissage ou le tricot-machine) ou de créer des tissus intégrant ces deux procédés.

Jean Fortier est technicien en design à la compagnie Hasner, à Granby. «Je travaille plus précisément dans le domaine du tissu jacquard d'ameublement, précise-t-il. Mon travail consiste à prendre des patrons (des motifs) que la compagnie achète à des artistes et à les agencer dans un certain ordre, selon une certaine répétition, pour que ça aille sur un tissu. Je m'occupe de la saisie informatique des dessins; il faut que la répétition que je crée avec le motif soit logique et réalisable sur les métiers à tisser.»

Dans la pratique quotidienne de son métier, Jean doit savoir maîtriser l'informatique, puisque l'essentiel de son travail en dépend. Ainsi, il numérise les motifs, puis travaille à l'écran le mode de répétition désiré. Il procède ensuite au choix des couleurs qui seront utilisées et du type d'armure – le mode d'entrecroisement des fils – afin de fabriquer le tissu. Finalement,

	Salaire hebdo moyen	Proportion de dipl. en emploi	Emploi relié	Chômage	Nombre de diplômés
2000	n/d	60,0 %	n/d	0,0 %	5
1999	n/d	85,7 %	n/d	0,0 %	9
1998	333 $	60,0 %	81,3 %	22,6 %	45

Statistiques tirées de la Relance - Ministère de l'Éducation. Voir données complémentaires, page 419.

Comment interpréter l'information, page 10.

il doit produire des échantillons et apporter les corrections nécessaires à son tissu.

Le travail qu'exerce Jean doit se faire à l'unisson avec tous les autres domaines de la décoration d'intérieur. Par exemple, si un imprimé semble très en vogue dans le papier peint, la compagnie pour laquelle travaille Jean cherchera à créer un tissu d'ameublement pouvant se coordonner à ce motif. Le client qui souhaite redécorer pourra trouver sur le marché toute une gamme de tissus, de papiers peints et même d'objets assortis.

Le rôle d'un créateur textile est de créer des objets utilitaires ou décoratifs à partir d'une matière première, le fil.

QUALITÉS RECHERCHÉES

Comme il travaillera principalement dans le domaine de la mode vestimentaire ou de la décoration d'intérieur, le créateur textile doit avoir un solide sens artistique. Il lui faut également être à l'aise avec le dessin, avoir une bonne capacité de visualisation, puisqu'un tissu se crée d'abord dans la tête avant d'être réalisé sur des machines. «Je crois qu'il faut aussi aimer travailler avec les formes et les couleurs, estime Jean Fortier. On doit également posséder de bonnes habiletés techniques et un esprit créatif.»

Le travail du créateur textile étant relativement sédentaire, le diplômé doit aimer les gestes répétitifs. Il lui faut également être très patient, méticuleux, et posséder une bonne dextérité manuelle.

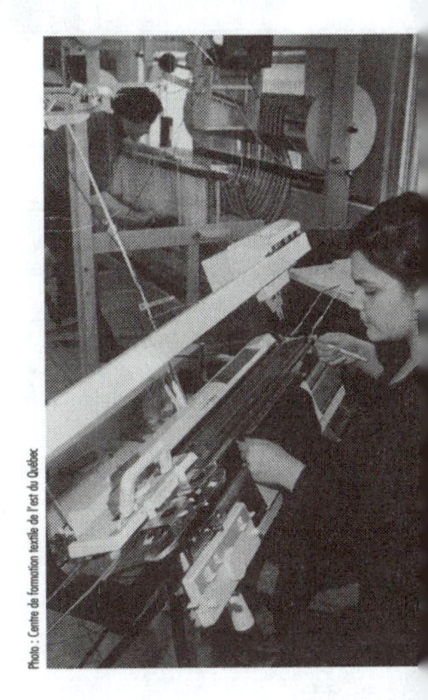

Photo : Centre de formation textile de l'est du Québec

DÉFIS ET PERSPECTIVES

«Quand on pense au tissage, on songe tout de suite à nos grands-mères, aux fermières et aux napperons à 25 ¢, croit Guy Lemieux, professeur au Centre de formation textile de l'est du Québec. C'est une mentalité qu'il faut changer si on veut que le métier évolue. Il faut changer complètement l'image de ce qu'est un tisserand professionnel.» C'est aussi à l'industrie qu'on doit présenter une nouvelle image, estime-t-il. «Nos diplômés doivent prendre leur place et se faire reconnaître auprès des designers pour que ceux-ci se mettent à utiliser des tissus québécois. Pour le moment, de 80 à 90 % des tissus qu'utilisent nos designers de mode ou d'aménagement intérieur sont importés. C'est tout un marché à créer», soutient Guy Lemieux. 09/96

HORAIRES ET MILIEUX DE TRAVAIL

- On pourra trouver ce technicien à la tête de sa propre compagnie de création de vêtements ou comme employé dans un atelier de restauration de tissus.
- La polyvalence de sa formation lui permettra de voguer allégrement entre le domaine de la mode vestimentaire et celui de la décoration d'intérieur.
- Des secteurs tels que la réalisation de décors lui sont également ouverts.
- Ceux qui travaillent dans des ateliers de petite série ou encore des entreprises industrielles ont un horaire régulier.

Techniques de métiers d'art : ébénisterie artisanale

Après un DEC en sciences pures et un baccalauréat en relations industrielles, Stéphane Houde a décidé de se réorienter vers la technique d'ébénisterie artisanale. «J'aime travailler avec le bois, c'est chaud comme le corps humain, et c'est un matériau agréable à façonner.»

PROG. 573.01
PRÉALABLE : 0, VOIR PAGE 11

INTÉRÊTS

- aime le dessin et les mathématiques
- aime travailler avec le bois
- aime créer, dessiner des plans, fabriquer et restaurer des meubles
- aime la gestion d'entreprise

APTITUDES

- grande dextérité manuelle
- créativité et sens artistique; grande motivation
- souci du détail et perfectionnisme
- endurance physique, acuité visuelle
- autonomie et esprit d'entreprise

OFFRE DU PROGRAMME PAR RÉGIONS
Montréal-Centre, Québec, Saguenay–Lac-Saint-Jean

RÔLE ET TÂCHES

L'ébéniste est préparé à produire des meubles décoratifs ou utilitaires. Il a reçu la formation nécessaire pour exercer le métier de façon autonome, en ouvrant son propre atelier. Il a appris à créer et à fabriquer un meuble, à dessiner des plans, ainsi qu'à utiliser et à entretenir l'équipement dont il se sert. Il connaît les bois locaux, indigènes au Québec, de même que les différentes essences exotiques. L'ébéniste d'art, si on le compare à l'ébéniste généraliste (voir en page 168), fabrique surtout des meubles à l'unité plutôt que des produits de moyenne série. Sa formation, constituée notamment de cours en art, met davantage l'accent sur la conception, la création et la restauration.

L'ébéniste possède également une connaissance de base des techniques reliées à son métier : débitage, traçage, façonnage, sciage, placage, montage et finition.

Quelques mois après la fin de ses études, à la suite d'un voyage en Europe, Stéphane Houde a pris l'initiative de fonder son propre atelier d'ébénisterie en s'associant avec son frère, diplômé du même programme, ainsi qu'avec un ébéniste de métier. L'entreprise située à Boischatel se nomme Main de maître. «Nous avons construit notre atelier et, maintenant, l'essentiel de notre production est constitué de meubles intégrés sur mesure, comme du mobilier de salon, des meubles audio-vidéo haut de gamme, du mobilier de chambre à coucher, raconte Stéphane. Nous travaillons régulièrement pour trois designers qui nous font des commandes. Nous sommes très exigeants

	Salaire hebdo moyen	Proportion de dipl. en emploi	Emploi relié	Chômage	Nombre de diplômés
2000	432 $	93,8 %	64,3 %	0,0 %	20
1999	n/d	84,6 %	n/d	8,3 %	17
1998	333 $	60,0 %	81,3 %	22,6 %	45

Statistiques tirées de la Relance - Ministère de l'Éducation. Voir données complémentaires, page 419.

Comment interpréter l'information, page 10.

sur la qualité, nous ne travaillons presque jamais avec de la mélamine, par exemple. Nous utilisons plutôt différents bois traditionnels du Québec, tels l'érable, le chêne, le merisier et un peu de pin. Nous utilisons aussi à l'occasion des bois exotiques.»

Fondée depuis deux ans, l'entreprise fonctionne déjà assez bien. En plus d'administrer sa compagnie, Stéphane travaille dans l'atelier. «Je fais de l'évaluation de prix, de la sélection de matériel, des achats. Au moins une vingtaine d'heures par semaine, je fais aussi beaucoup de finition.»

«On doit être perfectionniste et bon gestionnaire, principalement quand on fonde sa propre entreprise ou qu'on est travailleur autonome.»

— Stéphane Houde

QUALITÉS RECHERCHÉES

Une très grande dextérité manuelle est, selon Stéphane, une des qualités fondamentales d'un bon ébéniste. «Il faut aussi avoir du jugement, ajoute-t-il, surtout par rapport à la qualité de son travail. On doit être perfectionniste et bon gestionnaire, principalement quand on fonde sa propre entreprise ou qu'on est travailleur autonome.»

Ce travail demande quelques qualités physiques essentielles. «Il faut posséder une bonne endurance physique, croit Stéphane, car on travaille dans le bruit et la poussière à longueur de journée. Une bonne acuité visuelle et de bons réflexes sont importants, surtout quand on manipule les équipements; ce n'est pas long perdre un doigt... Il faut demeurer très vigilant.»

Photo : Cégep du Vieux Montréal - Marylène Thériault

L'ébéniste devra également être doué pour le dessin et les mathématiques. Il aura envie de se dépasser constamment et possédera un certain goût artistique.

DÉFIS ET PERSPECTIVES

Mario Demers est professeur à l'Institut québécois d'ébénisterie à Québec. Selon lui, les ébénistes auront toujours leur place s'ils savent s'imposer suffisamment. «Mais ils doivent donner un produit d'une très grande qualité, précise-t-il, et offrir un très bon service après-vente. Il faut aussi que les ébénistes produisent des meubles qui sortent de l'ordinaire, du haut de gamme et de l'avant-garde, plutôt que des produits de tous les jours.» 09/96

HORAIRES ET MILIEUX DE TRAVAIL

- En terminant sa formation, l'ébéniste se retrouve devant deux choix : fonder son entreprise, ou trouver du travail auprès d'un autre ébéniste, ou encore en usine.
- Les horaires de travail sont assez exigeants, surtout au printemps et à l'automne, soit avant l'été et les fêtes.
- Le diplômé qui travaille en industrie a plutôt des horaires réguliers, d'environ 40 heures par semaine.

Techniques de métiers d'art : impression textile

Lyne Girard était propriétaire d'un commerce lorsqu'elle a décidé de se réorienter. «J'ai toujours été attirée par les arts, mais je voulais trouver une façon de m'exprimer avec des objets utiles et concrets. C'est lorsque je suis allée voir l'exposition de fin d'année du Centre d'impression textile de Montréal que le déclic s'est fait.»

PROG. 573.01
PRÉALABLE : 0, VOIR PAGE 11

INTÉRÊTS

- aime le dessin
- aime travailler avec les tissus, les couleurs
- aime créer et imaginer des motifs d'impression
- aime le travail de précision

APTITUDES

- grande dextérité manuelle
- autonomie et esprit d'entreprise
- créativité et sens artistique
- polyvalence et autonomie
- minutie et précision

OFFRE DU PROGRAMME PAR RÉGIONS
Montréal-Centre

RÔLE ET TÂCHES

En impression textile, on forme des créateurs-producteurs qui se spécialisent dans la création de motifs à l'aide de colorants textiles sur des tissus qui sont déjà armurés (c'est-à-dire tissés) ou déjà tricotés.

Le diplômé peut dessiner des motifs, faire des séparations de couleurs ainsi que mélanger les colorants textiles. Il maîtrisera différentes techniques d'impression sur tissus : à la planche, sérigraphie, batik ou teinture.

Il pourra également développer ses propres outils pour imprimer, graver des planches à imprimer ou fabriquer des cadres de sérigraphie.

En terminant sa formation en impression textile, Lyne Girard avait décidé de s'associer avec d'autres personnes pour fabriquer des bannières d'inspiration médiévale.

«C'était l'été des Médiévales de Québec et ça nous a donné l'idée de fabriquer ces bannières en velours avec des motifs dorés. Nous en avons vendu dans différentes boutiques. Ensuite, pour Noël, nous avons créé des petits gants de toilette avec une recherche particulière des colorants et du tissu éponge utilisé. Après ce dernier projet, j'ai décidé de continuer à travailler seule plutôt qu'en équipe.»

Lyne a alors rempli différents contrats. «J'ai fait des dessins pour des consultants en mode. Je devais créer des motifs pour des vêtements de ski de fond Vuarnet. Et j'ai obtenu un contrat pour imprimer 300 mètres de tissu pour

	Salaire hebdo moyen	Proportion de dipl. en emploi	Emploi relié	Chômage	Nombre de diplômés
2000	365 $	83,3 %	40,0 %	0,0 %	7
1999	n/d	n/d	n/d	n/d	n/d
1998	333 $	60,0 %	81,3 %	22,6 %	45

Statistiques tirées de la Relance - Ministère de l'Éducation. Voir données complémentaires, page 419.

Comment interpréter l'information, page 10.

faire des cravates; je dois préparer les colorants et imprimer les motifs à l'aide d'un cadre de sérigraphie.»

QUALITÉS RECHERCHÉES

Le créateur-producteur en impression textile est généralement un travailleur autonome évoluant de contrat en contrat. La polyvalence sera donc une qualité primordiale pour lui. «Il faut également être très persévérant pour avancer dans ce métier, croit Lyne. Et il faut avoir le sens de l'initiative, car c'est toi qui crées ton propre emploi.»

L'impression textile demande de nombreuses qualités artistiques. Il faut être créatif, minutieux et précis.

L'impression textile demande de nombreuses qualités artistiques. «Il faut être créatif, minutieux et précis», confirme Lyne. Il est aussi important d'éprouver une passion pour le dessin, la couleur et les textiles.

Enfin, on demandera au diplômé de ce programme d'être habile de ses mains, d'avoir une bonne motricité fine en plus d'être flexible et curieux.

Photo : Centre de recherche et de design de Montréal

DÉFIS ET PERSPECTIVES

Selon Robert Lamarre, enseignant au Centre d'impression textile de Montréal, «les créateurs-producteurs en impression textile doivent innover continuellement.

«Ils doivent toujours être en avance sur les tendances. Cela demande donc beaucoup de travail et de curiosité. De plus, je crois que le handicap majeur des diplômés est leur difficulté à se vendre. Il leur faut être persuasifs, se montrer capables de présenter et de vendre leurs produits.» **09/96**

HORAIRES ET MILIEUX DE TRAVAIL

- Le diplômé peut faire de la teinturerie pour d'autres artisans, pour des théâtres, la télévision ou le monde du spectacle en général.
- Il peut aussi choisir de fonder son entreprise afin de créer et de mettre en marché ses propres tissus.
- Les diplômés qui possèdent un réel talent de dessinateur peuvent également s'orienter vers le design de tissu.
- On verra aussi des créateurs-producteurs en impression textile s'associer avec des créateurs de mode qui utilisent leurs tissus pour leurs créations.
- On peut travailler chez soi, dans un petit atelier personnel, ou trouver du travail dans un atelier de sérigraphie.
- Concernant les horaires, cela dépend de la demande : parfois jusqu'à 10 ou 12 heures de travail par jour le temps d'un contrat.

Techniques de métiers d'art : joaillerie

C'est sa passion pour les bijoux qui a conduit Julie Sarra-Bournet vers la joaillerie. Très attirée par le domaine des arts plastiques et intéressée par l'idée de faire une technique pour pouvoir trouver un travail plus rapidement, elle s'est inscrite en joaillerie au Cégep de Limoilou.

PROG. 573.01
PRÉALABLE : 0, VOIR PAGE 11

INTÉRÊTS

- aime le dessin
- aime travailler avec les métaux, les pierres précieuses et semi-précieuses
- aime créer, fabriquer et réparer des bijoux
- aime le travail de précision
- aime travailler seul et en atelier

APTITUDES

- précision
- grande dextérité manuelle
- minutie et perfectionnisme
- patience et grande capacité de concentration
- créativité et sens artistique

OFFRE DU PROGRAMME PAR RÉGIONS
Montréal-Centre, Québec

RÔLE ET TÂCHES

Le programme de joaillerie prépare le futur diplômé à trois volets du métier : la conception, la création ainsi que la gestion. En débutant dans ce métier, le technicien commencera par des réparations d'exécution facile, comme l'ajustement de la grandeur d'une bague ou la réparation d'une chaîne. Il pourra également réaliser de petits bijoux simples et concevoir des modèles destinés à une clientèle diverse et à l'industrie de la fabrication de bijoux. C'est précisément dans ce secteur que travaille Julie.

«Je travaille chez Créations DPR, un grossiste en bijoux mode. Je fais de la recherche et du développement, c'est-à-dire que je réalise des prototypes (modèles). Au départ, je sculpte la pièce à réaliser dans de la cire. Ensuite, on fait des moules à partir de cet objet en cire, puis on coule ça dans du métal. Une fois que ce prototype de grandeur réelle est réalisé, il est envoyé ailleurs pour être produit en grandes quantités. Ce n'est donc pas nous qui fabriquons les bijoux; nous en faisons plutôt la conception.»

Pour ces étapes de son travail, Julie se sert fréquemment d'outils à sculpter qui demandent de la précision, de même que d'instruments un peu plus gros, comme des polisseuses. En général, un technicien en joaillerie se servira de plusieurs instruments conçus pour ce genre de travail de précision.

La tâche de Julie est essentiellement un travail de création. «C'est moi qui invente le modèle, confirme-t-elle. Le patron me dit à peu près ce qu'il veut; par exemple, s'il veut une gamme sport. À partir de ses indications, je réalise des modèles pour des broches, des pendentifs, des épinglettes et des

	Salaire hebdo moyen	Proportion de dipl. en emploi	Emploi relié	Chômage	Nombre de diplômés
2000	367 $	85,7 %	66,7 %	0,0 %	16
1999	n/d	55,6 %	n/d	16,7 %	11
1998	333 $	60,0 %	81,3 %	22,6 %	45

Statistiques tirées de la Relance - Ministère de l'Éducation. Voir données complémentaires, page 419.

Comment interpréter l'information, page 10.

boucles d'oreilles. Mais il faut préciser que ce ne sont pas des bijoux en or ou en argent. En fait, les bijoux mode sont peu coûteux et se vendent dans plusieurs petites boutiques.»

QUALITÉS RECHERCHÉES

Le travail en joaillerie exige de la précision. «Pour faire ce métier, il faut être très habile, minutieux et un peu perfectionniste, ajoute Julie. Il faut aussi savoir faire preuve de calme et de patience. Et évidemment, il faut aimer travailler et manipuler de très petites choses, ce qui n'est pas toujours évident», explique-t-elle.

Le programme de joaillerie prépare le futur diplômé à trois volets du métier : la conception, la création ainsi que la gestion.

Ce métier s'exécute généralement dans de petits ateliers et boutiques; le joaillier travaille seul très souvent. «Il faut aimer la solitude, estime Julie. Puis il faut avoir une grande capacité de concentration et être capable de travailler longtemps sur la même pièce.» Et pour se tailler une place dans le domaine de la joaillerie, le diplômé devra faire preuve de beaucoup de créativité.

C'est un travail qui ne demande pas de qualités physiques particulières, outre la dextérité manuelle. Les bancs de travail sont maintenant conçus de façon à éviter les maux de dos occasionnés par une position courbée prolongée.

Photo : École de joaillerie de Montréal

DÉFIS ET PERSPECTIVES

Chantal Gilbert enseigne à l'École de joaillerie de Québec, affiliée au Cégep de Limoilou. Selon elle, c'est par la création et l'originalité que les futurs joailliers pourront se démarquer.

«Une très grande compétition vient des pays étrangers, explique-t-elle. Une forte proportion des bijoux que nous avons ici sont importés. Dans ce contexte, nos élèves doivent produire du bijou haut de gamme parce que le marché bas de gamme est saturé. Mais nous avons beaucoup de potentiel ici, nous faisons des choses vraiment différentes de ce qui se fait ailleurs», conclut-elle. 09/96

HORAIRES ET MILIEUX DE TRAVAIL

- Le diplômé a deux choix : se faire embaucher par un joaillier ou démarrer sa propre entreprise.
- Le domaine de la joaillerie ne se limite pas qu'à la production et à la réparation de bijoux : on peut aussi travailler à trouver des matériaux nouveaux, à réaliser des produits plus spécialisés, ou encore s'orienter vers la ferronnerie ou la coutellerie.
- Les horaires de travail varieront énormément en fonction de l'avenue choisie. Ainsi, dans une boutique, on a des horaires réguliers, de jour. Mais pour qui décide de se lancer en affaires, on travaille parfois jusqu'à 14 ou 15 heures par jour.

Techniques de métiers d'art : lutherie

C'est tout à fait par hasard que Xavier Bouchard a appris l'existence du programme de lutherie. Aujourd'hui, il possède son propre atelier et travaille également comme technicien à l'École de lutherie, au Cégep de Limoilou.

PROG. 573.01
PRÉALABLE : 0, VOIR PAGE 11

INTÉRÊTS

- aime l'univers de la musique
- aime travailler avec le bois
- aime créer, fabriquer et réparer des instruments à cordes
- aime le travail de précision

APTITUDES

- patience et minutie
- persévérance et excellente dextérité manuelle
- grande motivation
- un minimum d'oreille musicale
- créativité et ouverture d'esprit

OFFRE DU PROGRAMME PAR RÉGIONS
Québec

RÔLE ET TÂCHES

Le rôle principal du luthier est de créer, de construire et de réparer des instruments à cordes pincées ou à archet. Le programme lui aura appris à bâtir entièrement un violon, par des techniques en dessin, en débitage, en façonnage, en assemblage, en montage et en réparation. Il aura pour tâche de rendre exacte la sonorité du violon, de l'alto, du violoncelle et de la guitare.

La réalisation d'un violon nécessite de nombreuses étapes, la première étant le dessin. Ce dernier sert à déterminer le modèle et à réaliser le moule de contreplaqué. Ensuite, il y a le travail du bois, puis l'assemblage. Toutes ces tâches nécessitent beaucoup d'attention et de minutie, afin que l'instrument ait une bonne sonorité.

«Les violons que l'on peut fabriquer sont destinés à des professionnels parce que ça coûte très cher à réaliser, explique Xavier. Un violon fabriqué à la main peut valoir environ 3 000 $, alors qu'un violon ordinaire, offert en magasin, peut se vendre 70 $. Il y a évidemment une différence de qualité.»

En marge de ses activités de technicien à l'École de lutherie, Xavier effectue des réparations dans son atelier. «Je fais des réparations de guitares et de violons et j'en fabrique également, explique-t-il; je peux aussi réparer des violes. Et comme les débuts d'année sont souvent difficiles, je prépare des violons à l'avance, pour pouvoir les vendre à ce moment-là.»

	Salaire hebdo moyen	Proportion de dipl. en emploi	Emploi relié	Chômage	Nombre de diplômés
2000	n/d	n/d	n/d	n/d	n/d
1999	n/d	n/d	n/d	n/d	n/d
1998	333 $	60,0 %	81,3 %	22,6 %	45

Statistiques tirées de la Relance - Ministère de l'Éducation. Voir données complémentaires, page 419.

Comment interpréter l'information, page 10.

Le travail de précision du luthier nécessite l'emploi de quelques outils spécialisés, dont de petits rabots de forme ovale pour travailler le bois, de même que des calibres d'épaisseur (qui servent à mesurer l'épaisseur des tables – le dessus et le dessous – de l'instrument). Le luthier se sert également de certaines gouges à ébaucher et d'un fer à plier les éclisses – les parties courbes du violon reliant les tables.

QUALITÉS RECHERCHÉES

Le travail de luthier demande patience et minutie. L'exécution d'un violon n'est pas une tâche aisée et nécessite beaucoup de persévérance de la part du luthier. «Il faut aussi être très motivé, ajoute Xavier, parce que ce n'est pas toujours un métier facile. Il faut vraiment aimer ça. On doit également posséder une bonne dextérité manuelle.»

«Un violon fabriqué à la main peut valoir environ 3 000 $, alors qu'un violon ordinaire, offert en magasin, peut se vendre 70 $. Il y a évidemment une différence de qualité.»

— Xavier Bouchard

Et qu'en est-il de l'oreille musicale? Faut-il nécessairement être musicien pour réparer un instrument de musique? «Pas du tout; moi, je n'ai jamais appris la musique, explique Xavier. Il faut avoir un minimum d'oreille musicale, mais ça se développe.»

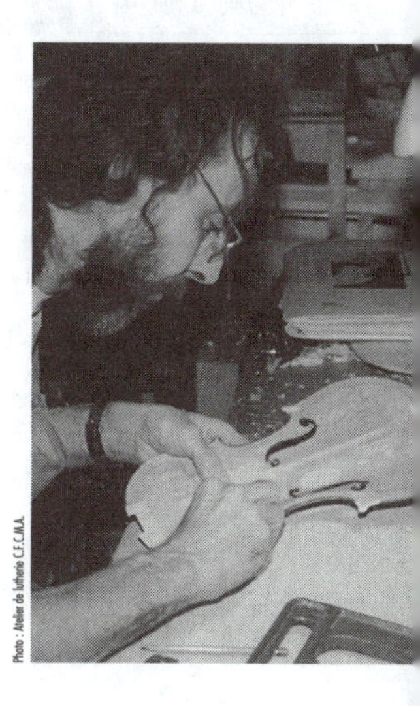

Photo : Atelier de lutherie C.F.C.M.A.

Le luthier devant se livrer à un travail de conception, il n'est pas mauvais de posséder une bonne dose de créativité et d'ouverture d'esprit. Il faut également être prêt à mettre beaucoup d'énergie et de temps dans son travail, car un bon luthier se distingue par son expérience et sa capacité à travailler avec des clients parfois assez exigeants.

DÉFIS ET PERSPECTIVES

Selon Simon Bruneau, enseignant en lutherie au Cégep de Limoilou, le domaine est actuellement à la fin d'un cycle. «Je crois que nous sommes dans un tournant, surtout en ce qui concerne le violon. On est à l'apogée du prestige que l'on a donné aux violons anciens, comme les Stradivarius. C'est donc devenu très exigeant pour les luthiers. Mais les musiciens professionnels commencent à se tourner vers de nouveaux instruments, avec de nouvelles sonorités. Je crois bien que cela pourrait créer une ouverture pour les futurs luthiers.» 09/96

HORAIRES ET MILIEUX DE TRAVAIL

- On peut être embauché par un luthier ou démarrer sa propre entreprise. Toutefois, il est nécessaire de compléter sa formation par une période de travail en atelier.
- Embauché chez un luthier, l'apprenti connaîtra des horaires assez réguliers, alors que pour son compte, il devra travailler selon les commandes, avec des périodes de production plus ou moins intensives.

Techniques de métiers d'art : maroquinerie

L'artisan en maroquinerie crée et confectionne des objets et des articles personnels en cuir. Pour faire l'apprentissage de cette profession, une seule école au Québec : le Centre des métiers du cuir de Montréal.

PROG. 573.01
PRÉALABLE : 0, VOIR PAGE 11

INTÉRÊTS

- aime créer, dessiner et fabriquer des objets utilitaires ou décoratifs
- aime travailler avec le cuir
- aime le travail de précision
- aime travailler seul, en atelier

APTITUDES

- créativité
- sens de l'organisation
- patience et minutie
- autonomie et esprit d'entreprise
- dynamisme et polyvalence

OFFRE DU PROGRAMME PAR RÉGIONS
Montréal-Centre

RÔLE ET TÂCHES

L'artisan en maroquinerie fabrique des accessoires, comme des sacs à main, des ceintures, des bretelles, des bagages, des boîtes et des coffrets, des objets de bureau, des articles de fumeur, etc. Cela exclut d'emblée les chaussures, les gants, les chapeaux et les vêtements, qui relèvent de métiers différents.

Pour confectionner ces objets, l'artisan doit passer par différentes étapes. «Tout d'abord, il doit effectuer une recherche de tendances et de styles; il fait des croquis, puis il dessine son modèle et le crée, explique Diane Tremblay, directrice générale du Centre des métiers du cuir de Montréal. Il doit choisir le cuir approprié en fonction de l'objet à fabriquer (par exemple un cuir souple, épais, texturé, etc.). Il recherche ensuite une quincaillerie originale (comme les boucles de ceintures, les fermoirs, etc.) qui apportera la touche finale à sa création. Enfin, il taille le cuir, l'amincit, prépare la doublure. Les dernières étapes sont le montage et la finition.»

Toutes ces étapes exigent de la patience et une grande maîtrise des différentes techniques de travail du cuir. De plus, cet artisan, comme la plupart de ceux qui œuvrent dans le domaine des métiers d'art, doit souvent démarrer sa propre entreprise artisanale. C'est pourquoi il doit aussi s'adonner à certaines tâches de gestion, comme la comptabilité, l'organisation de la production, la mise en marché et la distribution.

	Salaire hebdo moyen	Proportion de dipl. en emploi	Emploi relié	Chômage	Nombre de diplômés
2000	n/d	n/d	n/d	n/d	n/d
1999	n/d	n/d	n/d	n/d	n/d
1998	333 $	60,0 %	81,3 %	22,6 %	45

Statistiques tirées de la Relance - Ministère de l'Éducation. Voir données complémentaires, page 419.

Comment interpréter l'information, page 10.

QUALITÉS RECHERCHÉES

Si l'on désire exercer ce métier, on doit posséder notamment de la créativité, un grand sens de l'organisation, pour planifier sa production, et beaucoup de polyvalence. Il faut aussi être dynamique et fonceur, avoir une bonne confiance en soi pour se tailler une place sur le marché du travail.

Les habiletés manuelles sont importantes. Néanmoins, Mme Tremblay estime qu'il faut surtout beaucoup de pratique. «Certaines personnes ont des prédispositions, mais ce sont des choses qui s'acquièrent. Plus on travaille et plus on développe ces techniques.» On doit également faire preuve de minutie afin de réaliser de beaux articles à la finition impeccable.

«Certaines personnes ont des prédispositions, mais ce sont des choses qui s'acquièrent. Plus on travaille et plus on développe ces techniques.»

— Diane Tremblay

L'artisan maroquinier devra aussi être entrepreneur. À ce titre, les cours dispensés au Centre des métiers du cuir de Montréal touchent au domaine de la gestion et de l'implantation d'une entreprise artisanale. «Ces personnes sont des créateurs et des artistes qui veulent vivre de leur production. Par conséquent, elles doivent pouvoir gérer celle-ci ainsi que leur petite entreprise.»

Photo : Ma Carrière

DÉFIS ET PERSPECTIVES

Mme Tremblay estime qu'au Québec il y a de la place pour les artisans en maroquinerie. «Ils créent des objets utilitaires ou de décoration haut de gamme, originaux et entièrement faits à la main. Comme ce sont généralement des petites commandes, les grosses industries ne peuvent pas les réaliser; c'est donc aux artisans de le faire. Je crois qu'il existe bel et bien un créneau à combler ici.» En effet, la grande majorité des articles de cuir présents sur le marché est importée d'autres pays, comme l'Italie et la France. Par conséquent, des artisans d'ici pourraient très bien produire des articles de qualité identique et se substituer à l'importation. Il y a beaucoup à faire, selon Diane Tremblay : des coffres pour les instruments de musique, par exemple, des étuis pour des fusils et des carabines, des coffrets pour des objets précieux. Un des anciens élèves du Centre des métiers du cuir de Montréal a même réalisé des boîtes à cigares pour la prestigieuse maison Davidoff. Les gens recherchent aussi des accessoires de bureau très spécifiques, tels des sacs pour ordinateurs portatifs. La créativité est donc à l'honneur! 09/97

HORAIRES ET MILIEUX DE TRAVAIL

- L'artisan en maroquinerie démarrera souvent sa propre entreprise artisanale, mais il peut toutefois être engagé par une entreprise spécialisée, pour des particuliers, et parfois comme concepteur ou consultant pour une compagnie.
- En tant que travailleur autonome, l'artisan en maroquinerie établit souvent son propre horaire.
- Il peut aussi devoir travailler de nombreuses heures d'affilée lorsque l'échéancier de production d'une commande est serré, ou lors de sa participation à un salon des métiers d'art ou à des expositions.

Techniques de métiers d'art : sculpture

Johanne Gagnon avait déjà un diplôme d'études collégiales en ébénisterie lorsqu'elle a entrepris sa formation en sculpture. «C'était mon premier choix, mais le programme n'était pas encore offert. Alors je faisais de la sculpture comme loisir. Jusqu'à ce que je puisse enfin m'inscrire à ce cours!»

PROG. 573.01
PRÉALABLE : 0, VOIR PAGE 11

INTÉRÊTS

- aime créer et dessiner
- aime manipuler la pierre, le bois et les métaux
- aime se servir d'outils
- aime le travail de précision

APTITUDES

- capacité de visualiser en trois dimensions
- minutie et bonne dextérité manuelle
- sens artistique et esthétique
- audace et créativité
- patience, motivation, endurance physique

OFFRE DU PROGRAMME PAR RÉGIONS
Québec

RÔLE ET TÂCHES

Ce programme forme des créateurs-producteurs en sculpture, c'est-à-dire des gens capables de créer des œuvres en trois dimensions à partir de différents matériaux. On tente de faire le tour des diverses techniques de la sculpture, en mettant l'accent sur le bois : la façon de le tailler, de le machiner. Ensuite, l'élève est amené vers d'autres domaines : la pierre, par exemple, qui est en lien avec le bois puisque c'est de la taille directe (c'est-à-dire de l'improvisation à travers une masse de matière, plutôt que de la taille à partir d'une maquette). On voit également les techniques de soudure, de modelage et de moulage; on apprend à maîtriser la taille directe du bois à la gouge, au ciseau ou à la tronçonneuse. Enfin, le programme vise à faire découvrir à l'élève sa propre forme de sensibilité visuelle; certains fonctionnent par géométrie, d'autres par impulsion, par exemple. Une série d'exercices amèneront ainsi les élèves à reconnaître leur sensibilité afin de mieux l'exprimer à travers leurs œuvres.

Johanne Gagnon est actuellement sculpteure chez Au pied de la lettre, à Saint-Jean-Port-Joli. Cette boutique spécialisée fabrique exclusivement des enseignes sculptées et peintes à la main pour différents commerces. Son travail quotidien est très varié. «Pour réaliser une enseigne, je pars d'un croquis. Je dois d'abord préparer le panneau, le couper, le tailler, poser les apprêts dessus. Ensuite, je dois sculpter le lettrage et les motifs que l'on retrouvera sur l'enseigne. Puis je fais la finition, entre autres avec des feuilles d'or, que j'applique à l'aide d'un pinceau.»

	Salaire hebdo moyen	Proportion de dipl. en emploi	Emploi relié	Chômage	Nombre de diplômés
2000	n/d	n/d	n/d	n/d	n/d
1999	n/d	n/d	n/d	n/d	n/d
1998	333 $	60,0 %	81,3 %	22,6 %	45

Statistiques tirées de la Relance - Ministère de l'Éducation. Voir données complémentaires, page 419.

Comment interpréter l'information, page 10.

Son travail exige la connaissance et la manipulation de divers gros outils, tels que la scie sauteuse ou la sableuse. Le travail sur l'enseigne proprement dite s'exécute à l'aide de différentes gouges ainsi que des pinceaux pour la peinture.

QUALITÉS RECHERCHÉES

Le travail du sculpteur demande tout un ensemble de qualités artistiques, dont la plus importante est la capacité de visualisation. Il faut également être capable d'exprimer ses idées et ses émotions, le but étant de créer et de concevoir avec élégance divers objets artistiques.

Le travail du sculpteur demande tout un ensemble de qualités artistiques, dont la plus importante est la capacité de visualisation.

Un certain talent pour le dessin ainsi qu'une bonne habileté manuelle aideront sûrement le sculpteur dans la pratique quotidienne de son art. «Il faut aussi avoir une bonne perception des volumes, souligne Johanne, puisqu'on doit être capable de voir les choses en trois dimensions. C'est tout un coup d'œil à acquérir.»

Le diplômé du programme de sculpture doit suffisamment maîtriser les techniques apprises, au point de pouvoir les «oublier» dans l'élaboration de ses œuvres au profit de l'aspect créatif. Enfin, c'est un métier qui demande une certaine audace ainsi que beaucoup de créativité.

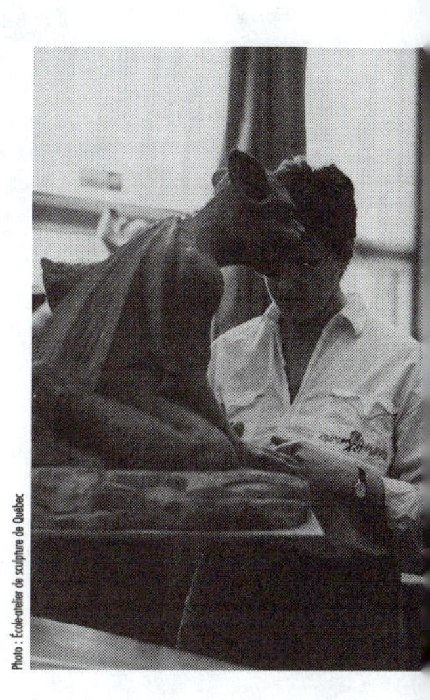

Photo : École-atelier de sculpture de Québec

DÉFIS ET PERSPECTIVES

Daniel Beauchamps enseigne la sculpture à l'École Saint-Esprit, rattachée au Cégep de Limoilou. Il ne semble pas craindre pour l'avenir des sculpteurs. «Je crois en effet qu'on va avoir de plus en plus besoin d'objets qui sont faits à partir de matière brute. Nous vivons dans une société de plus en plus virtuelle, alors je pense que ce besoin va grandir sans cesse. On va vouloir s'entourer de vrais objets, qui ont été fabriqués par quelqu'un dans une matière vivante», conclut-il. 09/96

HORAIRES ET MILIEUX DE TRAVAIL

- La plupart des diplômés en sculpture deviendront des travailleurs autonomes, qui géreront leur propre atelier et leur propre production d'œuvres.
- Il est possible de travailler pour d'autres sculpteurs ou dans une entreprise.
- Les horaires fluctuent selon la demande. S'il gère son propre atelier, le sculpteur travaillera la plupart du temps à son rythme.
- Le sculpteur peut œuvrer dans toutes sortes de domaines (décors de théâtre, menuiserie fine, consultation auprès de professionnels du patrimoine, rénovation et restauration), car il a la capacité de prendre de la matière brute et de la transformer.

Techniques de métiers d'art : verre

C'est un ami déjà inscrit au programme qui a invité Michel Leclerc à venir le voir en action. «J'ai été fasciné et j'ai pris des cours de fin de semaine pour m'initier, puis j'ai eu la piqûre et je me suis inscrit au programme.» Aujourd'hui, Michel semble avoir une passion... brûlante pour son métier!

PROG. 573.01
PRÉALABLE : 0, VOIR PAGE 11

INTÉRÊTS

- aime créer et dessiner des objets utilitaires ou décoratifs
- aime jouer avec les formes, les couleurs
- aime travailler avec le verre (hautes températures)
- aime travailler seul, en atelier

APTITUDES

- capacité de visualiser en trois dimensions
- sens artistique et esthétique
- dextérité manuelle, endurance physique
- persévérance et minutie
- esprit d'entreprise

OFFRE DU PROGRAMME PAR RÉGIONS
Montréal-Centre

RÔLE ET TÂCHES

Ce programme forme des techniciens pour une foule de métiers. Principalement, on parle de verriers ou d'artistes verriers, c'est-à-dire des gens qui ont la connaissance et la maîtrise du verre. Les techniques sont, entre autres, le soufflage du verre, le thermo-formage, le verre à froid (technique de verre dans son état froid : coupe, laminage, jet de sable, polissage et dépolissage du verre), le néon, la pâte de verre, le moulage, le vitrail et le coulage dans le sable. Les diplômés ont donc l'embarras du choix quand vient le temps de se spécialiser en sortant de l'école.

Michel Leclerc est devenu souffleur de verre. Il a fondé son propre atelier, Feu Verre, en terminant ses études. «Je fais principalement du soufflage, mais aussi un peu de coulage de verre, explique Michel. Je fais des globes de lampes et d'autres choses semblables pour des compagnies de luminaires, mais aussi des pièces qui peuvent être intégrées à l'architecture, comme des dalles de verre qui seront ajoutées à un plancher ou des morceaux qui seront fixés à un mur.»

Les tâches quotidiennes de Michel consistent à concevoir et à dessiner des objets selon les désirs de ses clients. Il arrive également qu'il ait à réaliser un échantillon. Une fois l'entente conclue, il doit faire l'objet en question, que ce soit en petite, en moyenne ou même en grande quantité. L'installation de son atelier de travail a nécessité la construction de nombreux outils indispensables (le programme inclut cette formation), tel le four à fusion, où le verre est fondu avant d'être soufflé et manipulé par Michel.

	Salaire hebdo moyen	Proportion de dipl. en emploi	Emploi relié	Chômage	Nombre de diplômés
2000	n/d	n/d	n/d	n/d	n/d
1999	n/d	n/d	n/d	n/d	n/d
1998	333 $	60,0 %	81,3 %	22,6 %	45

Statistiques tirées de la Relance - Ministère de l'Éducation. Voir données complémentaires, page 419.

Comment interpréter l'information, page 10.

QUALITÉS RECHERCHÉES

Comme il gère son propre atelier, Michel considère qu'il est important d'avoir certaines qualités de gestionnaire pour exercer son travail. «Il faut bien maîtriser son métier, connaître les techniques de verre, mais aussi être un bon vendeur et être capable d'entretenir de bonnes relations avec la clientèle. On doit aussi savoir gérer et avoir le sens de la comptabilité quand on a son atelier à soi.»

Le travail de verrier nécessite diverses opérations délicates, comme la fusion du verre à très haute température et la manipulation du verre en tant que tel. Il faut donc être habile et posséder une certaine dextérité manuelle. «Ce n'est pas un métier dangereux, précise Michel. C'est sûr qu'on peut avoir de petites brûlures ou de petites coupures quand on travaille le verre, mais l'important est de toujours porter des gants ainsi qu'un masque; comme ça, on n'a pas de problèmes.»

L'intérêt du public pour les métiers d'art et ceux reliés au verre est de plus en plus grand, notamment parce que les produits faits ici sont d'une très haute qualité.

Pour exceller dans son domaine, le verrier doit accumuler de longues années de pratique et d'expérience. La persévérance ainsi que l'amour du métier sont importants.

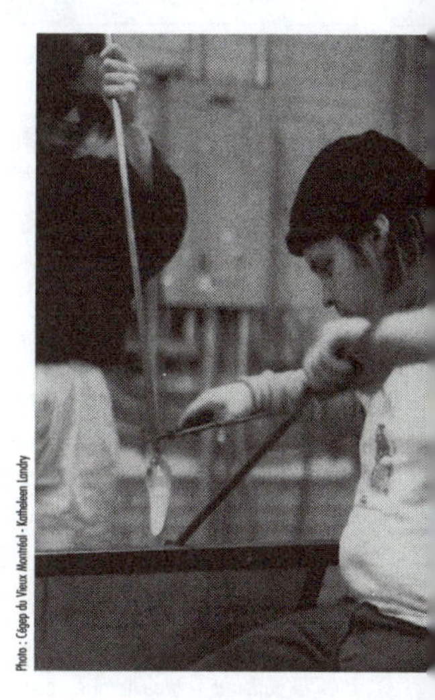
Photo : Cégep du Vieux Montréal - Katheleen Landry

DÉFIS ET PERSPECTIVES

Selon Susan Edgerley, professeure au Centre des métiers du verre du Québec, associé au Cégep du Vieux Montréal, le soutien de différents organismes est essentiel au développement des métiers d'art.

«Pour l'instant, ces métiers sont soutenus par les différents paliers gouvernementaux, mais aussi par des organisations éducatives, comme le Cégep du Vieux Montréal. Leur appui est extrêmement important. C'est un point majeur pour le développement des métiers d'art au Québec. Si cette aide est maintenue, cela contribuera à créer quelque chose d'unique, car le potentiel est là. L'intérêt du public pour les métiers d'art et ceux reliés au verre est de plus en plus grand, notamment parce que les produits faits ici sont d'une très haute qualité. Cela va aider les verriers», croit-elle. 09/96

HORAIRES ET MILIEUX DE TRAVAIL

- De façon générale, le verrier exercera son métier dans un atelier privé ou dans un atelier en coopérative regroupant plusieurs artisans.
- On ne rencontre pas de diplômés du programme dans des usines.
- L'horaire de travail d'un verrier varie beaucoup en fonction des commandes (de 40 à 60 heures selon les commandes).

Théâtre – production

Pascale Déry est une touche-à-tout formée d'abord en arts plastiques. Lorsqu'elle a fait ses études en théâtre – production, cela a été pour elle le moyen de canaliser ses énergies vers des applications concrètes.

PROG. 561.A0
PRÉALABLE : 0, VOIR PAGE 11

INTÉRÊTS

- passion de l'univers du théâtre
- aime le travail de création et les métiers de la scène
- aime organiser et superviser un projet, une équipe
- aime résoudre des problèmes
- aime travailler à forfait et selon des horaires variables

APTITUDES

- créativité, tempérament artistique
- capacité de travailler durant de longues heures
- polyvalence, autonomie, patience
- résistance physique et au stress
- patience, débrouillardise, capacité d'adaptation

OFFRE DU PROGRAMME PAR RÉGIONS
Laurentides, Montérégie

RÔLE ET TÂCHES

Le programme de théâtre – production se divise en trois secteurs : la conception; la production; l'éclairage et les techniques de scène. Les diplômés peuvent œuvrer tout autant dans le domaine du théâtre qu'au cinéma ou à la télévision.

Formée en conception, Pascale Déry a commencé sa carrière par des emplois d'étudiante dans des théâtres d'été. Sa première expérience professionnelle a eu lieu lors du tournage de la série *Les Grands Procès*. Elle travaillait à classer par grandeurs et époques les nombreux costumes nécessaires aux reconstitutions historiques.

Ensuite, elle a déployé ses talents au Théâtre du Rideau Vert, puis en Abitibi-Témiscamingue, au Théâtre La Crique, ainsi que sur les plateaux des émissions *Besoin d'amour* et *Piment fort*. Elle a aussi œuvré au Théâtre de la Dame de Cœur à Upton.

«Contrairement à mes autres expériences professionnelles où j'étais accessoiriste, ici (au Théâtre de la Dame de Cœur) c'est plus complet, explique Pascale. Je conçois des marionnettes, les dessine et les réalise de A à Z. Après mon cours, je pensais me spécialiser en costumes, mais j'ai de plus en plus d'offres dans différentes choses; je me suis donné cinq ans pour tâter un peu de tous les domaines, pour choisir ensuite.»

	Salaire hebdo moyen	Proportion de dipl. en emploi	Emploi relié	Chômage	Nombre de diplômés
2000	n/d	n/d	n/d	n/d	n/d
1999	n/d	93,3 %	n/d	0,0 %	19
1998	326 $	100,0 %	87,5 %	0,0 %	9

Statistiques tirées de la Relance - Ministère de l'Éducation. Voir données complémentaires, page 419.

Comment interpréter l'information, page 10.

QUALITÉS RECHERCHÉES

Les horaires de fous, la précarité des contrats et le stress inhérent au domaine demandent une détermination à toute épreuve pour qui veut travailler dans les métiers de la scène. «C'est beaucoup d'heures de travail, alors il faut vraiment aimer ça et vouloir foncer, confirme Pascale. Ça demande aussi une grande flexibilité à cause des horaires parfois exagérés. Disons qu'il faut savoir mettre sa vie privée un peu de côté, du moins au début.»

Les horaires de fous, la précarité des contrats et le stress inhérent au domaine demandent une détermination à toute épreuve pour qui veut travailler dans les métiers de la scène.

Elle ajoute que les travailleurs du milieu doivent être capables de supporter la pression et être toujours prêts à réagir rapidement à toutes les situations. Une excellente santé est également recommandée pour pouvoir suivre le rythme de travail parfois effréné.

Le goût du travail en équipe, la créativité, la patience de même que le sens de l'organisation et le leadership sont aussi des qualités très recherchées chez les artisans de ce domaine.

DÉFIS ET PERSPECTIVES

Marie-Josée Lanoix, professeure au Cégep Lionel-Groulx, explique l'un des principaux défis qui attendent les diplômés du programme : «On a des textes de théâtre qui nous viennent de toutes les époques, d'aussi loin que l'Antiquité. Ils ont été montés et remontés, vus et revus. Notre défi est de les renouveler, de les offrir au public avec un regard neuf. Et, en même temps, de faire vivre notre dramaturgie contemporaine, de continuer à être vivants et actifs.»

Photo : PPM

Les nouvelles technologies touchent aussi le monde du théâtre : «Ce n'est pas impensable, un théâtre avec du laser ou de l'holographie, mais je ne crois pas que cela puisse remplacer le théâtre. Il ne faut pas perdre cette qualité humaine, cette chaleur; c'est ce qui fait la magie du théâtre.» 09/96

HORAIRES ET MILIEUX DE TRAVAIL

- Les lieux où l'on retrouve des diplômés de ce programme sont aussi nombreux qu'il y a de productions théâtrales, télévisuelles ou cinématographiques.
- La plupart du temps, les contrats impliquent du travail à la maison. Ce qui laisse libre l'organisation de l'horaire.
- Mais quand vient le temps d'aller sur un plateau, les horaires deviennent souvent beaucoup plus complexes.
- En fin de parcours d'une production, on peut compter jusqu'à 70 h de travail hebdomadaires.

PAGES 168 ⇓ 171

SECTEUR 5

BOIS ET MATÉRIAUX CONNEXES

Selon le ministère de l'Industrie et du Commerce, l'industrie du meuble affiche actuellement le meilleur taux de croissance de tous les secteurs industriels. Son chiffre d'affaires est de plus de deux milliards de dollars. Au cours des dernières années, il a connu une croissance annuelle variant entre 15 et 20 %. Les exportations vont bon train et le nombre d'emplois en industrie s'élève à 22 000. Seule la main-d'œuvre manque à l'appel!

Le principal pilier économique de ce domaine est constitué par les exportations de mobilier québécois vers les États-Unis, qui connaissent une spectaculaire croissance. En effet, les entreprises ont investi massivement au cours des dix dernières années dans la modernisation de leurs usines afin d'améliorer leur productivité et de développer de nouveaux marchés à l'extérieur du pays. Selon Jean-François Michaud, vice-président exécutif de l'Association des fabricants de meubles du Québec, ces efforts permettent aussi de développer de nouveaux créneaux en Amérique latine et en Asie.

Un manque de main-d'œuvre qualifiée est toutefois à signaler. Selon une enquête menée en l'an 2000, 69 % des entreprises participantes tentent actuellement de recruter du personnel et 68 % d'entre elles ont déclaré être en pénurie de ressources humaines qualifiées.

Les perspectives sont donc excellentes pour les personnes qui se destinent aux techniques du meuble et du bois ouvré, ainsi que pour celles qui ont un profil en ébénisterie et menuiserie architecturale. Enfin, l'industrie recherche également des diplômés en design de meubles, des techniciens de production et de gestion de la qualité, des techniciens mécaniques et des spécialistes en électronique.

Dans le site Emploi-Avenir Québec de Développement des ressources humaines Canada, on prévoit que l'emploi dans le domaine continuera à augmenter à un rythme supérieur à la moyenne.

M. Michaud abonde dans ce sens et ajoute que l'émergence de nouveaux courants, tels les meubles dits «écologiques», fabriqués en matériaux non polluants et recyclables, peut favoriser la croissance de l'emploi. En outre, la demande de produits adaptés aux besoins des personnes âgées devrait aussi s'accroître. 05/01

INTÉRÊTS

- aime faire un travail manuel et utiliser des outils
- aime manipuler et transformer du bois ou d'autres matériaux
- aime faire un travail méthodique et de précision

APTITUDES

- dextérité, sens de l'observation et discernement
- patience, minutie, précision et rapidité d'exécution
- sens esthétique

LE SAVIEZ-VOUS ?

Selon Jean-François Michaud, vice-président exécutif de l'Association des fabricants de meubles du Québec, les entreprises ont notamment besoin de travailleurs capables d'utiliser des machines spécialisées et de bien comprendre les nouveaux procédés de fabrication du meuble. Cette main-d'œuvre doit donc avoir une bonne formation professionnelle ou technique.

Source : *Les carrières d'avenir au Québec*, Le groupe de recherche Ma Carrière, édition 2001.

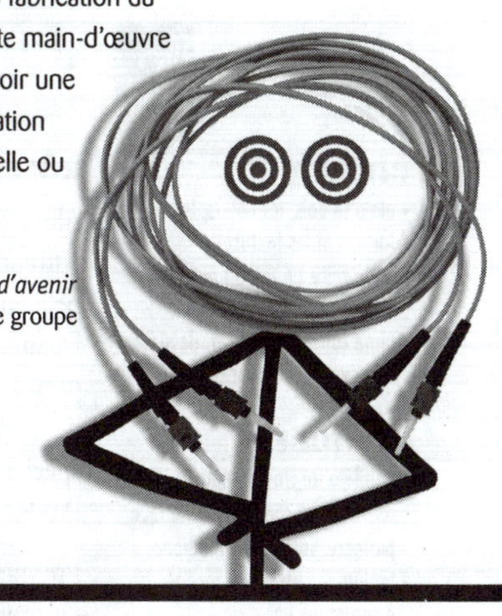

RESSOURCES INTERNET

DESCRIPTION DES PROGRAMMES DU SECTEUR
http://www.meq.gouv.qc.ca/ens-sup/ens-coll/Cahiers/sect-05.htm
Vous trouverez sur cette page une description des programmes de ce secteur de formation, comprenant les exigences d'admission et un bref résumé de chaque cours. Pour chaque programme, vous pourrez aussi accéder à la liste des établissements qui l'offrent et à la dernière relance de ses diplômés.

ASSOCIATION DES FABRICANTS DE MEUBLES DU QUÉBEC (AFMQ)
http://www.afmq.com
Ce site contient des informations sur l'industrie du meuble, sur les tendances des produits, et vous permet de trouver les fabricants grâce à un moteur de recherche. Bien utile lorsque viendra le moment de la recherche d'emploi!

CENTRE DES MATÉRIAUX COMPOSITES DE SAINT-JÉRÔME
http://www.citenet.net/cmc/htm/fr.htm
Ceux qui s'intéressent aux plastiques et aux matériaux composites trouveront ici des exemples de productions intéressantes à l'aide de ces matériaux.

Techniques d'ébénisterie et de menuiserie architecturale

Denis Charlebois a fait un retour aux études quelque peu tardif. À 30 ans, il quittait la boutique de plein air où il travaillait pour s'inscrire au programme offert par l'École du meuble et du bois ouvré. Trois ans plus tard, il est maintenant menuisier chez Prodomo inc., une entreprise de portes et de fenêtres.

PROG. 233.A0
PRÉALABLE : 0, VOIR PAGE 11

INTÉRÊTS

- aime le bois, les objets, les formes et les textures
- aime faire un travail manuel avec des outils et fignoler
- aime calculer, mesurer, dessiner, concevoir et réaliser

APTITUDES

- habileté au travail manuel
- créativité et sens de l'esthétique
- patience, minutie et méthode
- initiative, entregent, facilité à communiquer

OFFRE DU PROGRAMME PAR RÉGIONS
Centre-du-Québec, Lanaudière

RÔLE ET TÂCHES

Alors qu'il achève ses études, Denis se retrouve en stage chez Prodomo, une entreprise de portes et de fenêtres fabriquées sur mesure pour une clientèle résidentielle ou commerciale. «J'ai tellement aimé travailler à cet endroit que j'y suis resté», s'exclame le diplômé. La plupart du temps, Denis fabrique les portes et les fenêtres à partir d'un dessin qu'on lui donne. Rares sont les occasions où il peut dessiner lui-même. «Dernièrement, on a reçu un projet spécial : la fabrication de fenêtres en forme d'ellipse, dit-il. Mais, chez Prodomo, nous faisons aussi des portes et des fenêtres conventionnelles.»

Première étape du processus : Denis fabrique des gabarits, un instrument de travail qui va lui servir à tracer la pièce dont il a besoin. Comme les pièces sont usinées à partir du gabarit, fabriquer cet outil de travail est l'une des tâches fondamentales du menuisier. Denis coupe les pièces et les débite, c'est-à-dire qu'il les taille à la bonne dimension, selon un plan dont l'échelle est à la mesure exacte de la fenêtre (un sur un). «Le plan sert à respecter la longueur et la dimension des pièces exigées», explique-t-il. Après, il profile le bois avec un couteau. «En d'autres mots, je lui donne sa forme afin de pouvoir y glisser une vitre, dit-il. Je construis aussi les moulures et je découpe des baguettes qui vont à l'intérieur de la vitre. Mais je ne m'occupe pas des charnières ni de la vitre», tient-il à préciser.

On confond souvent ébéniste et menuisier. Qu'est-ce qui les différencie? «L'ébéniste fabrique du mobilier, tandis que le menuisier fabrique des éléments architecturaux», clarifie Denis.

	Salaire hebdo moyen	Proportion de dipl. en emploi	Emploi relié	Chômage	Nombre de diplômés
2000	468 $	100,0 %	87,5 %	0,0 %	10
1999	n/d	n/d	n/d	n/d	n/d
1998	n/d	n/d	n/d	n/d	n/d

Statistiques tirées de la Relance - Ministère de l'Éducation. Voir données complémentaires, page 419.

Comment interpréter l'information, page 10.

QUALITÉS RECHERCHÉES

Pour travailler dans ce domaine, il faut un bon lot de patience et de persévérance. Si on veut aller trop vite ou si l'on essaie de sauter des étapes, on risque de rater le morceau qu'on fabrique. «Pour ne pas se tromper, il faut être concentré, responsable et organisé», estime Denis.

L'amour du travail manuel et la passion de son métier sont des attitudes essentielles, car les salaires ne sont pas très élevés.

L'amour du travail manuel et la passion de son métier sont des attitudes essentielles, car les salaires ne sont pas très élevés.

DÉFIS ET PERSPECTIVES

La technique collégiale en ébénisterie et menuiserie architecturale est le niveau d'études le plus élevé en ébénisterie. Certains diplômés peuvent poursuivre leur formation à l'université dans le secteur du design, mais la technique offre la formation nécessaire pour gagner sa vie dans le domaine. En plus d'enseigner aux élèves tout ce qui a rapport avec l'ébénisterie, elle leur permet de dessiner des prototypes de meubles. Des connaissances qu'on peut aussi obtenir dans le cadre du programme des techniques du meuble et du bois ouvré.

Même si le milieu semble être un secteur non traditionnel, où les femmes sont peu représentées, presque autant de filles que de garçons étudient les techniques du meuble.

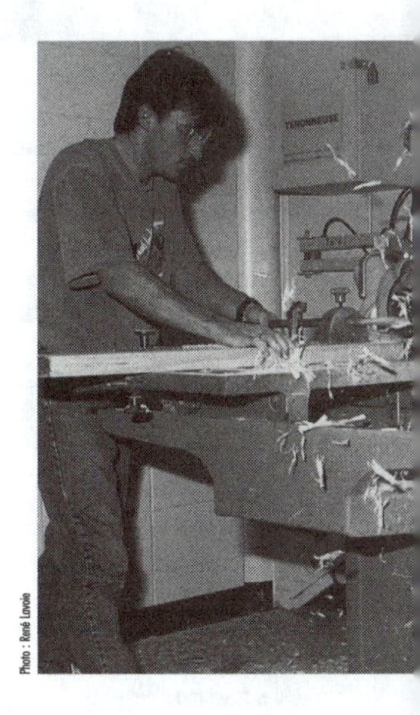

Photo : René Lavoie

Plusieurs défis attendent le diplômé. «Il devra s'adapter de plus en plus aux nouveaux matériaux utilisés, explique Serge Simard, conseiller pédagogique à l'École du meuble et du bois ouvré affiliée au Cégep de Victoriaville. Il n'y a pas que le bois! Il y a aussi le plastique, le métal et le verre. Sans oublier que le diplômé aura à composer avec la numérisation des procédés et les nouvelles technologies comme le dessin assisté par ordinateur.»

M. Simard poursuit en faisant remarquer les particularités de ce domaine. «Nous sommes dans le domaine de la technique et de l'art, dit-il. Ça signifie qu'il n'y a pas de limites à l'apprentissage. Les diplômés ont les connaissances de base; c'est à eux de se spécialiser s'ils en ont envie.»

Serge Simard nous apprend que peu d'entreprises utilisent, pour le moment, les procédés permettant de faire de la production en série de meubles haut de gamme. Il croit donc que le secteur est propice à l'expansion. 02/01

HORAIRES ET MILIEUX DE TRAVAIL

- On peut travailler pour son propre compte comme ébéniste.
- On peut aussi trouver un poste dans une ébénisterie ou dans tout autre atelier où l'on travaille le bois et les matériaux connexes.
- L'horaire est généralement régulier, de 9 h à 17 h, mais les employés peuvent aussi être appelés à travailler le soir et les fins de semaine.

Techniques du meuble et du bois ouvré

Le dada de Jérémie Laroche, c'est le dessin technique. Déjà, au début du secondaire, il dessinait des plans de maisons. Aujourd'hui, il peut enfin s'adonner à sa passion : il est technicien dessinateur pour Meuble Karya, une entreprise de mobilier résidentiel.

PROG. 233.01
PRÉALABLE : 10, VOIR PAGE 11

INTÉRÊTS

- tire de la satisfaction d'un travail minutieux et bien fait
- aime créer à partir d'un besoin précis (résoudre un problème)
- aime travailler sur un ordinateur
- aime imaginer et dessiner
- aime être utile et communiquer

APTITUDES

- créativité et beaucoup de pragmatisme
- talent pour le dessin et excellente perception spatiale
- habileté à utiliser l'informatique
- précision, minutie et sens des responsabilités
- facilité à communiquer et à coopérer

OFFRE DU PROGRAMME PAR RÉGIONS
Centre-du-Québec

RÔLE ET TÂCHES

Chez Meuble Karya, les employés travaillent à l'une ou l'autre des étapes de la chaîne de production, s'échelonnant de la création au produit fini. À ses débuts, Jérémie ne faisait que reproduire des dessins sur une carte de production avec le logiciel Autocad. «Sur ces cartes, on visualise le meuble décomposé en pièces et, pour chaque pièce, il y a un dessin le représentant, accompagné des quantités, des dimensions et des opérations nécessaires à sa production.»

Depuis que Jérémie a pris de l'expérience, d'autres responsabilités lui ont été confiées. Si la production d'un meuble pose problème, c'est lui, aidé du gérant de production, qui est chargé de trouver la solution et de modifier en conséquence la carte de production du meuble en question. «Je fais aussi un peu de dessins de prototypes, dit-il. Il s'agit des premiers dessins du meuble avant de le placer en production. Le responsable des prototypes construit un échantillon à partir d'un dessin et vérifie si chaque mesure sur le papier correspond à la réalité. Ensuite, il vient me voir pour me signaler les problèmes et je refais ensuite le dessin du meuble pour qu'il soit possible de le produire en série.»

Le jeune homme a également la responsabilité de calculer le prix de revient des meubles. Jérémie a aussi travaillé à des catalogues de présentation de l'entreprise. Il a fait la mise en pages, les pages couvertures ainsi que les dessins des meubles en 3D. «Je reproduis aussi par ordinateur des dessins de présentation destinés aux clients avant que les meubles ne soient fabriqués», explique-t-il.

Son travail comporte de grandes responsabilités. «Je dois faire de nombreux calculs de précision, c'est-à-dire au millimètre près. Ça demande beaucoup

	Salaire hebdo moyen	Proportion de dipl. en emploi	Emploi relié	Chômage	Nombre de diplômés
2000	428 $	80,0 %	75,0 %	0,0 %	6
1999	n/d	n/d	n/d	n/d	n/d
1998	n/d	n/d	n/d	n/d	n/d

Statistiques tirées de la Relance - Ministère de l'Éducation. Voir données complémentaires, page 419.

Comment interpréter l'information, page 10.

de concentration, dit-il. Si je fais une erreur sur une carte de production, ça se répercute sur toute la production. Et si l'entreprise produit 100 meubles à partir d'une carte incorrecte, ils seront tous perdus...»

QUALITÉS RECHERCHÉES

Évidemment, quelqu'un qui fabrique des meubles doit être bien au fait des nouvelles tendances et au courant de tout ce qui est offert sur le marché. «Pour ça, je vais dans les magasins de meubles, je feuillette les catalogues, etc.», explique Jérémie. Il estime que pour réussir dans ce métier, il faut pouvoir se faire confiance et ne pas craindre de se tromper. On doit aussi aimer travailler avec les gens. Et, bien sûr, un certain talent pour les opérations mathématiques est un atout non négligeable!

«En ce moment, je reproduis les idées d'un autre. Pour être le penseur, il faut aller à l'université.»

— Jérémie Laroche

DÉFIS ET PERSPECTIVES

L'École québécoise du meuble et du bois ouvré du Cégep de Victoriaville est la seule institution à offrir ce programme. Le nombre peu élevé de diplômés cause une véritable pénurie dans ce domaine. Certains poursuivent leurs études en design à l'université pour approfondir leurs connaissances en création. «Mais il s'agit d'une minorité», affirme Jean-Marc Luneau, conseiller pédagogique au Cégep de Victoriaville.

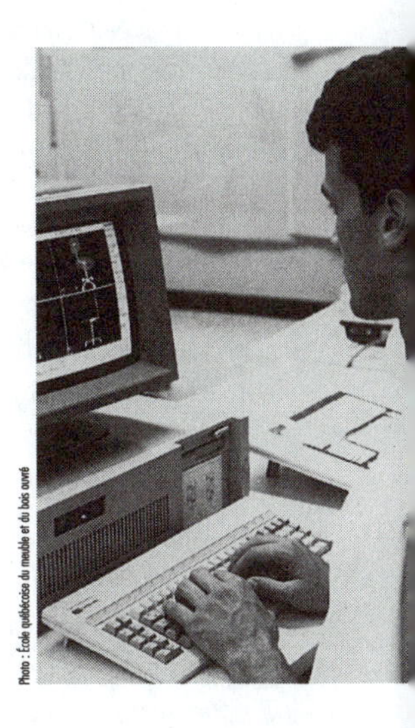
Photo : École québécoise du meuble et du bois ouvré

Des défis attendent les diplômés. Comme il manque de personnel qualifié dans les entreprises, ils doivent être prêts à accomplir des tâches diversifiées et être en mesure de s'adapter à ce milieu de travail. «Ils doivent aussi arriver à corriger rapidement les erreurs sur les prototypes pour rentabiliser la production, et être capables de travailler sous pression afin de respecter les délais», explique M. Luneau.

On peut s'attendre à ce que la productivité dans le domaine soit en expansion dans les prochaines années. En effet, l'Accord de libre-échange a provoqué une augmentation des exportations de meubles vers les États-Unis. Les produits québécois y étant très appréciés, le marché est donc appelé à se développer. Le bois a la cote dans le milieu du meuble. Il connaît un retour en force et relègue de plus en plus aux oubliettes «les années de mélamine». «Le diplômé aura à exploiter le bois, croit M. Luneau. C'est un matériau incontournable.» 03/01

HORAIRES ET MILIEUX DE TRAVAIL

- Les diplômés de ce programme peuvent travailler pour une entreprise de meubles, un fabricant de cercueils, une entreprise de fabrication de cuisines, une entreprise de portes et de fenêtres.
- Les employés travaillent généralement de 9 h à 17 h. Ils peuvent travailler le soir et les fins de semaine.

CHIMIE ET BIOLOGIE

Selon le ministère de l'Industrie et du Commerce, l'industrie chimique est un secteur en pleine émergence, où les perspectives sont prometteuses. On y fabrique des produits destinés aux domaines de l'alimentation, de la santé, des cosmétiques, de la métallurgie, des raffineries et des pâtes et papiers. Les biotechnologies, la pharmaceutique et l'industrie du recyclage sont les secteurs les plus dynamiques au chapitre de l'emploi.

En chimie analytique, les diplômés profitent d'un taux de chômage particulièrement bas. Ils ont comme employeurs potentiels les centres de recherche, les laboratoires d'analyse, les laboratoires scolaires, la pétrochimie, les entreprises bioalimentaires ou pharmaceutiques ainsi que les fabricants de peinture. La situation de l'emploi est aussi favorable pour les techniciens en procédés chimiques, qui se placent sans difficulté dans plusieurs secteurs.

Les diplômés de chimie-biologie se destinent principalement à la biotechnologie et à l'industrie pharmaceutique, des secteurs qui croissent à pas de géant depuis quelque temps, mais toute industrie qui utilise des produits chimiques peut avoir besoin de techniciens issus de ces disciplines. Cependant, certaines entreprises en biotechnologie préfèrent embaucher des bacheliers. Ceux qui désirent se faire une place dans ce domaine doivent donc penser à poursuivre leurs études après la technique.

Enfin, les techniques en assainissement de l'eau et sécurité industriels semblent avoir un avenir prometteur. En effet, depuis dix ans environ, les municipalités et certaines industries, comme celles des pâtes et papiers, de la pétrochimie et du bioalimentaire, doivent se soumettre au programme d'assainissement des eaux du Québec. Pour se conformer aux normes environnementales, nombre d'entre elles recherchent désormais des personnes qualifiées pour gérer leurs eaux usées et leurs polluants industriels. 05/01

INTÉRÊTS

- aime les sciences : chimie, biologie, mathématiques, informatique
- se soucie de l'environnement
- aime observer, analyser, vérifier et résoudre des problèmes
- aime prendre des décisions et se sentir responsable
- aime utiliser des appareils scientifiques de précision

APTITUDES

- facilité d'apprentissage intellectuel (sciences et technologie)
- autonomie, discernement et sens des responsabilités
- méthode, minutie et rigueur dans son travail

LE SAVIEZ-VOUS ?

Selon le site Emploi-Avenir Québec de Développement des ressources humaines Canada, les débouchés pour les techniciens de chimie-biologie proviendront autant des départs à la retraite que de la création de nouveaux emplois. Les lois plus sévères en matière d'environnement et le développement de la recherche stimuleront aussi ce secteur. Par ailleurs, un nombre croissant de ces professionnels sont appelés à travailler dans des bureaux spécialisés en chimie, plutôt que directement pour des entreprises manufacturières.

RESSOURCES INTERNET

DESCRIPTION DES PROGRAMMES DU SECTEUR
http://www.meq.gouv.qc.ca/ens-sup/ens-coll/Cahiers/sect-06.htm
Vous trouverez sur cette page une description des programmes de ce secteur de formation, comprenant les exigences d'admission et un bref résumé de chaque cours. Pour chaque programme, vous pourrez aussi accéder à la liste des établissements qui l'offrent et à la dernière relance de ses diplômés.

DÉPARTEMENT DE CHIMIE DU CÉGEP DE SAINT-LAURENT
http://www.cegep-st-laurent.qc.ca/depar/chimie/
Produit par un professeur du Cégep, ce petit site est rempli d'informations utiles pour tous ceux qui étudient ou s'intéressent à la chimie. À consulter aussi si vous vous demandez quel type d'apprentissages sont réalisés dans les programmes de ce secteur.

DÉPARTEMENT D'ASSAINISSEMENT DES EAUX DU CÉGEP DE SAINT-LAURENT
http://www.cegep-st-laurent.qc.ca/departements/assainissement.htm
Pour avoir des informations sur le programme d'assainissement, les statistiques de placement, etc.

Assainissement de l'eau

En 1999, Claude Catellier s'est vu confier la tâche de régler les graves difficultés auxquelles faisait face la centrale de traitement de l'eau potable de la réserve autochtone des Atikamekw. De quatre à six mois de dur labeur furent nécessaires pour venir à bout des problèmes, mais aujourd'hui, les habitants peuvent boire leur eau en toute sécurité.

PROG. 260.01
PRÉALABLE : 13,30,40, VOIR P. 11

INTÉRÊTS
- se soucie de la sécurité et de la qualité
- aime la chimie et la biologie
- aime travailler avec des outils informatisés et automatisés
- aime observer, vérifier, analyser
- aime travailler en équipe
- aime résoudre des problèmes

APTITUDES
- facilité en sciences (chimie, biologie, math)
- grand sens des responsabilités et du respect pour les consignes et les normes de sécurité
- sens de l'observation et de l'analyse
- facilité à utiliser la technologie
- autonomie et débrouillardise

OFFRE DU PROGRAMME PAR RÉGIONS
Montréal-Centre

RÔLE ET TÂCHES

C'est par hasard que Claude Catellier s'est retrouvé en assainissement de l'eau. «J'ai choisi ce programme un peu pour explorer. Finalement, je m'y suis reconnu.» Ses études terminées, Claude a travaillé dans de petites entreprises de traitement de l'eau. Il y faisait de l'épuration, du traitement d'eau potable, de l'optimisation de machineries, de la recherche et du développement. Puis, la filiale Proserco de l'entreprise John-Meunier, une compagnie importante dans le domaine, l'a envoyé à Wemotasi, l'une des réserves Atikamekw, située à une heure et demie au nord-ouest de La Tuque. L'endroit ne compte pas plus de 1 300 habitants. Six mois plus tard, la compagnie s'est retirée du dossier, mais le Conseil de bande des Atikamekw a gardé son employé. Avant son arrivée, les gens devaient faire bouillir leur eau. Sans parler des épidémies de gastro-entérite, devenues choses courantes.

Le rôle premier du responsable de la centrale est évidemment de produire de l'eau potable pour tous les habitants de la réserve. «Je m'assure d'abord que les dosages de produits chimiques sont exacts. Au moindre changement de la qualité de l'eau de la rivière, il faut calibrer de nouveau ces dosages, explique-t-il. Je vérifie le chlore, le pH, la couleur de l'eau, sa turbidité (les particules en suspension dans l'eau) et la présence de coliformes.»

Il fait aussi des «jar tests», c'est-à-dire qu'il mélange, dans des bocaux, différents dosages de produits chimiques avec l'eau. Si l'un des bocaux produit une bonne qualité d'eau, il applique le dosage concerné à l'eau de l'usine.

	Salaire hebdo moyen	Proportion de dipl. en emploi	Emploi relié	Chômage	Nombre de diplômés
2000	577 $	79,2 %	78,9 %	5,0 %	30
1999	557 $	79,5 %	82,8 %	6,1 %	50
1998	367 $	86,1 %	60,0 %	11,4 %	43

Statistiques tirées de la Relance - Ministère de l'Éducation. Voir données complémentaires, page 419.

Comment interpréter l'information, page 10.

Claude s'occupe aussi du laboratoire. Il commande les produits nécessaires au bon fonctionnement de l'usine. En ce moment, il forme deux employés qui n'ont aucune notion en traitement de l'eau, histoire d'avoir plus de personnel issu de la réserve œuvrant à la centrale.

Et comme Wemotasi est loin de tout, Claude joue un peu à l'homme à tout faire. Ainsi, c'est lui qui se charge de réparer les appareils défectueux dans l'usine.

QUALITÉS RECHERCHÉES

«Il est important qu'un élève travaille dans le milieu pendant ses études», considère Claude. Selon lui, il faut également être débrouillard, autonome et pratique. Savoir s'exprimer correctement par écrit est aussi un atout, car il y a des rapports à rédiger.

Pour faire ce métier, il est préférable d'aimer travailler en équipe et il faut être fort rigoureux dans l'accomplissement de ses tâches. «Travailler en assainissement des eaux comporte de grosses responsabilités, prévient-il. Il faut être très honnête. Si on fait des erreurs, c'est toute la population qui s'en ressent.»

«Travailler en assainissement des eaux comporte de grosses responsabilités. Il faut être très honnête. Si on fait des erreurs, c'est toute la population qui s'en ressent.»

— Claude Catellier

DÉFIS ET PERSPECTIVES

«Les diplômés doivent se maintenir à jour. Ils doivent suivre l'évolution de la technologie, connaître les nouveaux produits chimiques et les nouveaux équipements», explique Jean Langevin, coordonnateur du département d'assainissement au Cégep de Saint-Laurent.

À son avis, beaucoup de secteurs industriels (particulièrement celui des mines) ne traitent pas l'eau de façon adéquate. Mais il est persuadé qu'à l'avenir, ces secteurs devront se soumettre à une réglementation plus sévère. Ce qui voudra dire davantage d'ouvertures pour les diplômés. Sans compter tous les postes qui seront laissés vacants par les premiers diplômés, formés voilà 30 ans et sur le point de prendre leur retraite...

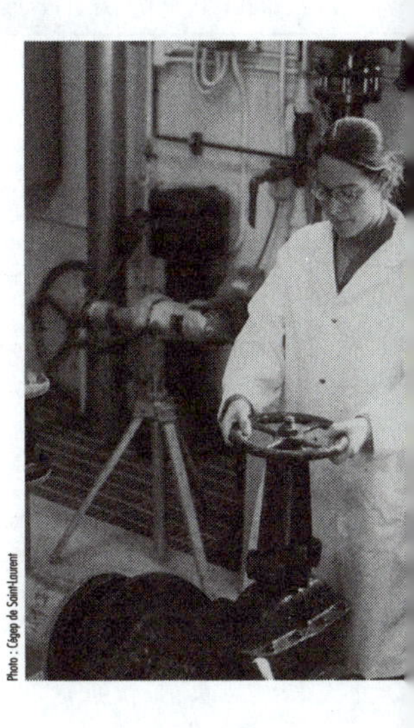

Photo : Cégep de Saint-Laurent

Même si les élèves en assainissement de l'eau ont tout ce qu'il faut pour travailler dans le domaine, certains préfèrent, à la sortie du cégep, poursuivre leurs études à l'université. Ceux-là ont les possibilités de devenir ingénieurs de la construction, de continuer leurs études en chimie ou de faire d'autres certificats universitaires. 03/01

HORAIRES ET MILIEUX DE TRAVAIL

- Les employeurs dans ce domaine sont les stations de traitement d'eau potable et usée, les municipalités, les industries des pâtes et papiers, les fabricants d'équipements de produits chimiques, les firmes d'ingénieurs ou de consultants en environnement.
- L'horaire de travail est fort variable. On peut travailler de 9 h à 17 h, le soir, la nuit, la fin de semaine et même sur appel.

Assainissement et sécurité industriels

Cyndie Poirier est diplômée en assainissement et sécurité industriels. Elle occupe le poste de conseillère en prévention chez AST, un groupe de consultants en santé et sécurité au travail. «C'est un métier très enrichissant sur le plan des relations humaines.»

PROG. 260.03
PRÉALABLE : 11, 20, 40, VOIR P. 11

INTÉRÊTS

- aime communiquer et être utile aux personnes
- aime analyser et résoudre des problèmes
- se soucie de la santé et de la sécurité
- aime le travail d'équipe

APTITUDES

- grandes qualités de communicateur (écouter, convaincre, servir de médiateur)
- grand sens des responsabilités
- bonne capacité d'analyse et bon jugement

OFFRE DU PROGRAMME PAR RÉGIONS
Montréal-Centre, Saguenay–Lac-Saint-Jean

RÔLE ET TÂCHES

«Mon rôle est de conseiller nos clients sur les aménagements à faire pour diminuer le plus possible les risques d'accidents, explique Cyndie. Les clients qui font appel à nos services désirent que nous les aidions à réduire ces risques parce que les accidents pénalisent les travailleurs, nuisent à la production et font augmenter leurs cotisations à la Commission de la santé et de la sécurité du travail (CSST).»

La jeune femme se rend sur place pour effectuer ce qu'on appelle un «audit d'observation». Selon ce qu'elle constate lors de ses visites, elle rédige un plan d'action comportant des objectifs précis pour l'année à venir. Seule ou accompagnée de son client, elle fait ensuite des visites de conformité sur les lieux de travail. «Je vérifie, par exemple, s'il ne manque pas de gardes à certaines machines, s'il y a une quantité suffisante d'extincteurs ou s'ils sont accessibles, si les produits dangereux sont correctement entreposés et manipulés. Il faut être attentif à tous les détails. Un poste de travail mal organisé peut avoir des incidences à long terme sur la santé d'un employé.»

De retour au bureau, elle analyse les données recueillies. Elle rédige ensuite un rapport dans lequel elle fournira à son client une série de recommandations pour améliorer l'hygiène et la sécurité des lieux de production. «Si j'estime qu'il est nécessaire de faire des analyses plus poussées, je communique avec le CLSC du secteur qui dépêchera sur place un technologue pour prendre des mesures et prélever des échantillons.» Par ailleurs, Cyndie travaille de concert avec la CSST lorsque l'organisme envoie des inspecteurs en visite chez ses clients ou en cas d'accident grave.

	Salaire hebdo moyen	Proportion de dipl. en emploi	Emploi relié	Chômage	Nombre de diplômés
2000	553 $	75,0 %	81,0 %	11,1 %	42
1999	484 $	68,0 %	75,0 %	22,7 %	33
1998	475 $	76,7 %	66,7 %	8,0 %	35

Statistiques tirées de la Relance - Ministère de l'Éducation. Voir données complémentaires, page 419.

Comment interpréter l'information, page 10.

QUALITÉS RECHERCHÉES

Le technologue en assainissement et sécurité industriels doit posséder un sens très aiguisé de l'observation et de l'analyse. «Un léger brouillard dans un atelier de soudure est un bon indice qu'il y a des sources de contamination dans l'air», illustre Cyndie. Elle ajoute qu'il est essentiel d'avoir de la facilité à communiquer. «Je suis constamment en contact avec des clients, leurs employés, des représentants syndicaux, des organismes publics ou avec mes collègues. Le sens du contact et la diplomatie sont vraiment à la base du métier.» Un certain sens de l'organisation pour gérer un horaire bien rempli est fort utile également. Cela demande aussi de l'autonomie et de la disponibilité. «Il n'est pas rare que je sois en déplacement trois ou quatre jours par semaine», dit Cyndie.

Le technologue en assainissement et sécurité industriels doit posséder un sens très aiguisé de l'observation et de l'analyse.

DÉFIS ET PERSPECTIVES

Mario Dufour coordonne le département d'assainissement et sécurité industriels du Cégep de Jonquière. Il explique que dans le contexte d'une économie prospère, les diplômés sont surtout sollicités par les grandes entreprises du secteur privé. Dans ces compagnies, qui comptent rarement moins de 200 employés, ils doivent bien entendu faire respecter les normes en vigueur, mais aussi analyser l'ergonomie et l'environnement des postes de travail. «Il y a aussi une très forte demande quant à la formation et à la sensibilisation du personnel sur les risques et la sécurité au travail.

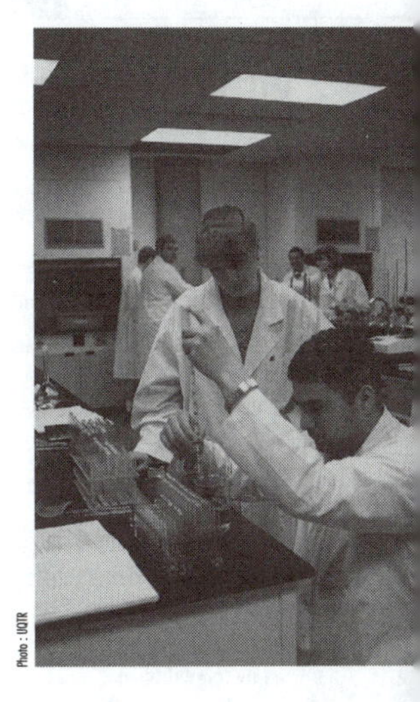

Photo : UQTR

«Les préoccupations environnementales prennent beaucoup d'importance, poursuit M. Dufour. Les futurs diplômés pourraient devoir surveiller des systèmes d'épuration ou de traitement des déchets. Il leur faudra jongler avec la protection de l'environnement, les intérêts des entreprises et la santé des travailleurs.»

Le coordonnateur considère que la mobilité professionnelle est un atout dans ce domaine. «C'est un champ d'activité qui suit l'économie là où elle va», dit-il, tout en ajoutant que les diplômés devront également être prêts à remettre constamment à jour leurs connaissances. «Les nouveaux produits apportent de nouveaux risques et les nouveaux secteurs, de nouveaux règlements, explique-t-il. Sans parler du code canadien du travail qui va être modifié... Il leur faudra être en mesure d'assimiler tous ces changements.» 02/01

HORAIRES ET MILIEUX DE TRAVAIL

- Les diplômés sont embauchés par des grandes entreprises ou des cabinets de consultants.
- Ils peuvent aussi trouver du travail auprès d'organismes publics, dont les CLSC et la CSST.
- Dans le cadre de leur travail, ils côtoient régulièrement des personnes dont ils étudient les conditions de travail dans des usines, des bureaux, des laboratoires, etc.
- Ils utilisent l'informatique pour rédiger leurs rapports.
- Le travail se fait selon des horaires de bureau réguliers.
- Dans le cadre d'études, ils peuvent suivre l'activité de personnes travaillant le soir ou la nuit.

Techniques de chimie analytique

Jean-François Garceau est analyste chimiste chez Phoenix International, une entreprise qui offre des services d'analyse. «Par nos travaux, nous visons à aider nos clients à mettre de nouveaux médicaments en circulation.»

PROG. 210.01
PRÉALABLE : 13, 30, 40, VOIR P. 11

INTÉRÊTS

- aime la chimie
- aime faire un travail précis et méthodique
- aime apprendre, observer, analyser, calculer, vérifier
- aime manipuler des instruments et utiliser l'informatique
- aime le respect des règles et des normes

APTITUDES

- facilité pour les sciences et aisance avec l'informatique
- grande capacité d'apprentissage et d'adaptation
- excellentes facultés d'observation et de concentration
- sens des responsabilités, minutie et méthode
- dextérité et bonne perception des formes et des couleurs

OFFRE DU PROGRAMME PAR RÉGIONS
Bas-Saint-Laurent, Chaudière-Appalaches, Mauricie, Montérégie, Montréal-Centre, Outaouais, Saguenay–Lac-Saint-Jean

RÔLE ET TÂCHES

«Le technicien ne fait pas qu'analyser les échantillons. Souvent, il doit aller chercher lui-même ce qu'il analysera par la suite», explique David Perelle, professeur au département de chimie du Collège Ahuntsic. Un technicien au service d'une compagnie pétrolière, par exemple, peut se retrouver sur le bateau de la compagnie pour aller extraire certains échantillons. Que ce soit l'air, la terre, l'eau, le sang ou tout autre produit, le technicien de chimie analytique est formé pour traiter avec les composantes chimiques de ces éléments.

Jean-François analyse des échantillons de sang, de plasma ou d'urine qui ont été prélevés sur des animaux ou des humains auxquels avaient été injectés divers médicaments. «Un détecteur me donne des renseignements sur la quantité du médicament retrouvé dans l'échantillon. Je dois vérifier les résultats et m'assurer qu'ils sont bons. Ensuite je les transmets à mon superviseur, qui en fait le rapport au client», explique Jean-François.

L'analyste chimiste travaille habituellement en laboratoire, entouré d'appareils d'analyse contrôlés par ordinateur. La méthode d'analyse peut varier selon l'échantillon. Pour vérifier la qualité de l'eau, par exemple, la façon la plus simple est d'en extraire les contaminants solides par filtration. Dans le cas de résidus de pesticides, on fait une extraction à l'aide d'un solvant organique, comme le chloroforme ou l'éther, pour isoler les contaminants de caractère organique (pesticides, engrais chimiques, insecticides). L'analyse d'échantillonnages demande de multiples préparations.

	Salaire hebdo moyen	Proportion de dipl. en emploi	Emploi relié	Chômage	Nombre de diplômés
2000	553 $	69,6 %	90,3 %	8,2 %	149
1999	532 $	84,5 %	83,6 %	4,1 %	111
1998	536 $	76,4 %	98,5 %	11,7 %	108

Statistiques tirées de la Relance - Ministère de l'Éducation. Voir données complémentaires, page 419.

Comment interpréter l'information, page 10.

Le technicien peut préparer une cinquantaine d'échantillons et programmer les machines, qui procéderont à l'analyse durant la nuit. Le matin, les machines produisent un imprimé. Le technicien vérifie d'abord que l'analyse a bien été faite. À la suite des expériences, il doit aussi s'assurer de l'entretien et du nettoyage du matériel qui a été utilisé. Le diplômé en techniques de chimie analytique peut occuper diverses tâches dans un laboratoire, que ce soit à titre de technicien, d'assistant ou d'analyste.

Que ce soit l'air, la terre, l'eau, le sang ou tout autre produit, le technicien de chimie analytique est formé pour traiter avec les composantes chimiques de ces éléments.

QUALITÉS RECHERCHÉES

Parce que l'informatique tient une grande place dans les laboratoires, l'analyste doit bien maîtriser les logiciels. D'ailleurs, durant ses études, il travaille avec des logiciels qui s'apparentent à ceux utilisés en industrie. Le travail demande beaucoup de minutie, car il se fait souvent sur de très petites quantités de produits. Le sens de l'observation, l'esprit d'analyse et de synthèse, une certaine curiosité scientifique, la capacité de déduction ainsi que la logique sont des atouts indéniables pour un technicien en laboratoire et comptent parmi les qualités que recherchent les employeurs. «En fait, ajoute David Perelle, les fonceurs et les curieux, ceux qui aiment se documenter se font le plus remarquer par les employeurs, qui s'intéressent également aux diplômés familiers avec les systèmes informatiques et la recherche dans Internet.»

Pour sa part, Jean-François Garceau considère qu'il faut faire preuve de beaucoup de précision. «Pas question de fausser les données. Les résultats des analyses sont sacrés, intouchables. Le technicien doit donc être intègre et honnête dans son travail.»

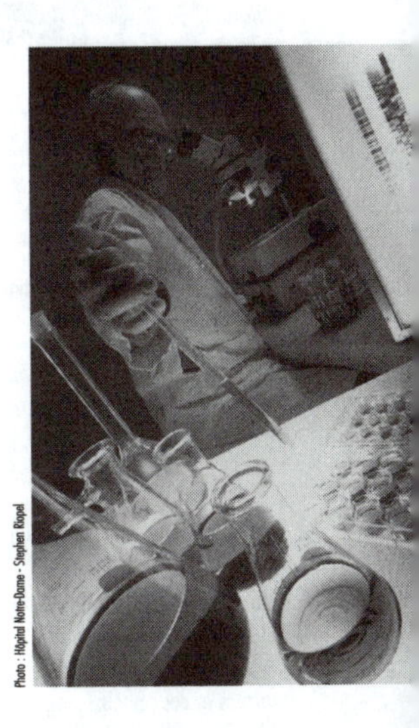
Photo : Hôpital Notre-Dame - Stephen Riopel

DÉFIS ET PERSPECTIVES

La technologie se modernise extrêmement rapidement. Comme les compagnies ont souvent des budgets d'embauche limités, ce sont les techniciens déjà à leur service qui sont appelés à se mettre à jour de façon continuelle. Il arrive que des compagnies envoient leurs techniciens en stages de formation ou à des congrès, par exemple lorsqu'elles acquièrent des machines coûteuses et qu'il faut se familiariser avec leur mode de fonctionnement. Après quelques années d'expérience, le technicien peut choisir de s'orienter vers l'enseignement ou la recherche. «Le domaine de la représentation est aussi ouvert; c'est d'ailleurs un secteur d'avenir», conclut M. Perelle. 09/99

HORAIRES ET MILIEUX DE TRAVAIL

- Les employeurs sont des industries chimiques, pétrolières, agricoles, alimentaires, pharmaceutiques, cosmétiques, environnementales, de pâtes et papiers, etc. En fait, toutes les entreprises qui travaillent avec des produits chimiques embauchent des techniciens.
- Une semaine de travail normale compte entre 37 et 42 heures.
- La journée peut commencer très tôt, soit vers 6 h, et se terminer en milieu d'après-midi.

Techniques de chimie-biologie

Marie-Ève Charrois est responsable du bon fonctionnement du laboratoire de Medicago, une compagnie de la région de Québec œuvrant dans le domaine des biotechnologies. Leur spécialité? La culture de cellules végétales. «C'est un secteur en pleine effervescence», dit-elle avec enthousiasme.

PROG. 210.03
PRÉALABLE : 12, 30, 40, VOIR P. 11

INTÉRÊTS

- aime la biologie et la chimie
- aime faire un travail précis et méthodique
- aime travailler dans un laboratoire et avec l'informatique
- aime apprendre, observer, analyser, calculer, vérifier

APTITUDES

- facilité pour les sciences (biologie, chimie, math)
- sens des responsabilités, minutie et méthode
- excellentes facultés d'observation et de concentration
- dextérité et bonne perception des formes et des couleurs (discrimination)
- polyvalence et débrouillardise

OFFRE DU PROGRAMME PAR RÉGIONS
Chaudière-Appalaches, Mauricie, Montréal-Centre

RÔLE ET TÂCHES

Au laboratoire, elle est responsable du règlement des problèmes logistiques. «Je dois m'assurer que les associés de recherche ont tout ce dont ils ont besoin pour effectuer leurs travaux d'expérimentation, explique-t-elle. Je les assiste en préparant les milieux de culture et les solutions d'antibiotiques nécessaires aux expériences. C'est une tâche qui comporte beaucoup de responsabilités. Par exemple, je dois être sûre que les cellules que je prépare sont aptes à recevoir l'ADN qui va y être introduit. Bref, le travail de toute une équipe dépend de la rigueur avec laquelle je développe ces cultures.» Marie-Ève doit également veiller à ce que le matériel soit disponible à tout moment. À cette fin, elle nettoie la verrerie et stérilise les milieux de culture. À la fin d'un processus d'expérimentation, c'est elle qui décontamine les déchets avant que ceux-ci ne soient récupérés, détruits et retournés dans l'environnement. La jeune femme apprécie ne pas avoir de patron constamment par-dessus son épaule. «Auparavant, je travaillais dans un laboratoire de production où chaque opération était exécutée et chronométrée à la seconde près. Les initiatives étaient plus que limitées. Je n'avais pas autant d'autonomie qu'aujourd'hui.»

QUALITÉS RECHERCHÉES

Interrogée à savoir quelles sont les qualités requises pour travailler dans son domaine, Marie-Ève répond sans hésitation. «De la minutie avant tout, dit-elle. Les techniciens en chimie-biologie doivent être méticuleux, voire

	Salaire hebdo moyen	Proportion de dipl. en emploi	Emploi relié	Chômage	Nombre de diplômés
2000	431 $	71,4 %	90,5 %	6,3 %	84
1999	482 $	82,2 %	96,8 %	7,5 %	59
1998	439 $	71,4 %	94,1 %	7,9 %	57

Statistiques tirées de la Relance - Ministère de l'Éducation. Voir données complémentaires, page 419.

Comment interpréter l'information, page 10.

perfectionnistes. Si tu prépares mal une solution, le travail de toute l'équipe en subit les conséquences.»

À son avis, il faut également être débrouillard et avoir un bon sens de l'observation. Elle affirme que, pour sa part, elle n'a qu'à être attentive au bruit d'un incubateur pour savoir s'il se passe quelque chose d'anormal. L'environnement de travail est très informatisé; les ordinateurs sont partout et ont remplacé le crayon et le carnet de labo. Des aptitudes et des connaissances en informatique sont donc bien pratiques. Enfin, l'anglais peut se révéler très utile pour lire des protocoles, contacter des fournisseurs ou réparer un appareil avec une documentation écrite dans cette langue.

«Je voulais voir le résultat concret de mon travail à la fin de la journée. C'est le cas aujourd'hui.»

— Marie-Ève Charrois

DÉFIS ET PERSPECTIVES

Selon Luc Gadbois, coordonnateur du département de biologie et de biotechnologie au Cégep de Lévis-Lauzon, les biotechnologies sont le secteur d'avenir par excellence. «L'utilisation des micro-organismes génétiquement modifiés se répand dans de nombreux domaines. Les techniciens en chimie-biologie peuvent ainsi travailler en recherche médicale, en immunologie ou en biologie moléculaire», dit-il. Le coordonnateur ajoute que des secteurs plus traditionnels, tels que l'agroalimentaire, offrent aussi des défis intéressants en contrôle de la qualité. «Certaines compagnies développent même de nouveaux produits en mariant l'agroalimentaire et les biotechnologies.»

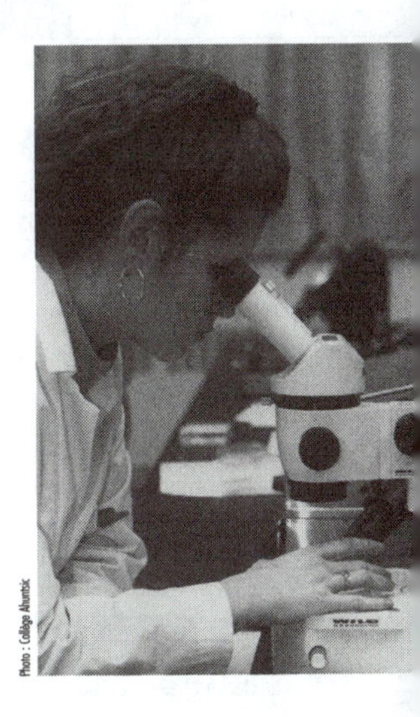

Photo : Collège Ahuntsic

L'analyse chimique des substances est une autre voie possible pour les diplômés. M. Gadbois ajoute qu'en laboratoire de recherche, ils peuvent aussi étudier les effets des médicaments sur les cellules. «Les biotechnologies de l'environnement sont également en pleine croissance, dit-il. Ce secteur s'occupe de créer des bactéries capables de décontaminer des sites pollués ou de traiter les eaux usées. C'est ce qu'on appelle des biofiltres.» Selon son évaluation, entre un quart et un tiers des diplômés de ce programme décident de continuer leur formation à l'université. «Nous avons conclu des ententes avec l'Université de Sherbrooke pour permettre à nos diplômés désirant poursuivre leurs études d'intégrer directement la deuxième année du bac en biologie, option biotechnologies, révèle M. Gadbois. D'autres partenariats existent en microbiologie avec l'Université Laval. À court terme, nous espérons créer un DEC-bac dans ces disciplines.» 03/01

HORAIRES ET MILIEUX DE TRAVAIL

- Les principaux employeurs de ce domaine sont les laboratoires hospitaliers ou de recherche et les compagnies de biotechnologies.
- Les diplômés peuvent aussi trouver de l'emploi dans les industries pharmaceutiques, agroalimentaires ou cosmétiques.
- Les milieux de travail sont informatisés.
- Le travail s'effectue selon des horaires de bureau réguliers.
- Il est possible de travailler en rotation de soir ou de nuit dans certains laboratoires ou en milieu hospitalier.

Techniques de génie chimique

Diplômé en techniques de génie chimique, Michel Boivin a suivi un parcours quelque peu atypique. Il travaille aujourd'hui comme représentant en ventes et services chez E.Q.U.I.P. International, une compagnie qui fabrique et distribue des produits chimiques pour l'industrie des pâtes et papiers.

PROG. 210.02
PRÉALABLE : 13, 30, 40, VOIR P. 11

INTÉRÊTS

- aime la chimie et les mathématiques
- aime observer, analyser, vérifier, calculer
- aime le travail d'équipe et le travail en usine
- valorise l'efficacité et la productivité

APTITUDES

- grande capacité d'adaptation et esprit pragmatique
- facilité à communiquer et à coopérer
- sens des responsabilités, minutie et méthode
- dextérité et sens de l'observation

OFFRE DU PROGRAMME PAR RÉGIONS
Chaudière-Appalaches, Saguenay–Lac-Saint-Jean

RÔLE ET TÂCHES

«Les usines de pâtes et papiers sont de grandes consommatrices de produits chimiques, explique Michel Boivin. Mon rôle n'est pas simplement de leur vendre des produits, mais plutôt des solutions chimiques qui répondent à leurs besoins très précis. C'est là que ma formation en chimie est mise à contribution.»

Bien souvent, c'est le client qui l'appelle pour lui demander de trouver la solution adéquate à un problème technique concernant son papier. Il peut s'agir, par exemple, d'en modifier certaines propriétés telles que la formation ou l'opacité. «Mon rôle est alors de développer une solution chimique pour résoudre son problème, dit-il. Il faut chaque fois trouver le produit ou l'additif qui fournit le résultat escompté, mais aussi s'occuper de l'ensemble du procédé, c'est-à-dire la façon de l'appliquer ainsi que les techniques et les stratégies de contrôle qu'on doit ensuite mettre en place. Chaque nouvelle demande est un défi.» Dans ce processus, Michel a l'appui de plusieurs ressources, notamment de son directeur. Ensemble, ils élaborent des stratégies et font des études en laboratoire afin d'optimiser les coûts et la qualité du papier. Ils présentent ensuite leurs résultats et recommandations aux dirigeants de l'entreprise pour obtenir un essai en usine. «Je m'occupe surtout de ce que l'on appelle le "bout humide" de la chaîne, la pâte à l'intérieur de laquelle sont insérés la plupart des additifs. C'est là qu'il est possible d'avoir une incidence sur les propriétés du papier et sur les paramètres de fonctionnement de la machine. Nous appliquons également des produits chimiques pour traiter les effluents et les boues d'usine, ainsi que pour contrôler la contamination microbiologique. C'est un travail passionnant où la routine

	Salaire hebdo moyen	Proportion de dipl. en emploi	Emploi relié	Chômage	Nombre de diplômés
2000	542 $	68,4 %	66,7 %	0,0 %	23
1999	504 $	57,1 %	75,0 %	33,3 %	18
1998	572 $	86,7 %	76,9 %	7,1 %	16

Statistiques tirées de la Relance - Ministère de l'Éducation. Voir données complémentaires, page 419.

Comment interpréter l'information, page 10.

n'a pas sa place», affirme Michel. Le reste de son temps est consacré à l'amélioration des produits existants, par la recherche de nouveaux programmes et par l'interprétation de données d'exploitation.

QUALITÉS RECHERCHÉES

Les technologues en génie chimique doivent posséder des aptitudes certaines pour les sciences et avoir de bonnes dispositions pour travailler en équipe. «Il faut comprendre rapidement les attentes de son interlocuteur, explique Michel Boivin. Être un bon communicateur épargne du temps. Si l'on veut gagner et conserver la confiance de ses clients, il est aussi essentiel de respecter ses engagements.» Le sens de l'observation, la dextérité et la patience sont également très utiles. «Cela prend aussi beaucoup de curiosité intellectuelle et une certaine capacité de réflexion pour aborder un nouveau problème. Ce n'est pas un métier où solution rime avec précipitation.»

«Le défi des diplômés est, avant tout, de faire connaître leur discipline.»

— Marc-Yvan Côté

DÉFIS ET PERSPECTIVES

Selon Marc-Yvan Côté, responsable de la coordination de ce département au Cégep de Jonquière, le défi des diplômés est, avant tout, de faire connaître leur discipline. «Le nombre de diplômés en techniques de génie chimique est encore assez restreint, dit-il. Les employeurs potentiels connaissent peu cette formation. C'est à nos diplômés de faire valoir leurs qualités et d'expliquer l'avantage que constitue la polyvalence de leur technique par rapport à d'autres, plus spécialisées.»

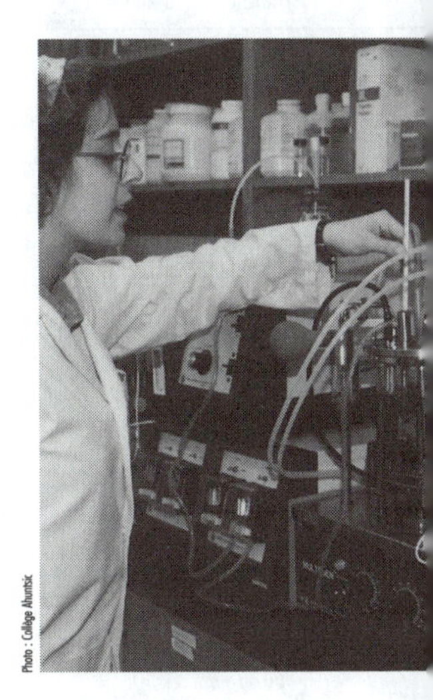

Photo : Collège Ahuntsic

Le coordonnateur estime qu'il y a constamment de nouveaux défis pour les techniciens en génie chimique. «Si la grande industrie demeure traditionnellement l'employeur principal de nos diplômés, on voit une recrudescence de la demande du côté des PME, a-t-il constaté. C'est une tendance très marquée, notamment dans la petite industrie des matériaux comme la peinture, le bois ou les plastiques. Nos diplômés sont recherchés pour leurs compétences techniques, mais aussi pour leur facilité de communication avec les ingénieurs chimistes, dont ils doivent comprendre les attentes en matière de planification des essais. Il faut également qu'ils se tiennent prêts à s'engager dans des domaines qui se développent fortement, comme la résistance des matériaux – surtout les composites –, la simulation de procédés par ordinateur et les biotechnologies.» 02/01

HORAIRES ET MILIEUX DE TRAVAIL

- Les techniciens de ce domaine assistent les ingénieurs chimistes dans les raffineries, les usines de produits chimiques, les papetières ou les centres de recherche.
- C'est un milieu très informatisé en raison du traitement des données et des opérations de simulations.
- Le travail se fait selon des horaires réguliers.
- En production ou en contrôle de la qualité, il est possible de travailler en rotation, de soir ou de nuit.

Techniques de procédés chimiques

Diplômé en techniques de procédés chimiques, Michel Bertrand est contremaître de production pour la compagnie de produits chimiques Delmar, située à LaSalle. Il veille au respect des bonnes pratiques de fabrication et fait le suivi du contrôle de la qualité.

PROG. 210.04
PRÉALABLE : 11, 20, VOIR P. 11

INTÉRÊTS

- aime le travail en milieu industriel et le travail d'équipe
- aime travailler selon des consignes et des normes
- aime la technologie et l'informatique
- aime observer, vérifier, calculer, analyser, superviser

APTITUDES

- facilité pour les sciences
- excellente faculté d'adaptation et beaucoup de pragmatisme
- respect de l'autorité et des consignes
- résistance physique et résistance au stress

OFFRE DU PROGRAMME PAR RÉGIONS
Montréal-Centre

RÔLE ET TÂCHES

Cette technique forme des personnes dont le rôle est de faire fonctionner des installations de traitements chimiques. «Chez Delmar, nous produisons des ingrédients pharmaceutiques actifs sous forme de poudre, explique Michel Bertrand. Ils sont utilisés dans la fabrication des médicaments. Mon rôle de contremaître est de veiller à ce que les bonnes pratiques de fabrication soient appliquées. Nos procédés sont suivis de près, notamment par la Food and Drug Administration (FDA) américaine, car nous commercialisons nos produits aux États-Unis. La qualité du produit doit être parfaite.» Le jeune homme poursuit en expliquant pourquoi le contrôle de la qualité a un rôle primordial dans l'industrie chimique et pharmaceutique. «Nous mettons en œuvre des procédés de transformation très complexes qui provoquent parfois quatre ou cinq réactions consécutives sur le produit, dit-il. Après chacune de ces réactions, les opérateurs prélèvent un échantillon qui est envoyé au département du contrôle de la qualité. Si le superviseur du département détecte un problème, c'est à moi de faire les ajustements nécessaires. C'est un travail d'équipe dans lequel même les ingénieurs du département de recherche collaborent avec nous.» D'autres tâches sont rattachées à la fonction de Michel. «Je m'occupe aussi de l'aspect santé et sécurité au travail. Je dois m'assurer que les règles de protection sont respectées. La gestion des équipements et du personnel ainsi que la planification de la production sont également dans mes attributions.»

	Salaire hebdo moyen	Proportion de dipl. en emploi	Emploi relié	Chômage	Nombre de diplômés
2000	649 $	83,3 %	76,5 %	7,9 %	55
1999	599 $	73,8 %	70,0 %	3,1 %	56
1998	541 $	81,3 %	72,0 %	9,4 %	36

Statistiques tirées de la Relance - Ministère de l'Éducation. Voir données complémentaires, page 419.

Comment interpréter l'information, page 10.

QUALITÉS RECHERCHÉES

Cette technique s'adresse, bien sûr, aux adeptes des sciences et de la chimie, à qui on demandera surtout beaucoup de minutie. «Il faut être très précis lorsqu'on décide d'agir sur l'équipement en cours de procédé, dit Michel. Le moindre détail, la plus petite fausse manœuvre, peuvent avoir des conséquences graves.» Le sens des responsabilités et la capacité de prendre des décisions sont souvent mis à contribution. «Je dois appliquer et faire respecter les règlements sur la santé, la sécurité et les pratiques de fabrication. Si le niveau de stérilité des chambres blanches, où est emballé le produit, n'est pas suffisant, la production sera inutilisable et j'en serai responsable.» Le technologue doit également posséder un bon sens de la communication, car il collabore la plupart du temps avec des superviseurs et des ingénieurs.

«Il faut être très précis lorsqu'on décide d'agir sur l'équipement en cours de procédé. Le moindre détail, la plus petite fausse manœuvre, peuvent avoir des conséquences graves.»

— Michel Bertrand

DÉFIS ET PERSPECTIVES

«Les diplômés de cette technique ont des perspectives d'emploi dans des secteurs de plus en plus diversifiés, dit Martin Demers, directeur adjoint de l'Institut de chimie et de pétrochimie du Collège de Maisonneuve. Si l'industrie de la pétrochimie et du raffinage demeure toujours le domaine de prédilection des techniciens de procédés chimiques, un nombre grandissant d'autres secteurs s'intéressent à leur polyvalence. Il s'agit notamment de compagnies qui s'occupent d'environnement, d'agroalimentaire, de traitement des métaux, de chimie de spécialité, de l'industrie pharmaceutique et cosmétique.» Le développement important des PME œuvrant dans ces domaines promet d'accroître la demande de personnel qualifié et offre des défis et des possibilités d'avancement très intéressants. «Les diplômés devraient également profiter dans les cinq prochaines années d'un mouvement qui vise à remplacer la main-d'œuvre vieillissante en pétrochimie et en raffinage», ajoute Martin Demers. Les diplômés pourront aussi bien travailler en qualité de techniciens de production qu'en tant que représentants techniques chez les fabricants et les distributeurs de produits chimiques. «Certaines compagnies emploient des techniciens qui sont spécifiquement au service de l'un de leurs clients pour présenter les nouveaux produits, faire du suivi, du soutien et des ajustements en production.» 03/01

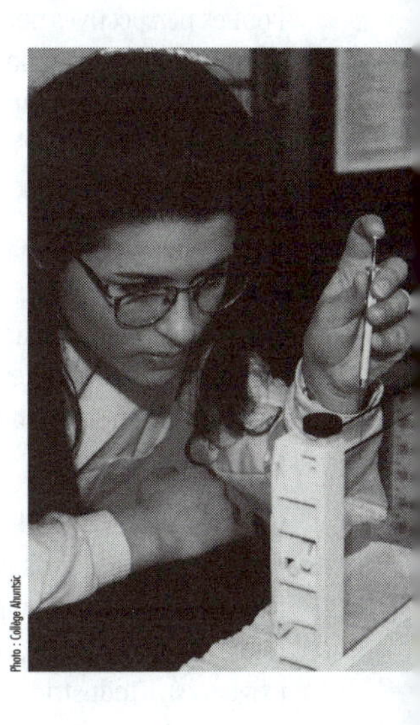

Photo : Collège Ahuntsic

HORAIRES ET MILIEUX DE TRAVAIL

- Les diplômés sont employés par les pétrolières, les usines de plastique, de peinture, de produits chimiques.
- Ils peuvent aussi travailler dans l'industrie alimentaire, l'industrie pharmaceutique ou dans le domaine du traitement des eaux et des métaux.
- Dans le cadre de leurs fonctions, ils utilisent des équipements de protection : casques, habits, masques, bouchons d'oreilles.
- Les horaires sont variables, parfois irréguliers.
- Le travail peut se faire par rotation de 12 heures, soit de jour, de nuit et en fin de semaine.
- Il est possible d'avoir à effectuer des heures supplémentaires.

BÂTIMENTS ET TRAVAUX PUBLICS

Favorisée par la reprise économique, l'industrie de la construction présente de bonnes perspectives pour qui désire œuvrer dans le domaine. En effet, une étude de la Commission de la construction du Québec mentionne que la construction a fait un bond de 22 % au premier trimestre de l'an 2000 par rapport à la même période l'année précédente[1]. D'ailleurs, l'effectif du secteur de la construction devrait croître en moyenne de 2 % par année d'ici à 2004[2].

La main-d'œuvre spécialisée représente quelque 93 500 salariés travaillant sur les chantiers assujettis à la Loi sur les relations de travail dans l'industrie de la construction. Les apprentis comptent pour près du quart de l'ensemble des travailleurs de la construction. Le secteur connaît des besoins pressants de nouveaux travailleurs car, dans les deux tiers des métiers, le flux de diplômés n'a pas fourni un nombre suffisant d'apprentis.

Comme la croissance de cette industrie est directement liée à l'état de l'économie, il est difficile de prédire son avenir à long terme. En ce moment, elle est dans une bonne période, et il y a de l'emploi dans plusieurs secteurs d'activité. La recherche de techniques et de matériaux de construction novateurs a toutefois fait naître de nouvelles exigences. L'industrie recherche désormais davantage des travailleurs qualifiés et polyvalents.

Les diplômés en mécanique du bâtiment et ceux qui ont un profil en cartographie vivent également une situation de l'emploi favorable. Le secteur de la géomatique est en plein essor, et l'avancée des technologies pousse l'industrie à rechercher davantage des personnes qualifiées.

Le secteur du génie civil vit lui aussi une bonne reprise. On trouve des technologues en génie civil à tous les stades des grandes constructions publiques et industrielles. Sans compter que l'environnement mobilise de plus en plus ce type de professionnels (assainissement des eaux, décontamination des sites, etc.). Les essais de matériaux, la surveillance des chantiers et le contrôle des travaux sont d'autres avenues à explorer, mais c'est un domaine où la stabilité d'emploi est rare. 05/01

1. Commission de la construction du Québec, septembre 2000.
2. *Perspectives sectorielles du marché du travail au Québec, 2000-2004*, Emploi-Québec, 2000.

INTÉRÊTS

- aime faire un travail manuel de précision avec des outils
- aime bouger, se dépenser physiquement
- aime comprendre le fonctionnement des divers éléments d'un bâtiment, d'une construction
- aime travailler à forfait et/ou sur un chantier

APTITUDES

- dextérité, rapidité et grande précision d'exécution
- résistance physique et excellente coordination sensorimotrice
- sens de l'observation et grande acuité visuelle
- facilité d'apprentissage manuel et technique
- respect des normes et des règlements de sécurité et respect de l'environnement

LE SAVIEZ-VOUS ?

Le défi lié à l'embauche de main-d'œuvre qualifiée s'impose d'autant plus que plusieurs travailleurs de la construction sont assez âgés. Joseph Jetten, économiste et agent de recherche pour la Commission de la construction du Québec (CCQ) précise que l'âge moyen est actuellement de 45 ans, et que 13 % de la main-d'œuvre a actuellement plus de 55 ans.

Source :
Les carrières d'avenir au Québec, Le groupe de recherche Ma Carrière, édition 2001.

RESSOURCES INTERNET

DESCRIPTION DES PROGRAMMES DU SECTEUR
http://www.meq.gouv.qc.ca/ens-sup/ens-coll/Cahiers/sect-07.htm
Vous trouverez sur cette page une description des programmes de ce secteur de formation, comprenant les exigences d'admission et un bref résumé de chaque cours. Pour chaque programme, vous pourrez aussi accéder à la liste des établissements qui l'offrent et à la dernière relance de ses diplômés.

SÉCURITÉ INCENDIE AU COLLÈGE MONTMORENCY
http://cmontmorency.qc.ca/programmes/prog_tech/prog_tech.html
Vous pourrez télécharger à partir de cette page une description complète de ce programme, incluant des indications sur les perspectives d'emploi, la description du métier et des aptitudes nécessaires. Montmorency est le seul collège à offrir ce programme.

RESSOURCES CARTOGRAPHIQUES
http://www.ggr.ulaval.ca/allaire/index.htm
Ceux qui s'intéressent à la cartographie trouveront dans ce site des ressources impressionnantes et une foule d'informations intéressantes, y compris des collections de cartes dans Internet.

Sécurité incendie

«Ce programme s'adresse essentiellement à ceux qui ont déjà leur DEP en intervention en sécurité incendie et qui désirent se perfectionner en prévention ou en gestion», explique Denise Pichette, qui a supervisé la conception du programme en sécurité incendie offert par le Collège Montmorency, à Laval.

PROG. 311.A0
PRÉALABLE : 9F, VOIR PAGE 11

INTÉRÊTS

- aime organiser et coordonner les activités d'une équipe
- aime les contacts avec le public (pour informer et éduquer)
- aime maintenir une excellente forme physique
- aime travailler selon un horaire variable et souvent imprévisible

APTITUDES

- dynamisme, initiative et leadership
- coordination motrice, dextérité manuelle et bonne perception spatiale
- conserve son calme dans des situations dangereuses
- grande facilité à communiquer; excellent jugement

OFFRE DU PROGRAMME PAR RÉGIONS
Laval, Québec

RÔLE ET TÂCHES

«Deux options sont offertes dans le cadre du programme, poursuit Mme Pichette. L'option prévention forme des techniciens spécialisés dans la prévention des incendies, tandis que l'option gestion forme des gestionnaires de services de sécurité incendie.» Les «préventionnistes» sont pour la plupart des pompiers qui exercent des activités d'éducation et de relations avec le public. Ils ont par ailleurs pour tâche d'inspecter des locaux dans une perspective de prévention, afin surtout d'assurer leur conformité avec la réglementation en vigueur, mais aussi dans le but d'informer les propriétaires et les locataires des mesures à prendre pour prévenir les sinistres.

Les gestionnaires en sécurité incendie s'occupent pour leur part de l'administration et de la supervision d'un service de sécurité incendie, généralement au niveau municipal. Qu'on les désigne comme chefs de district, chefs de division, capitaines, lieutenants ou chefs du service d'incendie, la complexité de leurs fonctions varie selon le secteur et la localité, le genre d'organisation, l'importance du service et des risques à gérer ou la densité de la population desservie. Les gestionnaires planifient et organisent les activités de prévention et de lutte contre les incendies, à la caserne comme sur les lieux d'un sinistre : ils administrent le service, gèrent le personnel et l'équipement, organisent et coordonnent les activités du service, élaborent et mettent en œuvre les campagnes de prévention, ainsi que les politiques et procédures de prévention et de lutte contre les incendies dans les milieux desservis. Ils représentent en outre le service dans ses relations avec le gouvernement, les médias et le public.

	Salaire hebdo moyen	Proportion de dipl. en emploi	Emploi relié	Chômage	Nombre de diplômés
2000	550 $	83,3 %	40,0 %	0,0 %	7
1999	n/d	n/d	n/d	n/d	n/d
1998	n/d	n/d	n/d	n/d	n/d

Statistiques tirées de la Relance - Ministère de l'Éducation. Voir données complémentaires, page 419.

Comment interpréter l'information, page 10.

QUALITÉS RECHERCHÉES

«Le préventionniste doit avant tout jouir d'une excellente santé, souligne Denise Pichette, et ne pas être sujet au vertige. Il faut avoir une bonne résistance à l'effort physique, au travail debout et à la marche. Dans ses rapports avec la population, la personne doit faire preuve d'entregent, de tact, de courtoisie et de fermeté.» Elle doit aussi avoir un excellent esprit d'observation, le sens de l'organisation, du dynamisme, de l'autonomie et la capacité de rédiger des rapports précis. «En plus d'avoir aussi ces qualités, le gestionnaire doit être bon planificateur et organisateur, avoir de la facilité à communiquer verbalement et posséder un esprit méthodique, bien structuré. Cela prend évidemment du leadership et un sens de l'initiative développés, ainsi que la capacité de négocier avec divers intervenants.»

«L'option prévention forme des techniciens spécialisés dans la prévention des incendies, tandis que l'option gestion forme des gestionnaires de services de sécurité incendie.»

— Denise Pichette

DÉFIS ET PERSPECTIVES

«Si les technologies de prévention, de détection et de lutte aux incendies ont beaucoup évolué, les risques de conflagration se sont également multipliés avec le progrès technologique, particulièrement dans les domaines du transport et de l'industrie manufacturière. Les diplômés ont donc intérêt à se tenir constamment informés des développements», affirme Mme Pichette.

Plusieurs secteurs parallèles s'ouvrent aux préventionnistes en sécurité incendie : les assurances, le courtage immobilier, la sécurité dans les édifices publics, les établissements industriels et les hôpitaux. Dans les industries, par exemple, ils participent à l'évaluation des risques associés aux procédés de transformation de matières dangereuses, à l'élaboration de manuels de procédures d'urgence, à la formation des employés, à la mise au point de plans d'intervention, etc. Les firmes de sécurité et de consultation présentent aussi des perspectives intéressantes. De leur côté, les gestionnaires en sécurité incendie, qui ont tous déjà quelques années d'expérience comme pompiers actifs, sont formés particulièrement pour administrer les services d'incendie municipaux. Ils peuvent toutefois trouver de nouveaux débouchés dans les aéroports et les établissements industriels ayant leur propre service de lutte contre les incendies. 09/99

Photo : C.S. Marie-Victorin

HORAIRES ET MILIEUX DE TRAVAIL

- Ce sont surtout les administrations municipales et leurs services d'incendie qui embauchent des diplômés en sécurité incendie.
- Les horaires y sont généralement réguliers, par périodes de travail, et régis par convention collective.
- Les secteurs parapublic et privé emploient aussi à l'occasion des diplômés, de même que les firmes de consultants en sécurité incendie. En règle générale, étant donné qu'ils sont avant tout pompiers, les jeunes diplômés doivent s'attendre à travailler à toute heure du jour ou de la nuit, souvent sur appel; mais cela peut aussi varier selon les conditions qui prévalent dans leur localité.

Technologie de la cartographie

Depuis toujours, Martine Janelle adore le dessin et est fascinée par les cartes. Il n'en fallait pas plus pour qu'elle s'inscrive en technologie de la cartographie. Elle travaille aujourd'hui chez Environnement Conseil BGA, à Drummondville, et réalise des cartes touristiques.

PROG. 230.01
PRÉALABLE : 13, VOIR PAGE 11

INTÉRÊTS
- aime la géographie, le dessin
- aime lire, créer et rédiger des documents cartographiques
- aime travailler sur un support informatique
- aime travailler en équipe

APTITUDES
- patience, minutie et esprit méthodique
- bonne capacité de communication
- débrouillardise, polyvalence
- capacité d'adaptation aux nouvelles technologies
- curiosité intellectuelle

OFFRE DU PROGRAMME PAR RÉGIONS
Outaouais, Québec

RÔLE ET TÂCHES

Ce programme forme des techniciens qui seront à même de lire et de rédiger des documents cartographiques; ils pourront aussi prendre des mesures et analyser des photographies aériennes. Leur formation leur permettra également de créer des cartes thématiques, de participer aux tâches relatives à la diffusion d'une carte, d'en gérer la qualité de production et de faire de la mise en pages.

Martine Janelle s'est spécialisée dans la production de cartes thématiques. «Mon travail consiste à faire des cartes touristiques, des trajets de vélo ou de motoneige, par exemple, qui vont être insérées dans des guides touristiques. La plupart du temps, nous partons de cartes officielles, fournies par le gouvernement. Ensuite, on y ajoute un thème; c'est ce que l'on appelle la cartographie thématique. On met des pictogrammes indiquant les pistes cyclables ou les attraits touristiques.»

Pour exécuter ses tâches, Martine doit se servir d'un ordinateur, d'un scanneur ainsi que de cédéroms afin d'archiver les versions informatiques des cartes. «J'ai toujours travaillé sur ordinateur, explique-t-elle. J'aurais de la difficulté à retomber au mode manuel. Ça se fait encore dans certains endroits qui n'ont pas suivi le virage technologique des dernières années, mais c'est plutôt rare.»

Bien que l'ordinateur permette de travailler plus rapidement, produire une carte nécessite quand même de longues heures de labeur. «Ça peut prendre

	Salaire hebdo moyen	Proportion de dipl. en emploi	Emploi relié	Chômage	Nombre de diplômés
2000	462 $	90,9 %	89,7 %	0,0 %	44
1999	443 $	81,5 %	90,5 %	8,3 %	36
1998	461 $	95,5 %	90,0 %	4,5 %	23

Statistiques tirées de la Relance - Ministère de l'Éducation. Voir données complémentaires, page 419.

Comment interpréter l'information, page 10.

une dizaine d'heures pour réaliser une petite carte, et une trentaine d'heures pour une plus grande, confie Martine. Par exemple, je viens de réaliser des cartes pour un guide de toutes les fêtes et festivals du Québec; j'y ai mis un mois et demi.»

QUALITÉS RECHERCHÉES

La cartographie est, par définition, un travail de précision. Pas étonnant, alors, qu'on demande aux techniciens en cartographie d'être minutieux, méthodiques et patients. Martine ajouterait à cela des qualités de communication. «Ça dépend des emplois. Je suis en contact régulier avec les clients, et ça prend parfois de la diplomatie. Il faut savoir s'expliquer avec eux. Dans mon emploi actuel, je dois aussi être débrouillarde», puisqu'elle participe à l'élaboration des différents projets, contrairement à d'autres situations où elle devait simplement exécuter les commandes.

La cartographie est, par définition, un travail de précision.

Le technicien en cartographie devra également être à l'aise dans une situation de travail en équipe. Il devra savoir s'adapter à des technologies souvent très différentes les unes des autres, ainsi qu'à des changements rapides à cause de l'évolution constante dans le domaine.

Une grande curiosité intellectuelle est nécessaire, le technicien ayant à travailler sur des cartes couvrant des aspects diversifiés. Une bonne maîtrise du français ainsi que la connaissance de l'anglais sont aussi des qualités appréciées sur le marché du travail.

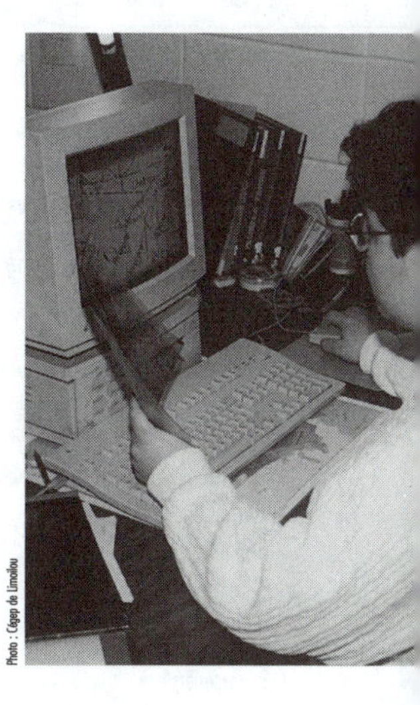
Photo : Cégep de Limoilou

DÉFIS ET PERSPECTIVES

«Depuis une dizaine d'années, c'est un domaine qui évolue très rapidement, avance André Cloutier, enseignant et coordonnateur du département de géomatique au Cégep de Limoilou. Les notions conventionnelles de cartographie doivent constamment être adaptées aux nouveaux produits informatiques et aux nouvelles demandes du marché. Pour les techniciens, le principal défi consiste donc à s'adapter continuellement à des changements technologiques.» 09/96

HORAIRES ET MILIEUX DE TRAVAIL

- La fonction publique municipale, provinciale et fédérale a longtemps constitué l'employeur traditionnel des techniciens en cartographie, mais depuis les compressions budgétaires, les diplômés se tournent vers les organismes parapublics ou des compagnies privées œuvrant dans divers domaines.
- Les firmes d'ingénierie, d'urbanisme, d'arpentage, de cartographie et de photogrammétrie (processus qui permet de lire des photographies aériennes, d'y relever des mesures afin de créer une carte) sont également des employeurs.
- Les horaires de travail sont généralement réguliers.

Technologie de l'architecture

Israël Beaulieu travaille pour le bureau d'architectes Claude Brisson, en Beauce. «Plus jeune, l'image que j'avais de mon travail se limitait à une règle et à un crayon sur une planche à dessin, raconte-t-il. Je me suis vite aperçu que je devais remplacer cette image par celle d'une souris et d'un écran...»

PROG. 221.01
PRÉALABLE : 13, 40, VOIR P. 11

INTÉRÊTS

- aime l'architecture et le dessin
- aime travailler sur ordinateur
- aime faire un travail minutieux et précis
- aime travailler avec le public et en équipe

APTITUDES

- curiosité, pragmatisme et polyvalence
- capacité d'analyse et de synthèse
- sens de l'esthétique et souci du détail
- facilité à communiquer et bilinguisme
- autonomie, disponibilité et persévérance

OFFRE DU PROGRAMME PAR RÉGIONS
Bas-Saint-Laurent, Chaudière-Appalaches, Laval, Mauricie, Montréal-Centre, Saguenay–Lac-Saint-Jean

RÔLE ET TÂCHES

Le rôle du technologue est habituellement d'assister l'architecte. Celui-ci fait la conception générale de l'édifice et le technologue peaufine les détails de construction tels que la plomberie, l'électricité ou le choix des matériaux. Pour sa part, Israël se considère comme chanceux de travailler avec un architecte qui lui laisse une grande autonomie et de nombreuses responsabilités. «Nous travaillons beaucoup pour les secteurs commercial et institutionnel, précise Israël. J'ai dessiné des plans d'écoles, de centres commerciaux, d'usines et de bâtiments administratifs. J'utilise pour cela l'ordinateur et le logiciel AutoCad, qui est devenu une référence pour tous ceux qui font du dessin technique.»

«L'architecture est un domaine où l'on communique beaucoup, ajoute-t-il. Je dois bien comprendre les idées de base et les croquis préliminaires que me donne l'architecte. C'est essentiel pour dessiner mes plans et concevoir les détails techniques comme les fondations ou la composition des murs. Je dois également être très à l'écoute du client pour saisir ses besoins et ses envies.» Il lui faut ensuite traduire tout cela en dessins en tenant compte de l'aspect pratique et du côté fonctionnel. À l'issue d'un projet, il dessine les plans de présentation pour le client et les plans d'exécution pour l'entrepreneur.

Les technologues en architecture se rendent parfois sur le terrain pour prendre des mesures ou des photographies qui les aideront à faire des levés précis et à dessiner leurs plans.

	Salaire hebdo moyen	Proportion de dipl. en emploi	Emploi relié	Chômage	Nombre de diplômés
2000	431 $	67,3 %	85,3 %	2,8 %	202
1999	421 $	59,4 %	85,2 %	9,8 %	202
1998	396 $	60,3 %	72,9 %	8,7 %	248

Statistiques tirées de la Relance - Ministère de l'Éducation. Voir données complémentaires, page 419.

Comment interpréter l'information, page 10.

QUALITÉS RECHERCHÉES

Les technologues doivent bien sûr être minutieux, mais il leur faut avant tout posséder la capacité de conceptualiser un plan. «C'est très important d'avoir ce côté visuel, considère Israël. Si tu es incapable d'imaginer la construction finale d'un édifice en examinant son plan, il y a peu de chances pour que cet édifice tienne debout...»

Ceux qui désirent travailler dans ce domaine doivent également avoir un bon esprit de synthèse pour pouvoir coordonner tous les éléments qui composent un bâtiment. «Bien souvent, mon patron se charge de trouver le client, raconte Israël. Il me donne ensuite les limites du budget et me dit de commencer les plans.»

Les technologues doivent bien sûr être minutieux, mais il leur faut avant tout posséder la capacité de conceptualiser un plan en deux dimensions.

Le travail se fait souvent en équipe et les relations avec les clients sont quotidiennes; il faut avoir le goût de communiquer avec les gens. En revanche, il n'est pas nécessaire d'avoir du talent en dessin puisque la plupart des plans se font par ordinateur. «Mais quand tu es capable de faire un joli croquis à la main pour le client, c'est tout de même un avantage», estime Israël.

Photo : Collège de Lévis-Lauzon

DÉFIS ET PERSPECTIVES

Selon Gilbert Pelletier, responsable de la coordination du programme au Cégep de Rimouski, les perspectives de placement de ces diplômés sont très bonnes. Il explique que grâce à leur grande polyvalence, à leur maîtrise du dessin technique et à leur connaissance des matériaux de construction, ce sont des sujets de choix pour les cabinets d'architectes, pour l'industrie du bâtiment et pour les secteurs du design d'intérieur ou de la fabrication de meubles. «Certaines pistes de carrière les dirigent même vers des organismes gouvernementaux ou vers des postes au sein des municipalités, poursuit M. Pelletier. Ainsi, un de nos anciens diplômés travaille comme technologue à plein temps pour l'Hôpital Laval. Il est en charge de tous les travaux de construction et de rénovation.» Gilbert Pelletier conclut en rappelant que le défi majeur auquel font face les diplômés réside dans leur habileté à maîtriser les outils de dessin assisté par ordinateur. Ces outils sont de plus en plus nombreux et perfectionnés. On n'a qu'à penser à la tendance actuelle qui est à la modélisation virtuelle des bâtiments en trois dimensions. 02/01

HORAIRES ET MILIEUX DE TRAVAIL

- Les diplômés peuvent être employés par les bureaux d'architectes, d'entrepreneurs, d'ingénieurs-conseils, les usines fabriquant des meubles, des portes et des fenêtres.
- Ils sont souvent travailleurs autonomes pour les projets de moins de 100 000 $.
- Certains travaillent comme designers d'intérieur.
- C'est un milieu très informatisé.
- Il est possible de travailler à l'extérieur pour faire des levés et des croquis sur le terrain.
- Le travail de bureau se fait selon des horaires réguliers.

Technologie de la géodésie

Mélissa Maltais travaille chez Procad, un cabinet d'arpenteurs-géomètres ayant reçu du ministère des Ressources naturelles le mandat de la réfection du cadastre québécois. «C'est un travail de longue haleine qui demande beaucoup d'attention», résume-t-elle.

PROG. 230.02
PRÉALABLE : 13, VOIR PAGE 11

INTÉRÊTS
- aime observer, manipuler, calculer, mesurer, dessiner
- aime se déplacer et travailler à l'extérieur
- aime travailler sur ordinateur
- aime travailler en équipe

APTITUDES
- facilité pour les mathématiques
- grande habileté à comprendre et à utiliser les systèmes et la technologie (informatique et électronique)
- esprit d'équipe et leadership
- bonne perception spatiale

OFFRE DU PROGRAMME PAR RÉGIONS
Montréal-Centre, Québec

RÔLE ET TÂCHES

Les technologues en géodésie sont des spécialistes de la mesure du terrain et du traitement des données. Leur travail sert à délimiter les propriétés foncières, à encadrer les projets de construction, à réaliser des cartes et à gérer le territoire. Chez Procad, Mélissa occupe le poste de calculateur. En d'autres mots, elle fait le ménage dans l'ancien cadastre afin de s'assurer que les lots correspondent bien aux titres de propriété. «La rénovation du cadastre est une tâche particulière, explique Mélissa. C'est un registre de l'État existant depuis 1860 et qui est truffé d'imperfections et de lacunes. Pour m'assurer que les titres de propriété correspondent bien aux lots mentionnés sur l'ancien cadastre, je vérifie la cohérence des mesures, des superficies et du positionnement du terrain par rapport aux autres terrains. J'incorpore ensuite ces données dans un logiciel de dessin qui me permet de créer un cadastre théorique. Celui-ci est comparé aux levés faits sur le site et sert à réaliser le cadastre définitif. C'est un vrai travail de fourmis, car certains titres de propriété sont très longs, parfois centenaires et en anglais.» Mélissa a aussi l'occasion de travailler sur le terrain. C'est une facette du métier qui lui plaît beaucoup. «Lorsqu'on arpente une parcelle, il faut reconnaître le secteur et prendre les mesures à l'aide d'un système GPS, qui fait du positionnement par satellite. C'est une technologie très précise qui permet de travailler plus vite et sur de plus grandes distances, explique-t-elle. En raison du relief et des obstacles, on ne peut cependant pas toujours utiliser les liaisons satellites. On a alors recours à un appareil plus traditionnel que l'on appelle une station totale. C'est une sorte de télémètre qui calcule

	Salaire hebdo moyen	Proportion de dipl. en emploi	Emploi relié	Chômage	Nombre de diplômés
2000	420 $	84,0 %	73,7 %	4,5 %	33
1999	426 $	79,4 %	88,5 %	0,0 %	45
1998	437 $	84,0 %	81,0 %	4,5 %	25

Statistiques tirées de la Relance - Ministère de l'Éducation. Voir données complémentaires, page 419.

Comment interpréter l'information, page 10.

instantanément les angles et les distances. Dans tous les cas, les mesures recueillies sont informatisées et traitées par ordinateur grâce à des logiciels de dessin ou de cartographie.»

QUALITÉS RECHERCHÉES

Pour travailler dans ce domaine, il faut obligatoirement aimer les maths, surtout les mathématiques appliquées telles que la trigonométrie et la géométrie, pour le calcul des angles ou des surfaces. «Il faut aussi être capable de s'adapter aux logiciels courants et à ceux qui sont spécialisés pour le calcul ou la cartographie», dit Mélissa. La minutie et la précision sont également des qualités primordiales. «Il faut comprendre que le résultat de nos travaux est utilisé par les particuliers, les notaires, les entrepreneurs ou les municipalités pour faire des transactions, des projets d'urbanisme ou d'aménagement, explique la jeune femme. Sans compter qu'ils servent aussi au calcul des taxes foncières. Cela exige des levés et des dessins très fiables et exempts d'erreurs.»

Les technologues en géodésie sont des spécialistes de la mesure du terrain et du traitement des données.

DÉFIS ET PERSPECTIVES

«Le domaine de la géomatique connaît un très fort développement, affirme Benoît Hottote, coordonnateur de ce département au Collège de Limoilou. De nombreuses compagnies, ainsi que des municipalités ou des entreprises de services publics sont à la recherche de ces technologues pour faire de l'acquisition de données, du traitement ou de la diffusion d'informations géographiques. Il y a un besoin grandissant de produits tels que des cartes thématiques dites intelligentes.» Selon M. Hottote, les applications de la géomatique sont innombrables. Les industries minière et forestière l'utilisent pour gérer leurs exploitations; le ministère des Ressources naturelles s'en sert pour rénover le cadastre et avoir une meilleure gestion du territoire, tant sur le plan foncier que sur le plan légal; la personne qui désire connaître l'endroit optimal où faire pousser de la vigne aura également recours à la géomatique pour trouver rapidement la zone qui correspond à ses critères de relief, d'ensoleillement et d'humidité. De l'avis du coordonnateur, le croisement des disciplines ouvre de nombreuses avenues. «Les diplômés devront surveiller attentivement les évolutions technologiques, qui sont très rapides dans ce domaine», conclut M. Hottote. 03/01

Photo : Collège Ahuntsic

HORAIRES ET MILIEUX DE TRAVAIL

- Les diplômés peuvent trouver du travail auprès des cabinets d'arpenteurs-géomètres, des firmes d'ingénieurs-conseils, des municipalités, des entreprises d'exploitation forestière, des compagnies de construction ou de géomatique.
- Les employés de ce secteur doivent s'attendre à travailler à l'extérieur pour effectuer les levés et l'arpentage.
- Le milieu de travail est entièrement informatisé.
- Le travail se fait selon des horaires réguliers.
- Il y a possibilité d'avoir à faire des heures supplémentaires le soir ou les fins de semaine pour certains contrats.

Technologie de la mécanique du bâtiment

«La mécanique du bâtiment est vraiment une discipline très complète. Il faut connaître la plomberie, le chauffage, la climatisation, la ventilation pour y exceller. Bref, tout ce qui fait le confort et la sécurité d'un édifice.» Diplômé dans cette technique, Mario Morin est chef d'équipe chez Brookfield-LePage-Johnson Controls.

PROG. 221.03
PRÉALABLE : 11, 20, VOIR P. 11

INTÉRÊTS

- aime les mathématiques, la mécanique et le travail manuel
- aime résoudre des problèmes pratiques
- aime travailler sur ordinateur
- aime communiquer et travailler en équipe

APTITUDES

- sens de l'observation, pragmatisme et débrouillardise
- polyvalence
- sens de la logique
- facilité à communiquer

OFFRE DU PROGRAMME PAR RÉGIONS
Bas-Saint-Laurent, Mauricie, Montérégie, Montréal-Centre, Outaouais, Québec, Saguenay–Lac-Saint-Jean

RÔLE ET TÂCHES

La mission du technologue en mécanique du bâtiment est de rendre les édifices à la fois confortables et sécuritaires. Il s'occupe donc habituellement de la maintenance et de l'entretien des systèmes de chauffage, de climatisation, de ventilation et de protection contre les incendies.

Chez Brookfield-LePage-Johnson Controls, chaque nouveau projet est différent du précédent, car la compagnie fait de la gestion d'immeubles au sens large du terme. Mario peut aussi bien réaménager la chaufferie d'un bâtiment, rénover son circuit de ventilation ou optimiser ses coûts énergétiques en étudiant le système qui offre le meilleur rapport rendement/prix. «Avec le chargé de projet, je visite les lieux, j'observe la configuration initiale des équipements et j'émets une série d'avis et de conseils pour améliorer ou remplacer le système existant, dit-il. Je dois toujours tenir compte du budget prévu à l'origine pour effectuer le travail. C'est pourquoi je contacte moi-même les entreprises susceptibles d'effectuer les travaux afin d'obtenir les meilleurs prix possible.» Mario a la responsabilité de l'entretien et des modifications. «Nous travaillons presque exclusivement pour des bâtiments commerciaux. Je dois connaître les normes de santé et de sécurité sur le bout des doigts pour que les différents systèmes correspondent à ces exigences», dit-il.

L'environnement est aussi une de ses principales préoccupations. Ainsi, lorsqu'il conçoit un nouveau système, il doit s'assurer que les rejets dans

	Salaire hebdo moyen	Proportion de dipl. en emploi	Emploi relié	Chômage	Nombre de diplômés
2000	532 $	76,4 %	83,6 %	1,8 %	95
1999	526 $	68,1 %	93,6 %	5,8 %	96
1998	472 $	80,8 %	81,7 %	2,0 %	133

Statistiques tirées de la Relance - Ministère de l'Éducation. Voir données complémentaires, page 419.

Comment interpréter l'information, page 10.

l'atmosphère ou dans les égouts ne sont pas des sources de pollution et ne nuisent pas à l'environnement.

QUALITÉS RECHERCHÉES

La mécanique du bâtiment est un domaine assez complexe; il s'adresse à des personnes qui aiment résoudre des problèmes et qui sont pourvues d'un bon sens de la logique. «Il faut être très curieux et inventif, dit Mario. C'est un secteur pour lequel il est nécessaire d'avoir le goût de la mécanique de base ainsi qu'une bonne perception spatiale. C'est la combinaison de ces différentes qualités qui permet de trouver rapidement les solutions à la fois sur place et sur plans.» Le métier demande aussi le sens de l'initiative, une bonne capacité de communication et de la disponibilité. «Certains de nos clients ont des bâtiments hébergeant des serveurs et des banques de données. Si un bris mécanique les prive de refroidissement, cela peut endommager leurs équipements et entraîner des coûts considérables. Dans une telle situation, il faut être prêt à intervenir d'urgence.» Les technologues utilisent de plus en plus l'informatique. «Il est important de maîtriser cet outil pour le dessin de plans, le calcul, la gestion des coûts et le traitement de texte», considère Mario.

La mission du technologue en mécanique du bâtiment est de rendre les édifices à la fois confortables et sécuritaires.

Photo : Cégep de Saint-Hyacinthe - Denys Bélanger

DÉFIS ET PERSPECTIVES

«Le métier a énormément évolué, estime Sylvain Lapointe, coordonnateur du département de technologie de la mécanique du bâtiment au Collège de l'Outaouais. Les diplômés utilisent désormais les nouvelles technologies pour concevoir, calculer, dessiner des systèmes de chauffage ou de ventilation. Ils implantent dans les bâtiments des systèmes d'éclairage, d'alarme ou de contrôle d'accès qui sont gérés par ordinateur. C'est un domaine en constante évolution et qui propose des défis très intéressants.»

La principale mission de ces technologues est de coordonner et de concevoir des systèmes qui répondent aux normes de la construction et qui soient parfaitement adaptés à chaque édifice. «Que ce soit pour des projets de réfection, de rénovation ou de construction, leur défi est de choisir le meilleur système, celui qui offrira le meilleur rendement et la plus faible consommation d'énergie. Cela implique une mise à jour continuelle de leurs connaissances pour maîtriser à la fois les nouveaux produits et les nouveaux logiciels.» 03/01

HORAIRES ET MILIEUX DE TRAVAIL

- Les diplômés de ce programme sont embauchés par les compagnies qui vendent, installent et entretiennent des systèmes de chauffage, de climatisation, etc.
- Ils collaborent avec des ingénieurs, des architectes, des électriciens et des plombiers.
- Le travail se fait habituellement selon des horaires de bureau réguliers.
- Il est possible d'avoir à travailler sur appel, le soir, la nuit ou les fins de semaine.

Technologie de l'estimation et de l'évaluation en bâtiment

C'est le beau-frère de Mélissa Thibault, estimateur en électricité, qui lui a donné la piqûre. D'abord en lui vantant son métier, ensuite en lui faisant miroiter les nombreuses possibilités d'emploi. Aujourd'hui, estimatrice pour la firme d'ingénieurs BPR, elle est certaine d'avoir trouvé sa voie!

PROG. 221.04
PRÉALABLE : 11, 20, VOIR P. 11

INTÉRÊTS

- aime le domaine de la construction et le marché de l'immobilier
- aime communiquer et coopérer
- aime se déplacer, observer, inspecter et calculer
- aime travailler sur ordinateur et au téléphone

APTITUDES

- esprit d'analyse, rigueur et minutie
- sens de l'observation et jugement
- beaucoup de facilité à communiquer et à coopérer
- habileté à calculer et à utiliser l'informatique
- polyvalence et mobilité

OFFRE DU PROGRAMME PAR RÉGIONS
Centre-du-Québec, Laval, Québec

RÔLE ET TÂCHES

Le diplôme de technologie de l'estimation et de l'évaluation en bâtiment ouvre deux portes : celle de l'estimation et celle de l'évaluation. L'estimateur prévoit le prix d'un projet de construction, alors que l'évaluateur détermine la valeur marchande d'un immeuble. Après un stage de six semaines dans l'entreprise de son beau-frère, Mélissa a découvert que c'était l'estimation qui l'intéressait. Le rôle de Mélissa, au sein de BPR, est d'estimer le coût de construction d'un bâtiment quelconque. Ainsi, lorsqu'il y a un projet de construction, l'ingénieur vient la voir pour qu'elle évalue le projet et tente de faire en sorte que les budgets soient respectés. «Pour les fondations d'un immeuble, je regarde la hauteur et la longueur du bâtiment et j'évalue ensuite les quantités de béton, de coffrages et d'armatures nécessaires, dit-elle. Je dois aussi calculer les prix des matériaux et de la main-d'œuvre. Je recommence la même procédure pour chaque partie du bâtiment.» Le travail demande évidemment de savants calculs mathématiques, des calculs de superficie et de volume. Tous ces chiffres, Mélissa les entre dans un ordinateur. Et il faut être vigilant! Les erreurs coûtent cher... «Une erreur de formule et tu viens de te tromper de 20 000 $!»

Autre facteur dont on doit absolument tenir compte : la variation des prix. «Les coûts varient selon l'endroit où la construction sera faite, selon les matériaux qui seront utilisés et en fonction de la période de l'année», explique-t-elle.

À entendre parler Mélissa de coffrages, de béton et d'armatures, on n'est pas surpris d'apprendre qu'elle fait un métier où les femmes sont peu

	Salaire hebdo moyen	Proportion de dipl. en emploi	Emploi relié	Chômage	Nombre de diplômés
2000	498 $	83,3 %	100,0 %	0,0 %	15
1999	460 $	79,2 %	84,2 %	0,0 %	32
1998	443 $	81,0 %	77,4 %	8,1 %	43

Statistiques tirées de la Relance - Ministère de l'Éducation. Voir données complémentaires, page 419.

Comment interpréter l'information, page 10.

nombreuses. «Il n'y a pas beaucoup d'estimatrices, admet-elle. À l'école, on était 6 filles sur 15 élèves et, dans l'entreprise, je travaille avec 3 hommes. Il faut avoir du caractère. Mais je ne trouve pas ça si difficile étant donné que j'ai toujours côtoyé des garçons. J'ai fait beaucoup de sports d'équipe avec eux.» Elle ajoute en riant : «Et ce n'est pas parce que je suis un garçon manqué!»

QUALITÉS RECHERCHÉES

«Il faut être extrêmement méthodique pour savoir où l'on s'en va et ne rien oublier. Il faut aussi avoir une très bonne concentration pour éviter les erreurs de calcul», explique Mélissa. Le sens de l'observation et la minutie sont également requis. Et il est quasi essentiel d'avoir la faculté de «voir en 3D», c'est-à-dire être capable d'imaginer un bâtiment fini à la seule vue de son plan. Aimer travailler en équipe, avoir de l'entregent et posséder des qualités de communication sont d'autres atouts recherchés.

«Il faut être extrêmement méthodique pour savoir où l'on s'en va et ne rien oublier. Il faut aussi avoir une très bonne concentration pour éviter les erreurs de calculs.»

— Mélissa Thibault

DÉFIS ET PERSPECTIVES

Les métiers d'estimateur et d'évaluateur étant différents, les diplômés font donc face à des défis distincts. «Le principal défi de l'estimateur est de faire preuve de professionnalisme afin d'obtenir la confiance de son patron. Le diplômé joue avec les sous de son patron. L'entreprise se sert du travail de l'estimateur pour soumissionner. Il est donc important que les prévisions aient été bien faites si l'on veut que les contrats soient rentables. Il en va de l'avenir de l'entreprise, explique Francine Fortin, coordonnatrice du programme de technologie de l'estimation et de l'évaluation en bâtiment au campus Notre-Dame-de-Foy. Quant à l'évaluateur, son défi est d'être ouvert à tout ce qui se passe et d'être en contact avec les tendances du marché immobilier.» Mme Fortin prévoit qu'au cours des prochaines années, la mondialisation des marchés de la construction se fera sentir de plus en plus. «Le domaine de la construction n'est pas statique, dit-elle. Il faut suivre l'innovation et être à l'affût.» L'estimateur devra, à son avis, pouvoir suivre le courant et exporter son savoir-faire dans le monde entier. Quant à l'évaluateur, son travail d'analyse se verra modifié par la mécanisation et la géomatique. Le diplômé doit donc être préparé à travailler avec ces nouveaux outils. 03/01

Photo : PPM

HORAIRES ET MILIEUX DE TRAVAIL

- Les diplômés peuvent trouver du travail auprès des firmes d'évaluation privées, des compagnies d'assurances, des municipalités, des entrepreneurs de construction, des firmes d'ingénieurs, des organismes gouvernementaux et paragouvernementaux, des propriétaires de parcs immobiliers et des experts en sinistre.
- Dans ce domaine, les horaires sont réguliers et les employés travaillent de 9 h à 17 h.

Technologie du génie civil

«Quand j'ai choisi ce cours, c'étaient surtout le travail à l'extérieur, l'arpentage et l'étude des sols qui m'intéressaient», raconte Marc Raby. Aujourd'hui, il est directeur technique du Groupe Poly-Tech, firme sherbrookoise de consultants en environnement et génie civil dont il est cofondateur.

PROG. 221.02
PRÉALABLE : 12, 20, VOIR P. 11

INTÉRÊTS
- aime les mathématiques et la construction
- aime observer, vérifier, mesurer, calculer et dessiner
- aime travailler sur ordinateur et à l'extérieur
- aime travailler en équipe

APTITUDES
- curiosité et bonne capacité d'adaptation
- polyvalence : esprit scientifique, pragmatique et artistique
- rigueur, sens des responsabilités et minutie
- assurance et fermeté

OFFRE DU PROGRAMME PAR RÉGIONS
Abitibi-Témiscamingue, Bas-Saint-Laurent, Chaudière-Appalaches, Côte-Nord, Estrie, Lanaudière, Laval, Mauricie, Montréal-Centre, Outaouais, Québec, Saguenay–Lac-Saint-Jean

RÔLE ET TÂCHES

«Notre plus gros créneau, qui constitue 60 % de notre chiffre d'affaires, précise Marc Raby, c'est la conception d'installations d'assainissement des eaux. Nous effectuons des essais de percolation du terrain, c'est-à-dire des analyses du sol pour déterminer le taux d'infiltration des eaux usées dans le sous-sol, en fonction notamment de la pente et de la densité du roc sous-jacent, afin d'indiquer le meilleur emplacement pour les installations d'assainissement. Puis il faut voir à la réalisation des travaux selon les normes. Les autres 40 %, ce sont les entrepreneurs, les municipalités et les gouvernements qui nous les assurent : branchements d'égouts et d'aqueducs, voirie, arpentage de construction, analyses des sols, essais de matériaux, bref tout ce qui a trait au génie civil en général.»

«Bien qu'un nombre croissant de nos diplômés s'établissent pour leur compte, comme sous-traitants ou consultants, j'aime répéter que le technologue en génie civil est le bras droit de l'ingénieur, déclare Pauline Rivard, coordonnatrice du programme en technologie du génie civil au Collège de Sherbrooke. L'ingénieur a l'idée, il fait la conception générale du projet, mais tout ce qui est soumis à des normes, c'est le technologue en génie civil qui s'en occupe. Par exemple, il détermine le genre d'attache qui s'impose pour arrimer telle poutrelle à telle colonne, et décide des processus de manipulation des divers éléments sur le chantier. Bref, c'est lui qui fait le lien entre la vision de l'ingénieur et sa réalisation par l'entrepreneur. Et même s'il dessine lui-même les plans et devis, le technologue ne peut les signer : seul un ingénieur peut le faire.»

	Salaire hebdo moyen	Proportion de dipl. en emploi	Emploi relié	Chômage	Nombre de diplômés
2000	531 $	53,4 %	85,7 %	9,3 %	190
1999	532 $	53,1 %	82,0 %	13,0 %	242
1998	497 $	56,3 %	70,2 %	18,2 %	271

Statistiques tirées de la Relance - Ministère de l'Éducation. Voir données complémentaires, page 419.

Comment interpréter l'information, page 10.

QUALITÉS RECHERCHÉES

«On aime avant tout le travail bien fait, et on se doit d'être attentif à tous les détails pouvant influencer la qualité d'une construction, d'un aménagement quelconque, explique Marc Raby : de l'élaboration des plans et devis à la supervision des travaux, en passant par les analyses des sols, les essais des matériaux et autres expertises. Il faut savoir travailler en équipe, mais aussi s'imposer, ne pas se laisser marcher sur les pieds et faire preuve de beaucoup de rigueur professionnelle.»

«Un bon technologue en génie civil est quelqu'un qui aime passer à l'action et qui est très minutieux, ajoute Pauline Rivard. C'est lui qui voit au respect des normes gouvernementales en matière de construction, tel le Code du bâtiment, et il faut qu'il suive les règles scrupuleusement. Les contraintes sont souvent énormes, il y a beaucoup d'argent en jeu, mais en aucun cas peut-il se permettre de couper les coins ronds. Il doit être précis et avoir le souci du détail, le sens des responsabilités. Ça prend aussi des gens polyvalents, capables de passer de la table à dessin au chantier au laboratoire.»

«Il y a de plus en plus de débouchés en génie civil, dans tous les domaines reliés à la construction.»

— Pauline Rivard

DÉFIS ET PERSPECTIVES

«Il y a de plus en plus de débouchés en génie civil, dans tous les domaines reliés à la construction, fait remarquer Pauline Rivard. Les plus gros employeurs sont les firmes d'ingénieurs-conseils, les municipalités, le ministère des Transports, Hydro-Québec et toutes les entreprises d'installation et d'aménagement d'infrastructures. Et l'environnement aussi nous mobilise de plus en plus : l'assainissement des eaux, la décontamination des sites, sans compter la réfection des infrastructures vieillissantes qu'on a peut-être un peu négligées pendant les années de vaches maigres. Il y a aussi la gestion du territoire, où le génie civil se marie avec l'urbanisme.»

Photo : Cégep du Vieux Montréal - Patrick Bernèche

Les perspectives d'avenir sont très prometteuses pour les technologues en génie civil, et la possibilité de se perfectionner, à l'École de technologie supérieure ou à l'université, est toujours ouverte. «Notre but est de former des diplômés intéressés à poursuivre leur formation, conclut Mme Rivard. Que ce soit en classe ou sur le terrain, en situation de travail, ils ne cessent d'apprendre.» 09/99

HORAIRES ET MILIEUX DE TRAVAIL

- Ce sont en général les horaires et les calendriers des firmes d'ingénierie et des chantiers de construction qui déterminent les heures de travail du technologue en génie civil.
- Les chantiers sont tout autant tributaires des caprices de la météo que de la diligence des entrepreneurs; il faut se montrer flexible.
- En cas d'échéanciers serrés, il faut s'attendre à faire des heures supplémentaires.

PAGES 204 ⇓ 215

SECTEUR 8

ENVIRONNEMENT ET AMÉNAGEMENT DU TERRITOIRE

Au Québec, selon le ministère de l'Industrie et du Commerce (MIC), l'industrie de l'environnement affiche un chiffre d'affaires de deux milliards de dollars par année et compte actuellement plus de 750 entreprises qui emploient quelque 20 000 personnes.

La manutention des matières résiduelles est le secteur qui fait travailler le plus de personnes. Les fabricants d'équipement, les firmes de recyclage industriel et de décontamination, les laboratoires de recherche et les firmes d'experts-conseils sont aussi des employeurs potentiels. Le domaine de la foresterie offre également de bons débouchés, notamment dans la gestion des forêts, la supervision des coupes et l'aménagement du territoire.

Selon Robert Ouellet, directeur général du Comité sectoriel de main-d'œuvre de l'environnement, les entreprises sont beaucoup plus nombreuses à gérer elles-mêmes leurs déchets et leurs contaminants dangereux depuis quelques années. On les retrouve dans des secteurs aussi variés que la métallurgie, la téléphonie, l'électricité, etc., où bon nombre d'entre elles offrent aussi des services spécialisés en environnement.

Selon le MIC, l'entrée en vigueur de normes environnementales plus sévères devrait également contribuer à la croissance de l'emploi dans ce secteur. On note, par exemple, qu'il y a de plus en plus d'ouvertures dans le domaine municipal pour les diplômés en techniques d'aménagement du territoire. On les embauche notamment pour réviser les plans d'urbanisme, vérifier la conformité des bâtiments et veiller à la mise en application des règlements. 05/01

INTÉRÊTS

- aime les sciences et la gestion
- est passionné par la nature
- aime vivre et travailler en plein air
- aime appliquer et faire respecter des règlements
- aime communiquer avec le public

APTITUDES

- curiosité et excellent sens de l'observation
- discernement et sens des responsabilités
- bonne résistance physique
- grande autonomie et débrouillardise
- facilité d'expression verbale

LE SAVIEZ-VOUS ?

La réhabilitation du Saint-Laurent est l'un des importants efforts environnementaux consentis au cours des dernières années. Entre 1988 et 1998, plus de 300 millions de dollars ont été investis par les gouvernements provincial et fédéral. Les entreprises ont elles aussi largement contribué à la réduction des rejets toxiques dans le fleuve.

Source : *Les carrières d'avenir au Québec*, Le groupe de recherche Ma Carrière, édition 2001.

RESSOURCES INTERNET

DESCRIPTION DES PROGRAMMES DU SECTEUR
http://www.meq.gouv.qc.ca/ens-sup/ens-coll/Cahiers/sect-08.htm
Vous trouverez sur cette page une description des programmes de ce secteur de formation, comprenant les exigences d'admission et un bref résumé de chaque cours. Pour chaque programme, vous pourrez aussi accéder à la liste des établissements qui l'offrent et à la dernière relance de ses diplômés.

CONSEIL CANADIEN DES RESSOURCES HUMAINES DE L'INDUSTRIE DE L'ENVIRONNEMENT
http://www.cchrei.ca/
Ce site présente ÉconoJeunesse, un programme de stages en environnement. Il répondra aussi à plusieurs de vos questions sur le marché du travail dans ce secteur d'activité.

BUREAU VIRTUEL DE L'INDUSTRIE ENVIRONNEMENTALE – QUÉBEC
http://VirtualOffice.ic.gc.ca/qc/french/fpar.htm
La section «Ressources humaines» du Bureau virtuel offre plusieurs renseignements sur les formations, les offres d'emploi dans le Web et les programmes de stages.

Techniques d'aménagement cynégétique et halieutique

Technicien de la faune au service du ministère provincial Environnement et Faune, Marc Talbot est responsable de la gestion des ressources en saumon sur un territoire s'étendant entre Tadoussac et Baie-Trinité, en Haute-Côte-Nord.

PROG. 145.04
PRÉALABLE : 11, 20, VOIR P. 11

INTÉRÊTS
- aime travailler en plein air
- aime gérer et entretenir les sites de chasse et de pêche
- aime le travail en biologie
- aime œuvrer au sein d'une équipe

APTITUDES
- bon sens de l'organisation et de la coopération
- jugement sûr
- capacité de prendre des décisions
- bonne condition physique

OFFRE DU PROGRAMME PAR RÉGIONS
Côte-Nord

RÔLE ET TÂCHES

Le rôle d'un technicien en aménagement cynégétique et halieutique est de voir à l'entretien et, éventuellement, à l'exploitation de sites de chasse ou de pêche. Sa formation lui permet de procéder à l'entretien des diverses installations (bâtiments, chalets, ponts), ainsi qu'à veiller sur les différentes ressources du territoire (poissons, petit ou gros gibier). Il peut donc travailler tout autant sur les infrastructures entourant les activités de chasse et de pêche, comme la construction ou la réparation de chemins, qu'à la protection des ressources, par la détermination de quotas de pêche ou par des tests de qualité de l'eau par exemple. Une partie de sa formation étant consacrée à la gestion, le diplômé peut également accomplir des tâches administratives, comme l'élaboration d'un plan de marketing.

Le travail de Marc s'effectue conjointement avec les gestionnaires qui ont la responsabilité d'exploiter des rivières à saumon sur son territoire. «Je dois m'assurer que la gestion de la ressource se fait dans les règles de l'art, suivant les normes et les restrictions qu'on peut imposer chaque année, explique Marc. Pour cela, on compile des données concernant les captures et les montaisons de saumons (la migration des saumons qui montent en eau douce pour aller frayer), on analyse et on ajuste les quotas en conséquence.» Le travail de Marc ne se résume pas qu'à la gestion. «Je procède aussi à de l'ensemencement, de même qu'au relevé de différentes informations biologiques, par le marquage de poissons par exemple. Je m'occupe des passes migratoires de certaines rivières; ces passes – c'est comme un escalier à

	Salaire hebdo moyen	Proportion de dipl. en emploi	Emploi relié	Chômage	Nombre de diplômés
2000	488 $	47,4 %	44,4 %	35,7 %	23
1999	406 $	36,8 %	60,0 %	46,2 %	25
1998	416 $	58,3 %	25,0 %	10,0 %	25

Statistiques tirées de la Relance - Ministère de l'Éducation. Voir données complémentaires, page 419.

Comment interpréter l'information, page 10.

poissons – sont installées dans des rivières où le saumon ne peut accéder naturellement au site de reproduction. Au début de la saison, je vais ouvrir les passes et les ajuster en fonction du débit, de façon à permettre aux poissons de franchir la rivière.»

QUALITÉS RECHERCHÉES

Le technicien en aménagement cynégétique et halieutique doit être un grand amateur de nature et de plein air. Si certaines de ses tâches peuvent s'effectuer dans un bureau, le gros du travail se fait les deux pieds dans l'eau ou à quatre pattes dans un sous-bois. «Il faut avoir le feu sacré, la passion du travail en biologie, confirme Marc. Aimer le travail avec la nature est essentiel. Il faut aussi être prêt à travailler en région un peu éloignée, car les postes peuvent être plus nombreux. Et quand tu travailles dans une zone d'exploitation contrôlée (ZEC) ou une pourvoirie, c'est loin des grands centres.»

«Je dois m'assurer que la gestion de la ressource se fait dans les règles de l'art, suivant les normes et les restrictions qu'on peut imposer chaque année.»

— Marc Talbot

Le technicien doit également avoir des aptitudes pour le travail d'équipe, puisqu'il travaillera rarement seul, mais plutôt avec d'autres techniciens ou des biologistes et des ingénieurs forestiers. Un bon sens de l'organisation et de la coopération, ainsi qu'un jugement sûr doivent faire partie de ses qualités, car il aura beaucoup de décisions à prendre dans ses différentes tâches. Enfin, il sera en bonne condition physique, prêt à travailler dans des situations parfois difficiles et à la merci des intempéries.

Photo : Cégep de Baie-Comeau

DÉFIS ET PERSPECTIVES

Alain Landry, coordonnateur du programme d'aménagement cynégétique et halieutique au Cégep de Baie-Comeau, croit que les futurs techniciens auront un plus large choix de carrière. «Il faut ajouter quelques réalités nouvelles. Le tourisme d'aventure, par exemple, est un secteur en plein essor, que ce soit pour de la descente de rivière, de l'escalade ou de l'interprétation du milieu. Nos diplômés peuvent démarrer leur propre entreprise ou proposer un volet tourisme d'aventure à des pourvoiries qui offrent déjà la chasse et la pêche. C'est réellement un secteur très prometteur.» 09/96

HORAIRES ET MILIEUX DE TRAVAIL

- Les ZEC, les pourvoiries, les ministères fédéraux et provinciaux, ainsi que les firmes privées de consultants en biologie peuvent offrir du travail au technicien.
- Les bases de plein air et les centres d'interprétation de la nature sont aussi des employeurs potentiels.
- Un volet de la formation étant consacré à la botanique, le diplômé peut effectuer des inventaires floristiques pour le compte de compagnies forestières.
- Le travail d'un technicien est généralement réparti sur six mois, soit de mai à octobre, ce qui en fait un emploi saisonnier.
- Durant la forte saison, le diplômé peut travailler pratiquement sept jours sur sept.
- Les horaires peuvent être irréguliers et soumis aux obligations de la nature.

Techniques d'aménagement du territoire

Durant sa formation en techniques d'aménagement du territoire, Stéphanie Mercier a effectué plusieurs stages au sein du ministère des Ressources naturelles. Ses bonnes performances lui ont valu un emploi. «Aménager notre patrimoine naturel tout en le préservant est une mission très stimulante», dit-elle.

PROG.222.01/222.A0
PRÉALABLE : 11, VOIR PAGE 11

INTÉRÊTS

- se soucie des personnes et de l'environnement
- aime apprendre et appliquer des normes, observer, calculer, vérifier
- aime coopérer, communiquer et travailler pour les gens
- aime un travail varié (bureau, terrain)

APTITUDES

- sens du service au public et du travail d'équipe
- sens des responsabilités et minutie
- respect pour les lois, les normes et les règlements
- polyvalence et débrouillardise
- être prêt à travailler en région

OFFRE DU PROGRAMME PAR RÉGIONS
Bas-Saint-Laurent, Montréal-Centre, Saguenay–Lac-Saint-Jean

RÔLE ET TÂCHES

Stéphanie travaille pour le secteur «territoire» du ministère des Ressources naturelles. Au terme de ses études, elle a été embauchée comme technicienne par le bureau régional de Rouyn-Noranda. Ce bureau a pour mission particulière de développer l'aménagement des zones naturelles de la région Abitibi-Témiscamingue. «J'utilise les bases de données qui concernent ce territoire pour trouver les endroits les plus propices à l'implantation de constructions résidentielles, explique Stéphanie. Les gens viennent ensuite nous consulter pour savoir où et comment il est permis de construire.»

Pour les techniciens en aménagement du territoire, appliquer les règlements est une seconde nature. Ils doivent connaître les lois pour assurer le respect de l'environnement, la sécurité des personnes et le droit de propriété. «Je consulte régulièrement la base géographique régionale qui dresse l'inventaire des baux du ministère. Cela évite, par exemple, d'autoriser la construction d'un chalet au beau milieu d'un camp de chasse», explique Stéphanie.

Tous les endroits sélectionnés par Stéphanie sont mis sur plans et ces plans sont envoyés à Québec où ils sont numérisés. Ils rejoignent ensuite la base de données du territoire. «Près de 94 % des terres du Québec appartiennent au domaine public. Mon rôle est d'aménager ce territoire, mais également de préserver ses richesses et sa diversité. C'est pourquoi il faut, avant de classer une zone constructible, étudier des accès ou des systèmes d'épuration des eaux qui soient en accord avec la protection de l'environnement. C'est un travail très valorisant et pas monotone du tout.»

	Salaire hebdo moyen	Proportion de dipl. en emploi	Emploi relié	Chômage	Nombre de diplômés
2000	449 $	76,5 %	63,6 %	0,0 %	21
1999	408 $	50,0 %	85,7 %	12,5 %	18
1998	418 $	60,0 %	37,5 %	14,3 %	20

Statistiques tirées de la Relance - Ministère de l'Éducation. Voir données complémentaires, page 419.

Comment interpréter l'information, page 10.

QUALITÉS RECHERCHÉES

L'esprit d'analyse et l'objectivité sont deux qualités primordiales pour travailler dans ce domaine. Les technologues en aménagement du territoire doivent pouvoir synthétiser de nombreuses informations avant d'arriver à une conclusion. «Il faut vraiment penser à tout, croiser les données et vérifier tous les facteurs, estime Stéphanie. Nos décisions doivent être réfléchies et étayées. Nous sommes d'abord au service des citoyens», insiste-t-elle. Il faut également aimer le travail en équipe. «Je dois souvent appeler d'autres départements du ministère pour recevoir ou transmettre des informations, explique Stéphanie. Il faut avoir une bonne expression écrite et verbale ainsi que le sens de la communication.»

«L'inspecteur municipal est de plus en plus sensibilisé à son rôle de protecteur de l'environnement; il sait que les développements urbains ont un impact sur le milieu naturel et il essaie de préserver cet équilibre écologique.»

— Louis Fradette

DÉFIS ET PERSPECTIVES

«De nombreux défis attendent les jeunes diplômés, affirme Louis Fradette, coordonnateur du département d'aménagement et d'urbanisme au Cégep de Matane. L'inspecteur municipal est de plus en plus sensibilisé à son rôle de protecteur de l'environnement; il sait que les développements urbains ont un impact sur le milieu naturel et il essaie de préserver cet équilibre écologique.»

Photo : Collège de Rosemont

Selon lui, l'autre tendance forte du moment est la géomatique. «C'est un domaine encore peu connu, mais qui se développe énormément, dit-il. Il s'agit de la gestion du territoire par informatique. Certaines compagnies proposent ainsi des cartes topographiques et des modélisations en trois dimensions grâce à la numérisation de photos aériennes ou satellites. C'est le secteur à surveiller.» Si l'on en croit Louis Fradette, le placement ne pose pas de problème pour les diplômés de ce programme. À son avis, c'est toujours le domaine municipal qui offre le plus d'ouvertures. «Le nombre de diplômés a du mal à couvrir les besoins d'inspecteurs des municipalités, dit-il. On compte en effet au moins un inspecteur municipal dans chaque ville d'environ 5 000 habitants et un dans chaque municipalité régionale de comté (MRC); ça fait beaucoup de postes à renouveler.» D'autres pistes d'emploi existent du côté des compagnies spécialisées dans l'arpentage et la cartographie ainsi que dans les services du ministère des Ressources naturelles qui s'occupent de la gestion et de l'aménagement des territoires ruraux. 02/01

* *Ce programme est en voie d'être remplacé par le nouveau programme Techniques d'aménagement et d'urbanisme, 222.A0.*

HORAIRES ET MILIEUX DE TRAVAIL

- Les diplômés sont employés par les municipalités, les bureaux d'arpenteurs et de cartographes et par le ministère des Ressources naturelles.
- Les missions d'arpentage ou de contrôle se font à l'extérieur, le plus souvent en milieu urbain.
- L'environnement de travail est de plus en plus informatisé.
- Le travail se fait selon des horaires réguliers.

Techniques d'écologie appliquée

François Gagnon entretient une passion pour la nature depuis sa plus tendre enfance. C'est un paradis pour lui. Déjà, très jeune, il se rendait fréquemment au Jardin zoologique de Québec avec ses parents. Devenir technicien de la faune pour la Société de la faune et des parcs à Rivière-du-Loup allait donc de soi...

PROG. 145.01
PRÉALABLE : 11, 30, 40 VOIR P. 11

INTÉRÊTS

- préfère l'effort et l'aventure à la sécurité et à la stabilité
- est passionné d'écologie (respect de la faune et de la flore)
- aime travailler en plein air et au rythme de la nature
- aime observer, s'informer, analyser et calculer
- aime se sentir utile

APTITUDES

- habileté pour les sciences (biologie, sciences de la nature)
- sens de l'observation, débrouillardise et autonomie
- résistance physique et habileté manuelle
- capable de travailler seul et en équipe

OFFRE DU PROGRAMME PAR RÉGIONS
Bas-Saint-Laurent, Estrie, Montréal-Centre

RÔLE ET TÂCHES

La spécialité de François, c'est la faune aquatique. C'est dans cette discipline qu'il a fait un stage portant sur le suivi de la reproduction de l'éperlan arc-en-ciel. Son travail consistait à recueillir des spécimens, à les dénombrer, à les diviser selon leur sexe et à conserver certains d'entre eux pour faire, ultérieurement, une lecture d'âge. «Ce travail permettait d'établir l'état de la population des éperlans dans cette rivière, explique-t-il. Ça permettait également de constater l'état de santé de la rivière et de savoir si cet état est menacé.» Son travail à la Société de la faune et des parcs à Rivière-du-Loup est sensiblement le même. Sauf que, cette fois, François travaille à plusieurs projets à la fois : les pêcheries d'anguilles, la population d'éperlans et les ravages des cerfs de Virginie. *Grosso modo*, il recueille sur le terrain des données qui vont aider à comprendre les phénomènes biologiques et environnementaux. À la Société, il travaille avec des biologistes. Ces derniers montent les projets, alors que les techniciens s'occupent de la cueillette des données sur le terrain. Ils rapportent ensuite les échantillons recueillis aux biologistes, qui les analysent et inscrivent leurs résultats dans un rapport.

Comme François travaille avec la nature, son emploi suit le rythme des saisons. Au printemps, c'est la période de préparation des projets qui vont être menés l'été et l'automne suivants. C'est aussi le moment où il rédige les protocoles de recherche. L'été, il est sur le terrain pour recueillir les échantillons. «On y est presque tous les jours. Si la pluie nous empêche d'effectuer nos tâches, on fait du travail de bureau.» L'automne et l'hiver sont les

	Salaire hebdo moyen	Proportion de dipl. en emploi	Emploi relié	Chômage	Nombre de diplômés
2000	416 $	48,6 %	80,0 %	22,7 %	47
1999	347 $	46,7 %	46,2 %	17,6 %	38
1998	330 $	47,1 %	50,0 %	23,8 %	39

Statistiques tirées de la Relance - Ministère de l'Éducation. Voir données complémentaires, page 419.

Comment interpréter l'information, page 10.

saisons où l'on analyse les données recueillies; on rédige également des rapports et l'on effectue d'autres activités administratives. On complète aussi des projets laissés en suspens.

Interrogé sur sa conscience environnementale, François Gagnon répond honnêtement. «Lorsqu'on travaille avec la nature, on développe une conscience environnementale, mais on comprend aussi les aspects socioéconomiques des problèmes, dit-il. C'est un peu comme si on voyait les deux côtés de la médaille. Doit-on demander à un agriculteur de changer une méthode qu'il utilise depuis toujours parce qu'elle est nocive pour l'environnement?»

«Lorsqu'on travaille avec la nature, on développe une conscience environnementale, mais on comprend aussi les aspects socioéconomiques des problèmes.»

— François Gagnon

QUALITÉS RECHERCHÉES

Pour travailler dans ce domaine, il faut posséder un bon sens des responsabilités et de la débrouillardise. La dextérité est aussi de mise, car il y a beaucoup de manipulations à faire. Il faut de plus aimer travailler en équipe.

Comme la question environnementale est au cœur même du travail du diplômé, celui-ci doit être conscient des enjeux. Et être un amoureux de la nature est, bien sûr, essentiel!

Photo : Cégep de La Pocatière

DÉFIS ET PERSPECTIVES

Le diplômé se doit d'être polyvalent et de posséder une bonne capacité d'adaptation. «La diversité des tâches et les équipes nombreuses au sein desquelles il devra travailler seront des défis pour lui, explique Patrick Boutin, enseignant en techniques d'écologie appliquée au Cégep de La Pocatière. Il peut se retrouver sur un bateau de pêche comme en milieu forestier, dit-il. Il peut aussi travailler en laboratoire.»

Des nouveaux secteurs sont en voie de développement, offrant nombre de débouchés aux diplômés en techniques d'écologie appliquée. L'agroenvironnement en est un. «C'est dans ce domaine qu'on agira efficacement sur le plan de la gestion durable des ressources renouvelables comme la foresterie, l'agriculture, la faune, la flore, l'eau, etc.», affirme M. Boutin. Tout comme l'aquaculture, spécialité d'où l'on voit émerger de nouvelles techniques d'élevage. L'enseignant remarque aussi un développement marqué des domaines de l'écotourisme et de l'écoforesterie. 03/01

HORAIRES ET MILIEUX DE TRAVAIL

- Les employeurs se situent à tous les paliers de gouvernement : fédéral, provincial et municipal.
- Les diplômés peuvent aussi trouver du travail auprès des centres d'interprétation de la nature, des cégeps et universités, des centres éducatifs, des parcs, des sociétés de gestion de la faune, des réserves fauniques, des zones d'exploitation contrôlée, des pourvoiries et des clubs agroenvironnementaux.
- Les diplômés travaillent en général de 9 h à 17 h, mais il est aussi possible de travailler le soir et les fins de semaine.
- Les emplois dans ce secteur sont souvent saisonniers.

Techniques d'inventaire et de recherche en biologie

Jescika Lavergne travaille depuis un an chez AES Global, une compagnie qui produit et commercialise des biopesticides. «Je planifie des expériences avec nos produits pour voir leur effet sur les insectes auxquels nous nous intéressons, explique la jeune femme. C'est un travail à long terme.»

PROG. 145.02
PRÉALABLE : 11, 30, VOIR P. 11

INTÉRÊTS

- aime travailler dans un laboratoire
- aime chercher et analyser
- aime manipuler et calculer avec grande précision
- aime respecter des normes de qualité et de sécurité
- aime communiquer

APTITUDES

- facilité pour les sciences (biologie, chimie, math)
- excellente capacité de concentration
- dextérité
- sens des responsabilités, minutie et autonomie
- facilité à communiquer et à vulgariser de l'information

OFFRE DU PROGRAMME PAR RÉGIONS
Québec

RÔLE ET TÂCHES

Jescika est rattachée au département d'entomologie de sa compagnie. Elle s'occupe plus spécialement de tester les effets de différents biopesticides. «J'ai une grande autonomie, dit-elle. Dans le laboratoire, je planifie les expériences et je commande le matériel nécessaire aux manipulations. Comme il s'agit souvent de matériel vivant, je dois être particulièrement organisée. Ainsi, si j'ai besoin de plants de chou pour une série de tests, je dois tenir compte qu'il faut deux mois avant d'obtenir le type de feuillage qui m'intéresse.» Outre l'aspect technique de sa tâche, Jescika doit veiller à l'ensemble du processus entourant l'expérimentation. «Pour chaque nouveau projet, je dois d'abord rechercher un maximum d'informations sur le sujet dans les publications spécialisées et parmi les sites Internet. Une fois que j'ai vérifié la faisabilité de l'expérience, il faut que j'établisse un protocole scientifiquement rigoureux.» Les biopesticides sont des insecticides biologiques développés à partir de certaines bactéries. Celles-ci s'attaquent à un type d'insecte spécifique, comme les chenilles de papillons qui dévorent les bourgeons d'épinettes. «J'imagine et je mets en place des expériences démontrant l'efficacité du produit sur les insectes et son innocuité sur le milieu.»

Tous les résultats de ces manipulations doivent être analysés et compilés dans des rapports. C'est une partie importante de son travail. «Lorsque je fais des essais sur le terrain pour contrôler la qualité d'un produit, j'effectue le suivi de la pulvérisation en prenant régulièrement des notes, explique-t-elle. J'analyse et je décris la réaction des insectes, je rédige des documents

	Salaire hebdo moyen	Proportion de dipl. en emploi	Emploi relié	Chômage	Nombre de diplômés
2000	450 $	50,0 %	90,0 %	20,0 %	32
1999	439 $	75,0 %	57,1 %	0,0 %	25
1998	400 $	45,5 %	100,0 %	41,2 %	23

Statistiques tirées de la Relance - Ministère de l'Éducation. Voir données complémentaires, page 419.

Comment interpréter l'information, page 10.

qui expliquent les conditions de l'expérience et je détaille les résultats comparatifs entre l'insecticide biologique et l'insecticide chimique.»

QUALITÉS RECHERCHÉES

L'autonomie et le sens de l'initiative sont des qualités demandées à ces techniciens. «La plupart du temps, on travaille en équipe, mais on est livré à soi-même pour réaliser la partie du projet dont on est responsable, précise Jescika. Dans mon laboratoire, il n'y a personne au-dessus de moi. Je dois m'organiser pour que les expériences et les résultats soient disponibles à temps.» Ce type de travail nécessite aussi beaucoup de professionnalisme et un grand sens des responsabilités. En biologie et dans le domaine des biotechnologies, il faut être précis et minutieux, car on manipule et on analyse des produits vivants. «Il faut constamment garder le contrôle des expériences, dit Jescika.»

En biologie et dans le domaine des biotechnologies, il faut être précis et minutieux, car on manipule et on analyse des produits vivants.

DÉFIS ET PERSPECTIVES

Hélène Duguay est coordonnatrice du programme au Cégep de Sainte-Foy. Elle considère que cette formation est avant tout axée sur la polyvalence et la capacité de s'adapter à différents environnements de travail. «Les diplômés qui intègrent le marché du travail sont aussi à l'aise pour faire des prélèvements sur le terrain que des analyses en laboratoire, dit-elle. Leur formation, très développée du côté de la recherche, en fait des candidats appréciés par de nombreuses compagnies.» Si les perspectives d'emploi se dessinent plutôt du côté des entreprises privées, on pressent une reprise de l'activité dans la fonction publique. «Les postes gouvernementaux dans l'environnement ou l'aménagement de la faune ont été les premiers abolis lors des compressions budgétaires, explique Hélène Duguay. Toutefois, les récents problèmes affectant la qualité de l'eau ont démontré que le secteur du contrôle et de l'analyse se prêtait mal aux économies budgétaires. C'est une voie à surveiller dans les années à venir.» Certains domaines, comme les biotechnologies ou la phytopathologie, connaissent un fort développement. «Ce sont des créneaux qui offrent des défis intéressants à nos diplômés. Souvent employés en qualité de techniciens de laboratoire ou comme assistants de recherche, ils doivent aussi bien gérer l'équipement que faire des manipulations très minutieuses en milieu aseptisé.» 03/01

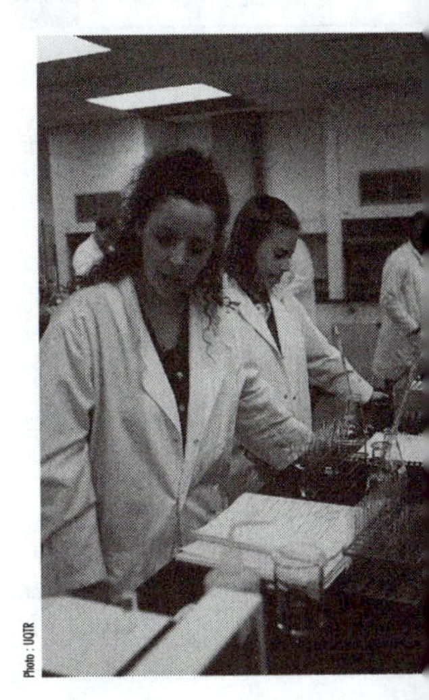
Photo : UQTR

HORAIRES ET MILIEUX DE TRAVAIL

- Les diplômés sont embauchés par des laboratoires d'analyse et de recherche, différents ministères, des firmes de biotechnologie ou de biologistes-conseils.
- Leur environnement de travail est informatisé pour la rédaction des rapports et l'analyse des données.
- Habituellement, le travail se fait selon des horaires de bureau réguliers.
- Il est possible que les techniciens aient à faire des heures supplémentaires pour certaines expérimentations ou selon l'activité.

Techniques du milieu naturel

«J'ai toujours été attirée par la nature. Je voulais tout connaître d'elle et toucher à tous ses aspects. Lorsque j'étais jeune, j'observais les animateurs dans les centres d'interprétation et j'imaginais avoir, comme eux, un groupe de personnes suspendues à mes lèvres...»

PROG. 147.01
PRÉALABLE : 10, 20, VOIR P. 11

INTÉRÊTS

- aime la nature et les sciences
- aime travailler avec le public
- souci de l'environnement
- aime le travail en plein air

APTITUDES

- facilité pour les sciences (biologie)
- beaucoup de curiosité et bonne capacité à apprendre
- polyvalence et grande débrouillardise
- talents d'animateur et de vulgarisateur (écouter, raconter, captiver l'attention, expliquer)

OFFRE DU PROGRAMME PAR RÉGIONS
Bas-Saint-Laurent

RÔLE ET TÂCHES

Les rêves d'enfant de Julie Bolduc, naturaliste, se sont matérialisés. Cette jeune femme qui travaille pour l'Association forestière du Saguenay–Lac-Saint-Jean se promène dans les écoles primaires de la région et donne ce qu'on appelle des classes vertes, c'est-à-dire des cours ayant trait à l'environnement. Elle visite les classes de 1re, 2e, 3e et 5e année et parle surtout des arbres à ses jeunes auditeurs. «Dans ces cours, on vise à sensibiliser les jeunes aux arbres et à l'environnement.» Mais la compréhension des élèves n'est pas la même à chaque niveau. La jeune femme doit donc adapter son cours en conséquence. Tout comme elle doit adapter sa matière en fonction des objectifs scolaires et des programmes du Ministère. Ainsi, comme les jeunes de 5e année doivent étudier les insectes, Julie Bolduc leur parle des maladies des arbres. Les tout-petits de 1re année, eux, auront plutôt droit à un cours général sur les arbres. «Je leur explique, par exemple, pourquoi les animaux ont besoin de la forêt et pourquoi on plante des arbres dans les villes», raconte la naturaliste.

Est-il gênant de faire des exposés devant une classe? «Ce n'est pas intimidant parce que ce sont des enfants, affirme Julie. De plus, leurs questions sont faciles! dit-elle en riant. J'aime ce que je fais. J'aime aussi beaucoup les enfants, alors je suis à ma place.»

Diplômée des techniques du milieu naturel, Julie Bolduc a choisi la spécialisation aménagement et interprétation du patrimoine. Une des voies de sortie du programme qui propose aussi l'aquiculture, la protection de

	Salaire hebdo moyen	Proportion de dipl. en emploi	Emploi relié	Chômage	Nombre de diplômés
2000	n/d	n/d	n/d	n/d	n/d
1999	n/d	n/d	n/d	n/d	n/d
1998	388 $	69,6 %	57,1 %	15,8 %	23

Statistiques tirées de la Relance - Ministère de l'Éducation. Voir données complémentaires, page 419.

Comment interpréter l'information, page 10.

l'environnement, l'aménagement de la ressource forestière, etc. Un diplôme, donc, qui ouvre bien des portes.

Son emploi précédent touchait l'aménagement. Une station de ski l'avait embauchée pour qu'elle aménage une île en aire de jeu pour les jeunes l'été. Un travail qui demandait de connaître la flore et la faune dans leurs moindres détails et de savoir les respecter.

QUALITÉS RECHERCHÉES

Nombreuses sont les qualités nécessaires pour effectuer ce boulot. «Il faut aimer la nature et le travail en équipe. Avoir du leadership est également utile lorsqu'il s'agit de coordonner des groupes. On doit aussi être dynamique pour capter l'attention du public et curieux parce que l'on doit répondre à de nombreuses questions. Et il faut bien sûr aimer les gens», conclut Julie. La capacité d'analyse et le sens de l'observation sont des qualités recherchées, de même que l'autonomie et la débrouillardise.

Depuis quelques années, les gens vont de plus en plus en forêt et fréquentent davantage les milieux naturels.

DÉFIS ET PERSPECTIVES

«Le territoire québécois devient de moins en moins sauvage», annonce Claude Dionne, coordonnateur au département de techniques du milieu naturel du Cégep de Saint-Félicien. L'homme explique que cette réalité fait qu'une seule superficie naturelle pourra être utilisée à diverses fins. On pourrait ainsi se servir d'un même espace pour l'exploitation forestière, pour la chasse et pour les randonnées en traîneaux à chiens. Comment concilier des intérêts aussi divergents? Comment faire pour que tous ces gens puissent s'entendre? «C'est là que résidera le défi des futurs diplômés, estime M. Dionne. Ils devront faire de la gestion intégrée de territoire, consulter les différents utilisateurs et trouver des façons de satisfaire chacun d'entre eux.»

Photo : PPM

Le coordonnateur raconte que, depuis quelques années, les gens vont de plus en plus en forêt et fréquentent davantage les milieux naturels. Les Québécois ont découvert leur nature et veulent la protéger. «Leurs préoccupations environnementales font qu'ils exigent maintenant une meilleure gestion de l'eau, de l'air et du sol, explique-t-il. Pour cette raison, la demande de diplômés travaillant en protection de l'environnement ou dans des laboratoires environnementaux augmentera.» 03/01

HORAIRES ET MILIEUX DE TRAVAIL

- Les diplômés trouveront du travail dans les parcs, les réserves, les centres touristiques, les centres d'interprétation, les colonies de vacances, les musées, les pourvoiries.
- D'autres employeurs sont l'industrie forestière, les compagnies de décontamination de l'eau, de l'air et du sol, les entreprises piscicoles et les laboratoires.
- Dans ce domaine, on a des horaires réguliers de 9 h à 17 h, mais aussi des heures de soir et de fin de semaine.
- Il y a beaucoup d'emplois saisonniers.

ÉLECTROTECHNIQUE

L'électrotechnique englobe les techniques de l'avionique et les technologies du génie électrique. Les perspectives d'emploi pour les diplômés de ce secteur sont intéressantes parce qu'elles touchent à un domaine actuellement en pleine expansion, soit les technologies de pointe. Les diplômés issus de ces formations tendent donc à se retrouver dans des industries de fabrication de pointe (aérospatiale, aéronautique, automobile, médicale, métallurgique, informatique, etc.). La polyvalence de la formation de ces technologues, qui inclut une bonne base en informatique, en électronique et en physique, entre autres, leur permet de se promener assez aisément d'un champ d'activité à l'autre, augmentant ainsi leurs chances de trouver ou de garder un emploi.

Selon l'Ordre des technologues du Québec, les débouchés sur le marché du travail pour les technologues du génie électrique sont considérables puisqu'ils sont recherchés par des distributeurs d'équipements informatiques, des établissements d'enseignement, des hôpitaux, des institutions financières, des industries de l'automobile et de l'aéronautique, des compagnies d'électricité, de téléphone et de câblodistribution... Bref, les diplômés ne sont pas prêts de se retrouver au chômage!

L'industrie aérospatiale québécoise se porte aussi très bien. Pour le moment, ses ventes à l'étranger affichent une tendance à la hausse, et la liste de ses besoins en main-d'œuvre se révèle plutôt longue.

Au Conseil d'adaptation de la main-d'œuvre en aérospatiale du Québec (CAMAQ), on dit que l'emploi dans ce domaine est pratiquement assuré pour les diplômés du cégep ou de l'université. Plusieurs facteurs concourent à favoriser ce type de main-d'œuvre. Il faut en effet renouveler la flotte d'avions, car plusieurs appareils ont une trentaine d'années et les compagnies veulent se doter de modèles plus récents. De plus, l'industrie aéronautique fait face à de vastes changements technologiques. Cette situation rend ces diplômés encore plus indispensables sur le marché du travail, grâce à leur spécialisation dans les systèmes électroniques. 05/01

INTÉRÊTS

- aime observer et démonter des mécanismes et des systèmes électriques et électroniques pour en comprendre le fonctionnement
- aime un travail manuel et de précision
- aime analyser et résoudre des problèmes pratiques

APTITUDES

- sens de l'observation et facilité d'apprentissage intellectuel et technique
- esprit logique, méthodique et analytique
- curiosité, mémoire, discernement et ingéniosité
- dextérité, concentration, acuité visuelle et auditive
- initiative et sens des responsabilités

LE SAVIEZ-VOUS ?

Au cours des dernières années, le nombre de techniciens et de contrôleurs d'avionique a fortement augmenté. La croissance de l'industrie des aéronefs ainsi que l'importance accrue de l'avionique dans la construction et dans les travaux d'entretien de ces appareils expliquent cette forte augmentation. Cette tendance à la hausse devrait se maintenir au cours des prochaines années, bien qu'à un rythme plus modéré.

Source : *Les carrières d'avenir au Québec*, Le groupe de recherche Ma Carrière, édition 2001.

RESSOURCES INTERNET

DESCRIPTION DES PROGRAMMES DU SECTEUR
http://www.meq.gouv.qc.ca/ens-sup/ens-coll/Cahiers/sect-09.htm
Vous trouverez sur cette page une description des programmes de ce secteur de formation, comprenant les exigences d'admission et un bref résumé de chaque cours. Pour chaque programme, vous pourrez aussi accéder à la liste des établissements qui l'offrent et à la dernière relance de ses diplômés.

CONSEIL CANADIEN DES ÉLECTROTECHNOLOGIES
http://www.cce.qc.ca/frame_f.htm
Pour ceux qui veulent mieux comprendre en quoi consiste l'électrotechnique, on trouvera ici une brève introduction aux technologies courantes. Le site propose aussi des liens intéressants.

ORDRE DES TECHNOLOGUES DU QUÉBEC – DÉPLIANT
http://www.otpq.qc.ca/depliant.html
Ce site explique en détail le rôle du technologue électronicien dans l'industrie. Cela vous permettra de mieux apprécier l'importance et les enjeux de son travail.

Avionique

Sébastien Bouthillette est technologue en avionique pour le compte de Mechtronix Systems, une compagnie qui fabrique des simulateurs de vol. «Plus jeune, j'aidais mon père à réparer des télés et des vidéos, se souvient-il. Il a toujours été passionné d'électronique et m'a sûrement passé le virus...»

PROG. 280.04
PRÉALABLE : 13, 40, VOIR P 11

INTÉRÊTS

- aime l'électricité et les avions
- aime faire un travail manuel et de précision
- aime travailler en usine et en équipe
- aime observer et vérifier

APTITUDES

- habileté au travail manuel (dextérité, précision)
- concentration, force et résistance physique
- autonomie et grand sens des responsabilités
- être prêt à travailler selon un horaire variable et à se déplacer

OFFRE DU PROGRAMME PAR RÉGIONS
Montérégie

RÔLE ET TÂCHES

Le rôle du technologue en avionique est d'installer, d'entretenir, de vérifier et de réparer le matériel électrique et électronique des aéronefs. «Chez Mechtronix, on conçoit des simulateurs de vol qui sont en tous points conformes aux appareils réels, dit Sébastien. Comme sur une vraie machine, mon rôle est de faire le schéma des tableaux électriques et de vérifier que les câblages des différents systèmes envoient les bonnes informations au bon moment. La seule différence avec un véritable avion est que les systèmes ne réagissent pas à des facteurs extérieurs réels, mais à des programmes qui simulent la réalité. Les ingénieurs qui font la programmation modélisent des données sur la pression, le vent ou les turbulences qui vont faire réagir les systèmes de pilotage automatique, de communication ou de navigation.» Les clients de Mechtronix sont des écoles de vol ou des compagnies aériennes. Ils n'ont pas tous besoin des mêmes simulateurs. Sébastien doit donc analyser précisément les manuels et la documentation qui se rapportent au type d'appareil qu'ils désirent. Une petite cabine de pilotage de Cessna n'a que peu de chose en commun avec une cabine de Boeing 737. Il faut qu'il étudie le design électrique des panneaux de commandes pour que les commutateurs ou les potentiomètres soient placés aux bons endroits et, surtout, que les connecteurs d'entrée ou de sortie reçoivent les bons programmes en temps réel.

«Je travaille en collaboration avec les personnes qui s'occupent de l'aspect mécanique, explique-t-il. Ils prennent les mesures d'une vraie cabine de pilotage et en font un moulage en fibres de verre qui a les dimensions exactes du modèle original. En fonction des systèmes que le client veut intégrer

	Salaire hebdo moyen	Proportion de dipl. en emploi	Emploi relié	Chômage	Nombre de diplômés
2000	577 $	84,8 %	89,7 %	0,0 %	61
1999	553 $	81,6 %	76,7 %	0,0 %	50
1998	520 $	69,7 %	69,6 %	11,5 %	34

Statistiques tirées de la Relance - Ministère de l'Éducation. Voir données complémentaires, page 419.

Comment interpréter l'information, page 10.

dans son simulateur, je leur indique où découper les emplacements qui me permettront d'installer les bons interrupteurs et les bonnes commandes. Il faut que je compile le plus de données possible sur l'ingénierie pour que les programmeurs puissent ensuite connecter leurs microprocesseurs et leurs projecteurs d'images.»

QUALITÉS RECHERCHÉES

Les systèmes installés dans les simulateurs doivent être aussi précis et fiables que ceux des vrais avions. «Il faut vraiment avoir le souci du détail et une bonne habileté manuelle pour manipuler les petites pièces et les circuits imprimés.» Les compagnies qui œuvrent dans le domaine de l'aéronautique sont très exigeantes en ce qui concerne la fiabilité de leurs employés. Le sens des responsabilités est une qualité que doivent posséder les technologues en avionique, dont le travail a une influence directe sur la sécurité des appareils et des passagers.

Le sens des responsabilités est une qualité que doivent posséder les technologues en avionique, dont le travail a une influence directe sur la sécurité des appareils et des passagers.

DÉFIS ET PERSPECTIVES

Selon Marcel Dubois, coordonnateur de la technique à l'École nationale d'aérotechnique du Québec, «lorsque l'économie est en croissance, le secteur des transports suit le mouvement, dit-il. Cela signifie de bonnes occasions de carrière chez les gros constructeurs d'avions ou d'hélicoptères dont les carnets de commandes se remplissent régulièrement.» Les secteurs affiliés proposent aussi des ouvertures intéressantes. «Les transporteurs aériens basés au pays ont toujours besoin de techniciens pour l'entretien et la maintenance de leur flotte. Il y a également des défis à relever du côté des entreprises qui fabriquent des produits ou des équipements électroniques destinés à l'industrie aéronautique.»

Photo : PPM

M. Dubois souligne que les diplômés sont très polyvalents. À son avis, leurs compétences en électronique peuvent aussi les diriger vers des ateliers qui font de l'entretien ou de l'installation de systèmes sur de petits appareils. Il leur est également possible de faire de l'électronique générale ou de travailler dans le secteur des télécommunications. «Dans tous les cas, ils sont rapidement amenés à diriger des équipes ou à faire du soutien technique en qualité d'inspecteurs ou d'experts dépêchés en mission pour le compte d'un transporteur.» 3/01

HORAIRES ET MILIEUX DE TRAVAIL

- Les diplômés de ce programme sont embauchés par les constructeurs d'avions, d'hélicoptères ou de simulateurs.
- Il y a aussi des possibilités d'emploi dans les compagnies de transport, les entreprises d'électronique ou de télécommunications.
- Pour faire leur travail, ils utilisent des outils traditionnels et font parfois du dessin assisté par ordinateur.
- Le travail suit des horaires variables, soit le jour, le soir, la nuit ou la fin de semaine.

Technologie de conception électronique

«J'aime beaucoup créer et c'est pour cette raison que je me suis dirigé vers la conception électronique», raconte Hugo Laporte, qui travaille comme soutien électronique chez CAE Électronique, une entreprise fabriquant des simulateurs de vol.

PROG. 243.16
PRÉALABLE : 11, 20, VOIR P. 11

INTÉRÊTS

- aime travailler avec des circuits électroniques
- aime travailler seul et en équipe
- aime résoudre des problèmes
- aime se tenir au courant des progrès technologiques

APTITUDES

- autonomie et capacité d'adaptation
- minutie et bonne dextérité manuelle
- capacité d'apprendre par soi-même
- débrouillardise

OFFRE DU PROGRAMME PAR RÉGIONS
Laurentides, Mauricie, Montréal-Centre

RÔLE ET TÂCHES

De façon générale, le technicien de conception électronique entre en jeu après que l'ingénieur a produit, sur plan, un schéma. Le technicien monte alors un modèle à partir de ce dernier. Dans certains cas, cette répartition des tâches peut cependant varier. Il existe des bureaux d'ingénieurs où le technicien participe à la conception des schémas. C'est évidemment une question de connaissances, mais aussi de confiance entre les ingénieurs et les techniciens. Par la suite, le technicien est chargé de faire passer une batterie de tests au prototype afin de vérifier que celui-ci répond bien dans toutes les conditions. Chez CAE, le travail de Hugo consiste à concevoir et à fabriquer des appareils servant à éprouver la qualité des différentes cartes à puces qui composent le simulateur de vol. Selon la complexité des cartes, la création d'une station peut prendre de huit à cent heures de travail, et même plus. La mise en production de ces cartes se fait surtout de façon automatisée, du moins lorsqu'il s'agit de grandes séries. De façon générale, le technicien travaillera en développement de produits et en fabrication. Il est rare que le technicien de conception électronique s'occupe de service à la clientèle. Il peut cependant offrir des services de dépannage spécialisé. Ses connaissances technologiques, alliées à de bonnes habiletés relationnelles, peuvent lui permettre d'œuvrer dans le domaine des ventes. Finalement, il touche aux branches de plusieurs spécialisations. Audiovisuel, biomédical, aéronautique et télécommunication en sont quelques exemples. Le mot clé : polyvalence.

	Salaire hebdo moyen	Proportion de dipl. en emploi	Emploi relié	Chômage	Nombre de diplômés
2000	603 $	60,0 %	82,4 %	0,0 %	39
1999	465 $	31,8 %	100,0 %	0,0 %	29
1998	478 $	50,0 %	77,8 %	0,0 %	18

Statistiques tirées de la Relance - Ministère de l'Éducation. Voir données complémentaires, page 419.

Comment interpréter l'information, page 10.

QUALITÉS RECHERCHÉES

Claude Barbaud, directeur du programme au Collège de Maisonneuve, estime que le candidat doit posséder un esprit scientifique et une bonne capacité d'abstraction, car il est chargé d'appliquer des phénomènes physiques grâce à des méthodes de calculs mathématiques. Est-il besoin de préciser qu'il faut être fort en sciences? «Le programme nous permet d'approfondir considérablement nos connaissances en mathématiques et en physique», selon Hugo. «Étant donné qu'il fait beaucoup de montage, le technicien de conception électronique doit avoir une bonne dextérité manuelle. Il faut aimer les montages et travailler de façon précise», dit M. Barbaud. La curiosité intellectuelle est aussi de mise. Hugo ajoute que la patience et la concentration sont très importantes. «Il y a beaucoup de monde autour de moi et je dois constamment venir en aide aux gens avec lesquels je travaille. Il faut donc être capable de "sortir de sa bulle" et d'y rentrer facilement.»

«Le candidat doit posséder un esprit scientifique et une bonne capacité d'abstraction, car il est chargé d'appliquer des phénomènes physiques grâce à des méthodes de calculs mathématiques.»

— Claude Barbaud

Savoir travailler en équipe est un atout majeur : le technicien est appelé à collaborer étroitement avec les ingénieurs et les chercheurs. Et à l'instar de bien d'autres domaines de pointe, la connaissance de l'anglais est presque obligatoire. Les spécifications de certaines composantes accessibles grâce à Internet et les manuels d'instruction sont, la plupart du temps, dans cette langue. Finalement, parce qu'il travaille dans le domaine de l'électronique, le technicien doit s'attendre à être en formation continue.

Photo : Cégep Lionel-Groulx

DÉFIS ET PERSPECTIVES

Après avoir développé certaines aptitudes au cours de leurs études collégiales, il n'est pas rare que des techniciens aient le goût de pousser plus loin leur apprentissage en allant à l'université. C'est d'ailleurs l'un des «problèmes» du programme, d'après M. Barbaud : pas assez de techniciens vont tout de suite sur le marché du travail. Pour sa part, Hugo Laporte mentionne que les six diplômés avec lesquels il est encore en contact ont tous choisi de poursuivre leurs études à l'université. «J'étudie actuellement en génie de production automatisée, dans le domaine de l'instrumentation et du contrôle. De toute façon, la formation en conception électronique est tellement poussée qu'elle offre la possibilité de se diriger dans plusieurs domaines», conclut Hugo. 09/99

HORAIRES ET MILIEUX DE TRAVAIL

- Une très grande variété de bureaux embauchent des technologues en conception électronique.
- On peut travailler pour de grosses entreprises ou pour de petites compagnies qui produisent des appareils hautement spécialisés.
- En général, les horaires de travail sont très stables.
- Cependant, pour de grosses entreprises, il n'est pas impossible de travailler selon plusieurs horaires (jour ou nuit).

Technologie de l'électronique

«J'ai toujours baigné dans le milieu de l'électronique», dit Sylvain Mayer. Diplômé en technologie de l'électronique, il travaille chez Aube Technologies, une compagnie spécialisée dans les systèmes de gestion d'énergie.

PROG. 243.11
PRÉALABLE : 11, 20, VOIR P. 11

INTÉRÊTS

- est passionné par les mécanismes, les appareils, les circuits
- aime observer, analyser et manipuler (démonter, faire des tests, réparer)
- aime résoudre des problèmes, améliorer, créer, innover

APTITUDES

- facilité pour les mathématiques
- grande faculté d'observation et grande dextérité
- esprit curieux et ingénieux (excelle à analyser et à résoudre un problème, et à innover)
- facilité à comprendre et à utiliser la technologie
- bilinguisme et facilité à communiquer

OFFRE DU PROGRAMME PAR RÉGIONS
Bas-Saint-Laurent, Côte-Nord, Estrie, Gaspésie—Îles-de-la-Madeleine, Lanaudière, Laurentides, Mauricie, Montérégie, Montréal-Centre, Outaouais, Québec, Saguenay—Lac-Saint-Jean

RÔLE ET TÂCHES

Aube Technologies est une entreprise spécialisée dans la réalisation de thermostats et de minuteries qui gèrent des systèmes de chauffage, des thermopompes ou de l'éclairage. «Mon rôle, dit Sylvain, c'est de programmer et de coder ces appareils afin qu'ils réagissent conformément aux tâches qui leur sont demandées. Je m'occupe de programmer les microcontrôleurs, qui sont un peu l'équivalent des microprocesseurs d'ordinateurs. C'est le cerveau de nos appareils. Je me fonde sur le modèle mathématique du système, développé par les ingénieurs, pour créer le circuit imprimé de base. Je programme ensuite le contrôleur afin qu'il déclenche les bonnes commandes.» Pour gérer le chauffage ou la lumière, ce contrôleur doit analyser plusieurs paramètres et surtout recevoir et envoyer des données fiables. Sylvain effectue ensuite une série de tests, notamment pour étudier le comportement du boîtier dessiné par le designer industriel. «Les composants électroniques ont tendance à chauffer; il faut donc que le boîtier qui les abrite puisse supporter cette contrainte sans nuire au fonctionnement de l'appareil.»

Aube Technologies distribue ses produits partout en Amérique et en Europe. Pour Sylvain, cela sous-entend qu'il faut adapter les systèmes à ces différents marchés. «Par exemple, les normes de qualité et de sécurité sont très différentes entre les États-Unis et la France. Je dois me tenir au courant des réglementations en vigueur pour que nos produits répondent à ces exigences et puissent être commercialisés.»

	Salaire hebdo moyen	Proportion de dipl. en emploi	Emploi relié	Chômage	Nombre de diplômés
2000	606 $	72,5 %	90,4 %	5,6 %	310
1999	496 $	74,4 %	77,2 %	7,5 %	425
1998	509 $	73,6 %	82,9 %	7,6 %	488

Statistiques tirées de la Relance - Ministère de l'Éducation. Voir données complémentaires, page 419.

Comment interpréter l'information, page 10.

QUALITÉS RECHERCHÉES

L'électronique, au même titre que l'informatique, est un domaine où les changements sont nombreux et rapides. «Il faut sans cesse remettre ses connaissances à jour, regarder ce qui se fait de nouveau en matière de produits et de composants. Quand on travaille en recherche et en développement, on n'arrête jamais d'apprendre. C'est un peu comme si on retournait chaque jour à l'école.» Il faut également être minutieux et très patient, car il est rare qu'un système fonctionne parfaitement du premier coup. Le technologue en électronique doit évidemment être à l'aise avec l'informatique.

DÉFIS ET PERSPECTIVES

«L'électronique pure est un domaine qui ouvre bien des portes, estime Michel Lévesque, coordonnateur du département de génie électronique au Cégep de Saint-Jean-sur-Richelieu. Les diplômés peuvent aussi bien se spécialiser dans les domaines des télécommunications, des systèmes informatiques ou des appareils audiovisuels. L'électronique étant omniprésente, les possibilités sont quasiment infinies.»

«Les diplômés peuvent aussi bien se spécialiser dans les domaines des télécommunications, des systèmes informatiques ou des appareils audiovisuels. L'électronique étant omniprésente, les possibilités sont quasiment infinies.»

— Michel Lévesque

Photo : Cégep de l'Abitibi-Témiscamingue

L'industrie des télécommunications est jusqu'à présent celle qui offre les possibilités les plus intéressantes. «Il ne faut cependant pas oublier que les grands groupes privés sont toujours à la merci des fluctuations économiques, fait remarquer M. Lévesque. Ceux qui proposent aujourd'hui les meilleurs salaires aux débutants peuvent demain les mettre à pied avec la même rapidité.» Le coordonnateur poursuit en affirmant que si le travail est plus routinier dans les grandes compagnies que dans les PME, l'évolution des carrières est en revanche très bonne dans les deux cas. Après quelques années, il n'est pas rare de voir ces technologues à des postes de responsabilité.

Selon Michel Lévesque, les diplômés devront faire preuve de beaucoup d'autonomie et de débrouillardise pour mener à bien leurs projets. «Dans les entreprises de moindre importance, ils seront les personnes-ressources sur lesquelles on compte pour penser la conception, réaliser des prototypes, faire du montage ou de la réparation. Cette polyvalence leur permettra de s'adapter sans mal à l'évolution de leur métier.» 03/01

HORAIRES ET MILIEUX DE TRAVAIL

- Les principaux employeurs de ce secteur sont les compagnies qui développent, fabriquent ou utilisent du matériel électronique.
- Les technologues en électronique utilisent appareils de mesure, multimètres et fers à souder.
- Leur environnement de travail est très informatisé.
- Les déplacements chez les clients sont fréquents.
- Ils travaillent selon des horaires de bureau réguliers.
- Il est possible de travailler sur appel le soir, la nuit et les fins de semaine dans certaines compagnies.

Technologie de l'électronique industrielle

Sébastien Lavoie est chargé de projets aux Industries Hypershell, à Sherbrooke. «C'est chaque fois un défi renouvelé : on invente des machines, on va jusqu'à élaborer des chaînes complètes de fabrication et d'assemblage, de A à Z.»

PROG. 243.06
PRÉALABLE : 11, 20, VOIR P. 11

INTÉRÊTS
- est passionné par les mécanismes, les appareils, les circuits
- aime observer, analyser et manipuler (démonter, faire des tests, réparer)
- aime résoudre des problèmes, améliorer, créer, innover

APTITUDES
- facilité pour les mathématiques
- grande faculté d'observation et grande dextérité
- esprit curieux et ingénieux (excelle à analyser et à résoudre un problème, et à innover)
- facilité à comprendre et à utiliser la technologie
- bilinguisme et facilité à communiquer

OFFRE DU PROGRAMME PAR RÉGIONS
Abitibi-Témiscamingue, Bas-Saint-Laurent, Centre-du-Québec, Chaudière-Appalaches, Montérégie, Montréal-Centre, Saguenay–Lac-Saint-Jean

RÔLE ET TÂCHES

Sébastien travaille pour une importante entreprise de consultants et de sous-traitants en génie industriel, spécialisée dans la programmation adaptée à l'entreprise manufacturière, la conception assistée par ordinateur et le montage de panneaux de contrôle. Là, dans un bureau tout récemment aménagé au-dessus d'une mini-usine qui tient à la fois du laboratoire d'électronique et de l'atelier d'artisans «hi-tech», le jeune chargé de projets et son équipe conçoivent des machines-outils à la fine pointe des technologies pour des clientèles aussi diversifiées que prestigieuses, comme Domtar, Bombardier et Sherwood-Drolet.

«J'ai toujours été intéressé par la robotique, et ceci, c'est tout comme. On nous soumet un besoin, comme Bombardier qui voulait un couvre-silencieux pour ses Sea-Doo. À partir d'un procédé de fabrication, on conçoit une séquence d'opérations pour arriver au produit fini, puis on dessine les plans de la machine et des circuits, des instruments de contrôle, etc. On crée la machine-outil virtuellement, en 3D, sur écran, puis on la fabrique ici, en bas dans notre usine, et on la teste, on la perfectionne. Et on livre ça clés en main, comme on dit. C'est vraiment fascinant, surtout quand on termine une mise au point et qu'on voit ça aller tout seul! J'adore ça!»

Émile Germain, coordonnateur du programme de technologie en électronique industrielle au Collège de Sherbrooke, explique que les tâches des diplômés peuvent être très variées, allant de l'entretien des systèmes et mécanismes d'usine à la vente et à l'installation de réseaux de distribution

	Salaire hebdo moyen	Proportion de dipl. en emploi	Emploi relié	Chômage	Nombre de diplômés
2000	633 $	82,4 %	82,7 %	6,4 %	207
1999	562 $	80,2 %	81,1 %	8,3 %	344
1998	548 $	76,4 %	77,5 %	10,6 %	384

Statistiques tirées de la Relance - Ministère de l'Éducation. Voir données complémentaires, page 419.

Comment interpréter l'information, page 10.

électrique de chauffage et d'éclairage, en passant par la conception de circuits, l'assemblage d'appareils, le calibrage de machines-outils et le recyclage d'équipements.

QUALITÉS RECHERCHÉES

Une personne à l'esprit curieux et méthodique, qui aime régler des problèmes, trouver des solutions innovatrices, et qui n'hésite pas à mettre la main à la pâte, a sa place en technologies de l'électronique industrielle. «Il faut être bricoleur, reconnaît M. Germain, et un peu inventeur : l'esprit analytique, l'imagination, une bonne base mathématique, bien sûr, mais surtout le goût de toujours en apprendre davantage, de se perfectionner.»

Souplesse, capacité de travailler en équipe jointe à une bonne autonomie, dextérité manuelle et patience sont des qualités utiles dans cette profession.

Souplesse, capacité de travailler en équipe jointe à une bonne autonomie, dextérité manuelle et patience sont des qualités utiles dans cette profession. «La minutie, le goût de la précision et du travail bien fait ainsi qu'une préoccupation constante pour la sécurité sont essentiels à mon avis», ajoute Sébastien en exhibant fièrement une palette (la lame) de bâton de hockey fabriquée par une des machines qu'il a conçues pour Sherwood-Drolet. «On est en train d'automatiser, sans qu'il y ait de mise à pied, une usine où presque tout se faisait à la main. On va décupler la productivité sans que la qualité s'en ressente. Notre machine doit être ultra-rapide, sécuritaire pour les opérateurs et atteindre une précision micrométrique.»

Photo : Institut Teccart inc.

DÉFIS ET PERSPECTIVES

«Il est évident qu'en temps de reprise économique, la demande de technologues augmente : nouvelles usines, chantiers importants, modernisation des équipements génèrent des besoins que les diplômés des différentes écoles n'arrivent pas toujours à combler», affirme M. Germain.

Plusieurs choisissent de se perfectionner, soit à l'université, soit à l'École de technologie supérieure. Sébastien est un de ceux-là : «Tout en continuant à travailler ici, je compte suivre des cours additionnels à l'université pour me spécialiser en programmation d'alternateurs et en contrôle d'énergie. C'est un réel plaisir de fabriquer une nouvelle machine-outil automatique, mais j'adore aussi apprendre du nouveau. D'ailleurs, dans ce métier, on est toujours en apprentissage.» 09/99

HORAIRES ET MILIEUX DE TRAVAIL

- Les technologues peuvent travailler pour leur compte ou en entreprise.
- Quel que soit leur milieu de travail, ils doivent s'attendre à intervenir à toute heure du jour ou de la nuit en cas de problème.
- Certaines firmes cependant, tels les bureaux d'ingénieurs-conseils ou les PME, ont en général des horaires plus réguliers que les usines.

Technologie de systèmes ordinés

Hami Monsarrat travaille chez Morgan Schaffer Systems, une compagnie qui fabrique des moniteurs conçus pour analyser l'état des transformateurs électriques. «Je conçois les circuits électroniques qui vont permettre aux capteurs d'envoyer les bonnes informations au bon moment», explique-t-il.

PROG. 243.15
PRÉALABLE : 11, 20, VOIR P. 11

INTÉRÊTS
- aime concevoir et fabriquer du matériel
- aime travailler seul et en équipe
- aime résoudre des problèmes
- aime se tenir au courant des progrès technologiques

APTITUDES
- facilité pour les mathématiques
- patience et persévérance
- minutie et bonne dextérité manuelle
- capacité de faire face aux imprévus
- esprit curieux et ingénieux

OFFRE DU PROGRAMME PAR RÉGIONS
Estrie, Laurentides, Montréal-Centre, Outaouais, Québec

RÔLE ET TÂCHES
Les systèmes ordinés sont des systèmes commandés par ordinateur. Il peut s'agir d'une machine à laver dont les cycles sont gérés par un microprocesseur ou bien de systèmes industriels beaucoup plus complexes comme ceux dont s'occupe Hami. «Je travaille pour le département de recherche et développement de Morgan Schaffer Systems. Je suis chargé de développer les circuits électroniques qui se trouvent à l'intérieur des moniteurs que nous fabriquons. Il s'agit d'appareils qui sont utilisés par les compagnies de production et de transport d'électricité pour contrôler la présence de gaz et leur concentration dans les transformateurs de haut voltage.» Hami travaille en collaboration avec un chef de projet qui est ingénieur-chimiste. Ensemble, ils font le design mécanique du moniteur. «Je m'occupe ensuite de dessiner le circuit imprimé grâce à un logiciel de dessin spécialisé, puis je choisis et je commande les pièces électroniques dont j'ai besoin pour fabriquer le prototype. J'assemble ces composants en les soudant selon le schéma préétabli.» Le cerveau de ces appareils est constitué de microcontrôleurs, qui sont l'équivalent des microprocesseurs d'ordinateurs. Ils sont utilisés dans le domaine industriel et servent à traiter les données recueillies par les capteurs. Les senseurs et les chromatographes prélèvent et analysent des échantillons de fluides et envoient leurs résultats dans le système électronique conçu par Hami. Toutefois, il ne faut pas uniquement recueillir les données; il faut aussi pouvoir les transmettre et les lire pour en interpréter les résultats. «Il faut faire en sorte que le système transmette correctement et sans problème les informations qui sont ensuite envoyées vers un logiciel spécialement adapté.»

	Salaire hebdo moyen	Proportion de dipl. en emploi	Emploi relié	Chômage	Nombre de diplômés
2000	584 $	66,3 %	84,1 %	3,1 %	125
1999	528 $	70,8 %	88,9 %	2,9 %	127
1998	505 $	71,3 %	86,1 %	7,2 %	122

Statistiques tirées de la Relance - Ministère de l'Éducation. Voir données complémentaires, page 419.

Comment interpréter l'information, page 10.

QUALITÉS RECHERCHÉES

Hami considère qu'il faut avant tout aimer les technologies et la résolution de problèmes pour travailler dans le domaine des systèmes ordinés. Comme il est rare que les prototypes fonctionnent du premier coup, cela demande également pas mal de persévérance. «Cela fait près de huit mois que je travaille au même projet, dit-il. C'est un travail à long terme, mais il n'y a pas de routine, car j'ai chaque jour de nouveaux défis à relever», s'empresse-t-il d'ajouter. Ces travailleurs sont souvent amenés à effectuer un travail de précision sur de très petites pièces. Les montages électroniques et la soudure sur les circuits imprimés nécessitent une grande habileté manuelle ainsi que beaucoup de minutie. Et comme dans toutes les techniques, l'évolution est rapide, les changements, nombreux.

«Il faut faire en sorte que le système transmette correctement et sans problème les informations qui sont ensuite envoyées vers un logiciel spécialement adapté.»

— Hami Monsarrat

DÉFIS ET PERSPECTIVES

Selon Alain Sirois, enseignant au département des technologies du génie électrique du Cégep de Sherbrooke, il y a actuellement une très forte croissance de l'automatisation raccordée au système informatique des entreprises. «La plupart des compagnies cherchent à automatiser une partie ou l'ensemble de leur production, a-t-il constaté. Les diplômés sont en mesure de mettre en place des automates programmables et de concevoir l'interface entre les opérateurs et les machines. On leur demande également de créer des liens, des réseaux entre les systèmes de production et les outils de gestion informatisés. C'est une tendance très marquée dans l'industrie d'aujourd'hui.»

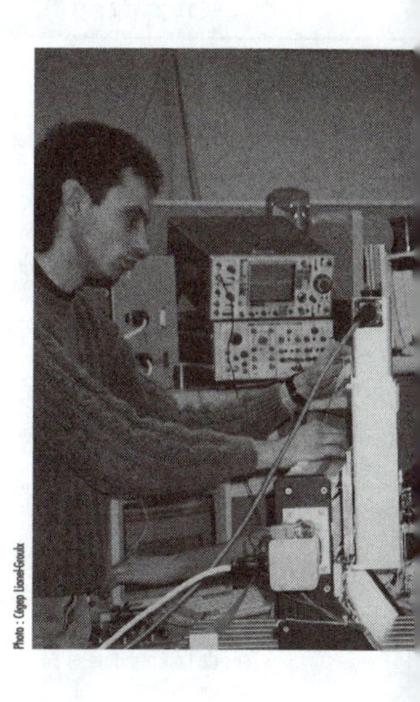
Photo : Cégep Lionel-Groulx

La montée de l'automatisation et de l'informatisation dans la majorité des secteurs laisse présager de très bonnes perspectives pour ces diplômés. Ils devront aussi bien travailler à la conception électronique des systèmes qu'au développement des logiciels qui permettront de les utiliser. «Nous entrons dans une ère où l'automatisation n'est plus réservée qu'aux entreprises riches, prédit M. Sirois. Les PME accèdent de plus en plus à ces technologies. Même les particuliers les utilisent couramment pour régler la température de leur maison ou ouvrir la porte de leur garage. Les technologues en systèmes ordinés ont donc un bel avenir.» 03/01

HORAIRES ET MILIEUX DE TRAVAIL

- Les diplômés sont employés par des compagnies qui fabriquent des produits ou des systèmes électroniques.
- Ils peuvent faire de l'installation ou de la réparation pour des entreprises de services.
- Leur environnement de travail est très informatisé.
- En recherche et développement, les horaires sont réguliers et flexibles.
- Les horaires sont plus irréguliers en production ou en service à la clientèle.

Technologie physique

Après avoir achevé un DEC en sciences humaines et avoir exercé quelque temps dans ce domaine, Éric Jarry a décidé de revenir à ses premières amours en s'inscrivant au DEC en technologie physique. «Je suis très manuel et j'aime tout ce qui touche à la physique, dit-il. Cette formation correspondait donc parfaitement à mon profil.»

PROG. 243.14
PRÉALABLE : 11, 20, VOIR P. 11

INTÉRÊTS

- aime calculer, mesurer, vérifier, analyser
- aime utiliser des appareils et travailler sur ordinateur
- aime diagnostiquer et résoudre un problème
- aime apprendre et communiquer

APTITUDES

- facilité pour les mathématiques
- aisance avec la technologie (informatique et appareils de mesure)
- débrouillardise et polyvalence
- facilité à apprendre, à s'adapter et à communiquer
- sens de l'observation et de l'analyse

OFFRE DU PROGRAMME PAR RÉGIONS
Bas-Saint-Laurent, Montréal-Centre

RÔLE ET TÂCHES

Éric est technologue en physique chez ITF Technologies Optiques, qui œuvre dans le domaine de la photonique. «Lorsqu'on débute dans ce métier, il ne faut pas s'attendre à faire immédiatement de la recherche, dit-il. On passe toujours quelques mois à acquérir de l'expérience en production. J'ai occupé un certain temps un poste proche de celui d'opérateur.»

Éric travaille aujourd'hui en équipe pour développer les fibres optiques de demain. «Les chercheurs possèdent une technologie extrêmement théorique. Mon rôle est de les aider à faire évoluer les prototypes de laboratoire pour que ceux-ci puissent être produits en série, de façon industrielle. Les procédés de production sont en constante évolution; j'essaie d'y apporter toutes les améliorations possibles. Je travaille au sein d'un groupe de recherche où je mène généralement un ou deux projets à la fois. Nous nous réunissons beaucoup pour échanger des idées. Je dois m'assurer qu'elles sont applicables sur le plan pratique et, lorsqu'elles fonctionnent, je dois trouver des procédés stables pouvant se répéter en production. C'est un secteur très dynamique où il faut constamment innover si l'on veut rester compétitif.» Éric a aussi pour mandat de superviser les nouveaux techniciens qui intègrent la compagnie. Son travail se partage donc entre le bureau et le laboratoire.

QUALITÉS RECHERCHÉES

La curiosité technique est une base essentielle du travail en technologie physique. «Dans un contexte de recherche et de développement, on doit être à la fois curieux et débrouillard, estime Éric. C'est primordial pour

	Salaire hebdo moyen	Proportion de dipl. en emploi	Emploi relié	Chômage	Nombre de diplômés
2000	671 $	68,0 %	100,0 %	0,0 %	33
1999	567 $	64,5 %	100,0 %	0,0 %	45
1998	518 $	75,0 %	87,0 %	7,7 %	32

Statistiques tirées de la Relance - Ministère de l'Éducation. Voir données complémentaires, page 419.

Comment interpréter l'information, page 10.

résoudre les problèmes.» Un goût prononcé pour les sciences et le sens de l'observation sont également requis. «Certains champs de la photonique sont encore vierges. Il n'est pas rare de voir naître des nouvelles technologies.» Les technologues en physique travaillent tous en équipe et sont parfois responsables de leur laboratoire. Il faut qu'ils aiment communiquer, mais qu'ils soient aussi autonomes. «L'écoute et le dialogue sont très importants dans les groupes de recherche. Il faut s'adapter à chacun, surtout dans un domaine en pleine expansion. Lorsque je suis arrivé chez ITF il y a deux ans, nous étions 60. Nous sommes aujourd'hui plus de 700», dit-il pour illustrer ses propos.

«Les chercheurs possèdent une technologie extrêmement théorique. Mon rôle est de les aider à faire évoluer les prototypes de laboratoire pour que ceux-ci puissent être produits en série, de façon industrielle.»

— Éric Jarry

DÉFIS ET PERSPECTIVES

«C'est la folie en ce qui a trait aux perspectives, s'exclame Jean-François Doucet, professeur en technologie physique au Cégep André-Laurendeau. Avant même d'avoir achevé leur formation, nos élèves ont déjà choisi le domaine et la compagnie au sein de laquelle ils désirent exercer. Parmi tous les secteurs qui emploient habituellement nos diplômés, la photonique connaît une croissance phénoménale.»

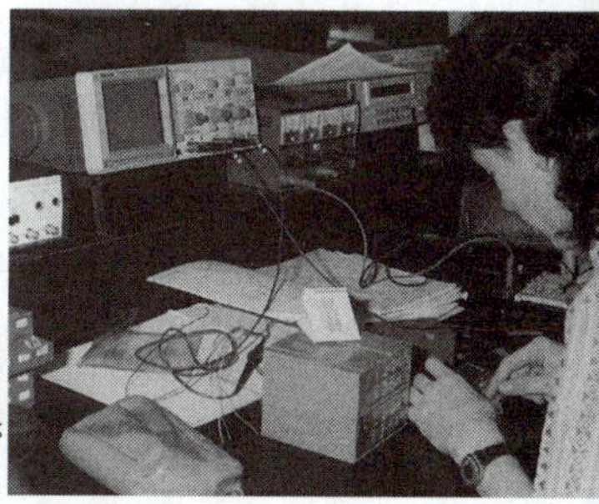
Photo : Cégep André-Laurendeau

À son avis, c'est sûrement l'un des secteurs où les diplômés auront le plus de défis à relever au cours des prochaines décennies. «Avec le développement des technologies de l'information et de la communication, la télévision, le téléphone et Internet vont devoir être encore plus rapides, plus perfectionnés et de meilleure qualité, fait remarquer M. Doucet. On a mis de grands espoirs dans la fibre optique et dans le multiplexage, qui permet de faire voyager simultanément plusieurs signaux sur la même fibre.» Le Canada et le Québec sont à l'avant-garde des recherches en photonique. On voit même se créer un véritable «axe de la fibre optique» entre le Centre de recherche canadien (CRC) d'Ottawa, Polytechnique de Montréal et l'Institut national d'optique (INO) de Québec. Selon Jean-François Doucet, les avancées de la recherche rejoignent très vite les industries de la technologie de pointe. «De nombreuses PME spécialisées dans la fibre optique et ses applications apparaissent. Elles fournissent les entreprises de télécommunications et proposent à nos diplômés des emplois fort intéressants qui leur permettent d'accéder rapidement à des responsabilités.» 03/01

HORAIRES ET MILIEUX DE TRAVAIL

- Les diplômés sont employés par des centres de recherche, des cabinets de consultants et des compagnies de technologie de pointe, en photonique, en physique nucléaire ou en acoustique.
- Le travail se fait au bureau, en laboratoire ou sur les sites de production.
- L'environnement de travail est systématiquement informatisé.
- Le travail se fait de jour, selon des horaires réguliers.
- En production, il est possible de travailler le soir, la nuit ou les fins de semaine.

PAGES 232 ⇓ 235

SECTEUR 10

ENTRETIEN D'ÉQUIPEMENT MOTORISÉ

Les techniques en entretien d'équipement motorisé débouchent sur deux spécialisations : l'entretien d'aéronefs et le génie mécanique de marine. Le domaine des technologies de pointe connaissant actuellement une forte croissance, l'optimisme est de rigueur.

Ainsi, selon le ministère de l'Industrie et du Commerce (MIC), l'industrie aérospatiale québécoise se porte bien. En 1999, ce secteur affichait des ventes de plus de huit milliards de dollars et employait 40 000 personnes. Pour le moment, ses ventes à l'étranger affichent une tendance à la hausse, et la liste de ses besoins de main-d'œuvre est plutôt longue. Parmi les professions les plus recherchées, on privilégie celles qui sont liées à l'informatique, à l'avionique, à la conception et au génie mécanique. L'industrie recherche également des techniciens en entretien d'aéronefs et des technologues en génie électrique.

Selon Louis-Marie Dussault, conseiller pédagogique aux stages et au placement de l'École nationale d'aérotechnique (ENA), la croissance du transport aérien devrait se maintenir, car les carnets de commandes des constructeurs sont bien garnis. Cela signifie que les futurs diplômés devraient trouver du travail sans difficulté lorsqu'ils arriveront sur le marché. De plus, plusieurs départs à la retraite permettront d'absorber la nouvelle main-d'œuvre.

Selon Transport Québec, le transport maritime connaît actuellement une bonne progression en raison de son faible coût. Toutefois, il faut savoir qu'une large part de nos exportations et importations se fait au moyen de bateaux étrangers. À l'Institut maritime du Québec, on note cependant que, outre les navires, la technique en génie mécanique de marine ouvre des horizons diversifiés dans les chantiers maritimes ou navals, dans certaines industries lourdes ou dans le domaine de la gestion, par exemple. 05/01

INTÉRÊTS

- aime la mécanique
- aime le travail physique et manuel
- aime travailler en équipe
- accorde de la valeur à la qualité et à l'efficacité de son travail

APTITUDES

- dextérité et résistance physique
- facilité à communiquer et à travailler en équipe
- sens des responsabilités
- débrouillardise et capacité d'adaptation
- atout : bilinguisme

LE SAVIEZ-VOUS ?

Selon Carmy Hayes, conseiller en formation au Centre d'adaptation de la main-d'œuvre en aérospatiale du Québec l'emploi est pratiquement assuré dans le domaine de l'aérospatiale pour les diplômés des formations professionnelle, collégiale et universitaire. Mais attention : seuls les meilleurs candidats seront retenus, car dans cette industrie, la moindre erreur peut être fatale. Un employé minutieux, ponctuel, appliqué et intéressé décrochera sans aucun doute un emploi.

Source : *Les carrières d'avenir au Québec*, Le groupe de recherche Ma Carrière, édition 2001.

RESSOURCES INTERNET

DESCRIPTION DES PROGRAMMES DU SECTEUR
http://www.meq.gouv.qc.ca/ens-sup/ens-coll/Cahiers/sect-10.htm
Vous trouverez sur cette page une description des programmes de ce secteur de formation, comprenant les exigences d'admission et un bref résumé de chaque cours. Pour chaque programme, vous pourrez aussi accéder à la liste des établissements qui l'offrent et à la dernière relance de ses diplômés.

ÉCOLE NATIONALE D'AÉROTECHNIQUE – ENTRETIEN D'AÉRONEFS
http://www.collegeem.qc.ca/ena/program/entret.htm
L'École nationale d'aérotechnique est le seul établissement à offrir le programme d'entretien d'aéronefs. Vous trouverez ici une information détaillée, particulièrement en ce qui a trait à l'admission.

INSTITUT MARITIME DU QUÉBEC – GÉNIE MÉCANIQUE DE MARINE
http://www.imq.qc.ca/Carriere/mecaniqu.htm
L'Institut maritime du Québec est le seul à offrir le programme de génie mécanique de marine. La description en est très complète, incluant les aptitudes à posséder, les perspectives d'avenir, les débouchés et la nature du travail.

Entretien d'aéronefs

Jean-Sébastien Roy a réussi à assouvir sa passion de la mécanique lorsqu'il a entrepris sa formation en entretien d'aéronefs. Il est aujourd'hui mécanicien pour la compagnie aérienne Air Transat, basée à l'aéroport de Mirabel.

PROG. 280.03
PRÉALABLE : 13,40, VOIR P. 11

INTÉRÊTS

- aime la mécanique et les avions
- aime faire un travail manuel et aime la précision
- aime observer et vérifier
- aime travailler en équipe

APTITUDES

- dextérité et résistance physique
- sens de l'observation, sens des responsabilités et minutie
- facilité à communiquer et à coopérer
- bilinguisme

OFFRE DU PROGRAMME PAR RÉGIONS
Montérégie, Montréal-Centre

RÔLE ET TÂCHES

Les technologues en entretien d'aéronefs peuvent travailler pour de grandes lignes aériennes ou pour de petites compagnies d'aviation. Ils font la maintenance des appareils, généralement dans les aéroports. Ils s'occupent du nettoyage des avions, de leur ravitaillement et de leur entretien en inspectant attentivement tous les éléments mécaniques. «Lorsqu'un avion atterrit, dit Jean-Sébastien, on commence toujours par faire ce qu'on appelle un "walk around", c'est-à-dire un examen visuel de l'extérieur de l'appareil. On s'assure, par exemple, qu'il n'y a pas de bosse sur le revêtement ou de coulées d'huile suspectes. On vérifie également le bon état des pièces mobiles et des joints de portes.» Les technologues entretiennent aussi bien la structure de l'aéronef que ses moteurs et ses différents systèmes. Ainsi, Jean-Sébastien inspecte les commandes, les moteurs, les feux de navigation, les niveaux d'huile. Il contrôle également les freins et graisse les éléments du train d'atterrissage. Chaque type d'appareil nécessite une série d'actions de maintenance spécifiques décrites avec précision dans des manuels spécialisés. «Les procédures sont très strictes, affirme Jean-Sébastien. Et même si les avions ne restent parfois qu'une heure au sol, il faut que les résultats de notre inspection soient parfaits avant que l'appareil ne décolle à nouveau.» Régulièrement, les mécaniciens effectuent des opérations de contrôle en profondeur. «Toutes les 5 000 heures de vol, les avions prennent la direction des hangars pour y être presque entièrement démontés, explique le jeune homme. On inspecte chaque pièce en détail. L'opération peut prendre plusieurs semaines.» Le technologue est également compétent pour

	Salaire hebdo moyen	Proportion de dipl. en emploi	Emploi relié	Chômage	Nombre de diplômés
2000	596 $	83,8 %	82,4 %	7,0 %	148
1999	617 $	83,1 %	90,4 %	2,6 %	120
1998	532 $	78,8 %	77,8 %	8,2 %	117

Statistiques tirées de la Relance - Ministère de l'Éducation. Voir données complémentaires, page 419.

Comment interpréter l'information, page 10.

intervenir sur des systèmes ou des installations situés dans la cabine de l'appareil. «Certains avions possèdent des ascenseurs intérieurs. En cas de dysfonctionnement, c'est à moi de trouver la cause de la panne et de la réparer.»

QUALITÉS RECHERCHÉES

L'entretien d'aéronefs est un domaine nécessitant une bonne habileté manuelle ainsi que le goût de la mécanique. Le technologue doit également être très consciencieux et pourvu d'un grand sens des responsabilités. «Rien n'est laissé au hasard. Et même si on a 10 ans de métier, il y a toujours quelqu'un qui passe derrière nous pour vérifier si le travail est bien fait. C'est la sécurité des passagers qui est en jeu.»

«Et même si les avions ne restent parfois qu'une heure au sol, il faut que les résultats de notre inspection soient parfaits avant que l'appareil ne décolle à nouveau.»

— Jean-Sébastien Roy

Le secteur aéronautique exige une certaine flexibilité quant aux horaires de travail. Pour sa part, Jean-Sébastien travaille quatre soirs consécutifs suivis de quatre jours de congé. La connaissance de l'anglais est aussi nécessaire pour comprendre les termes des manuels de procédures toujours rédigés dans cette langue.

DÉFIS ET PERSPECTIVES

Jacques Jobin enseigne cette technique à l'École nationale d'aérotechnique du Collège Édouard-Montpetit. Il souligne que les perspectives d'emploi des diplômés ne sont pas limitées aux compagnies aériennes. «Les techniciens en entretien d'aéronefs travaillent principalement pour les compagnies aériennes, mais ils sont également sollicités par des constructeurs, comme Bombardier, qui tournent à plein régime. Sur ces appareils flambant neufs, ils s'occupent moins de la maintenance que de ce qu'on appelle le "préenvol". En fait, il s'agit d'une phase de tests, de vérifications et de contrôle de la qualité.» Les diplômés ont aussi la possibilité de se diriger vers l'entretien d'hélicoptères qui offre des perspectives intéressantes. Il faut toutefois être prêt à faire de la «brousse», car les hélicoptères travaillent souvent dans des endroits isolés. L'enseignant soutient que, peu importe leur milieu de travail, les diplômés devront relever de nombreux défis. «Le travail de maintenance s'effectue, la plupart du temps, la nuit et pas toujours dans des hangars chauffés, dit-il. Les journées les plus chargées sont souvent celles où les conditions météorologiques sont mauvaises. Ça demande une bonne résistance au stress, surtout lorsqu'on a 200 passagers bloqués au sol par une panne mécanique...» 03/01

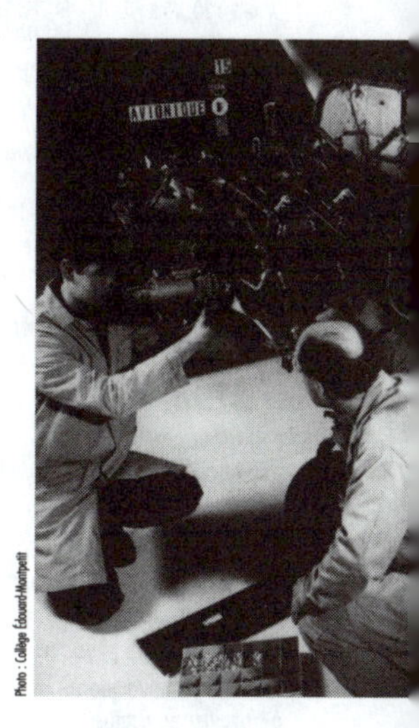

Photo : Collège Édouard-Montpetit

HORAIRES ET MILIEUX DE TRAVAIL

- Les employeurs de ce secteur sont les compagnies de transport et les constructeurs d'avions ou d'hélicoptères.
- Il est possible pour les diplômés de devoir encadrer du personnel en tant que chefs d'équipe ou responsables de l'inspection.
- Le travail se fait à l'extérieur ou en hangar, parfois sur des échafaudages. C'est un environnement de travail très bruyant.
- Le travail s'effectue de jour, de soir, de nuit ou les fins de semaine. L'horaire est souvent planifié en rotation.

Techniques de génie mécanique de marine

«C'est en parlant avec mon cousin qui est officier que j'ai eu la piqûre. Je ne le regrette pas. Maintenant, je veux devenir chef mécanicien sur un navire.» David Frigon est cadet. Il fait actuellement un stage sur le navire commercial N. M. Cabot, en vue de devenir officier quatrième classe.

PROG. 248.C0
PRÉALABLE : 20, VOIR PAGE 11

INTÉRÊTS

- aime les sciences, la mécanique et les bateaux
- aime le travail physique et manuel
- aime travailler en équipe
- aime voyager et communiquer

APTITUDES

- polyvalence, sens des responsabilités, méthode
- grande capacité d'adaptation; débrouillardise
- habileté pour le travail manuel et la mécanique
- force et résistance physique
- facilité à communiquer et à travailler en équipe
- grande disponibilité

OFFRE DU PROGRAMME PAR RÉGIONS
Bas-Saint-Laurent

RÔLE ET TÂCHES

Claude Jean, chef mécanicien à bord du même bateau que David, est responsable auprès du propriétaire du bateau (l'armateur) du fonctionnement de toute la machinerie et de l'équipement, de l'inspection de la coque et du travail administratif rattaché à ces fonctions. David travaille à la salle des machines, véritablement le cœur du bateau, où se trouvent le moteur, des génératrices, des pompes, des systèmes de réfrigération, de climatisation et de chauffage. Il assiste les officiers dans leur travail. Avec le temps, il deviendra de plus en plus spécialisé en plomberie, en soudure, en réfrigération, en électricité, enfin tout ce qui touche au fonctionnement et à l'entretien des moteurs, des machines et des appareils auxiliaires. «Un navire demande des connaissances mécaniques plus que générales. Lorsqu'on est en mer, on doit être autonome, c'est-à-dire que tout doit pouvoir être réparé», explique Claude. Le mécanicien a des tâches différentes, selon la position du bateau. En mer, il s'occupe de la bonne marche des machines et de tout le navire. Au port, il peut effectuer des réparations et faire l'entretien.

QUALITÉS RECHERCHÉES

Pour David, le travail sur un bateau a une saveur qu'il ne peut retrouver ailleurs. «C'est certain qu'il faut avoir le pied marin, parce que des fois ça brasse pas mal. Mais c'est aussi un très bon sentiment de liberté. Il faut savoir se divertir entre les périodes de travail. La lecture et la musique sont d'excellents passe-temps.»

En mer, les techniciens, ou mécaniciens, doivent être très disciplinés et autonomes. Passer plusieurs jours sur un bateau demande de savoir vivre avec

	Salaire hebdo moyen	Proportion de dipl. en emploi	Emploi relié	Chômage	Nombre de diplômés
2000	n/d	n/d	n/d	n/d	n/d
1999	695 $	73,3 %	81,8 %	21,4 %	19
1998	717 $	61,7 %	100,0 %	8,3 %	21

Statistiques tirées de la Relance* - Ministère de l'Éducation. Voir données complémentaires, page 419.

Comment interpréter l'information, page 10.

les camarades de travail 24 heures sur 24. «Pour l'instant, j'étudie beaucoup parce que je veux obtenir mon brevet. Ici, on forme une bonne équipe. Il faut savoir communiquer facilement parce qu'on peut travailler avec des gens de toutes les nationalités», enchaîne David.

Les mécaniciens devront avoir une bonne dextérité manuelle et une certaine résistance physique. De plus en plus, les bateaux sont munis de systèmes électroniques qui détectent les bris, mais les réparations se font manuellement. La personne qui espère faire carrière dans la marine marchande comme officier de mécanique de marine doit subir un examen médical complet avant de pouvoir effectuer tout stage en mer ou d'obtenir un certificat d'officier. Cet examen médical est renouvelé aux trois ans, tout au long de la carrière en mer. «La mobilité est essentielle, l'anglais aussi, même que l'apprentissage d'une troisième langue, surtout l'espagnol, est fortement recommandé», ajoute Claude.

«Un navire demande des connaissances mécaniques plus que générales. Lorsqu'on est en mer, on doit être autonome, c'est-à-dire que tout doit pouvoir être réparé.»

— Claude Jean

DÉFIS ET PERSPECTIVES

Claude a mis dix ans, en comptant les quatre ans à l'Institut maritime du Québec et les huit mois en mer annuellement, avant de devenir chef mécanicien. Pour obtenir les quatre brevets d'officier mécanicien nécessaires, il a dû passer beaucoup de temps à étudier en mer et durant ses congés. Maintenant, il est le bras droit du capitaine. «En fait, je suis ses deux bras», plaisante-t-il. L'officier qui a travaillé sur différents types de navires développe une polyvalence qui le sert bien.

Photo : Sylvain Gélinas

Le DEC en génie mécanique de marine permet d'avoir des emplois tant à terre qu'à bord de navires. L'officier mécanicien peut être expert maritime pour Transports Canada, représentant technique, contremaître ou gestionnaire dans des compagnies maritimes, dans des chantiers navals ou dans l'industrie lourde, comme des raffineries de pétrole, des usines d'épuration, des entreprises diverses en mécanique. «Les besoins d'officiers mécaniciens, tant au Canada qu'à l'étranger, sont de plus en plus grands et la compétence des diplômés québécois est reconnue mondialement», précise Claude Pagé, aide pédagogique à l'Institut maritime du Québec à Rimouski. 09/99

* *Les statistiques de la* Relance *sont colligées en hiver alors que plusieurs des diplômés de l'Institut maritime du Québec à Rimouski (IMQ) attendent le début d'un emploi, souvent saisonnier. Les statistiques de l'IMQ, préparées à l'automne, montrent un taux d'emploi supérieur, selon Claude Pagé.*

HORAIRES ET MILIEUX DE TRAVAIL

- Les horaires varient d'une compagnie à l'autre.
- Certaines compagnies planifient trois mois de travail suivis d'un mois de repos, mais d'autres proposent un mois de travail et un mois de repos.
- Il faut savoir se montrer flexible et être prêt à passer beaucoup de temps sur un bateau.

FABRICATION MÉCANIQUE

Les techniques de la fabrication mécanique forment des technologues polyvalents qui peuvent occuper des postes dans différents secteurs de la production, tant industrielle que manufacturière.

Selon le site Emploi-Avenir Québec de Développement des ressources humaines Canada (DRHC), le Québec devrait connaître à moyen terme une croissance soutenue de la production industrielle. Les compagnies qui embauchent se trouvent principalement en plasturgie, en aéronautique, en métallurgie, en télécommunication et en construction. Les industries bioalimentaire, de l'automobile, de l'exploitation des ressources naturelles et du textile offrent également de bons débouchés.

Pour les technologies de génie industriel, le site de DRHC affirme que le contexte de concurrence causé par la mondialisation, l'importance croissante de l'informatique et l'intérêt accru des employeurs pour la sécurité au travail sont autant de facteurs qui auront une influence positive sur la demande de cette main-d'œuvre. Les besoins de conception, d'implantation et d'amélioration de procédés de production en vue d'accroître la productivité et l'efficacité des entreprises devraient également soutenir le taux d'emploi de ces diplômés.

On trouve également de bons débouchés en construction aéronautique grâce à une industrie en pleine effervescence. Cependant, seuls les meilleurs candidats sont retenus dans ce domaine où la minutie et le sens des responsabilités sont des qualités essentielles, où la moindre erreur peut avoir des conséquences fatales. Selon le Conseil d'adaptation de la main-d'œuvre en aérospatiale du Québec (CAMAQ), le secteur devrait avoir atteint une croissance nette de 3 320 nouveaux emplois pour la période 1998-2001.

Selon DRHC, la croissance du secteur de technique de génie mécanique sera de 3,6 % au cours des cinq prochaines années. L'industrie manufacturière représente le plus important secteur d'emploi pour les diplômés (44,3 %). Outre les connaissances en génie mécanique, des notions en fabrication assistée par ordinateur (FAO) sont requises. Enfin, des aptitudes en gestion se révèlent un atout pour ceux qui aspirent à un poste de supervision de projets de construction et d'installations mécaniques. 05/01

INTÉRÊTS

- aime la technologie, la mécanique et l'électronique
- aime travailler avec des machines automatisées ou informatisées
- aime analyser et résoudre des problèmes
- accorde de la valeur à la précision, à l'efficacité et à la qualité du travail

APTITUDES

- sens de l'observation et grande facilité d'apprentissage technique
- esprit logique, méthodique et analytique
- dextérité, rapidité et précision d'exécution
- curiosité, mémoire, discernement et ingéniosité
- autonomie, minutie et sens des responsabilités

LE SAVIEZ-VOUS ?

Selon le ministère de l'Industrie et du Commerce, la province se classe au sixième rang mondial en aéronautique, et c'est dans la grande région montréalaise que se concentre principalement l'industrie. D'après une étude menée en l'an 2000 par la firme d'experts-conseils PriceWaterhouseCoopers, Montréal se classe au deuxième rang en Amérique du Nord avec 26 000 emplois dans ce domaine.

Source : *Les carrières d'avenir au Québec*, Le groupe de recherche Ma Carrière, édition 2001.

RESSOURCES INTERNET

DESCRIPTION DES PROGRAMMES DU SECTEUR
http://www.meq.gouv.qc.ca/ens-sup/ens-coll/Cahiers/sect-11.htm
Vous trouverez sur cette page une description des programmes de ce secteur de formation, comprenant les exigences d'admission et un bref résumé de chaque cours. Pour chaque programme, vous pourrez aussi accéder à la liste des établissements qui l'offrent et à la dernière relance de ses diplômés.

ÉCOLE NATIONALE D'AÉROTECHNIQUE
http://www.collegeem.qc.ca/
Les programmes de technique de construction aéronautique et d'avionique sont offerts à l'École nationale d'aérotechnique seulement. Vous pourrez accéder à leur description à partir de cette page.

INSTITUT MARITIME DU QUÉBEC – ARCHITECTURE NAVALE
http://www.imq.qc.ca/Carriere/ARCHITEC.HTM
Le technicien en architecture navale participe à la conception, à la planification et à la réalisation des structures flottantes. Le programme n'est offert qu'à l'Institut maritime du Québec. Il permet de continuer des études universitaires pour devenir architecte naval.

Techniques d'architecture navale

«Chaque bateau qu'on construit est un défi, comme une petite ville. C'est toute une satisfaction de faire un navire qui flotte bien et qui atteint la vitesse prévue.» Manon Lavoie est technicienne en architecture navale pour Industrie Océan, à l'Île-aux-Coudres.

PROG. 248.01
PRÉALABLE : 11, 40, VOIR P. 11

INTÉRÊTS
- aime les sciences
- aime faire un travail méthodique et de précision
- aime travailler avec l'informatique
- aime communiquer et travailler en équipe

APTITUDES
- bonne perception spatiale
- être consciencieux, minutieux et méthodique
- polyvalence et initiative
- facilité à communiquer et à vulgariser

OFFRE DU PROGRAMME PAR RÉGIONS
Bas-Saint-Laurent

RÔLE ET TÂCHES

L'objectif du programme est de former des personnes capables de participer aux différentes étapes de conception, de modification ou de réparation de divers types de structures flottantes fixes ou mobiles (navires, bateaux, plates-formes de forage, etc.).

Manon a gravi un à un les échelons qui l'ont menée à devenir responsable du département technique dans un chantier naval. C'est elle qui supervise les plus jeunes techniciens.

«Ici, on construit des bateaux de 24 et 30 mètres, des remorqueurs entre autres. J'adore travailler sur le chantier avec les contremaîtres. Je suis une spécialiste technique et j'aide les architectes navals. Je corrige les plans préparés par les techniciens que je supervise et je coordonne leur travail. Je prépare aussi les commandes.

«On travaille avec la Garde côtière ou une société de classification pour que le bateau respecte les normes de construction et de sécurité. On touche aussi à la stabilité des bateaux. Finalement, on doit voir à ce que les différents systèmes fonctionnent ensemble.

«On ne va en mer que pour les essais. Même si le bateau est opérationnel, il arrive à ce moment-là qu'on décèle des défauts de construction et ça fait partie de mes responsabilités de voir à ce qu'ils soient corrigés. Certaines choses seront transformées ou ajustées au besoin, jusqu'à la livraison du bateau au client.»

	Salaire hebdo moyen	Proportion de dipl. en emploi	Emploi relié	Chômage	Nombre de diplômés
2000	n/d	n/d	n/d	n/d	n/d
1999	650 $	66,7 %	100,0 %	0,0 %	7
1998	563 $	45,5 %	80,0 %	0,0 %	11

Statistiques tirées de la Relance - Ministère de l'Éducation. Voir données complémentaires, page 419.

Comment interpréter l'information, page 10.

Le technicien en architecture navale utilise les technologies de la conception et du dessin assistés par ordinateur.

QUALITÉS RECHERCHÉES

Manon considère qu'il faut beaucoup de caractère pour travailler sur un chantier. «Patience, leadership, précision, minutie, énumère-t-elle. Je ne pense pas que ce soit plus difficile pour les femmes, mais il faut prendre sa place, comme ailleurs.»

«Il y a de plus en plus de petits chantiers qui offrent des possibilités d'emploi aux techniciens d'architecture navale.»

— Claude Pagé

Le marché exige une certaine mobilité parce que les chantiers maritimes se trouvent en général hors des grands centres. Il faut aussi être capable de travailler en équipe parce que la construction d'un navire est une affaire d'équipe où l'apport de chacun des membres est important.

DÉFIS ET PERSPECTIVES

Manon tient ses connaissances à jour avec les revues spécialisées. Elle doit aussi suivre une formation chaque année sur les nouveaux logiciels. «Il y a de plus en plus de petits chantiers qui offrent des possibilités d'emploi aux techniciens d'architecture navale, mentionne Claude Pagé, aide pédagogique à l'Institut maritime du Québec à Rimouski (IMQ). Le domaine de la construction navale a toujours été cyclique et il le sera encore longtemps, affirme-t-il. Par contre, les compétences des techniciens formés au Québec sont reconnues mondialement, alors il y a beaucoup d'offres de l'étranger. C'est même plus facile de trouver du travail ailleurs que par ici.»

Photo : Institut maritime du Québec - Industrie Océan inc.

La formation reçue à l'Institut maritime du Québec permet la poursuite d'études universitaires pour l'obtention du titre d'ingénieur maritime ou d'architecte naval. Les diplômés peuvent s'inscrire à certaines universités étrangères, en Écosse et en Angleterre, par exemple. Ces universités reconnaissent la qualité de la formation des diplômés de l'IMQ et elles leur accordent des crédits dans certains cours d'architecture navale. 09/99

HORAIRES ET MILIEUX DE TRAVAIL

- Le technicien peut travailler dans des chantiers navals, l'industrie lourde, les bureaux de conception et de production, les bureaux de dessin, la fonction publique fédérale ou provinciale dans des ministères tels que Transports Canada, Pêches et Océans Canada, la Défense nationale, les services des traversiers et des pêcheries des provinces et la Garde côtière.
- Le technicien pourra également œuvrer pour des sociétés de classification internationales et les services techniques des entreprises maritimes. Le secteur de la construction de bateaux de plaisance est aussi accessible en Amérique du Nord.
- Les horaires sont en général réguliers.

Techniques de construction aéronautique

Yves Harel est diplômé en construction aéronautique et travaille chez Bombardier. «Ce domaine sollicite autant mes compétences techniques et intellectuelles que ma créativité. C'est vraiment un métier très gratifiant.»

PROG.280.01/280.B0
PRÉALABLE : 13, 40, VOIR P. 11

INTÉRÊTS

- aime la mécanique et la technologie
- aime se sentir utile et responsable
- accorde de la valeur à la qualité et à la productivité
- aime communiquer, expliquer et rédiger
- aime travailler sur ordinateur
- aime le travail en usine

APTITUDES

- grande curiosité et grande capacité à apprendre
- sens des responsabilités et de l'initiative
- excellentes capacités d'adaptation
- bilinguisme et habileté à communiquer et à vulgariser
- facilité pour les sciences et la mécanique

OFFRE DU PROGRAMME PAR RÉGIONS
Montérégie

RÔLE ET TÂCHES

Les techniciens en construction aéronautique travaillent à différentes étapes de la production et de l'assemblage de pièces d'avions. «Par exemple, on peut travailler comme agent de méthodes, note Robert Turcotte, ancien directeur du programme de construction d'aéronefs de l'École nationale d'aéronautique du Collège Édouard-Montpetit. L'agent de méthodes fait le pont entre les ingénieurs, qui conçoivent les plans, et les travailleurs de la production, qui fabriquent et assemblent les pièces.» Son rôle consiste à planifier les différentes étapes de fabrication des pièces ainsi que les méthodes d'assemblage de celles-ci. Il établit de plus les procédures d'essai à partir de chartes de tests bien précises. «Un service d'ingénierie s'oriente beaucoup vers le contrôle des coûts de production des pièces.»

Entre autres, le technicien en construction aéronautique est chargé d'évaluer la capacité des pièces à supporter le «stress» : Comment la pièce réagit-elle lorsqu'elle est sollicitée au maximum? On prend en considération le choix des matériaux et les procédés de fabrication pour élever la pièce à son niveau optimum de rendement. Si un problème de production survient, il est du ressort de l'agent de méthodes de le régler, en relation avec les ingénieurs. Il travaille aussi avec les gens du département des pièces. «De plus en plus, l'agent de méthodes est appelé à travailler en étroite collaboration avec tous les autres membres de l'équipe de production», dit Yves.

On peut aussi être assigné au bureau de la qualité et participer à la rédaction de procédures de qualité, les procédés ISO, par exemple. Le travailleur

	Salaire hebdo moyen	Proportion de dipl. en emploi	Emploi relié	Chômage	Nombre de diplômés
2000	600 $	65,1 %	90,4 %	1,8 %	109
1999	635 $	62,3 %	97,6 %	4,4 %	99
1998	604 $	78,8 %	97,5 %	2,4 %	60

Statistiques tirées de la Relance - Ministère de l'Éducation. Voir données complémentaires, page 419.

Comment interpréter l'information, page 10.

pourra alors agir à titre d'inspecteur et vérifier la conformité des pièces avec les dessins, effectuer un contrôle dimensionnel et visuel des pièces. Toutefois, la formation en construction en aéronautique n'exclut pas les tâches de montage, car il faut posséder une certaine habileté à fabriquer et à monter les pièces pour être apte à effectuer le travail de conception.

QUALITÉS RECHERCHÉES

Parce qu'il est en constante relation avec les ingénieurs et les mécaniciens, le constructeur aéronautique doit faire preuve d'un bon esprit d'équipe et être ouvert aux idées des autres. «Son autonomie et son esprit d'analyse l'aideront à résoudre des problèmes», explique M. Turcotte. «On doit être persévérant, car les solutions ne viennent pas toujours facilement, précise Yves, et un esprit créatif est essentiel dans la résolution de problèmes. Chose certaine, il faut avoir le sens du leadership.»

Un fort sens des responsabilités et la minutie font partie des qualités les plus sollicitées chez les travailleurs de ce domaine.

Un fort sens des responsabilités et la minutie font partie des qualités les plus sollicitées chez les travailleurs de ce domaine. Tous les tests auxquels sont soumises les composantes d'un avion doivent être faits avec le plus grand soin puisqu'une défaillance peut avoir des conséquences dramatiques. Il faut aussi s'attendre à être en formation continue. Internet est une bonne source d'information sur l'aéronautique (matériel technique, nouvelles procédures de fabrication et de tests, etc.) pour le technicien qui veut se tenir au courant des plus récents développements dans son domaine.

Photo : École nationale d'aérotechnique

DÉFIS ET PERSPECTIVES

Sur le plan de la formation, le diplômé en construction aéronautique peut raffiner ses connaissances à l'université en se tournant vers la grande famille de la fabrication mécanique. Il existe plusieurs certificats, par exemple celui de génie mécanique, qui s'apparentent beaucoup à la formation des techniciens en construction aéronautique. «Environ 25 % des élèves poursuivent des études universitaires, estime M. Turcotte. Les changements technologiques constants obligent le travailleur à se tenir à jour.» 09/99

HORAIRES ET MILIEUX DE TRAVAIL

- Les techniciens peuvent œuvrer dans des grandes, petites et moyennes entreprises qui gravitent dans le domaine de la construction aéronautique.
- On travaille généralement de jour, mais cela n'exclut pas les autres types d'horaires.
- Les heures supplémentaires sont pratiquement obligatoires.

Techniques de génie mécanique

«Ce que j'aime, c'est de voir le produit fini. Moi, je travaille dans la salle de dessin. Quand je passe deux mois à bûcher sur une pièce, c'est très valorisant de voir le produit sortir de l'usine. Je suis fière de voir le résultat de mon travail.»

PROG. 241.06/241.A0
PRÉALABLE : 12, 40, VOIR P. 11

INTÉRÊTS

- aime le travail méthodique et la précision
- aime résoudre des problèmes pratiques
- aime la géométrie, le calcul, la mécanique et le dessin
- aime observer et travailler sur ordinateur
- aime communiquer et travailler en équipe

APTITUDES

- pragmatisme, méthode et créativité
- habileté à utiliser l'informatique
- talent pour la mécanique, le calcul et la géométrie
- sens de l'observation et excellente perception spatiale
- grande faculté d'adaptation, patience et minutie

OFFRE DU PROGRAMME PAR RÉGIONS
Montréal-Centre

RÔLE ET TÂCHES

Diane L'Heureux n'a pas pris le chemin le plus court pour en arriver là où elle est présentement. Elle a d'abord fait un DEC en sciences pures, puis le tiers des études universitaires en génie. «Je trouvais ça trop théorique. Je voulais toucher davantage à l'aspect pratique. Je voulais voir les choses se faire.» Elle a obtenu une technique en génie mécanique au Cégep de Sorel-Tracy. Elle travaille depuis chez Quimpex, une compagnie de Drummondville qui conçoit et fabrique des pièces de rechange pour véhicules récréatifs, comme des motoneiges ou des tout-terrains.

«Je travaille devant un ordinateur, avec un logiciel de dessin qui s'appelle Autocad. On est cinq dessinateurs. Moi, je travaille surtout en trois dimensions, parce que je fais ce qu'on appelle de la fabrication assistée par ordinateur (FAO). C'est moi qui produis les pièces, sans être dans l'usine. Par exemple, depuis deux semaines, je travaille sur un ski pour une motoneige. On a pris un ski qui existait déjà, il a fallu que je le mesure dans tous les sens, que je le dessine, que je le remesure et que je le redessine. Une fois que la pièce est dessinée, j'utilise un autre logiciel pour la produire. Des fois, je n'ai pas de modèle à copier. Il faut alors que je crée la pièce de A à Z.»

QUALITÉS RECHERCHÉES

«Ça prend beaucoup de patience et de persévérance. C'est souvent un travail de précision, surtout quand on prend des mesures. Quand je faisais le

	Salaire hebdo moyen	Proportion de dipl. en emploi	Emploi relié	Chômage	Nombre de diplômés
2000	574 $	72,6 %	93,7 %	3,7 %	383
1999	534 $	74,0 %	92,0 %	3,8 %	331
1998	538 $	69,6 %	89,6 %	4,5 %	371

Statistiques tirées de la Relance - Ministère de l'Éducation. Voir données complémentaires, page 419.

Comment interpréter l'information, page 10.

ski, je prenais les mesures et je le dessinais sur du carton. Je mettais ensuite le ski de carton sur le vrai ski, et il a fallu que je recommence plusieurs fois.

«Il faut être capable de travailler en équipe. Je passe beaucoup de temps seule, devant mon ordinateur, mais je consulte régulièrement les machinistes pour savoir quels matériaux et quels outils ils veulent utiliser. J'ai aussi des contacts quotidiens avec le chef dessinateur, qui est mon patron immédiat.»

Dans les industries, il n'y a à peu près plus de tables à dessin. Il est indispensable d'avoir une bonne maîtrise de l'ordinateur comme outil de travail. «Mais l'ordinateur ne fait pas tout à la place du technicien, prévient Diane. Il faut être capable de visualiser la pièce qu'on veut dessiner. Surtout en trois dimensions. Le génie mécanique, ce n'est pas du design, donc l'originalité n'est pas essentielle. La pièce doit avoir telle grosseur et doit rentrer à tel endroit. Tu n'as pas vraiment de choix. C'est beaucoup plus le côté pratique qu'il faut développer.

«Finalement, il faut avoir de la facilité à s'adapter. Chacun a sa façon de dessiner. Mais quand tu arrives sur le marché du travail, il y a des ajustements à faire, selon les personnes avec lesquelles tu travailles. Il ne faut pas dire : "Moi, c'est comme ça que je l'ai appris".»

«Ça prend beaucoup de patience et de persévérance. C'est souvent un travail de précision, surtout quand on prend des mesures.»

— Diane L'Heureux

Photo : Cégep de Jonquière - Carol Boily

DÉFIS ET PERSPECTIVES

«Pour les prochaines années, le secteur du génie mécanique devrait être en croissance, affirme Michel Duhaime. Les nouvelles technologies sont maintenant intégrées. C'est pour ça que la formation est de moins en moins axée sur les habiletés manuelles. Les technologues devront avoir des notions de gestion et d'optimisation de la production.

«Il est possible de poursuivre des études universitaires après un DEC en génie mécanique. À l'École de technologie supérieure (ÉTS), les étudiants peuvent entrer directement au bac, sans cours préalables.» 09/95

HORAIRES ET MILIEUX DE TRAVAIL

- Dans les industries, de plus en plus de machines-outils sont informatisées et la fabrication est donc aussi assistée par ordinateur. Ces machines sont programmées par des technologues.
- Certains diplômés s'orienteront plutôt vers le contrôle de la qualité et l'inspection des pièces.
- D'autres, enfin, préféreront travailler en planification de travaux ou en conception de machines-outils.
- Les horaires de travail sont réguliers.

Techniques de production manufacturière

«Mis sur pied en collaboration avec des entreprises, ce programme vise à former des techniciens coordonnateurs qui seront capables de seconder une équipe dirigeante tout en coordonnant les activités courantes de production manufacturière», explique Sylvie Rancourt, professeure au Cégep Beauce-Appalaches.

PROG. 235.A0
PRÉALABLE : 11, 20, VOIR P. 11

INTÉRÊTS
- aime le travail en usine
- aime coordonner, planifier et gérer des activités de production
- aime résoudre des problèmes
- aime le travail en équipe

APTITUDES
- polyvalence et sens de l'organisation
- facilité à décider et à diriger
- bon sens de la communication
- rapidité de compréhension et d'apprentissage

OFFRE DU PROGRAMME PAR RÉGIONS
Chaudière-Appalaches, Laurentides, Montérégie, Montréal-Centre

RÔLE ET TÂCHES

La formation du technicien en production manufacturière est à la fois très spécialisée et très générale. Si tous les diplômés travailleront en usine, il est toutefois difficile de prévoir dans quel type d'entreprise ils œuvreront : production automobile, agroalimentaire, métallurgie, etc. Le choix est vaste, et le programme tient compte de cette diversité. Ainsi, la formation comprend des notions dans différents domaines : scientifique, technique, technologique. On touche également à la gestion, à l'aspect des relations humaines et à l'intégration à l'entreprise. «Nos diplômés seront ce qu'on appelle des "gens de plancher", explique Sylvie Rancourt. Des contremaîtres, des coordonnateurs, par exemple, qui seront responsables de la mise en production dans l'usine, c'est-à-dire qu'ils devront prévoir l'horaire d'employés chargés d'effectuer telle opération, à tel moment, en tenant compte des normes de qualité en vigueur et des délais.» Environ 20 % du temps de travail du technicien en production manufacturière sera consacré à cette planification. Le reste de son temps, c'est dans l'usine qu'il le passera, au milieu des employés et des machines. «Le rôle du technicien est également de voir à optimiser le rendement, tant des employés que de la machinerie, ajoute Sylvie Rancourt. Et cela, tout en tenant compte de la qualité attendue. C'est le volet gestion du travail.» Le technicien pourra aussi effectuer des études de temps et de mouvement sur des postes de travail. «Cette opération consiste à déterminer combien coûte, par exemple, la production d'un pantalon sur un poste de travail précis, explique Mme Rancourt. Le technicien relève le temps opératoire de la séquence de travail et porte un jugement d'allure. Il pourra ensuite modifier ou non la séquence concernée.»

	Salaire hebdo moyen	Proportion de dipl. en emploi	Emploi relié	Chômage	Nombre de diplômés
2000	496 $	100,0 %	76,5 %	0,0 %	9
1999	n/d	n/d	n/d	n/d	n/d
1998	n/d	n/d	n/d	n/d	n/d

Statistiques tirées de la Relance - Ministère de l'Éducation. Voir données complémentaires, page 419.

Comment interpréter l'information, page 10.

Par sa formation très polyvalente, le technicien peut œuvrer dans différents secteurs de la production. Ainsi, dans une petite usine, il pourra effectuer l'ensemble des tâches d'un contremaître (horaires, gestion des employés, mise en production, etc.), alors que dans une plus grande usine, il est possible qu'il soit affecté à un poste bien précis, comme la gestion de la qualité. Ses notions en pneumatique et en hydraulique, en informatique ou en dessin technique peuvent également l'amener à travailler dans ces secteurs à l'intérieur d'une usine.

«La première qualité d'un technicien en production manufacturière est, selon moi, la capacité de travailler en équipe.»

— Sylvie Rancourt

QUALITÉS RECHERCHÉES

«La première qualité d'un technicien en production manufacturière est, selon moi, la capacité de travailler en équipe», avance Sylvie Rancourt. En effet, le technicien travaillera rarement seul et il devra savoir réagir et prendre sa place à l'intérieur d'une cellule de travail, surtout s'il occupe un poste de contremaître. Il devra également être capable de prendre et de gérer des décisions, estime Mme Rancourt. «J'ai travaillé plusieurs années en usine et j'ai vu de très bons contremaîtres qui étaient absolument incapables de donner des ordres, des instructions. C'est pourquoi nos diplômés doivent faire preuve d'un solide sens de la communication.» La polyvalence, la rapidité de compréhension d'une situation, de même que le sens de l'organisation sont des qualités importantes dans ce domaine.

Photo : Collège LaSalle

DÉFIS ET PERSPECTIVES

Si le programme de techniques de production manufacturière est récent, le poste que pourra occuper le diplômé existe depuis longtemps. Ces postes de contremaître, ou encore de coordonnateur de production, étaient confiés à des employés sans formation spécifique. «Avant, on prenait des gens qui étaient dans la boîte depuis 15 ou 20 ans et qui connaissaient tous les recoins de l'usine, mais qui ne possédaient pas la formation pour être efficaces à 100 %, raconte Sylvie Rancourt. Aujourd'hui, pour être compétitif tant sur le plan québécois que sur le plan mondial, il faut avoir une main-d'œuvre qualifiée et performante. C'est cette place-là que doit prendre le diplômé de notre programme», soutient-elle. 09/96

HORAIRES ET MILIEUX DE TRAVAIL

- Le diplômé peut être amené à travailler tant dans la production industrielle que manufacturière, et dans des domaines fort variés.
- Une constante toutefois, son milieu de travail sera une usine plus ou moins grosse, où il aura à assumer plus ou moins de responsabilités, suivant le nombre d'employés et le rythme de production.
- Le technicien doit donc s'attendre à avoir un horaire rotatif, soit de jour, de soir ou de nuit, selon les postes disponibles.

Techniques de transformation des matériaux composites

Jasmin Despaul travaille chez ADS groupe composite, un fabricant de produits en matière plastique, notamment des pièces de fibre de verre pour des véhicules comme les autobus. Il teste des adhésifs pour améliorer leurs caractéristiques et développer de nouveaux produits.

PROG. 241.11
PRÉALABLE : 12, 40, VOIR P. 11

INTÉRÊTS

- aime la précision et l'efficacité
- aime utiliser une méthode rigoureuse et suivre des normes
- aime travailler en laboratoire
- aime observer, manipuler, calculer et analyser
- aime communiquer et travailler en équipe

APTITUDES

- sens de l'ordre et respect des normes et des règles
- être consciencieux, rigoureux et méthodique
- facilité pour les sciences (math, physique, chimie)
- dextérité et sens de l'observation
- facilité à communiquer et bilinguisme

OFFRE DU PROGRAMME PAR RÉGIONS
Lanaudière, Laurentides

RÔLE ET TÂCHES

Un matériau composite est un objet produit à partir de plusieurs composantes aux propriétés très différentes les unes des autres. Par exemple, on peut modifier les propriétés de certains plastiques pour leur permettre de résister au feu. Certains techniciens, comme Jasmin, ont la responsabilité de vérifier les caractéristiques des matières premières qu'ils reçoivent des fournisseurs. Ils travaillent en laboratoire où ils évaluent celles-ci à l'aide de tests précis : temps de gel (combien de temps le mélange prend pour durcir), viscosité et malléabilité du produit. «Je vérifie la réaction de la colle aux températures, les facteurs influant sur son durcissement, etc. Mon travail peut avoir des répercussions importantes sur celui des autres», explique Jasmin.

Mais le technicien en transformation des matériaux composites ne fait pas que des tests. En plus d'être apte à contrôler la qualité, il peut planifier, diriger ou réaliser la production. Il peut former des opérateurs de machines. Il sait calculer des coûts de revient, établir et analyser des soumissions et procéder aux achats de marchandises. Il peut aussi être en charge de faire la mise au point de mélanges de différentes sortes. «Il existe beaucoup de procédés pour en arriver à un produit quelconque, dit Chantal Perreault, professeure de transformation des matériaux composites au Cégep de Saint-Jérôme. Il s'agit d'y aller selon les spécialités et besoins du produit final. Le technicien peut travailler à optimiser des procédés de transformation, à en développer d'autres, en contrôlant des paramètres précis, tels que la pression et la chaleur.» C'est aussi le technicien qui évalue les propriétés des

	Salaire hebdo moyen	Proportion de dipl. en emploi	Emploi relié	Chômage	Nombre de diplômés
2000	n/d	n/d	n/d	n/d	n/d
1999	n/d	n/d	n/d	n/d	n/d
1998	509 $	87,5 %	71,4 %	0,0 %	8

Statistiques tirées de la Relance - Ministère de l'Éducation. Voir données complémentaires, page 419.

Comment interpréter l'information, page 10.

pièces finies, à savoir leur conformité avec les devis de fabrication. Par exemple, on peut tester la résistance au feu d'un plastique servant à faire des wagons de métro.

QUALITÉS RECHERCHÉES

Le technicien en transformation des matériaux composites est appelé à effectuer des tests précis : il doit donc être minutieux. Son sens de l'observation sera mis à profit au moment de l'évaluation, de même que son sens critique et logique. Étant donné que, par ces tests, des produits peuvent être refusés, la rigueur est de mise. Selon Jasmin, on doit aussi faire preuve de débrouillardise : «Il existe différentes possibilités d'application d'un même produit. Il faut en être conscient pour l'exploiter au maximum.» À cause des contacts fréquents qu'il a avec les fournisseurs, Jasmin Despaul considère la connaissance de l'anglais comme primordiale. Mme Perreault fait aussi remarquer que les ouvrages de référence sont souvent en anglais, et que les plus récents développements en ce domaine se font aux États-Unis. De plus, Internet donne accès à une mine d'informations qui, encore une fois, sont dans la langue de Shakespeare. Une bonne capacité à faire face aux changements est essentielle, car les progrès sont constants. Il faut aussi aimer apprendre et être curieux.

«Le technicien en transformation des matériaux composites doit constamment se tenir à jour par des formations supplémentaires et la lecture de journaux techniques.»

— Chantal Perreault

Photo : Chapeau, les filles! / PPM

DÉFIS ET PERSPECTIVES

«Le technicien en transformation des matériaux composites doit constamment se tenir à jour par des formations supplémentaires et la lecture de journaux techniques», dit Chantal Perreault. Il peut aussi décider de poursuivre des études universitaires en génie mécanique. Certains se dirigent vers le génie chimique ou se spécialisent en production automatisée.

Une chose est sûre : l'utilité et la valeur des matériaux composites tendent à être de plus en plus connues. Leur résistance à certains phénomènes, comme la corrosion, pourrait révolutionner bien des domaines. Sur le plan environnemental, ça bouge aussi beaucoup, notamment en Europe. On fait face à une demande accrue de matériaux ayant des propriétés «vertes» tout en étant capables d'effectuer le même boulot que d'autres matières plus polluantes. L'avenir est prometteur pour les techniciens. 09/99

HORAIRES ET MILIEUX DE TRAVAIL

- La plupart des diplômés trouvent de l'emploi dans l'industrie de la transformation manufacturière.
- Dans les PME, le technicien doit faire preuve de polyvalence, car il travaille tant en production que dans un bureau.
- À l'opposé, les entreprises de plus grande envergure ont tendance à spécialiser leurs travailleurs.
- De façon générale, les horaires sont fixes et on travaille de jour, du lundi au vendredi. Par contre, les grosses entreprises peuvent fonctionner suivant plusieurs périodes de travail.

Techniques de transformation des matières plastiques

Alain Gouin travaille chez Ipex, une compagnie spécialisée dans la fabrication de tuyaux en plastique. «C'est un secteur vraiment intéressant. Les avancées technologiques dans le domaine des résines et de l'outillage m'obligent à améliorer sans cesse la production. Mon but est d'avoir le meilleur rendement et la meilleure qualité au prix le plus avantageux.»

PROG. 241.12
PRÉALABLE : 13, 40, VOIR P. 11

INTÉRÊTS

- accorde de la valeur à la qualité et à l'efficacité
- aime manipuler et comprendre les mécanismes
- aime calculer, mesurer, vérifier, faire des tests
- aime analyser et résoudre des problèmes pratiques
- aime apprendre et innover

APTITUDES

- polyvalence, sens de l'observation, de l'innovation et pragmatisme
- facilité pour les mathématiques et la mécanique
- assimile rapidement des connaissances technologiques
- facilité à communiquer

OFFRE DU PROGRAMME PAR RÉGIONS
Chaudière-Appalaches, Montréal-Centre

RÔLE ET TÂCHES

Ipex est une compagnie fabriquant des tuyaux et des raccords en plastique pour les canalisations résidentielles et industrielles. Alain y a débuté comme dessinateur à la conception des moules à l'intérieur desquels on injecte le plastique. Le département de l'ingénierie lui fournissait alors les travaux à accomplir. Il en faisait l'étude et dessinait, par ordinateur, les moules qui étaient ensuite réalisés à l'extérieur par un sous-traitant. «Maintenant, j'occupe un poste différent, dit Alain. Je travaille à la gestion de la production. En tant qu'adjoint au gérant, mon rôle est d'optimiser les cycles de production. Pour cela, je règle les machines, j'apporte des modifications aux moules, je contrôle la vitesse d'injection du plastique et l'efficacité de refroidissement du démoulage. C'est un jeu très subtil où il faut gagner du temps sans nuire à la qualité du produit et sans risquer d'endommager les moules. Il s'agit de trouver le juste équilibre. Quelques dixièmes de seconde gagnés sur la réalisation d'une pièce peuvent faire une grosse différence sur la production annuelle. Surtout si l'on pense que certains de nos raccords de plomberie en ABS sont produits à plus de deux millions d'exemplaires par an.»

Alain Gouin apprécie que son métier lui permette de toucher à la conception, à la fabrication, à la gestion de la production et à la supervision des opérateurs de machines. «C'est assez rare d'avoir autant de responsabilités après seulement quelques années», dit-il.

	Salaire hebdo moyen	Proportion de dipl. en emploi	Emploi relié	Chômage	Nombre de diplômés
2000	538 $	72,4 %	85,7 %	16,0 %	38
1999	485 $	66,7 %	92,9 %	6,7 %	28
1998	537 $	79,3 %	91,3 %	0,0 %	29

Statistiques tirées de la Relance - Ministère de l'Éducation. Voir données complémentaires, page 419.

Comment interpréter l'information, page 10.

QUALITÉS RECHERCHÉES

Les techniciens sont en contact direct avec le secteur de la production. Ils interviennent sur les machines pour effectuer différents réglages et participent parfois à la conception des moules qui les équipent. Ils doivent donc être dotés d'un bon sens de la mécanique. «Si tu veux optimiser tous les paramètres, tu as plutôt intérêt à savoir comment cela fonctionne», considère Alain. À son avis, ceux qui désirent travailler dans ce domaine doivent avoir de bonnes connaissances en informatique, être observateurs et être des communicateurs efficaces. «C'est un métier où l'on n'arrête pas de communiquer. On communique avec les ingénieurs sur le plan de la conception, avec les opérateurs dans la chaîne ou avec la direction pour analyser les résultats et choisir de nouvelles directives.»

C'est un domaine qui ne cesse de croître et les entreprises qui en font partie ont beaucoup de difficultés à recruter suffisamment de techniciens qualifiés.

DÉFIS ET PERSPECTIVES

Le secteur de la plasturgie est en pleine effervescence. C'est un domaine qui ne cesse de croître et les entreprises qui en font partie ont beaucoup de difficultés à recruter suffisamment de techniciens qualifiés. «Le manque de main-d'œuvre dans l'industrie des plastiques n'est pas un mythe. Les besoins de personnel sont croissants et le nombre de diplômés est toujours relativement faible», confirme Marquis Lambert, coordonnateur du programme des techniques de transformation des matières plastiques au Cégep de la région de L'Amiante. Selon M. Lambert, les compétences multiples de ces techniciens leur ouvrent des perspectives dans tous les champs de l'industrie des plastiques. «On compte environ 450 entreprises au Québec qui sont directement reliées à ce secteur, dit-il. Les diplômés peuvent aussi bien concevoir ou fabriquer des moules pour l'injection de thermoplastique que travailler au contrôle de la qualité de pièces en caoutchouc pour l'automobile ou encore faire de la recherche dans le domaine des composites. C'est un domaine intéressant à la condition de savoir s'adapter rapidement aux changements.»

Photo : IPL

Marquis Lambert croit que les jeunes sont peu motivés en raison des salaires à l'embauche qui ne correspondent pas à leurs attentes. «Or, ils ignorent que dès les premières années, les salaires sont bien meilleurs et le niveau de responsabilité qui leur est confié est incomparable, affirme le coordonnateur. Certains jeunes ont moins de 20 ans et sont déjà contremaîtres, alors que d'autres sont devenus directeurs de production avec ce DEC.» 02/01

HORAIRES ET MILIEUX DE TRAVAIL

- Les diplômés sont embauchés par les compagnies du secteur du plastique, le plus souvent des PME.
- Ils font de la mise en œuvre, du contrôle de la qualité, de la conception ou de la fabrication de moules ou d'outillage, de la recherche et du développement.
- Leur environnement de travail peut être bruyant, car ils œuvrent en usine, à proximité des chaînes de production.
- Ils travaillent le jour, selon des horaires réguliers.
- Il est possible, pour les contremaîtres et les inspecteurs au contrôle de la qualité, de travailler en rotation, le soir ou la nuit.

Technologie du génie industriel

Martine Lefrançois travaille chez Bombardier Aéronautique. Sa formation en technologie du génie industriel lui a ouvert les portes du département Planification, matières et travaux du grand constructeur. «J'ai toujours été attirée par le défi consistant à optimiser le rendement et la qualité. Chez Bombardier, c'est une mission qui prend tout son sens.»

PROG. 235.01
PRÉALABLE : 12, 20, 40, VOIR P. 11

INTÉRÊTS

- aime prendre des décisions et assumer des responsabilités
- aime communiquer, persuader et superviser
- aime observer, calculer, analyser, contrôler et organiser
- aime les mathématiques et la technologie
- aime résoudre des problèmes pratiques

APTITUDES

- autonomie, polyvalence, créativité et pragmatisme
- doué pour les chiffres, la géométrie et la mécanique
- méthodique, habile à la planification et à l'organisation
- habileté à convaincre et à communiquer

OFFRE DU PROGRAMME PAR RÉGIONS
Bas-Saint-Laurent, Estrie, Mauricie, Montérégie, Montréal-Centre, Québec, Saguenay–Lac-Saint-Jean

RÔLE ET TÂCHES

«Dans une compagnie aussi importante que Bombardier, les tâches de chacun sont bien définies, explique Martine. Mon rôle est d'apporter un soutien à la production en veillant à l'approvisionnement en matières premières. Je fournis les pièces nécessaires au bon fonctionnement de différents postes de travail. Il peut s'agir de petites pièces ou d'éléments plus importants tels que des trains d'atterrissage ou des pare-brise d'avions. Ce n'est pas un travail routinier. Je peux aussi bien collaborer avec les chaînes de montage s'occupant de la structure des appareils qu'avec celles effectuant les finitions.» Martine considère que le poste qu'elle occupe exige une grande facilité à communiquer. «Je fais le relais entre le plan de production mis en place par la direction et les postes de travail, explique-t-elle. Les contremaîtres et les chefs d'équipe m'indiquent si les délais sont raisonnables ou s'il faut revoir les cadences. Je fais part de cette information à la direction et je contacte les acheteurs afin qu'ils me fournissent la quantité exacte de pièces qui est nécessaire pour obtenir le meilleur rendement.» Un certain nombre de tâches administratives s'ajoutent aux responsabilités de Martine. Elle fait le suivi de tout le matériel qui va en production grâce à un système de codes à barres qui lui indique précisément où se trouvent les pièces. Si l'une d'entre elles n'est pas conforme aux normes, la production en avise la technologue et lui retourne la pièce en question pour qu'elle soit inspectée, mise en quarantaine puis jetée au rebut ou envoyée en réparation. C'est Martine qui gère ces étapes grâce à des logiciels spécialement adaptés et qui émet les rapports de non-conformité.

	Salaire hebdo moyen	Proportion de dipl. en emploi	Emploi relié	Chômage	Nombre de diplômés
2000	545 $	68,4 %	92,0 %	0,0 %	46
1999	545 $	84,2 %	96,8 %	3,0 %	50
1998	521 $	81,0 %	100,0 %	2,9 %	46

Statistiques tirées de la Relance - Ministère de l'Éducation. Voir données complémentaires, page 419.

Comment interpréter l'information, page 10.

QUALITÉS RECHERCHÉES

«Le technologue en génie industriel doit procéder de façon très rigoureuse, affirme Martine. Ses choix et ses recommandations influencent directement la production; il faut donc être méthodique et savoir anticiper les problèmes. Il faut aussi être en mesure de garder la tête froide lorsqu'on apprend que la production va passer d'un avion aux quatorze jours à un avion aux six jours...» La jeune femme considère qu'il faut être capable de communiquer avec de nombreux intervenants. «Un bon sens de la diplomatie est nécessaire pour expliquer à un chef de service que son équipe va devoir travailler plus vite ou pour dire à la direction que ses objectifs sont vraiment hors d'atteinte.» Les diplômés doivent maîtriser l'anglais, être réceptifs aux nouvelles technologies, aimer l'informatique et les mathématiques. Ces deux derniers points sont essentiels pour gérer les stocks, planifier la production, faire des statistiques ou calculer des coûts.

«Il faut être en mesure de garder la tête froide lorsqu'on apprend que la production va passer d'un avion aux quatorze jours à un avion aux six jours...»

— Martine Lefrançois

DÉFIS ET PERSPECTIVES

«Toutes les entreprises désirant améliorer leur productivité, leurs délais de livraison ou la qualité de leurs produits sont susceptibles d'engager nos diplômés, dit Marie-Claude Belhumeur, qui coordonne les stages de la formation en technologie du génie industriel au Collège de Valleyfield. Le domaine manufacturier est évidemment celui qui demande ce type de compétences, mais il se trouve aussi des technologues dans de grandes entreprises de services telles que Bell Canada ou Hydro-Québec.»

La mondialisation des marchés ouvre grandes les portes de la concurrence. Les compagnies n'ont d'autre choix que d'accroître leur compétitivité. «Cela signifie de nombreux défis pour ces diplômés qui doivent planifier la production avec le souci constant de diminuer les coûts, dit Mme Belhumeur. Il faut des gens réfléchis, capables d'analyser les projets dans leur ensemble et qui aiment autant travailler dans les bureaux qu'en usine. Leurs champs d'action sont très étendus. Ils doivent repenser l'aménagement des postes de travail ou même d'usines entières, simplifier les méthodes et les procédés tout en respectant les normes de santé et de sécurité. C'est un secteur où la veille technologique est également fort importante.» 03/01

Photo : Cégep Lionel-Groulx

HORAIRES ET MILIEUX DE TRAVAIL

- Les diplômés de ce programme peuvent trouver du travail auprès des entreprises manufacturières ou de services ayant besoin de planifier et d'organiser leur production.
- Il y a de l'emploi possible dans certains bureaux de consultants.
- L'environnement de travail est très informatisé.
- Ils travaillent selon des horaires de bureau réguliers.
- Dans ce domaine, il est possible de travailler le soir ou les fins de semaine, là où la production se fait jour et nuit.

PAGES 254 ⇓ 259

SECTEUR 12

FORESTERIE ET PAPIER

L'industrie forestière occupe une place importante au sein de l'économie québécoise. Selon Statistique Canada, ses ventes annuelles se chiffrent à environ 15,4 milliards de dollars et représentent 18% des exportations totales du Québec. En 1999, elle comptait quelque 400 entreprises faisant vivre 134 000 personnes, soit 74 000 emplois directs et 148 000 emplois indirects. Avec ses 85,3 millions d'hectares de terre boisée au Québec, cette industrie génère l'une des activités économiques les plus importantes de la province. Ses défis actuels sont principalement liés à la protection de l'environnement et au développement durable (qui assure le renouvellement de la ressource).

Si plusieurs secteurs de la foresterie sont dynamiques, l'exploitation forestière semble avoir atteint un plafond. Ainsi, selon Emploi-Québec, l'exploitation de la matière ligneuse est proche de sa pleine capacité, et la grande mécanisation des opérations freinera l'emploi dans ce secteur entre 2000 et 2004. Toutefois, selon l'Association des industries forestières du Québec (AIFQ), près de 5 000 postes se libéreront d'ici à cinq ans à cause des départs à la retraite.

Au Cégep de Trois-Rivières, seul collège à offrir le programme en techniques papetières au Québec, on affirme que le placement est excellent depuis 1996. En outre, l'industrie des pâtes et papiers étant entrée de pied ferme dans le champ de la technologie de pointe, cela permet aux diplômés dûment formés de trouver des emplois bien rémunérés.

Au Comité sectoriel de main-d'œuvre des industries du bois de sciage, on affirme que les premiers technologues en transformation des produits forestiers – qui obtiendront leur diplôme en 2000 – sont très attendus par les employeurs. Étant donné la diminution des ressources naturelles, ils seront très actifs dans le cadre de l'optimisation de la production et dans tout ce qui a trait au virage écologique. 05/01

INTÉRÊTS

- aime le travail manuel, en usine ou à l'extérieur
- aime régler et manœuvrer de la machinerie
- aime observer, calculer, analyser, planifier
- aime faire un travail manuel minutieux
- aime le travail d'équipe

APTITUDES

- habileté au calcul, à l'analyse et facilité en sciences
- dextérité, habileté en mécanique et efficacité d'exécution
- sens de l'observation, logique et discernement
- résistance au bruit et à la poussière
- rigueur et minutie
- autonomie et débrouillardise
- bonne condition physique
- esprit de collaboration

LE SAVIEZ-VOUS ?

Au Québec, l'industrie du bois de sciage regroupe 26 000 travailleurs répartis dans près de 500 entreprises. De ce nombre, 20 000 sont affectés à la première transformation des feuillus et des résineux et 6 000 à leur deuxième transformation. Selon Fernand Otis, coordonnateur du Comité sectoriel de main-d'œuvre des industries du bois de sciage, deux milliards de dollars ont été investis dans le renouvellement des équipements.

Source : *Les carrières d'avenir au Québec*, Le groupe de recherche Ma Carrière, édition 2001.

RESSOURCES INTERNET

DESCRIPTION DES PROGRAMMES DU SECTEUR
http://www.meq.gouv.qc.ca/ens-sup/ens-coll/Cahiers/sect-12.htm
Vous trouverez sur cette page une description des programmes de ce secteur de formation, comprenant les exigences d'admission et un bref résumé de chaque cours. Pour chaque programme, vous pourrez aussi accéder à la liste des établissements qui l'offrent et à la dernière relance de ses diplômés.

L'INFOROUTE DE LA FORÊT CANADIENNE – INDEX
http://www.foret.ca/
Un site incontournable pour tout savoir de l'industrie forestière au Canada : produits et services, formation, recherche, nouvelles, associations, et plus encore!

ACTUALITÉ – ARBRES, FORÊTS ET... GENS
http://www3.sympatico.ca/maximer/Home.htm
Un répertoire très intéressant de tout ce qui concerne la forêt et l'industrie forestière au Québec! On y trouve bien des idées pour la recherche d'emploi, de même que plusieurs ressources pédagogiques.

Technologie de la transformation des produits forestiers

Alors qu'il étudiait en métallurgie à l'université, Paul Desaulniers a décidé de se réorienter. «Dans le fond, les mines et le bois, c'est très différent, mais aussi semblable : dans les deux cas, il s'agit d'exploitation de ressources naturelles», dit le président-fondateur de la compagnie Les Bois Lametech.

PROG. 190.A0
PRÉALABLE : 0, VOIR PAGE 11

INTÉRÊTS

- aime travailler en usine
- aime travailler avec le bois
- aime résoudre des problèmes
- aime superviser et coordonner des activités de production

APTITUDES

- polyvalence
- initiative
- facilité à communiquer et à vulgariser de l'information
- notions de pneumatique et d'électricité (atout)

OFFRE DU PROGRAMME PAR RÉGIONS
Bas-Saint-Laurent, Laurentides, Québec, Saguenay—Lac-Saint-Jean

RÔLE ET TÂCHES

Le technologue en transformation des produits forestiers est formé pour travailler dans une usine de transformation primaire du bois. Ses tâches varient en fonction de l'importance de l'entreprise qui l'engage. Sa formation lui permet d'analyser les procédés de transformation, d'établir des normes de fonctionnement, de contrôler les opérations, de superviser le personnel et de gérer la qualité des produits ainsi que les stocks. On l'appellera contremaître, responsable de la cour à bois, superviseur des opérations ou analyste des procédés, selon ses fonctions précises au sein de l'usine. Les procédés primaires de transformation qu'il aura à superviser sont le sciage, le rabotage, le séchage ainsi que le traitement du bois (afin qu'il résiste à la pourriture, par exemple). Il aura à travailler avec des bois résineux, des bois de feuillus indigènes ou exotiques, ainsi qu'avec quelques produits synthétiques, comme des colles.

Paul Desaulniers a quant à lui décidé de fonder sa propre compagnie dans le secteur de la transformation secondaire plutôt que primaire du bois. «Notre but premier est de fabriquer des composantes de fenêtres, mais comme le marché est plutôt faible, nous faisons surtout des panneaux de bois qui serviront dans la fabrication d'armoires ou de meubles», explique-t-il.

Dans son usine de Saint-Romuald, Paul accomplit de nombreuses tâches. «Mon associé est directeur de production, c'est-à-dire qu'il supervise le travail des employés, alors que je me charge principalement des ventes et des

	Salaire hebdo moyen	Proportion de dipl. en emploi	Emploi relié	Chômage	Nombre de diplômés
2000	n/d	n/d	n/d	n/d	n/d
1999	n/d	n/d	n/d	n/d	n/d
1998	n/d	n/d	n/d	n/d	n/d

Statistiques tirées de la Relance - Ministère de l'Éducation. Voir données complémentaires, page 419.

Comment interpréter l'information, page 10.

achats, ainsi que de l'administration générale. Je m'occupe aussi de la qualité, puisque je suis responsable de l'implantation du système ISO-9002 dans l'usine, qui est un ensemble de normes internationales de gestion de la qualité.»

QUALITÉS RECHERCHÉES

Dans ce domaine, il faut être polyvalent et bien connaître le travail qui s'effectue partout dans l'usine, croit Paul. En tant que contremaîtres, «nous devons être capables de prendre des décisions éclairées concernant chacun des postes et de remplacer n'importe qui au pied levé».

Sa formation lui permet d'analyser les procédés de transformation, d'établir des normes de fonctionnement, de contrôler les opérations, de superviser le personnel et de gérer la qualité des produits ainsi que les stocks.

Il ajoute que des notions de base en hydraulique, en pneumatique et en électricité sont fort utiles au quotidien. «Si une machine brise, on sera au moins capable de comprendre le phénomène. De plus, s'il nous faut calculer le prix de revient d'un poste précis, on se doit de connaître le taux d'utilisation de la machine, la façon dont elle fonctionne.»

Le technologue en transformation des produits forestiers doit également être doté de bonnes capacités perceptuelles lui permettant de saisir rapidement ce qui ne fonctionne pas bien dans une opération. Enfin, l'entregent ainsi que la facilité à communiquer ses connaissances sont des atouts importants.

Photo : André Ellefsen

DÉFIS ET PERSPECTIVES

Selon Jean-Claude Lachance, professeur au Cégep de Sainte-Foy, le principal défi qu'auront à relever les diplômés de ce programme est celui de la récupération. «Ça prend de plus en plus de gens qui font de l'analyse de procédés pour éviter les pertes, croit-il, et nos diplômés ont leur place dans ce processus. C'est une préoccupation majeure, étant donné la diminution des ressources premières.» 09/96

HORAIRES ET MILIEUX DE TRAVAIL

- Le technologue en transformation des produits forestiers travaillera principalement dans une usine bruyante, avec la poussière et les odeurs reliées au traitement du bois. Certains diplômés travailleront cependant à l'extérieur.
- D'autres, chargés de l'expédition du produit, auront à travailler en alternance à l'usine et à l'extérieur.
- Généralement, les usines fonctionnent suivant deux horaires, l'un de jour et l'autre de soir, sauf pour le séchage du bois qui est une opération continue. L'usine tourne alors 24 heures sur 24, et le technologue peut être en poste pendant de plus longues heures ou sur appel la nuit.

Technologie forestière

«Chaque jour, sur le terrain, une nouvelle aventure commence! L'été, on travaille plus à l'extérieur, dans les forêts, tandis que l'hiver, on fait davantage de travail de bureau, comme de la cartographie et de l'étude de photos aériennes», raconte François Bertrand, technologue forestier au service du Groupe Desfor de Québec.

PROG. 190.B0
PRÉALABLE : 0, VOIR PAGE 11

INTÉRÊTS
- aime le travail en forêt
- aime faire un travail saisonnier et à horaire irrégulier
- aime observer, calculer et dessiner
- aime lire et analyser des cartes et des données
- aime communiquer, coordonner, superviser

APTITUDES
- bonne condition physique
- excellente faculté d'adaptation et débrouillardise
- bonne perception spatiale et facilité à calculer
- initiative et facilité à communiquer
- aisance avec l'informatique

OFFRE DU PROGRAMME PAR RÉGIONS
Abitibi-Témiscamingue, Bas-Saint-Laurent, Côte-Nord, Gaspésie–Îles-de-la-Madeleine, Québec, Saguenay–Lac-Saint-Jean

RÔLE ET TÂCHES

«Le rôle du technologue forestier est de mettre en application les techniques de récolte de la matière ligneuse, soit le bois, dans une perspective d'aménagement durable, explique Pierre Brochu, coordonnateur du programme de technologie forestière au Cégep de Sainte-Foy. Il recueille des données de base sur le terrain, telles que sa topographie, la composition des sols, le peuplement forestier, l'âge, la qualité et la quantité des diverses essences de bois. Puis il analyse ces données selon divers critères et normes d'exploitation forestière et de conservation des ressources.»

Sous la supervision d'ingénieurs forestiers, les technologues participent ainsi à la planification et à la réalisation des travaux de récolte et de reboisement, ainsi qu'à l'application des traitements sylvicoles favorisant la culture des peuplements forestiers d'origine naturelle ou artificielle. Bref, ils veillent à maximiser le rendement à long terme de nos forêts, en travaillant notamment à la protection et à la réhabilitation des écosystèmes du milieu forestier. Les technologues forestiers sont aussi responsables de la mise en place et de l'entretien des infrastructures en forêt, telles que les chemins et les tranchées pare-feu, et sont souvent appelés à diriger des équipes d'ouvriers.

QUALITÉS RECHERCHÉES

«Un technologue forestier doit avant tout avoir une bonne santé, être en excellente forme physique, affirme François Bertrand. Il doit, bien sûr, aimer

	Salaire hebdo moyen	Proportion de dipl. en emploi	Emploi relié	Chômage	Nombre de diplômés
2000	525 $	56,5 %	82,7 %	29,7 %	121
1999	501 $	48,8 %	84,6 %	39,4 %	117
1998	508 $	50,0 %	80,0 %	37,3 %	91

Statistiques tirées de la Relance - Ministère de l'Éducation. Voir données complémentaires, page 419.

Comment interpréter l'information, page 10.

le plein air, la nature et les grands espaces, et ne pas craindre l'isolement, voire la solitude, bien qu'il soit fréquemment appelé à travailler en équipe, faculté qui est aussi un atout. Il doit être honnête, rigoureux, capable de réagir vite aux imprévus; il doit savoir prendre des décisions rapidement et faire preuve d'initiative, être débrouillard.»

Les tâches sont très variées, allant de l'arpentage au prélèvement d'échantillons, en passant par l'interprétation de photos aériennes et la rédaction de rapports : le technologue doit donc être polyvalent, d'esprit ouvert et capable de s'adapter aux circonstances. Quelques notions de base de survie en forêt et un bon sens de l'orientation sont indispensables, de même qu'une bonne dose d'autonomie et le sens des responsabilités. Il faut aussi être mobile, aimer voyager et faire du camping à l'occasion.

«Le rôle du technologue forestier est de mettre en application les techniques de récolte de la matière ligneuse, soit le bois, dans une perspective d'aménagement durable.»

— Pierre Brochu

DÉFIS ET PERSPECTIVES

Celui ou celle qui désire parfaire ses connaissances peut s'inscrire au baccalauréat en génie forestier, moyennant quelques cours supplémentaires au cégep. «L'expérience s'acquiert sur le terrain, affirme François Bertrand. On en vient à vraiment sentir le pouls de la forêt, à voir d'un coup d'œil si elle est en santé ou malade, et ce qu'il faut faire pour qu'elle s'épanouisse.»

De nouvelles technologies de gestion des ressources forestières, l'importance accrue des concepts de développement durable et de conservation des écosystèmes, la demande croissante des marchés mondiaux, voilà autant de facteurs qui posent un défi de taille au technologue forestier.

«L'heure est à l'aménagement intégré des ressources, insiste Pierre Brochu. Le reboisement est aussi important que la récolte, et c'est l'orientation que nous donnons à la formation de nos technologues.» 09/99

Photo : Cégep de l'Abitibi-Témiscamingue

HORAIRES ET MILIEUX DE TRAVAIL

- Le technologue forestier peut avoir à travailler à l'extérieur en hiver, par des froids extrêmes, ou se retrouver sous un déluge, en plein terrain marécageux, pendant plusieurs jours où il n'est pas rare qu'il ait à subir les assauts de millions de mouches noires, moustiques et autres bestioles.
- L'hiver, le travail se fait généralement à l'intérieur, et les horaires sont réguliers, soit de 9 h à 17 h, cinq jours par semaine.
- L'été, cela varie selon les contrats, les zones et leur éloignement. Le travail s'effectue du lever au coucher du soleil en forêt.
- Les jeunes diplômés trouvent en général un travail saisonnier, pendant les premières années du moins. Avec l'expérience, l'emploi se stabilise.

Technologies des pâtes et papiers

«C'est un stage dans l'industrie des pâtes et papiers qui m'a donné le goût de travailler dans ce domaine», explique Yannick Dubois, diplômé en techniques papetières. Aujourd'hui, il travaille pour EKA Chimie Canada, un fabricant de produits chimiques qui vend notamment des produits développés spécifiquement pour les usines de désencrage.

PROG. 232.A0
PRÉALABLE : 12, 30, 40, VOIR P. 11

INTÉRÊTS

- aime observer, calculer, vérifier et manipuler
- aime analyser et résoudre des problèmes concrets
- aime la chimie et le travail en laboratoire
- aime le travail manuel en usine et la technologie (opérateur)
- aime la vente et le public (représentant)

APTITUDES

- facilité pour les sciences (chimie, physique, math)
- habileté à utiliser l'informatique
- sens de l'observation, minutie et débrouillardise
- initiative et jugement
- facilité à communiquer et bilinguisme

OFFRE DU PROGRAMME PAR RÉGIONS
Mauricie

RÔLE ET TÂCHES

En tant que technologue chargé du service à la clientèle, Yannick Dubois cumule différentes responsabilités, tant techniques que commerciales. «L'entreprise pour laquelle je travaille est spécialisée dans les savons servant à éliminer l'encre du papier recyclé, dit-il. Mon rôle auprès des clients est d'effectuer le suivi de la qualité et des procédés. Je m'assure que le désencrage est optimal, qu'il ne subsiste pas de matières collantes et que la blancheur et la brillance de la pâte sont conformes aux normes de qualité.» Le jeune homme doit également veiller à l'entretien des équipements, car la compagnie loue à ses clients des systèmes de pompes utilisés lors du traitement. «Je collabore aussi bien avec les opérateurs de production qu'avec les directeurs d'usine, dit-il. Ma double qualité de technicien et de représentant m'amène à dispenser des programmes de formation aux opérateurs, mais aussi à informer nos clients des nouvelles technologies développées par la compagnie.» Yannick considère que lorsqu'on travaille pour les papetières, il est aussi important de se spécialiser dans un secteur précis que de connaître tous les domaines de la filière. Dans les produits recyclés, par exemple, il faut savoir que l'on distingue la période estivale de la période hivernale. En été, à cause de la chaleur, l'encre s'incruste dans les fibres et il est plus difficile de l'en extraire. Il faut donc tenir compte de ces détails dans la recette de produits chimiques utilisée. Yannick apprécie également la partie de son travail lui permettant de faire de la représentation. «J'ai la chance d'avoir un mandat commercial en plus de mes tâches techniques, dit-il. La représentation me permet de voyager à travers le Canada et les

	Salaire hebdo moyen	Proportion de dipl. en emploi	Emploi relié	Chômage	Nombre de diplômés
2000	673 $	77,8 %	81,0 %	4,5 %	36
1999	812 $	86,7 %	92,3 %	7,1 %	20
1998	715 $	91,7 %	88,9 %	0,0 %	12

Statistiques tirées de la Relance - Ministère de l'Éducation. Voir données complémentaires, page 419.

Comment interpréter l'information, page 10.

États-Unis et de faire des rencontres professionnelles très enrichissantes sur le plan humain.»

QUALITÉS RECHERCHÉES

Le technologue en pâtes et papiers travaille constamment en équipe. Il lui faut s'adapter aux personnes qu'il rencontre. «C'est encore plus vrai dans mon cas, affirme Yannick. Je suis en contact avec les représentants, la direction, la production, les techniciens de laboratoire. Des gens tous aussi différents les uns que les autres.» La complexité du contrôle de la qualité exige rigueur et minutie. La disponibilité fait également partie des qualités nécessaires à l'exercice du métier. «Dans le domaine de la production, les usines tournent 24 heures sur 24. Il m'arrive de travailler parfois très tard pour régler un problème sur la qualité de la pâte. Il faut être flexible et disponible.» La maîtrise de l'anglais est un bon atout pour ceux qui se destinent au soutien technique ou à la représentation pour les fournisseurs des papetières.

«Je m'assure que le désencrage est optimal, qu'il ne subsiste pas de matières collantes et que la blancheur et la brillance de la pâte sont conformes aux normes de qualité.»

— Yannick Dubois

DÉFIS ET PERSPECTIVES

«La polyvalence et la compétence de nos diplômés en techniques papetières en font des recrues de choix pour l'industrie des pâtes et papiers, soutient Jean Leclerc, coordonnateur du programme au Cégep de Trois-Rivières. Certaines usines exigent même ce DEC pour leurs postes d'opérateurs.» Selon lui, il existe actuellement un criant besoin de main-d'œuvre dans le domaine des pâtes et papiers. De nombreux travailleurs du secteur partent à la retraite et le renouvellement risque fort d'être insuffisant. C'est un constat qui est malgré tout tempéré par les rachats et les fusions qui touchent le secteur et modifient le tableau à court terme. À la suite de ces restructurations, certaines compagnies ont en effet gelé l'embauche de nouveaux employés. «Mais le développement des techniques de recyclage, de désencrage et de blanchiment exige l'embauche de techniciens très qualifiés», tient à souligner M. Leclerc.

Photo : Cégep de Trois-Rivières

Même si le secteur a longtemps véhiculé l'image d'une industrie traditionnelle un peu vieillotte, Jean Leclerc affirme qu'il n'en est rien. «C'est un domaine de technologie de pointe, très dynamique, où il faut sans cesse se tenir au courant des innovations. Avec une formation en techniques papetières, les diplômés peuvent aussi bien travailler en production qu'au contrôle de la qualité ou comme représentants pour les fournisseurs des papetières. 02/01

HORAIRES ET MILIEUX DE TRAVAIL

- Les diplômés peuvent travailler pour les compagnies papetières et leurs fournisseurs.
- Ils travaillent en usine, à la production ou au contrôle de la qualité.
- Ils peuvent aussi faire du soutien technique auprès des fournisseurs de biens et de services ou travailler en recherche et en développement.
- C'est un milieu de travail bruyant, en usine.
- Les horaires de travail peuvent s'établir de jour, de soir et de nuit, parfois par tranches de 12 heures.

COMMUNICATION ET DOCUMENTATION

Fortement touché par l'essor des technologies, le domaine des communications a un besoin urgent d'une relève bien formée et motivée. En outre, ce domaine est appelé à se développer davantage sous la poussée d'Internet et du multimédia, ce qui transforme dans bien des cas les façons de travailler.

En effet, au cours des dernières années, l'industrie des communications graphiques a connu une profonde mutation, en raison du développement technologique. Certains métiers ont disparu au profit de nouveaux. Selon Ghislaine Marcotte, coordonnatrice de Comité sectoriel de main-d'œuvre des communications graphiques du Québec, dans l'ensemble, l'effet sur les emplois est modeste. Toutefois, dans certains segments, des changements majeurs ont complètement révolutionné les modes de production, notamment en préimpression. Ces employés ne perdent pas pour autant leur emploi, car ils se recyclent pour devenir techniciens de prépresse (infographistes), pelliculeurs numériques, etc.

Le multimédia constitue un véritable pôle d'attraction pour la relève. Toutefois, s'il y a beaucoup d'appelés, il y a peu d'élus. Selon Sylvie Gagnon, directrice de TECHNOCompétences, seuls les plus mordus du multimédia se tailleront une place dans le milieu. Malgré cette mise en garde, ce domaine reste synonyme d'optimisme.

Le multimédia constitue un véritable pôle d'attraction pour la relève.

L'industrie se développe à pas de géant et elle doit s'appuyer sur une main-d'œuvre qualifiée pour rester compétitive. Actuellement, elle connaît une certaine pénurie de spécialistes, notamment de gestionnaires de projets et de scénaristes interactifs. Des postes de concepteurs, d'infographistes 2D et 3D et de programmeurs sont aussi à pourvoir. En outre, le gouvernement québécois estime que la venue de la Cité du multimédia dans la région montréalaise devrait générer près de 10 000 emplois en 10 ans. On fonde donc de l'espoir sur les futurs diplômés des tout nouveaux programmes de techniques d'intégration multimédia et de dessin animé. 05/01

INTÉRÊTS

- aime le travail d'équipe
- aime la lecture et les arts en général
- aime imaginer et innover en fonction d'un besoin précis
- aime faire un travail de précision
- aime manipuler de l'équipement électronique ou informatique

APTITUDES

- acuité de perception (visuelle ou auditive) et dextérité manuelle
- créativité, précision et minutie
- grande faculté de concentration
- sens esthétique
- maîtrise de la langue parlée et écrite

LE SAVIEZ-VOUS ?

Selon l'Association des producteurs en multimédia du Québec, au cours de l'année 2000 au Québec, plus de 300 entreprises de production multimédia auraient employé 4 500 personnes et généré des revenus de l'ordre de 300 millions de dollars. D'ici à 2002, l'industrie du multimédia devrait connaître une croissance annuelle de 2 %.

Source : *Les carrières d'avenir au Québec*, Le groupe de recherche Ma Carrière, édition 2001.

RESSOURCES INTERNET

DESCRIPTION DES PROGRAMMES DU SECTEUR
http://www.meq.gouv.qc.ca/ens-sup/ens-coll/Cahiers/sect-13.htm
Vous trouverez sur cette page une description des programmes de ce secteur de formation, comprenant les exigences d'admission et un bref résumé de chaque cours. Pour chaque programme, vous pourrez aussi accéder à la liste des établissements qui l'offrent et à la dernière relance de ses diplômés.

COMITÉ SECTORIEL DE MAIN-D'ŒUVRE DES COMMUNICATIONS GRAPHIQUES DU QUÉBEC
http://www.csmocgq.qc.ca
Pour en savoir plus sur les besoins en ressources humaines dans ce domaine.

ASSOCIATION POUR L'AVANCEMENT DES SCIENCES ET DES TECHNIQUES DE LA DOCUMENTATION
http://www.asted.org/
Un site incontournable pour ceux qui s'intéressent à la documentation. On y trouve une grande quantité de nouvelles sur les développements du secteur, de même que des offres d'emploi diverses.

Comité sectoriel de main-d'œuvre des communications graphiques du Québec

Organisme mis sur pied et animé par des représentants d'employeurs, de syndicats et d'associations représentatives, le Comité sectoriel aide l'industrie à cibler les besoins de formation et les meilleurs outils pour y répondre.
Ghyslaine Marcotte, directrice générale

Que deviendrait une belle idée de logo ou un concept annonçant une nouveauté sans avoir fière allure sur un tissu, une feuille de papier ou de métal, un carton ou du plastique ?

Revues, affiches, boîtes et sacs, présentoirs, vêtements, stylos ou tasses ne sont que quelques exemples de produits imprimés. Bref, il n'y a pas un moment dans la journée où vous n'utilisez pas un objet imprimé. Au fait, comment cet article a-t-il été conçu, imprimé et relié ou découpé et assemblé ? Et qu'en est-il de cette dorure ou de ce relief qui attire notre regard ?

La chaîne graphique comprend un éventail très large de professions, de métiers ou de techniques, comme les suivants :

- **Aimez-vous imaginer un concept ou traduire en mots et en images l'idée d'un produit pour un client de même que participer à la réalisation de ce concept ?**
  Professions liées à la conception graphique ou à la préimpression
- **Ou bien, avez-vous plutôt l'esprit mécanique et aimez travailler à la production d'un produit ?**
  Professions liées à l'impression, à la finition ou à la reliure
- **Ou encore, aimez-vous particulièrement être en contact avec des personnes ?**
  Professions liées à l'estimation, au service à la clientèle ou à la vente

UN SECTEUR D'EMPLOI DYNAMIQUE

Plus de 1 300 entreprises du Québec appartiennent au secteur de l'imprimerie et des activités connexes. Ce secteur donne de l'emploi à 39 000 personnes, dont 6 600 évoluent au sein de grandes entreprises ou d'établissements ayant leur propre service d'imprimerie.

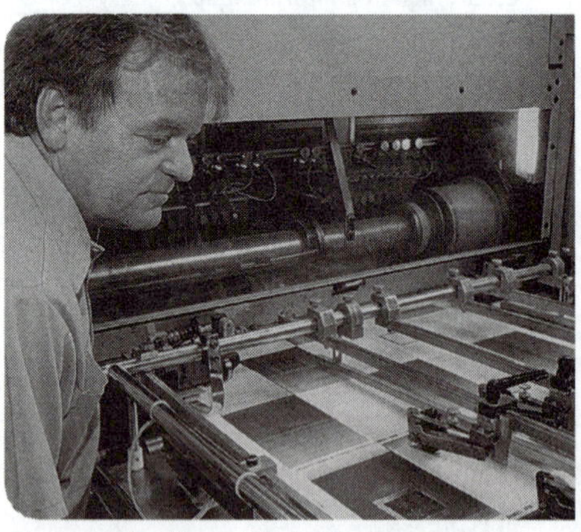

Chacune des étapes de la chaîne graphique possède ses spécificités : professions, environnement de travail, équipements et conditions de travail offrant des *possibilités de carrière fort intéressantes.*

Selon votre profil, vos compétences et vos habiletés, vous pouvez faire votre choix parmi 25 professions propres aux communications graphiques. On en dénombre aussi plusieurs qui sont liées au soutien administratif et à la gestion ainsi qu'à la maintenance des équipements automatisés ou informatisés et à l'expédition.

1) CONCEPTION GRAPHIQUE

Mettre en image des mots et des idées pour communiquer un message à l'aide d'une maquette papier et d'un ordinateur.
Professions : concepteur/conceptrice graphiste, technicien/technicienne en graphisme.
Formations : bacc. en design graphique, DEC en graphisme.

2) PRÉIMPRESSION

Préparer le document pour l'impression : vérifier la conformité du document, l'imposition et la mise en pages.
Professions : technicien/technicienne à la préimpression, infographiste.
Formations : DEC en graphisme, DEC/AEC Infographie en préimpression, DEP Procédés infographiques.

3) IMPRESSION

Production de l'imprimé
Selon le support (plastique, papier, tissu ou métal) sur lequel on imprime et suivant la quantité, cinq possibilités techniques sont offertes : offset à feuilles ou rotative, sérigraphie, flexographie, numérique.

Reproduire fidèlement la couleur de différents types de planchers en bois franc ou de multiples teintes pour des boîtes de colorants capillaires ou des photos dans des revues prestigieuses exige des connaissances théoriques et des compétences comme le sens mécanique, la résolution de problème et le sens aigu de l'observation.
Professions : aide-pressier/aide-pressière, pressier/pressière.
Formations : DEC/AEC en technique d'impression, DEP Impression et finition.

4) FINITION OU RELIURE

Cette étape finale et non la moindre connaît l'introduction d'équipements de plus en plus automatisés avec contrôle numérique. Ces changements vont exiger des connaissances théoriques et des compétences nécessitant l'engagement de personnel spécialisé et qualifié.

Découper, assembler, mettre de la dorure (estamper) ou du relief (gaufrer) : autant d'opérations, autant d'équipements différents pour paginer un livre dont les feuilles ne se décollent pas, emballer un produit dans une boîte ou dans un sac.
Professions : opérateur/opératrice d'équipement, pressier/pressière sur presse à découper, à estamper ou à gaufrer.
Formation : DEP Impression et finition.

Pcg

Du début à la fin d'un dossier interviennent des personnes occupant un poste aux ventes, à la coordination de projet, à l'estimation et au service à la clientèle de l'imprimerie. Ces postes exigent des connaissances spécifiques du domaine de l'imprimerie.
Formations : bacc. en commerce, DEC Technique de gestion de l'imprimerie, DEC Technique d'impression, DEP Impression et finition.

L'industrie vit des changements qui demandent de plus en plus aux candidats et aux candidates de détenir des qualifications liées à la profession ou au métier exercé.

Pour plus d'information :
Les carrières des communications graphiques. *Conception graphique et préimpression, Impression, Finition, Reliure et procédés complémentaires.*
Les Éditions Jobboom, 2001

Art et technologie des médias

Parce qu'elle participait à des compétitions de tir à l'arc, des journalistes sont venus interviewer Mireille Roberge. C'est ainsi qu'elle a découvert le monde du journalisme. Comme la télévision la fascinait déjà, il était dans l'ordre des choses qu'elle s'inscrive en art et technologie des médias au Cégep de Jonquière.

PROG. 589.01
PRÉALABLE : 0, VOIR PAGE 11

INTÉRÊTS

- aime le travail d'équipe et les contacts humains
- aime les médias et la communication
- aime lire et écrire, écouter, parler, apprendre, analyser et critiquer (journalisme)
- aime manipuler des appareils (son ou image)
- aime imaginer et innover (publicité)

APTITUDES

- esprit vif, méthodique et critique
- esprit d'équipe et de coopération
- grande acuité de perception (visuelle et auditive) et dextérité (technique)
- grande faculté de concentration

OFFRE DU PROGRAMME PAR RÉGIONS
Saguenay–Lac-Saint-Jean

RÔLE ET TÂCHES

Depuis qu'elle a terminé sa formation en 1996, Mireille Roberge a roulé sa bosse dans bien des sentiers en tant que journaliste. Après son stage en télévision, elle entre à la radio communautaire de Fermont, puis à CKTM, une station régionale de Radio-Canada. La voilà ensuite au quotidien *Le Nouvelliste* de Trois-Rivières. Là, elle fait de la mise en pages et écrit des chroniques de plein air. Trois ans plus tard, un autre *Nouvelliste* l'appelle, celui de Sion, en Suisse. Chroniqueuse pour ce journal, elle fait le tour de l'Europe en décrivant, aux lecteurs suisses, les lieux qu'elle visite, une description colorée par son regard canadien. Puis, pour *Le Nouvelliste* de Trois-Rivières, elle signe une chronique des Jeux de Sydney, en Australie. De retour au Québec, elle entreprend un certificat en anglais, qui lui apparaît indispensable pour se débrouiller tant en presse écrite qu'en presse électronique. Elle travaille aujourd'hui à la radio, celle de CIGB, radio-énergie Mauricie. Elle y lit les nouvelles de 9 h à 17 h et participe en fin de journée à l'émission du retour à la maison. «Dès mon arrivée à la station, je m'informe des dernières nouvelles afin de préparer ma première intervention en ondes», explique Mireille. Ses sources d'information sont multiples. Elle recueille ses renseignements dans les communiqués de presse, sur le fil de presse, dans les journaux et à la télévision. Elle fait aussi le tour des représentants de la police pour s'enquérir des plus récents événements. «Ma tâche, c'est de suivre l'actualité et de tenir les gens de ma région au courant de ce qui se passe.»

	Salaire hebdo moyen	Proportion de dipl. en emploi	Emploi relié	Chômage	Nombre de diplômés
2000	n/d	n/d	n/d	n/d	n/d
1999	483 $	75,0 %	76,2 %	1,3 %	138
1998	413 $	79,2 %	84,8 %	5,0 %	143

Statistiques tirées de la Relance - Ministère de l'Éducation. Voir données complémentaires, page 419.

Comment interpréter l'information, page 10.

Selon les interventions qu'elle doit faire, elle prépare des manchettes d'une minute, ou un bulletin de deux minutes auquel elle ajoutera des reportages. «L'information est livrée rapidement, dit-elle. Je dois synthétiser la nouvelle au maximum. C'est de cette façon qu'on fait de la radio», explique la journaliste. Mireille va aussi chercher l'information sur les lieux mêmes des événements ou en couvrant des conférences de presse. Que se passe-t-il si elle est à une conférence de presse ou sur les lieux d'un accident lors de son bulletin de nouvelles? «Je prends une disquette et j'enregistre le bulletin de nouvelles à l'avance, dit-elle. Et si jamais je manque une nouvelle pendant mon absence, je la livre au bulletin suivant.»

«Ma tâche, c'est de suivre l'actualité et de tenir les gens de ma région au courant de ce qui se passe.»

— Mireille Roberge

QUALITÉS RECHERCHÉES

Pour travailler comme journaliste, il est primordial d'être à l'aise avec le public, d'être curieux, de posséder un excellent jugement et un très bon esprit de synthèse. Il faut aussi tendre à l'objectivité. Pour se tailler une place au soleil dans ce milieu, il faut savoir foncer, être professionnel et motivé.

DÉFIS ET PERSPECTIVES

Au Cégep de Jonquière, le seul à donner ce programme, on ne forme pas que des journalistes, mais aussi tous les professionnels qui vont se retrouver un jour derrière la caméra. Ceux, par exemple, qui feront de la postproduction ou qui exerceront des métiers reliés à la publicité. Pour Denis Simard, chef du département d'art et technologie des médias au Cégep de Jonquière, la principale qualité que doivent avoir les diplômés pour relever les défis inhérents à ces métiers, c'est la capacité d'adaptation. «La personne doit pouvoir s'adapter aux changements, dit-il. La technologie dans le domaine des communications évolue très vite. L'apparition d'Internet a créé le cyberjournaliste. Tous les médias se dotent d'un volet Internet. Quant à la télévision, le traitement de l'image est de plus en plus important, tout comme la conception d'effets visuels, estime-t-il.

Photo : Cégep du Vieux Montréal - Marie-Pierre Mernieux

Denis Simard a constaté que les entreprises veulent des gens productifs. «Il y a énormément de travail dans ce domaine, mais de moins en moins d'emplois permanents. Les gens travaillent à forfait ou à la pige, alors les diplômés doivent pouvoir s'adapter à ce style d'emploi où l'insécurité est forte», conclut-il. 03/01

HORAIRES ET MILIEUX DE TRAVAIL

- Les employeurs sont les journaux quotidiens et hebdomadaires, les magazines, les réseaux de télévision et de radio et les boîtes de communication.
- Bien qu'il soit possible de travailler de 9 h à 17 h dans ce domaine, les horaires sont souvent irréguliers. On peut tout aussi bien travailler le soir, les fins de semaine ou sur appel.
- Il y a beaucoup de possibilités d'obtenir des emplois à la pige ou à forfait.

Dessin animé

«Ce programme est une très belle initiative! Il va nous amener de nouveaux animateurs avec des idées novatrices», affirme Stéphanie de Grandpré, responsable du recrutement pour la firme UbiSoft. Cette firme montréalaise, spécialisée en jeux vidéo, s'enorgueillit de posséder le plus gros studio d'animation 3D au Québec.

PROG. 574.A0
PRÉALABLE : 0, VOIR PAGE 11

INTÉRÊTS

- se passionne pour les arts et le secteur culturel en général
- aime les jeux vidéo
- aime dessiner au crayon et à l'ordinateur
- aime faire un travail de précision
- aime travailler dans un milieu hautement informatisé et créatif

APTITUDES

- créativité, grand talent en dessin et bonne connaissance des arts en général
- facilité à communiquer et à travailler en équipe
- facilité d'adaptation aux horaires variables
- curiosité intellectuelle

OFFRE DU PROGRAMME PAR RÉGIONS
Montréal-Centre

RÔLE ET TÂCHES

Le technicien en dessin animé reste d'abord et avant tout un spécialiste du dessin animé traditionnel, c'est-à-dire qu'il produit des films d'animation à l'aide de séquences d'images. Il crée une série de dessins de façon à décomposer le mouvement en phases successives.

Après une certaine période de formation, le technicien a la possibilité d'exercer son art dans le domaine 3D de l'animation par ordinateur.

Le diplômé peut participer à la réalisation de films d'animation, courts et longs métrages, qui sont principalement destinés aux marchés du cinéma, des séries télévisées, de la publicité, du matériel multimédia éducatif ou de divertissement. Le technicien est aussi susceptible d'effectuer des tâches liées à la conception de dessins de personnages, de lieux et d'accessoires. L'élaboration du scénarimage (scénario de l'imagerie) ainsi que l'animation de personnages et d'effets visuels peuvent également s'ajouter à ses activités, comme dans la création de jeux vidéo.

«Nous embauchons des animateurs et des modeleurs 3D, raconte Mme de Grandpré. Les animateurs sont responsables de toute l'animation des personnages dans les jeux. Pour leur part, les modeleurs travaillent sur les éléments statiques, comme les décors, les fonds ou les accessoires. Ils s'occupent des textures et des effets de lumière.» Ces deux spécialités s'acquièrent par le biais de la même formation; elles font partie de la matière enseignée dans le programme de dessin animé.

	Salaire hebdo moyen	Proportion de dipl. en emploi	Emploi relié	Chômage	Nombre de diplômés
2000	n/d	n/d	n/d	n/d	n/d
1999	n/d	n/d	n/d	n/d	n/d
1998	n/d	n/d	n/d	n/d	n/d

Statistiques tirées de la Relance - Ministère de l'Éducation. Voir données complémentaires, page 419.

Comment interpréter l'information, page 10.

QUALITÉS RECHERCHÉES

«Le technicien doit démontrer une grande habileté créatrice; c'est très important. L'innovation tient une place primordiale dans ce milieu», souligne Georges Peyton, aide pédagogique au Cégep du Vieux Montréal. On attend du technicien de dessin animé qu'il ait un talent certain en dessin en deux dimensions et un goût prononcé pour les arts en général. «Malgré la technologie moderne, le technicien continue à faire du dessin au crayon», souligne M. Peyton.

Une bonne culture générale et une grande ouverture d'esprit sont également des atouts non négligeables pour le technicien de dessin animé. «Connaître les jeux vidéo, avoir un sens artistique développé et être imaginatif sont des critères sur lesquels nous insistons beaucoup. De plus, une bonne dose d'humilité est nécessaire, car certaines suggestions des animateurs peuvent être refusées par l'équipe de production avec laquelle ils travaillent. Il faut savoir accepter les critiques. Ce n'est pas facile pour tout le monde», renchérit-il.

«Le technicien doit démontrer une grande habileté créatrice; c'est très important. L'innovation tient une place primordiale dans ce milieu.»

— Georges Peyton

DÉFIS ET PERSPECTIVES

«C'est un domaine en pleine expansion. Les nouvelles technologies permettent d'aller toujours plus loin, mais ce sont en grande partie la créativité, la curiosité et le désir d'expérimenter du technicien qui déterminent souvent le succès dans le milieu qu'il a choisi. Les firmes sont toujours à la recherche de la dernière trouvaille, de l'idée de génie. Elles engagent souvent des fonds importants et espèrent de gros revenus. L'expérience qu'acquiert le diplômé au fil des ans lui permettra d'accéder à des postes très intéressants, tels que la direction de services d'animation ou la réalisation de films d'animation», conclut M. Peyton. Le dessin animé permet au diplômé de poursuivre des études universitaires en graphisme, en cinéma, en arts plastiques ainsi que dans plusieurs autres domaines des arts. Le Québec étant devenu une plaque tournante des communications multimédias, le développement d'une main-d'œuvre compétente est plus que souhaitable. «Au Québec, l'apparition sur le marché de plus de diplômés dans notre milieu est vraiment la bienvenue. Nos besoins sont en croissance et nous croyons que notre sphère d'activité prendra encore plus d'importance dans les prochaines années», ajoute Mme de Grandpré. 09/99

Photo : Cyclone

HORAIRES ET MILIEUX DE TRAVAIL

- Les firmes de publicité, les stations de télévision, incluant leurs sous-traitants, les entreprises de production de matériel éducatif ou de divertissement ne sont que quelques exemples de milieux de travail auxquels la formation donne accès.
- Le travail à la pige ou à forfait est courant dans le domaine du dessin animé, mais des postes à temps plein sont aussi offerts.
- Les horaires sont aussi variés que les emplois disponibles.

Graphisme

«Je suis tombé amoureux du graphisme, déclare tout de go Martin Dubois. Avant le cégep, je ne savais même pas de quoi il s'agissait. J'aimais le dessin, et mon conseiller d'orientation m'avait inscrit à un stage d'une journée en graphisme. Ç'a été une révélation!»

PROG. 570.A0
PRÉALABLE : 0, VOIR PAGE 11

INTÉRÊTS

- aime communiquer et traduire un message en images
- aime le dessin, les formes et les images
- aime le travail sur ordinateur
- aime imaginer et créer à partir d'un besoin précis

APTITUDES

- grande acuité de perception visuelle et de discrimination des formes
- sens esthétique et de la créativité
- être consciencieux et très minutieux
- grande facilité à utiliser l'informatique
- résistance au stress

OFFRE DU PROGRAMME PAR RÉGIONS
Bas-Saint-Laurent, Estrie, Montréal-Centre, Québec

RÔLE ET TÂCHES

Martin travaille aux Ateliers graphiques de Saint-Jean-sur-Richelieu. Il conçoit et met en pages des publicités. «Mon rôle est de faire le montage des publicités qui sont insérées dans les différentes publications. À la demande du client, je scanne les photos, je choisis les typographies et les couleurs, puis je dispose tous ces éléments le plus efficacement possible. En fonction de l'emplacement qui a été acheté par le client, les contraintes peuvent être différentes. Je travaille en couleurs ou en noir et blanc, sur des pleines pages ou des formats plus petits. C'est toujours un défi d'obtenir le meilleur résultat malgré toutes les contraintes.» Dans le domaine de la presse et de l'édition, le graphiste doit souvent composer avec des délais serrés.

Martin travaille exclusivement pour des hebdomadaires qui bouclent leurs pages lors de la fin de semaine. Sa journée commence à 16 heures et s'achève vers minuit et demi. Il s'occupe parfois de cahiers spéciaux. Ce sont des projets particuliers qui demandent plus de temps et de recherches. Dans ces cahiers, les annonceurs se regroupent pour présenter leurs produits ou leurs services sur plusieurs pages. C'est un travail de conception beaucoup plus créatif, qu'il adore. «Lorsqu'on travaille en graphisme, il faut s'attendre à passer environ 80 % de son temps devant un ordinateur, dit Martin. Tout le processus est informatisé. Je reçois les pages des journaux dans lesquelles le texte est déjà monté. J'y ajoute mes publicités, qui vont ensuite en correction et sont validées par le vendeur. Il ne reste plus qu'à envoyer le tout chez l'imprimeur. Même si l'on fait quelques croquis à la main,

	Salaire hebdo moyen	Proportion de dipl. en emploi	Emploi relié	Chômage	Nombre de diplômés
2000	399 $	75,1 %	65,4 %	5,8 %	256
1999	408 $	66,3 %	80,0 %	11,8 %	236
1998	392 $	70,9 %	72,5 %	14,1 %	203

Statistiques tirées de la Relance - Ministère de l'Éducation. Voir données complémentaires, page 419.

Comment interpréter l'information, page 10.

il est impératif de maîtriser les trois logiciels de mise en pages, de retouche d'image et d'illustration qui sont devenus des références dans le domaine.»

QUALITÉS RECHERCHÉES

Le graphisme est une discipline où la créativité tient une place importante. «Le client n'a bien souvent qu'un vague concept en tête, raconte Martin. Il faut pouvoir imaginer le visuel qui correspond le mieux à ses attentes.»

À son avis, la rigueur est aussi essentielle. En effet, une erreur dans le texte ou dans la mise en pages d'une publicité implique des frais et des délais supplémentaires. Le stress fait partie intégrante du métier. «C'est sûr que ce n'est pas facile de travailler sous pression, mais on finit par s'y faire. Il ne faut pas avoir peur de passer des heures à l'ordinateur tout en étant un peu bousculé.»

Dans le domaine de la presse et de l'édition, le graphiste doit souvent composer avec des délais serrés.

DÉFIS ET PERSPECTIVES

«Les diplômés en graphisme sont des gens foncièrement motivés, dit Michel Godin, coordonnateur du programme au Collège Marie-Victorin. C'est un domaine qui demande de la passion et de la persévérance. Munis de ces deux qualités, les graphistes peuvent intégrer des agences de publicité, des bureaux de graphisme, des maisons d'édition ou toute entreprise qui aurait besoin de leurs talents de conception et de réalisation.»

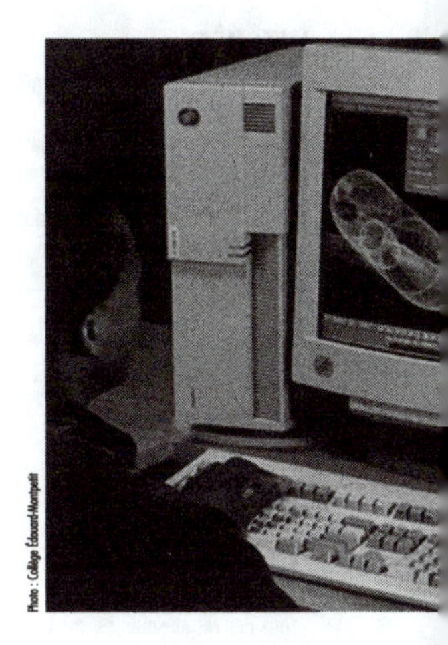

Photo : Collège Édouard-Montpetit

Dans ce domaine, la capacité d'adaptation et l'ouverture d'esprit l'emportent sur la technique, selon M. Godin. «On cherche des gens qui ont un esprit créatif et une certaine curiosité, dit-il. On leur enseigne des méthodes de travail et c'est ensuite à eux de s'adapter aux besoins de leurs clients ou de leurs employeurs. Cela nécessite beaucoup d'autonomie et de disponibilité, surtout dans un milieu où la plupart des travaux sont à terminer pour hier...» M. Godin explique que le gros secteur en développement est le multimédia. Porté par la nouvelle économie, ce domaine emploie de plus en plus de graphistes pour concevoir des pages Web ou des documents interactifs. «Quasiment toutes les entreprises possèdent leur site Internet, dit-il. Ça prend des gens qui ont le sens de la mise en pages et qui savent manipuler les images. Si les graphistes ne sont pas des programmeurs, ils peuvent malgré tout avoir à réaliser des sites complets. Les logiciels qu'ils utilisent s'intègrent en effet très bien à la technologie d'Internet.» 03/01

HORAIRES ET MILIEUX DE TRAVAIL

- Les diplômés sont embauchés par les grandes compagnies, les agences de publicité, les bureaux de graphisme, les maisons d'édition, les imprimeries ou les compagnies qui conçoivent des sites Internet.
- Ils travaillent presque exclusivement avec l'informatique et passent de nombreuses heures devant leur écran.
- Les graphistes travaillent selon des horaires de bureau réguliers.
- Les heures supplémentaires sont possibles, selon les activités qu'accomplissent les graphistes.

Infographie en préimpression

Réjean Boyer travaille à l'Institut des communications graphiques du Québec. Les documents et les rapports de l'Institut passent entre ses mains pour être mis en pages avant leur impression. «C'est un travail très technique, mais qui demande aussi un certain sens créatif», dit-il.

PROG. 581.07 / 581.A0
PRÉALABLE : 0, VOIR PAGE 11

INTÉRÊTS

- aime la technologie et les images
- aime travailler sur ordinateur
- aime observer, manipuler, faire des essais
- aime faire un travail de précision

APTITUDES

- grande acuité de perception et de discrimination visuelle (formes et couleurs) et faculté de concentration
- sens esthétique et excellente faculté d'adaptation aux technologies
- débrouillardise et sens de l'organisation
- sens des responsabilités, minutie et résistance au stress

OFFRE DU PROGRAMME PAR RÉGIONS
Montréal-Centre

RÔLE ET TÂCHES

«J'ai la chance de travailler à des projets dont le volume est assez restreint, dit-il. Cela me donne l'occasion de toucher à presque toutes les phases de la production d'un document imprimé. On me fournit généralement une disquette sur laquelle se trouvent le texte à mettre en pages et les éléments visuels qui illustrent le document. Je dois en faire le montage, c'est-à-dire assembler textes, images et tableaux. Dans le cas des photographies, il faut numériser les diapositives avant de pouvoir les travailler à l'informatique.» La nature des documents dont il s'occupe est assez variée. Il peut s'agir de rapports annuels, de brochures de cours, d'affiches ou de dépliants. Les contraintes de mise en pages ou de format sont donc très différentes. «J'ai malgré tout une certaine autonomie sur le plan créatif pour réaliser des photomontages, retoucher les images ou choisir les typographies qui me paraissent les plus adaptées», dit-il. Après avoir vérifié et corrigé le document, c'est l'étape des films. Il faut sortir les plaques qui seront utilisées pour l'impression. Pour un document en couleurs, on utilisera quatre films photographiques, soit un pour chacune des couleurs de base : noir, cyan, jaune et magenta. «Aujourd'hui, dit Réjean, il est possible d'éliminer l'étape du pelliculage grâce aux presses numériques. Le document passe alors directement de l'ordinateur à l'impression. Je travaille à la fois avec ce type de presse et avec des machines plus classiques qui sont mises en œuvre par un pressier dont c'est le métier. Dans tous les cas, mes outils de base restent l'ordinateur et les logiciels de mise en pages ou de traitement de l'image. En graphisme et en infographie, on travaille davantage avec l'environnement

	Salaire hebdo moyen	Proportion de dipl. en emploi	Emploi relié	Chômage	Nombre de diplômés
2000	459 $	86,3 %	87,5 %	2,2 %	67
1999	442 $	87,8 %	92,5 %	6,5 %	64
1998	420 $	93,6 %	80,5 %	4,3 %	50

Statistiques tirées de la Relance - Ministère de l'Éducation. Voir données complémentaires, page 419.

Comment interpréter l'information, page 10.

Macintosh. On doit cependant maîtriser l'univers du PC, car certains clients n'ont leurs documents que dans ce format.»

QUALITÉS RECHERCHÉES

Réjean considère que son métier exige beaucoup de minutie. «Les logiciels ont beau offrir une grande précision, encore faut-il savoir les utiliser au maximum de leurs capacités», dit-il. Il ajoute que la débrouillardise est une qualité essentielle si l'on ne veut pas rester coincé avec un problème... Comme l'infographiste travaille souvent seul, c'est aussi seul qu'il lui faut trouver les solutions. Il doit également être en mesure de gérer son stress, car il est souvent bousculé par le temps. Une bonne capacité de concentration est nécessaire, parce que certains travaux peuvent le tenir plusieurs heures devant son écran. «Finalement, il faut faire preuve de patience lorsque ça ne fonctionne pas comme prévu.»

«Les développements informatiques ont énormément modifié le travail de ces techniciens.»

— Jean Lemaire

DÉFIS ET PERSPECTIVES

«Le métier est en pleine évolution», dit d'emblée Jean Lemaire, responsable du département au Collège Ahuntsic, le seul cégep à proposer cette formation. «Les développements informatiques ont énormément modifié le travail de ces techniciens. De nouveaux procédés, telle la plaque sur la presse, ne cessent d'apparaître; ils permettent, par exemple, de passer directement de l'ordinateur à la presse en éliminant l'étape des films. Ces progrès technologiques constituent un véritable défi pour les diplômés qui doivent toujours renouveler leurs connaissances et se tenir au courant des nouveautés.» L'imprimerie reste le débouché numéro un pour les infographistes en impression. Pour les plus créatifs d'entre eux, il existe également des possibilités intéressantes au sein des agences de publicité ou dans les services de communication des grosses entreprises publiques ou privées. Selon Jean Lemaire, le multimédia s'annonce comme le secteur le plus prometteur pour les prochaines années. «De nombreux documents ne sont plus destinés à l'impression papier, mais sont directement publiés sous forme électronique dans les pages Web des sites Internet. Ce domaine en pleine émergence propose des défis intéressants aux techniciens, qui devront adapter leurs compétences à ce nouveau média. Leur travail sur l'image et le texte ne sera plus seulement une étape du processus, mais un produit fini en soi.» 03/01

Photo : Métropole Litho

HORAIRES ET MILIEUX DE TRAVAIL

- Les diplômés peuvent travailler dans les imprimeries, les ateliers de préimpression, les agences de publicité, les services de communication, les maisons d'édition.
- Le technicien travaille souvent seul.
- L'environnement de travail est entièrement informatisé.
- Le travail s'effectue selon des horaires de bureau réguliers.
- Les heures supplémentaires sont fréquentes dans ce domaine.

Techniques de gestion de l'imprimerie

«Ce qui m'a attirée vers ce programme, c'est le mélange entre le domaine des communications graphiques et celui du génie industriel», raconte Julie Dubé, chargée de projets chez Litho Acme depuis la fin de ses études.

PROG. 581.08
PRÉALABLE : 10, VOIR PAGE 11

INTÉRÊTS

- aime coordonner et superviser des projets
- aime prendre des décisions
- aime résoudre des problèmes
- aime travailler seul ou en équipe, selon les situations

APTITUDES

- facilité en mathématiques
- facilité à communiquer avec les employés et les clients
- sens de l'organisation et de la gestion
- minutie, esprit logique, polyvalence
- bonne résistance au stress

OFFRE DU PROGRAMME PAR RÉGIONS
Chaudière-Appalaches, Montréal-Centre

RÔLE ET TÂCHES

Le programme de techniques de gestion de l'imprimerie forme des cadres intermédiaires qui dirigeront plusieurs domaines de l'imprimerie. Cette fonction s'effectuera de différentes façons, selon le secteur dans lequel le diplômé travaillera. Certains s'occuperont d'estimation et de devis descriptifs. D'autres seront affectés plus précisément au secteur de la production, en tant que chargés de projets, responsables de l'organisation ou du suivi de production. D'autres encore s'occuperont des communications avec les clients, de représentation commerciale ou de gestion de la qualité.

Le technicien en gestion de l'imprimerie est aussi formé en communications graphiques. Il connaît toutes les étapes de production, les matières premières ainsi que les équipements. Il ne sera jamais graphiste ou pressier, par exemple, mais il aura toutes les connaissances nécessaires pour évaluer le travail dans ce domaine et en détecter les problèmes.

Julie, elle, travaille en production. «Je m'occupe de la coordination de différents projets, raconte-t-elle. Je vois au respect de plusieurs critères : les prix, les délais, les coûts ainsi que la qualité. Les projets que je coordonne peuvent concerner des affiches, des dépliants ou des brochures corporatives. Je dois voir à ce que l'estimation qui a été faite corresponde vraiment au travail demandé. En fait, c'est multidisciplinaire comme travail; je suis au cœur de toutes les étapes.»

	Salaire hebdo moyen	Proportion de dipl. en emploi	Emploi relié	Chômage	Nombre de diplômés
2000	479 $	81,3 %	84,6 %	7,1 %	20
1999	468 $	100,0 %	100,0 %	0,0 %	8
1998	460 $	90,0 %	100,0 %	0,0 %	11

Statistiques tirées de la Relance - Ministère de l'Éducation. Voir données complémentaires, page 419.

Comment interpréter l'information, page 10.

Et Julie est également au cœur de l'imprimerie. En effet, ses tâches de coordination l'amènent à se déplacer constamment au sein de l'entreprise. «Je dois superviser la production, alors 75 % de mon temps se passe dans l'imprimerie. Le reste du temps, je fais du travail à mon bureau, je prépare des dossiers ou je m'occupe des sous-traitants avec lesquels nous faisons affaire pour certains travaux.»

QUALITÉS RECHERCHÉES

Le travail est principalement basé sur la gestion. Il est donc normal que l'on attende d'un bon technicien en gestion de l'imprimerie qu'il ait un grand sens de l'organisation. «On doit également posséder un bon jugement pour pouvoir mener un projet à bien, estime Julie. Et il faut être capable de prendre des décisions rapidement quand survient un problème.»

«Le défi principal que les diplômés devront relever est l'évolution de la technologie.»

— Guy Berland

Le métier s'exerce à la fois seul et en équipe, suivant les situations. Il faut donc avoir de la facilité à travailler dans les deux formules. «Une très bonne capacité de communication est importante quand on travaille en équipe, croit Julie. Il faut aussi avoir des capacités en mathématiques parce qu'on jongle beaucoup avec les chiffres, pour les coûts de production, les estimations, etc.»

Photo : Cégep Beauce-Appalaches

Ce travail demande également de la minutie, de la logique de même qu'une bonne résistance au stress, le technicien se retrouvant souvent au centre de toute la production.

DÉFIS ET PERSPECTIVES

Guy Berland, professeur en gestion de l'imprimerie au Collège Ahuntsic, croit que le défi principal que les diplômés devront relever est l'évolution de la technologie. «Il faut être curieux à l'égard des nouvelles technologies, dit-il. Ça évolue très rapidement, et il ne faut pas perdre le fil, par exemple en ce qui concerne les ordinateurs ou l'impression numérique. Il faut s'intéresser à l'avenir et ne pas se décourager quand on entend parler de nouvelles technologies comme Internet, qui, pour certains, signifie la fin de l'imprimé. Nos élèves sont capables d'évoluer dans ce contexte grâce à la préparation qu'ils reçoivent dans leurs cours», estime-t-il. 09/96

HORAIRES ET MILIEUX DE TRAVAIL

- C'est dans une imprimerie, ou encore dans des entreprises d'édition électronique, que le diplômé en gestion de l'imprimerie travaillera.
- Sa formation lui permet d'aller en atelier, mais il ne touchera pas directement aux machines, sa fonction consistant principalement à superviser et à gérer la production ou à faire des analyses statistiques.
- Les horaires dépendent de l'imprimerie qui embauche. Certaines fonctionnent seulement de jour, alors que d'autres fonctionnent aussi de soir ou de nuit.

Techniques de l'impression

Diplômé depuis peu, Sylvain Lécuyer est intarissable lorsqu'il s'agit de décrire le rôle du pressier. «J'adore ce métier! J'ai la chance de travailler pour l'imprimerie Quebecor de Sherbrooke qui est spécialisée dans les impressions de haute qualité. C'est extrêmement valorisant d'achever une commande qui se rapproche de la perfection...»

PROG. 581.04
PRÉALABLE : 0, VOIR PAGE 11

INTÉRÊTS

- aime travailler avec des machines
- aime le travail technique et routinier
- aime manipuler, observer, vérifier
- aime le travail d'équipe
- accorde de la valeur à l'efficacité et à la qualité

APTITUDES

- habileté manuelle et rapidité
- sens des responsabilités, minutie et autonomie
- résistance au stress
- capacité à supporter facilement le bruit et les odeurs
- bon sens de l'observation

OFFRE DU PROGRAMME PAR RÉGIONS
Montréal-Centre

RÔLE ET TÂCHES

Sylvain Lécuyer raconte qu'il a fait ses études au cégep tout en travaillant dans une imprimerie 40 heures par semaine. Pour lui, c'était une chance. «Mon rythme de vie était plutôt soutenu, mais je ne le regrette pas, car ça m'a permis d'acquérir beaucoup d'expérience et d'être aujourd'hui deuxième pressier chez Quebecor, un poste convoité lorsqu'on sait que le grade le plus élevé est celui de premier pressier.»

Sur la presse à feuilles, son rôle est d'alimenter la machine en encres et de calibrer la position de la presse pour que les couleurs s'agencent parfaitement les unes par rapport aux autres. «Pour effectuer ce travail, il faut être à la fois minutieux et rapide, dit Sylvain. Les presses que j'utilise fournissent des produits de très grande qualité. On s'en sert notamment pour imprimer des affiches, des jeux de cartes ainsi que des documents qui possèdent une valeur monétaire comme les chèques ou les chèques-cadeaux. Je ne peux pas me permettre d'être approximatif, il faut toujours viser la perfection.» Pour atteindre ce but, le jeune homme examine attentivement les feuilles à la loupe. L'opération lui permet de traquer le moindre défaut de calibrage. Sur les grosses presses, Sylvain travaille au sein d'une équipe où les mandats sont bien définis. «Je supervise la personne chargée d'alimenter la presse en papier, explique-t-il. Il faut veiller à ne pas manquer de papier au beau milieu d'une impression. Je collabore également avec le premier pressier, dont le rôle est d'obtenir les teintes idéales pour le document. Nous devons tous être parfaitement synchronisés afin d'obtenir le meilleur

	Salaire hebdo moyen	Proportion de dipl. en emploi	Emploi relié	Chômage	Nombre de diplômés
2000	450 $	87,5 %	85,7 %	0,0 %	9
1999	n/d	n/d	n/d	n/d	n/d
1998	484 $	85,7 %	83,3 %	14,3 %	8

Statistiques tirées de la Relance - Ministère de l'Éducation. Voir données complémentaires, page 419.

Comment interpréter l'information, page 10.

rendement de la presse.» Avec les machines modernes commandées numériquement, de 50 à 60 % de son travail se fait à distance. C'est ainsi qu'il gère le positionnement des couleurs par ordinateur. Dans le métier, ce type de presse remplace progressivement les modèles entièrement manuels.

QUALITÉS RECHERCHÉES

Le travail du pressier exige une grande minutie dans son exécution. «Je suis un incorrigible perfectionniste, avoue Sylvain. Même si je sais que l'impression parfaite n'existe pas, je tente toujours de m'en rapprocher le plus possible.» Pour lui, rigueur n'est pas synonyme de lenteur dans ce métier. La rapidité est tout aussi importante, car elle permet de répondre aux impératifs de la production. «Ça prend des gens vifs et adroits pour travailler sur une presse qui passe 13 000 feuilles de 28 pouces sur 40 en une heure.» Le milieu de l'imprimerie exige aussi disponibilité et endurance.

Si les presses numériques n'ont pas encore supplanté les presses manuelles, elles se sont malgré tout beaucoup développées durant ces dernières années.

DÉFIS ET PERSPECTIVES

Si les presses numériques n'ont pas encore supplanté les presses manuelles, elles se sont malgré tout beaucoup développées durant ces dernières années. C'est ce qu'a constaté Benoît Pothier, coordonnateur du département des technologies de l'impression au Collège Ahuntsic, le seul cégep à offrir le programme. Il ajoute qu'en revanche, les équipements traditionnels offset se sont de plus en plus automatisés. On y a ajouté des commandes numériques perfectionnées et performantes. Ces nouvelles technologies demandent évidemment des compétences accrues aux jeunes diplômés. «Grâce à notre partenariat avec l'Institut des communications graphiques du Québec, nos élèves ont accès à ces machines et arrivent encore mieux préparés sur le marché du travail.» Benoît Pothier souligne que les pressiers doivent aujourd'hui être en mesure de faire leurs ajustements à distance au moyen de l'ordinateur. Leur travail n'en est pas pour autant facilité, selon lui, puisqu'il leur faut sans cesse mettre à jour leurs connaissances et s'adapter aux changements qui touchent les logiciels dédiés. Mais ces compétences accrues leur ouvrent une voie rapide vers des postes qui comportent de nombreuses responsabilités. «La flexographie est en plein essor, ajoute-t-il. C'est un secteur qui a besoin d'une main-d'œuvre très qualifiée en raison des équipements et des matériaux de plus en plus sophistiqués.» 03/01

Photo : Quebecor Magog

HORAIRES ET MILIEUX DE TRAVAIL

- Les diplômés sont généralement embauchés comme pressiers.
- Ils peuvent aussi travailler comme représentants pour des imprimeurs ou des entreprises qui vendent des fournitures et des encres, être employés dans des services techniques pour diagnostiquer les pannes ou devenir estimateurs de devis.
- L'environnement de travail est difficile en raison du bruit, de la poussière, des odeurs d'encre ou de solvant.
- Le travail s'organise en rotation de jour ou de nuit et les travailleurs effectuent habituellement 12 heures consécutives.

Techniques de la documentation

Dans les deux voûtes de Cinar Films à Montréal dorment plus de 14 000 rubans vidéo. Pour trouver rapidement ce que l'on cherche, il faut un minimum d'organisation. C'est Annick Lavoie qui est le maître d'œuvre de la mise sur pied du système de classement et du centre de documentation.

PROG. 393-A0
PRÉALABLE : 0, VOIR PAGE 11

INTÉRÊTS

- aime travailler sur ordinateur et dans un bureau
- aime les activités d'organisation, de classement et de précision
- aime se sentir utile, efficace et responsable
- aime être autonome dans son travail
- aime la lecture et l'écriture

APTITUDES

- sens des responsabilités
- débrouillardise, polyvalence et autonomie
- sens de la méthode, de la précision et de l'organisation
- bilinguisme, facilité à communiquer (parole et écriture)
- aisance avec les outils informatiques

OFFRE DU PROGRAMME PAR RÉGIONS
Laurentides, Mauricie, Montréal-Centre, Outaouais, Québec, Saguenay–Lac-Saint-Jean

RÔLE ET TÂCHES

Deux semaines après avoir terminé ses études au Collège de Maisonneuve, Annick est engagée par Cinar Films, une entreprise spécialisée en productions télévisuelles pour les enfants et la famille. Une compagnie qui vend ses productions au Québec et au Canada, mais aussi à l'étranger, de l'Allemagne au Japon, en passant par Israël, l'Australie et les États-Unis.

«Je fais le contrôle du matériel destiné à l'externe. C'est moi qui achemine les rubans aux clients, avec tout ce qu'il faut pour leur permettre de faire de la publicité (diapositives, synopsis...). Chaque client a ses propres spécifications techniques. Je dois m'assurer que le matériel qu'on envoie répond aux besoins de l'acheteur. Je dois respecter les dates de licence des contrats. Les clients ont des dates de diffusion à respecter et si on livre en retard, c'est un bris de contrat; on s'expose à des poursuites. C'est également moi qui supervise les voûtes (lieu d'entreposage des rubans). Je suis responsable du système de classement. Je dois établir un calendrier de conservation. On ne peut pas enregistrer un nombre illimité de fois sur la même cassette, parce que la qualité de l'image se détériore d'une fois à l'autre. Il faut donc connaître l'historique de chaque ruban.» Cinar Films utilise un système informatique développé spécialement pour ses besoins. Les codes à barres permettent d'avoir rapidement toutes les informations sur le ruban : l'endroit où il se trouve, son contenu, l'historique, etc.

	Salaire hebdo moyen	Proportion de dipl. en emploi	Emploi relié	Chômage	Nombre de diplômés
2000	432 $	74,3 %	73,1 %	15,2 %	138
1999	425 $	71,4 %	68,3 %	18,3 %	158
1998	406 $	63,7 %	71,6 %	25,6 %	166

Statistiques tirées de la Relance - Ministère de l'Éducation. Voir données complémentaires, page 419.

Comment interpréter l'information, page 10.

QUALITÉS RECHERCHÉES

«Il faut être très, très, très organisé, être minutieux et avoir le sens des responsabilités, parce que, par exemple, on ne peut pas promettre le même jeu de cassettes à deux personnes différentes. Ça entraînerait des bris de contrats et ça causerait de gros problèmes juridiques.

«Si un client en Israël a besoin des rubans et qu'ils sont en Allemagne, c'est à moi de faire l'intermédiaire et de m'organiser pour que les rubans se rendent à bon port. Ça prend beaucoup d'entregent pour faire en sorte que les clients soient contents et aient le matériel à temps. Comme il y a beaucoup d'intervenants, il faut de la patience, parce que ça ne marche pas toujours comme on le voudrait.»

«Dans ce métier, il faut être très organisé, minutieux et avoir le sens des responsabilités.»

— Annick Lavoie

En contact avec des gens de plusieurs pays du monde, Annick doit être bilingue. «C'est un *must*, dit-elle. Même en France, c'est en anglais que ça se passe!» Comme elle est responsable de toute la correspondance qui suit la vente, Annick se doit d'aimer la paperasse. Qui dit étranger dit douanes, qui dit douanes dit beaucoup de papiers à remplir. L'informatique est un outil de base. Ceux qui sont allergiques aux écrans cathodiques risquent d'avoir de graves réactions...

Photo : Collège François-Xavier-Garneau

DÉFIS ET PERSPECTIVES

«La Loi sur l'accès à l'information et la Loi des archives nous ont donné beaucoup d'espoir, au début des années 80, affirme Guy Mongrain, responsable de la coordination départementale au Cégep de Jonquière. Elles obligent tous les organismes publics et parapublics à gérer leurs documents administratifs et à conserver leurs archives. Ça n'a pas eu l'ampleur espérée, parce que nombre d'entreprises ont pris beaucoup de retard.»

Selon Guy Mongrain, les emplois permanents sont rares en sortant du cégep, les organismes préférant offrir du travail à forfait afin de respecter les exigences des délais légaux. Avec les nombreuses coupes, c'est souvent la gestion des documents qui est remise à plus tard. Mais le retard devra être rattrapé un jour. «De plus en plus, ça va prendre des gens qui connaissent le milieu. Avec l'utilisation de l'informatique et des logiciels spécialisés, la place de nos techniciens est encore plus grande. On ne peut plus prendre n'importe qui pour faire n'importe quoi.» 09/96

HORAIRES ET MILIEUX DE TRAVAIL

- Le milieu culturel est jeune et dynamique.
- La gestion des documents administratifs et l'archivistique dans les organismes publics et parapublics sont des avenues intéressantes.
- Plusieurs grosses entreprises privées ont aussi leur propre centre de documentation.
- Par contre, le marché des bibliothèques, qui était autrefois la voie privilégiée des sortants, n'offre plus les mêmes possibilités.
- Les horaires sont réguliers, 40 heures par semaine.

Techniques de muséologie

C'est le hasard qui a amené Marie-Ève Bertrand en techniques de muséologie. Le côté artistique de la profession, ajouté à son penchant pour les tâches manuelles, ont fait le reste. Depuis l'obtention de son diplôme en 1998, elle travaille au prestigieux Centre canadien d'architecture (CCA) de Montréal.

PROG. 570.B0
PRÉALABLE : 0, VOIR PAGE 11

INTÉRÊTS

- pour les arts et le secteur culturel
- aime travailler avec des matériaux (bois, carton, plastique, etc.)
- aime manipuler et conserver des articles de collection
- aime fabriquer (supports, boîtes, emballages, etc.) et se servir d'outils

APTITUDES

- polyvalence
- grande dextérité manuelle
- sens du respect et de la protection des articles de collection
- flexibilité et capacité de travailler en équipe
- minutie et créativité

OFFRE DU PROGRAMME PAR RÉGIONS
Laval

RÔLE ET TÂCHES

Lors de son stage au département d'archives de collections du CCA, Marie-Ève s'est retrouvée sous la supervision d'un technicien. «On s'occupait de l'emballage et du déballage d'œuvres d'art. Dans une base de données, on inscrivait la description de chacune des œuvres qui passaient entre nos mains», dit la jeune femme. Ils étaient aussi chargés du déplacement des œuvres dans le CCA ou de leur encaissage, si elles étaient entreposées à l'extérieur du centre. Les deux collègues manipulaient autant les œuvres des quatre différentes collections du CCA que celles des expositions qui s'y tenaient. Après son stage, Marie-Ève s'est frayé un chemin dans les dédales du CCA jusqu'au poste qu'elle occupe au département des archives, soit celui d'adjointe à l'enregistrement de la collection. Un poste pour lequel elle vient d'obtenir sa permanence. «Nous sommes peu de diplômés à bénéficier d'un emploi stable. Ce n'est facile pour personne dans ce domaine. Au moins 75 % des gens travaillent à forfait», déplore la jeune femme. Des maquettes, des photographies, des dessins et des documents textuels sont entreposés à son département. «Mon rôle est de protéger matériellement les œuvres qui sont sous ma responsabilité, explique-t-elle. Je mets à plat les dessins qui arrivent en rouleaux, je place les photos dans des pochettes de plastique, je range les maquettes et documents textuels dans des contenants non acides afin de bien les conserver.»

Marie-Ève s'occupe également d'aller cueillir des archives chez les architectes donataires. Parallèlement à tout ça, elle est chargée de numéroter les

	Salaire hebdo moyen	Proportion de dipl. en emploi	Emploi relié	Chômage	Nombre de diplômés
2000	358 $	100,0 %	42,9 %	0,0 %	14
1999	441 $	78,6 %	60,0 %	8,3 %	18
1998	364 $	85,7 %	66,7 %	0,0 %	7

Statistiques tirées de la Relance - Ministère de l'Éducation. Voir données complémentaires, page 419.

Comment interpréter l'information, page 10.

documents d'archives, d'en faire une description et d'entrer le tout dans une base de données. Elle s'assure ensuite d'être en mesure de les localiser dans les trois entrepôts réservés à cette fin, car lorsque des chercheurs demandent à consulter ces documents, c'est elle qui doit les leur procurer. «Je suis comme la mémoire du département, dit-elle. Je dois savoir où est chaque œuvre.» Grande responsabilité si l'on considère que le département compte 500 000 dessins, 50 000 documents photographiques, 300 maquettes et 700 mètres linéaires de documents textuels!

«Si tu as un Rodin entre les mains, tu ne niaises pas avec ça!»

— Marie-Ève Bertrand

QUALITÉS RECHERCHÉES

Le travail de Mariè-Ève requiert une bonne dose d'autonomie et un sens aigu des responsabilités. «Si tu as un Rodin entre les mains, tu ne niaises pas avec ça!», dit Marie-Ève en riant. Le diplômé doit aussi s'intéresser de près aux biens culturels, à leur conservation et à leur mise en valeur dans le respect de leur intégrité. Il est également utile d'avoir le souci du travail bien fait et de posséder une excellente dextérité, car les tâches à exécuter exigent minutie et précision. Michel Huard, coordonnateur du programme de techniques de muséologie, estime que la polyvalence est essentielle lorsqu'on travaille dans ce domaine. «Le diplômé assume plusieurs tâches, explique-t-il. Il peut participer à un montage d'exposition, faire du catalogage, prendre la photo d'un objet de collection, faire un devis ou, même, couper du bois sur un banc de scie…». Des aptitudes pour l'analyse et la synthèse ainsi qu'une certaine facilité à résoudre les problèmes sont d'autres talents recherchés. La créativité et l'imagination sont aussi demandées.

Photo : PPM

DÉFIS ET PERSPECTIVES

Le Collège Montmorency est le seul établissement à donner le programme de techniques de muséologie. C'est une formation relativement jeune. La première cohorte de diplômés date de 1995. Deux voies s'offrent aux personnes qui sortent de ce programme : travailler dans les institutions ou pour leur propre compte. «On va de plus en plus vers la numérisation des collections, dit Michel Huard. Cela va prendre davantage d'importance au cours des prochaines années.» Voilà un défi que les diplômés auront à relever. 03/01

HORAIRES ET MILIEUX DE TRAVAIL

- Les employeurs principaux sont les musées, les centres d'exposition, les sites ou parcs historiques, les centres d'interprétation, les centres d'archives, les galeries d'art, les entreprises privées et les centres de documentation.
- Dans ce milieu, les employés travaillent généralement de 9 h à 17 h et sont embauchés sous contrat.

Techniques d'intégration multimédia

Travailler tout en participant à l'élaboration de jeux vidéo ou de sites Web, c'est possible! Le programme de techniques d'intégration multimédia s'adresse aux jeunes qui sont créatifs, qui naviguent dans Internet et qui aiment l'informatique.

PROG. 582.A0
PRÉALABLE : 0, VOIR PAGE 11

INTÉRÊTS

- aime créer à partir d'un besoin précis
- aime imaginer et innover
- aime travailler en équipe, dans un milieu hautement informatisé et créatif
- s'intéresse au développement de la technologie dans le domaine multimédia

APTITUDES

- facilité à visualiser les concepts abstraits; créativité
- débrouillardise, polyvalence et autonomie
- grande aisance avec les outils informatiques (dont Internet)
- facilité à communiquer et à travailler en équipe

OFFRE DU PROGRAMME PAR RÉGIONS
Bas-Saint-Laurent, Laurentides, Montérégie, Montréal-Centre, Québec

RÔLE ET TÂCHES

«Les diplômés participeront à la création de produits tels que des cédéroms, des sites Web et des jeux interactifs, explique Sylvain Paquin, coordonnateur du programme de techniques d'intégration multimédia au Cégep de Saint-Jérôme. Actuellement, tous ces produits existent séparément sur le marché, mais ils vont être liés plus souvent les uns aux autres grâce aux progrès technologiques. Les connections entre les jeux et les pages Web vont devenir plus fréquentes.»

Le technicien aura à travailler avec différents outils : les logiciels de traitement de son, les bandes vidéo et d'animation en deux et en trois dimensions, les traitements de texte et les traitements informatiques des images, les langages de programmation de haut niveau ainsi que les outils de navigation dans Internet. «Le rôle des intégrateurs multimédias, poursuit Sylvain Paquin, sera de réunir le texte, le son et les images provenant de rédacteurs, d'infographistes et de spécialistes en son, en image et en vidéo, et d'intégrer tout ce matériel à un site Web, par exemple. Par la suite, en programmant, ils vont rendre le produit interactif.» Tout ce travail nécessite une bonne culture informatique. C'est pourquoi les gens intéressés doivent déjà avoir travaillé sur un ordinateur, être familiers avec Internet et les jeux.

QUALITÉS RECHERCHÉES

«Il faut aimer le travail d'équipe, parce que c'est un milieu interdisciplinaire, et être capable d'écouter les avis des autres, explique Pierre Lauzon,

	Salaire hebdo moyen	Proportion de dipl. en emploi	Emploi relié	Chômage	Nombre de diplômés
2000	n/d	n/d	n/d	n/d	n/d
1999	n/d	n/d	n/d	n/d	n/d
1998	n/d	n/d	n/d	n/d	n/d

Statistiques tirées de la Relance - Ministère de l'Éducation. Voir données complémentaires, page 419.

Comment interpréter l'information, page 10.

directeur des affaires étudiantes et des communications au Cégep de Saint-Jérôme. La créativité est également importante pour faire des documents accrocheurs.» «C'est nécessaire d'aimer l'informatique et d'avoir une pensée logique pour faire de la programmation, ajoute Sylvain Paquin. On doit être curieux, apprécier l'étude et la lecture. Le travail d'intégrateur multimédia exige aussi un degré assez élevé de débrouillardise et d'autonomie. Les grandes entreprises possèdent de bonnes ressources techniques pour résoudre les problèmes qui surviennent avec les ordinateurs, mais ce n'est pas le cas des petites entreprises. Comme les équipements sur le marché sont très disparates, les diplômés auront souvent à solutionner eux-mêmes des difficultés techniques et, évidemment, à trouver l'information nécessaire pour y parvenir.»

«Les diplômés participeront à la création de produits tels que des cédéroms, des sites Web et des jeux interactifs.»

— Sylvain Paquin

DÉFIS ET PERSPECTIVES

Le programme fournit les connaissances générales nécessaires aux élèves intéressés à poursuivre une formation plus poussée. «Le diplômé pourra se perfectionner à l'université ou ailleurs, en s'orientant par exemple vers le cinéma d'animation, qui est un domaine connexe, précise M. Lauzon. Chose certaine, les jeunes qui choisissent le domaine multimédia auront continuellement à renouveler leurs connaissances à cause du développement et de l'évolution rapides que connaît ce secteur.» À l'heure actuelle, au Québec, l'Association des producteurs multimédias presse le gouvernement de former de la main-d'œuvre qualifiée. Plusieurs entreprises se plaignent des difficultés qu'elles ont à recruter du personnel et affirment que cette pénurie de main-d'œuvre freine le développement de l'industrie. «Le gouvernement québécois veut promouvoir les talents locaux et est intéressé à faire de Montréal une plaque tournante en Amérique du Nord pour l'intégration multimédia, indique Sylvain. Nous avons déjà développé, au Québec, avec Softimage, une expertise dans la création d'animation 3D au cinéma. On pense, entre autres, aux films *Titanic* et *Le Parc jurassique*. L'exportation du produit est facile et le Québec occupe une place stratégique à cause de ses deux cultures, des marchés anglophone et francophone.» 09/99

Photo : PPM

HORAIRES ET MILIEUX DE TRAVAIL

- Les diplômés sont appelés à travailler dans des entreprises multimédias.
- Ils peuvent également être engagés pour des projets d'applications multimédias dans le domaine de l'audiovisuel, pour des présentations multimédias, pour l'élaboration d'interfaces de banques de données, de sites Internet et intranet.
- Il est possible de se regrouper et de fonder une entreprise à plusieurs.
- Le travail est généralement de jour, de 35 à 40 h par semaine.

MÉCANIQUE D'ENTRETIEN

Selon le site Emploi-Avenir Québec de Développement des ressources humaines Canada (DRHC), le Québec devrait connaître à moyen terme une croissance soutenue de la production industrielle. Les compagnies qui embauchent se trouvent principalement en plasturgie, en aéronautique, en métallurgie, en télécommunication et en construction. Les industries bioalimentaire, de l'automobile, de l'exploitation des ressources naturelles et du textile offrent également de bons débouchés.

À la Direction d'intervention sectorielle d'Emploi-Québec, on fait valoir que la profession de technologue de maintenance industrielle bénéficie de la complexité croissante de la machinerie utilisée dans la plupart des industries, qu'elles fabriquent des automobiles, des pièces usinées ou des pâtes alimentaires. Selon la même source, les chances d'emploi sont encore meilleures étant donné le vieillissement de la main-d'œuvre dans ce domaine.

Selon la Direction générale de la formation professionnelle et technique du ministère de l'Éducation du Québec, c'est grâce à leur formation polyvalente que les technologues en maintenance industrielle se placent aussi facilement. Ils reçoivent non seulement des notions en mécanique, en électricité et en électronique, mais aussi en hydraulique, en pneumatique et en automatisme. Avec un tel bagage, ils peuvent donc œuvrer dans des entreprises spécialisées dans toutes sortes de productions, pourvu qu'elles utilisent de la machinerie. Les technologues peuvent devenir contremaîtres ou responsables de projet, faire de la recherche ou de la planification d'entretien. 05/01

INTÉRÊTS

- aime observer, analyser et résoudre des problèmes pratiques
- aime démonter, réparer et remonter des objets, des mécanismes et des appareils
- aime le travail manuel
- accorde de la valeur à la qualité et à l'efficacité de son travail

APTITUDES

- dextérité, acuité et mémoire visuelles
- sens de l'observation et concentration
- facilité d'apprentissage intellectuel et technique
- facultés d'analyse et de logique
- discernement et ingéniosité
- esprit rigoureux et méthodique

LE SAVIEZ-VOUS ?

Selon le site Emploi-Avenir Québec de Développement des ressources humaines Canada (DRHC), les techniciens d'instruments industriels doivent posséder des connaissances en pneumatique, en électro-pneumatique, en hydraulique, en électricité et en électronique. Un grand intérêt pour les sciences et les techniques est nécessaire. Les candidats recherchés ont le souci du détail, font preuve de dextérité manuelle et aiment comprendre et résoudre des problèmes.

RESSOURCES INTERNET

DESCRIPTION DES PROGRAMMES DU SECTEUR
http://www.meq.gouv.qc.ca/ens-sup/ens-coll/Cahiers/sect-14.htm
Vous trouverez sur cette page une description du programme de ce secteur de formation, comprenant les exigences d'admission et un bref résumé de chaque cours. Vous pourrez aussi accéder à la liste des établissements qui offrent et à la dernière relance de ses diplômés.

INDUSTRY NET
http://www.industry.net/
Ce site consiste en de nombreux moteurs de recherche qui vous permettront de trouver une pièce, de connaître les spécifications d'un équipement ou de découvrir un fournisseur (attention, l'utilisation de certaines sections implique des coûts, mais une bonne partie du site est libre d'accès).

Technologie de maintenance industrielle

«Mon métier, c'est l'assistance et le conseil. Lorsqu'une machine fonctionne mal, c'est moi qu'on appelle.» C'est ainsi que Robert Leclerc définit son travail. Diplômé en maintenance industrielle, l'homme a mis son expérience au service d'Engrenage provincial, une compagnie qui distribue des produits hydrauliques.

PROG. 241.05
PRÉALABLE : 12, 40, VOIR P. 11

INTÉRÊTS
- aime travailler sur de la machinerie
- aime la physique (mécanique, électricité)
- aime le travail manuel et le travail d'équipe
- aime résoudre des problèmes concrets et innover

APTITUDES
- curiosité, polyvalence et débrouillardise
- habileté manuelle et facilité pour les sciences (physique, math)
- excellent sens de l'observation et bonne mémoire visuelle
- sens de la méthode et minutie

OFFRE DU PROGRAMME PAR RÉGIONS
Abitibi-Témiscamingue, Bas-Saint-Laurent, Chaudière-Appalaches, Côte-Nord, Estrie, Gaspésie—Îles-de-la-Madeleine, Mauricie, Montréal-Centre

RÔLE ET TÂCHES

Les technologues en maintenance industrielle travaillent à l'entretien et à la réparation de la machinerie spécialisée, principalement utilisée dans les usines et les manufactures. «Mais mon rôle est encore plus large que cela, explique Robert. En plus de l'assistance technique, je fournis des conseils à nos clients et je leur vends des produits. Nous distribuons des composants de systèmes hydrauliques, comme des valves ou des pompes, qui servent à fabriquer ou à réparer de nombreuses machines.»

Lorsqu'il vend de nouveaux produits à ses clients et que ceux-ci les utilisent pour la première fois, Robert fait ce que l'on appelle de l'assistance au démarrage. C'est-à-dire qu'il va rencontrer le client avec la documentation adéquate pour lui expliquer comment cela fonctionne. Il donne alors une formation de base au mécanicien ou à l'opérateur qui utilise et entretient la machine. Les compétences de Robert sont également mises à contribution lorsqu'une machine est en panne ou ne fonctionne pas correctement. «Je reçois une vingtaine d'appels par jour concernant ce type de problème. La plupart du temps, je connais bien le client et ses équipements, alors je suis en mesure de le guider par téléphone dans les étapes du dépannage.» Deux ou trois de ces appels exigent cependant un déplacement. S'ils ne sont pas disponibles ou si le problème se révèle trop complexe, Robert se rend lui-même chez le client. «J'étudie le schéma hydraulique et, avec mon équipement, je vérifie la pression et le débit. Il me faut être à l'aise dans plusieurs domaines pour poser le bon diagnostic, car je dois aussi bien vérifier

	Salaire hebdo moyen	Proportion de dipl. en emploi	Emploi relié	Chômage	Nombre de diplômés
2000	681 $	86,5 %	90,2 %	3,0 %	94
1999	681 $	71,7 %	93,5 %	8,3 %	63
1998	600 $	70,2 %	90,9 %	13,2 %	56

Statistiques tirées de la Relance - Ministère de l'Éducation. Voir données complémentaires, page 419.

Comment interpréter l'information, page 10.

l'aspect hydraulique que les systèmes mécanique, électrique ou pneumatique. Une fois que j'ai isolé la composante défectueuse, il ne reste plus qu'à la remplacer ou à la réparer.»

QUALITÉS RECHERCHÉES

Robert Leclerc insiste sur l'importance de la polyvalence lorsqu'on exerce ce métier. «Les machines sont de plus en plus sophistiquées et nécessitent un large champ de compétences dans tous les domaines de la mécanique, dit-il. Il faut aussi être très curieux et vouloir sans cesse apprendre.» Le sens des responsabilités est, à son avis, une des qualités appréciées. «Lorsqu'une panne paralyse toute la production, c'est sur toi que l'on compte pour la faire démarrer à nouveau.» L'habileté manuelle est aussi bien utile. Elle doit s'accompagner d'un bon sens de l'observation, permettant de détecter rapidement les problèmes. «On finit par avoir le coup d'œil pour repérer les mécanismes anormaux. Tous les sens travaillent et sont en alerte. Une pièce plus chaude que la normale, c'est déjà un indice.»

Les technologues en maintenance industrielle travaillent à l'entretien et à la réparation de la machinerie spécialisée, principalement utilisée dans les usines et les manufactures.

DÉFIS ET PERSPECTIVES

«La maintenance industrielle est un secteur très prometteur, affirme Daniel Légaré, coordonnateur du département de mécanique au Cégep de Lévis-Lauzon. Toutes les usines, toutes les compagnies manufacturières, tous les sites où l'on transforme des produits utilisent des machines. Plus la conjoncture économique est bonne, plus nous produisons et avons besoin de machines. Plus nous avons de machines, plus elles tombent en panne et requièrent des gens qualifiés pour les réparer.» La pénurie de technologues incite ceux-ci à se diriger en priorité vers les grandes entreprises qui offrent souvent les meilleurs salaires. «Le vrai défi de ces jeunes consiste à aller plutôt du côté des moyennes entreprises. Malgré qu'elles offrent des salaires moindres, elles donnent beaucoup de responsabilités à leurs technologues. On leur propose des tâches variées qui mettent à profit leur grande polyvalence plutôt que de les garder cantonnés dans des tâches très spécialisées et plus routinières.» M. Légaré poursuit en faisant remarquer que les possibilités d'avancement sont également plus rapides dans les petites structures, où les diplômés peuvent très vite avoir la charge d'une équipe de travail, devenir contremaîtres ou faire de la planification d'entretien. 03/01

Photo : Cégep de Sherbrooke

HORAIRES ET MILIEUX DE TRAVAIL

- Les diplômés peuvent trouver du travail auprès des compagnies qui fabriquent, distribuent ou utilisent des machines industrielles.
- Ils travaillent à la gestion de l'entretien, à la planification ou font du travail de bureau.
- L'environnement de travail, en exploitation, est souvent bruyant.
- Le travail se fait généralement de jour, selon des horaires réguliers.
- En dépannage d'urgence, il est possible de travailler sur appel 24 heures sur 24.

MINES ET TRAVAUX DE CHANTIER

Selon le ministère des Ressources naturelles du Québec, le nombre d'emplois dans cette industrie a baissé de 22 % entre 1989 et 1997. Malgré tout, on demeure optimiste, car l'industrie s'en tire relativement bien au chapitre des exportations. Elle employait environ 17 162 personnes en 1999, ce qui représente une légère baisse comparativement à 1998 où l'on comptait alors 17 351 emplois. Au Service de la recherche en économie minérale au Ministère on fait valoir que, parallèlement à la baisse de l'emploi dans l'industrie depuis quelques années, on assiste à un accroissement de la demande d'employés spécialisés. Les techniciens en métallurgie, en minéralurgie et en géologie, et de façon générale les gens capables d'apprendre, de suivre l'évolution de la technologie, de s'adapter et d'être polyvalents seraient recherchés.

En 1997, la valeur des expéditions minérales du Québec aurait atteint près de 3,5 milliards de dollars, soit presque 20 % du total canadien[1]. L'industrie minière alimente de nombreux secteurs de l'économie, comme la construction, l'industrie automobile, la métallurgie, etc. Si son avenir demeure incertain, la diversité de ses activités lui permet cependant de rester compétitive. Elles incluent la production de substances métalliques (or, cuivre, zinc, minerai de fer), de minéraux industriels (amiante, sel), de matériaux de construction (ciment, produits d'argile, pierre) et les activités de première transformation (fonderies, raffineries).

Les entreprises minières sont présentes un peu partout au Québec, mais principalement dans le nord-ouest et le nord-est de la province. Le travail dans les mines requiert donc beaucoup de mobilité.

Depuis quelques années, les mines se modernisent et se mécanisent de plus en plus. Les programmes offerts permettent toutefois aux diplômés de satisfaire aux exigences grandissantes du marché. De plus, comme c'est un domaine où le roulement de personnel est élevé, cela favorise les jeunes diplômés. Les personnes qui désirent œuvrer dans ce domaine ont donc encore de belles occasions à saisir, malgré une situation cyclique, très influencée par l'économie mondiale. 05/01

1. *L'industrie minière du Québec : 1997.* Service de la recherche en économie minérale.

INTÉRÊTS

- aime se dépenser physiquement (surtout en exploitation et en géologie)
- aime faire fonctionner de la machinerie ou des systèmes informatiques
- aime participer à un travail d'équipe
- accorde de la valeur à la qualité et à l'efficacité de son travail

APTITUDES

- dextérité, rigueur et exactitude
- acuité et mémoire visuelles, sens de l'observation
- excellente coordination et excellents réflexes
- vigilance, discernement et respect des règlements de sécurité
- grande capacité de travail et de collaboration

LE SAVIEZ-VOUS ?

Les compagnies minières montrent un souci accru pour les questions environnementales. Ainsi, plus d'une soixantaine de sites ont fait l'objet de travaux de restauration et de sécurisation. Une somme de 15 millions de dollars a été affectée directement à la restauration des aires d'accumulation de résidus miniers et le reste au démantèlement de bâtiments, à la décontamination des sols, au reboisement de terrains et à la sécurisation de sites miniers.

Source : *Les carrières d'avenir au Québec*, Le groupe de recherche Ma Carrière, édition 2001.

RESSOURCES INTERNET

DESCRIPTION DES PROGRAMMES DU SECTEUR
http://www.meq.gouv.qc.ca/ens-sup/ens-coll/Cahiers/sect-15.htm
Vous trouverez sur cette page une description des programmes de ce secteur de formation, comprenant les exigences d'admission et un bref résumé de chaque cours. Pour chaque programme, vous pourrez aussi accéder à la liste des établissements qui l'offrent et à la dernière relance de ses diplômés.

GEORADAAR – SECTEUR MINIER
http://www.georad.com/francais/mines.htm
Vous trouverez ici des capsules d'information sur de nombreuses entreprises liées à l'exploitation minière.

MINISTÈRE DES RESSOURCES NATURELLES DU QUÉBEC
http://www.mrn.gouv.qc.ca
Votre navigation vous mènera à accéder notamment à un répertoire vous présentant une liste des entreprises minières actives au Québec.

Exploitation

Depuis sa tendre jeunesse, Nathaniel Chouinard collectionne des roches et des minéraux. Aujourd'hui, il est coordonnateur en fosses et environnement pour Stratmin graphite inc., une entreprise spécialisée dans la production de graphite naturel destiné, en grande partie, au secteur automobile.

PROG. 271.02
PRÉALABLE : 11, 20, VOIR P. 11

INTÉRÊTS

- aime travailler en équipe
- aime observer, manipuler, analyser, contrôler
- aime utiliser un ordinateur
- aime calculer et dessiner (cartographie)

APTITUDES

- résistance physique et grande faculté d'adaptation (sous terre, bruit, poussière, boue, risques; horaire variable)
- esprit d'équipe
- sens de l'observation, de la précision et de l'analyse
- habileté en mathématiques et avec l'informatique
- bonne perception spatiale

OFFRE DU PROGRAMME PAR RÉGIONS
Abitibi-Témiscamingue, Chaudière-Appalaches

RÔLE ET TÂCHES

L'une des tâches de Nathaniel consiste à évaluer minutieusement l'environnement des sites désignés pour l'exploitation. Par la suite, c'est lui qui doit s'assurer du respect des différentes normes environnementales, soit celles édictées par le gouvernement fédéral et les autres, promulguées par les autorités provinciales. Il collabore activement aux démarches nécessaires à l'obtention de permis d'exploitation. «La roche acheminée à l'usine doit être composée à 5 ou 6 % de graphite, explique-t-il. On doit donc s'assurer que le site pourra répondre aux besoins de l'entreprise.» Après son arrivée à l'usine, le minerai sera réduit en granules de graphite naturel et ensuite exporté vers les États-Unis, ces ventes représentant 65 % des exportations totales. Le reste sera dirigé vers l'Europe et l'Asie. Le travail du technologue en exploitation minière est très diversifié. Il est en quelque sorte le bras droit de l'ingénieur minier, car il participe à de nombreuses tâches dont celui-ci est responsable. Il doit être en mesure d'effectuer des activités d'arpentage, c'est-à-dire faire des levés de terrain pour ensuite les mettre en plan; assurer la mise en place de l'instrumentation pour détecter les composantes des roches; planifier le dynamitage et le forage sous la supervision de l'ingénieur minier responsable; assurer la ventilation, le contrôle des émanations de gaz et de poussière et la sécurité dans les sites d'exploitation, tout en prenant les moyens nécessaires pour prévenir les risques d'accidents; surveiller les travaux dans les mines, chantiers et carrières, etc. En plus de ces responsabilités, Nathaniel est en charge de la planification minière. À ce titre, il doit élaborer l'ordre des tâches à accomplir, distribuer et

	Salaire hebdo moyen	Proportion de dipl. en emploi	Emploi relié	Chômage	Nombre de diplômés
2000	775 $	58,3 %	85,7 %	30,0 %	14
1999	n/d	n/d	n/d	n/d	n/d
1998	n/d	n/d	n/d	n/d	n/d

Statistiques tirées de la Relance - Ministère de l'Éducation. Voir données complémentaires, page 419.

Comment interpréter l'information, page 10.

répartir les travaux aux superviseurs et faire le suivi des activités sur le chantier.

QUALITÉS RECHERCHÉES

Nathaniel considère que son travail exige qu'il fasse preuve de leadership. «Il ne faut pas avoir peur de prendre des initiatives, dit-il. On doit être capable de défendre ses idées et ses décisions. Il faut aussi être diplomate. Il y a des façons de s'adresser aux gens et de leur transmettre notre point de vue. Je n'avais pas acquis de notion de supervision de personnel à l'école. L'expérience m'a montré que les messages passent beaucoup mieux si on respecte les employés.» Nathaniel doit aussi faire preuve d'innovation afin d'optimiser la production et de réduire les coûts d'exploitation. «Il faut toujours imaginer de nouvelles façons d'améliorer les techniques de dynamitage et de forage, des manières de bonifier le chargement et le transport des minerais ou les méthodes de concassage», dit-il. De bonnes habiletés physiques et une capacité à s'adapter rapidement aux différentes conditions de travail sont requises. Enfin, un intérêt pour le dessin technique, une bonne capacité à travailler en équipe et des aptitudes en informatique sont également des atouts incontournables pour ceux qui aspirent à travailler dans l'industrie de l'exploitation minière.

«Les diplômés peuvent travailler dans les carrières, les chantiers ou pour des firmes d'ingénieurs-conseils. Le travail dans les mines n'est pas leur seule possibilité d'emploi.»

— Daniel Faucher

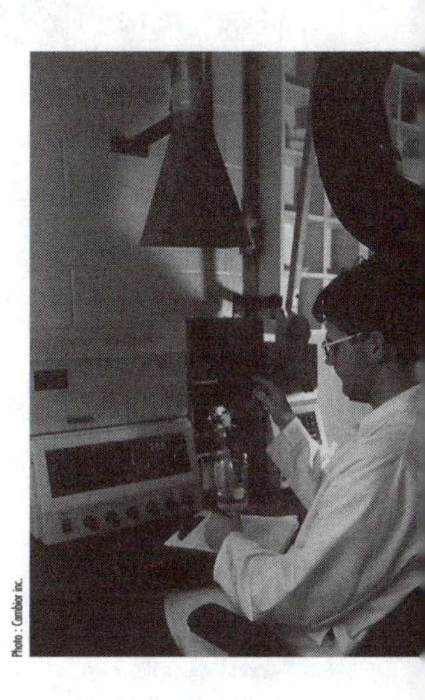
Photo : Cambior inc.

DÉFIS ET PERSPECTIVES

Le domaine minier est cyclique; certaines périodes plus creuses sont donc à prévoir. Mais selon Daniel Faucher, responsable de la coordination départementale au département de technologie minérale du Collège de la région de l'Amiante, on peut tout de même demeurer optimiste, car les élèves ne sont pas appelés à travailler uniquement dans les mines.

«Les diplômés peuvent aussi travailler dans les carrières, les chantiers ou pour des firmes d'ingénieurs-conseils, dit-il. Le travail dans les mines n'est pas leur seule possibilité d'emploi.» Le coordonnateur tient à souligner le fait que la plus grande partie des tâches d'un technicien dans ce domaine se fait sur le terrain. Un intérêt pour le travail à l'extérieur est l'une des conditions importantes pour pratiquer ce métier. 03/01

HORAIRES ET MILIEUX DE TRAVAIL

- Les principaux employeurs de ce domaine sont les entreprises d'exploitation minière, soit les mines à ciel ouvert et les mines souterraines.
- Les diplômés trouveront aussi de l'emploi dans les carrières, les chantiers et les firmes d'ingénieurs-conseils.
- Le domaine est cyclique.
- Les employés travaillent généralement le jour, selon un horaire de huit heures et plus.
- Le travail s'effectue principalement en plein air et les conditions sont parfois difficiles.

Géologie appliquée

Passionné de nature et amoureux des grands espaces et des bois, Christian Jalbert n'aurait pu trouver meilleur emploi. Technicien principal en exploration minière à la SOQEM (anciennement la Société québécoise d'exploration minière), il adore son métier.

PROG. 271.01
PRÉALABLE : 11, 20, VOIR P. 11

INTÉRÊTS

- aime travailler en équipe
- aime observer, manipuler, analyser, contrôler
- aime utiliser un ordinateur
- aime calculer et dessiner (cartographie)

APTITUDES

- résistance physique et grande faculté d'adaptation (sous terre, bruit, poussière, boue, risques; horaire variable)
- esprit d'équipe
- sens de l'observation, de la précision et de l'analyse
- habileté en mathématiques et avec l'informatique
- bonne perception spatiale

OFFRE DU PROGRAMME PAR RÉGIONS
Abitibi-Témiscamingue, Chaudière-Appalaches

RÔLE ET TÂCHES

Christian a obtenu son diplôme du Collège de la région de l'Amiante. Aujourd'hui, il est un peu l'homme à tout faire de l'entreprise pour laquelle il travaille. Ses tâches sont en effet très diversifiées. «Par exemple, lorsqu'on doit monter un camp pour un projet donné, je m'occupe de la logistique et de la planification afin que tout soit en place à temps, explique-t-il. Ainsi, je veille à ce qu'il y ait assez de bois, que le téléphone et le chauffage fonctionnent et que l'approvisionnement en eau réponde aux besoins.»

En plus de la planification des camps, Christian est aussi responsable des échantillons qui sont prélevés sur le terrain. C'est lui qui en assure la numérotation et la classification. Le tout est par la suite remis au laboratoire à des fins d'analyse. «Ces échantillons sont le fruit de notre travail, explique-t-il. On doit donc s'assurer que leur prélèvement s'effectue d'une façon adéquate parce qu'il est très facile de fausser les résultats d'analyse.» Des compilations, des statistiques et différentes cartes (géologiques, physiques et géographiques) seront réalisées selon les résultats obtenus en laboratoire.

Les tâches du technicien en géologie appliquée sont variées et multiples. Il doit identifier les minéraux et les roches; les inventorier et les classer; planifier et réaliser les levés de terrain; rechercher différents matériaux comme des granulats, de l'eau, des minerais; superviser les travaux de forage; effectuer des dessins techniques assistés par ordinateur, etc.

	Salaire hebdo moyen	Proportion de dipl. en emploi	Emploi relié	Chômage	Nombre de diplômés
2000	596 $	45,5 %	66,7 %	16,7 %	13
1999	n/d	n/d	n/d	n/d	n/d
1998	508 $	83,3 %	80,0 %	16,7 %	6

Statistiques tirées de la Relance - Ministère de l'Éducation. Voir données complémentaires, page 419.

Comment interpréter l'information, page 10.

QUALITÉS RECHERCHÉES

La débrouillardise, l'esprit d'initiative et de bonnes habiletés manuelles sont des qualités importantes pour quelqu'un qui fait un travail comme celui de Christian. «Certains des élèves avec lesquels j'ai étudié, et qui ont très bien réussi, n'ont pu se trouver un emploi de technicien, car ils avaient des lacunes du côté des habiletés manuelles, dit Christian. Moi, j'ai une base dans plusieurs domaines et ça me permet de me débrouiller sur le terrain», ajoute-t-il. Pour lui, la polyvalence est indispensable. «Quand on se retrouve sur un site à des kilomètres des principales ressources, on ne peut pas se fier à l'aide extérieure pour régler les problèmes qui surviennent. Il faut être en mesure de les régler soi-même, sur les lieux de travail.»

La débrouillardise, l'esprit d'initiative et de bonnes habiletés manuelles sont des qualités importantes pour quelqu'un qui fait un travail comme celui de Christian.

Le technicien est souvent appelé à se rendre sur les lieux de forage, qui se déroule essentiellement en région éloignée. Celui qui veut travailler dans ce domaine doit donc être prêt à se déplacer pendant quelques semaines, voire quelques mois.

Des notions de gestion sont également très utiles lorsque vient le temps de planifier les coûts de déplacement d'une équipe de travail ou quand on doit prévoir l'achat d'équipements. La capacité de travailler en équipe, un bon sens de l'observation, la minutie ainsi qu'un véritable intérêt pour le travail en plein air s'ajoutent au lot des qualités requises.

Photo : Cambior inc.

DÉFIS ET PERSPECTIVES

Les perspectives d'emploi dans le domaine minier et de l'exploration évoluent selon un cycle de 5 à 10 ans. Il arrive donc que le travail soit plus rare durant certaines périodes. «C'est vraiment un milieu qui bouge beaucoup», affirme Éric Dubois, professeur en géologie au Collège de la région de l'Amiante.

M. Dubois a toutefois constaté une forte augmentation de la demande dans le secteur de l'hydrogéologie et de la caractérisation de sites contaminés. «La demande est tellement forte que certains futurs diplômés doivent quitter le programme en cours de route», dit-il. 03/01

HORAIRES ET MILIEUX DE TRAVAIL

- Les employeurs dans ce domaine sont les entreprises d'exploitation et de prospection minières, les différents services gouvernementaux en environnement et en ressources naturelles, les firmes d'ingénieurs-conseils en environnement, les entreprises d'hydrogéologie.
- Les diplômés sont également susceptibles de trouver du travail dans les bureaux d'études géotechniques, les sociétés pétrolières et les entrepreneurs de grands travaux de chantier.
- Les diplômés peuvent occuper divers postes : technicien en environnement, technicien en hydrogéologie, technicien en prospection et exploration, technicien en géologie minière, technicien en géotechnique, etc.
- Le travail s'effectue principalement de jour. Le travail de soir et de nuit est plutôt rare dans ce domaine.
- Lors de la préparation des camps, les journées peuvent facilement dépasser les 10 heures de travail.

Minéralurgie

Depuis toujours intéressée par les minéraux et les roches, ce n'est pas un hasard si Alexandra Béland a opté pour le programme en minéralurgie. «Je me passionne pour la profession», affirme la jeune femme, maintenant technicienne en laboratoire pour le ministère des Ressources naturelles à Ottawa.

PROG. 271.03
PRÉALABLE : 11, 20, VOIR P. 11

INTÉRÊTS

- aime la chimie, les roches et le minerai
- aime travailler dans un laboratoire
- aime le travail méthodique, de précision et de concentration
- aime observer, manipuler et faire des tests
- aime résoudre des problèmes et innover

APTITUDES

- facilité pour la chimie et les mathématiques
- excellent sens de l'observation
- beaucoup de rigueur et de minutie
- initiative et autonomie

OFFRE DU PROGRAMME PAR RÉGIONS
Abitibi-Témiscamingue, Chaudière-Appalaches

RÔLE ET TÂCHES

Alexandra admet que son travail n'est pas toujours facile, mais elle l'adore. En bref, il consiste à assister les scientifiques dans la poursuite de différents travaux visant à améliorer les procédés de transformation. Occasionnellement, elle travaillera à en développer de nouveaux. Ses tâches sont diversifiées. «Je dois préparer les échantillons en vue d'analyses chimiques et minéralogiques, explique-t-elle. Je fais ensuite les tests en laboratoire et je compile les résultats. Je participe aussi à la rédaction des rapports et à la recherche, tant dans Internet qu'en bibliothèque.» Le technicien en minéralurgie travaille principalement dans les services techniques ou dans le secteur de la production. Il est responsable du traitement et de l'évaluation de différents procédés comme le broyage, le concassage, le tamisage et le séchage des minerais. Il veille à trouver de nouvelles solutions pour séparer le minerai lourd du minerai léger. Ainsi, il peut tenter d'améliorer les opérations de broyage du minerai en changeant la dimension des bouliers. Il peut aussi effectuer des essais sur différents réactifs, etc. Son rôle est important puisqu'il participe activement à l'élaboration de diverses solutions visant, en bout de ligne, à réduire les coûts de production. «Il m'arrive parfois de me déplacer dans certaines régions du Québec, raconte Alexandra. Comme à Val-d'Or, où j'ai dû aller recueillir des échantillons dans le moulin de la mine. Étant donné que tous ces échantillons étaient dans l'eau, j'ai dû les faire sécher, les rendre homogènes et les séparer les uns des autres dans des sacs pour des analyses subséquentes. Parfois, des compagnies nous envoient des échantillons que nous devrons concasser et broyer, selon la

	Salaire hebdo moyen	Proportion de dipl. en emploi	Emploi relié	Chômage	Nombre de diplômés
2000	749 $	100,0 %	75,0 %	0,0 %	6
1999	n/d	n/d	n/d	n/d	n/d
1998	n/d	n/d	n/d	n/d	n/d

Statistiques tirées de la Relance - Ministère de l'Éducation. Voir données complémentaires, page 419.

Comment interpréter l'information, page 10.

condition des minerais à la réception.» Le technicien peut aussi travailler dans le domaine de la géologie appliquée en environnement, pour la gestion de l'eau et des résidus, ainsi que dans le secteur de la décontamination des sols.

QUALITÉS RECHERCHÉES

Pour Alexandra, la capacité de s'adapter rapidement aux différentes tâches de travail est une qualité importante dans ce domaine. «Il faut avoir de la facilité à s'adapter parce que les tâches changent tous les jours, dit-elle. C'est aussi pour cette raison qu'il est difficile pour moi de décrire avec précision mon travail...»

«Il faut être mobile et ne pas avoir peur de se déplacer aussi loin que le Nouveau-Québec, l'Abitibi et la Côte-Nord.»

— Daniel Pelchat

La rigueur et la minutie sont des atouts de taille pour le technicien en minéralurgie. Il doit également se sentir tout aussi à l'aise de travailler au sein d'une équipe que de travailler seul, car il aura à le faire en laboratoire. Ceux qui aspirent à œuvrer dans ce domaine doivent évidemment manifester un intérêt particulier tant pour la chimie et les activités en laboratoire que pour le travail en usine et sur les sites miniers. La débrouillardise, l'autonomie et un bon sens de l'organisation sont aussi de mise à cause des nombreux séjours en régions éloignées. Ces aptitudes sont également bien utiles en raison des tâches multiples et complexes que le technicien doit accomplir dans l'exercice de ses fonctions.

Photo : Courtoisie UQTR

DÉFIS ET PERSPECTIVES

«Les diplômés de ce programme peuvent être appelés à travailler dans différents milieux, prévient Daniel Pelchat, professeur de minéralurgie au Collège de la région de l'Amiante. Sur un site minier, par exemple, ils devront s'attendre à ce que ce soit très bruyant, parfois même sombre et poussiéreux. Bref, ce ne sera sûrement pas sur le bord d'un lac ou près d'une rivière...» Donc, adeptes de confort douillet, s'abstenir. Les déplacements en régions éloignées sont aussi un défi pour les diplômés de ce programme. «Il faut être mobile et ne pas avoir peur de se déplacer aussi loin que le Nouveau-Québec, l'Abitibi et la Côte-Nord», précise M. Pelchat. Quant aux perspectives d'emploi, malgré le fait que le secteur minier soit extrêmement cyclique, alternant les périodes de croissance et de décroissance, M. Pelchat estime que quiconque veut travailler dans le domaine et est prêt à consentir les efforts nécessaires trouvera du travail. 03/01

HORAIRES ET MILIEUX DE TRAVAIL

- Les diplômés de ce programme peuvent travailler en laboratoire, en usine, dans les centres de recherche (COREM – Consortium en recherche minérale), dans les industries de concentration et de transformation des minerais, dans les mines, les carrières ou les fonderies.
- Le travail s'effectue tant en équipe que de façon solitaire.
- Les employés de ce secteur doivent souvent travailler en régions éloignées. Ces déplacements s'étendent parfois sur de longues périodes.
- Le travail se fait généralement le jour, de 9 h à 17 h.
- Les employés sont embauchés sous contrat ou de façon permanente.

MÉTALLURGIE

Les métaux représentent depuis longtemps une partie importante de l'industrie primaire du Québec. Aujourd'hui, l'industrie métallurgique, qui se répartit en fonction des minerais utilisés, se caractérise par la maturité de certains secteurs et l'expansion de certains autres. Au Québec, les principaux secteurs d'activité sont l'aluminium, l'acier, le cuivre, le zinc, le magnésium et les ferro-alliages.

Chaque domaine regroupe des entreprises appartenant au secteur primaire, qui procèdent à la première transformation des métaux, et au secteur secondaire, qui ont trait au laminage, à l'extrusion, au moulage, au forgeage, à la métallurgie des poudres, au traitement thermique et au recyclage des métaux.

Actuellement, certains secteurs de l'industrie métallurgique, tels que l'aluminium (notamment de plus en plus présent dans l'industrie automobile) et le magnésium (recherché pour sa légèreté et sa résistance), sont en expansion, et beaucoup d'entreprises commencent à revoir leur façon de fonctionner. Elles s'automatisent davantage, ce qui augmente le besoin de techniciens dûment formés.

Selon Carol Fournel, conseiller en développement industriel au ministère de l'Industrie et du Commerce du Québec, l'industrie des métaux légers, notamment de l'aluminium, du magnésium et de la métallurgie des poudres, est en effet très prometteuse. C'est le secteur de l'aluminium qui regroupe le plus grand nombre d'employés, grâce à cinq entreprises appartenant au secteur primaire et quelques centaines de compagnies du secteur secondaire. La demande d'aluminium est en progression, notamment grâce à l'industrie automobile qui emploie de plus en plus d'aluminium dans la fabrication de voitures et de camions.

Les travailleurs de la métallurgie occupent principalement quatre types d'emplois : ingénieurs métallurgistes et des matériaux, chimistes, techniciens en métallurgie et d'autres professions liées aux sciences physiques. 05/01

INTÉRÊTS

- aime les sciences (en particulier la physique et la chimie)
- aime mesurer, calculer, assembler des pièces de métal
- aime faire un travail manuel en usine ou dehors sur un chantier
- aime analyser et concrétiser un plan
- aime faire un travail créatif
- aime le dessin technique

APTITUDES

- facilité en mathématiques et en dessins techniques
- faculté d'imagination et de visualisation en trois dimensions
- dextérité, minutie, précision et rapidité d'exécution
- force et résistance physique
- capacité de travailler sous pression, discipline, prudence et respect des normes de sécurité
- esprit logique et méthodique
- acuité visuelle, concentration et sens de l'observation
- esprit de collaboration

?

Selon Carol Fournel, conseiller en développement industriel au ministère de l'Industrie et du Commerce du Québec, l'industrie métallurgique est en pleine expansion et le développement de projets par les multinationales génère de gros investissements qui créent plusieurs centaines d'emplois. Pensons à Magnola située à Asbestos, qui est une usine de première transformation du magnésium, et à une autre installée à Alma, Alcan, pour l'aluminium.

Source : *Les carrières d'avenir au Québec*, Le groupe de recherche Ma Carrière, édition 2001.

RESSOURCES INTERNET

DESCRIPTION DES PROGRAMMES DU SECTEUR
http://www.meq.gouv.qc.ca/ens-sup/ens-coll/Cahiers/sect-16.htm
Vous trouverez sur cette page une description des programmes de ce secteur de formation, comprenant les exigences d'admission et un bref résumé de chaque cours. Pour chaque programme, vous pourrez aussi accéder à la liste des établissements qui l'offrent et à la dernière relance de ses diplômés.

CONSEIL CANADIEN DU COMMERCE ET DE L'EMPLOI DANS LA SIDÉRURGIE
http://www.cstec.ca/
Vous en apprendrez plus long sur les programmes de cet organisme voué au développement de la main-d'œuvre dans les domaines de la sidérurgie/métallurgie, y compris la formation continue et le placement.

MINISTÈRE DE L'INDUSTRIE ET DU COMMERCE – ALLIAGE
http://www.mic.gouv.qc.ca/alliage/index.html
Consultez les bulletins d'information «Alliage» qui visent à renseigner tous les intervenants du secteur de la métallurgie sur l'évolution des travaux de la Table de concertation et des groupes de travail qui s'y rattachent. Des articles sur des sujets variés et des nouvelles provenant de l'industrie y sont également présentés.

Contrôle des matériaux

Éric Trottier travaille à la fonderie Laforo comme technicien de laboratoire de nuit. À son avis, le programme qu'il a suivi au cégep se rapproche d'une formation universitaire, car les diplômés occupent souvent des postes de cadres ou de contremaîtres.

PROG. 270.02
PRÉALABLE : 12, 20, 40, VOIR P. 11

INTÉRÊTS

- aime travailler avec les métaux et l'électricité
- aime les sciences (particulièrement : chimie et physique)
- aime faire le travail de précision, sur microscope et avec des appareils de mesure
- aime analyser, contrôler, résoudre des problèmes et innover

APTITUDES

- facilité pour les mathématiques, la chimie et la physique
- rigueur, minutie et méthode
- facilité à communiquer et à coopérer
- initiative
- aisance avec l'informatique

OFFRE DU PROGRAMME PAR RÉGIONS
Mauricie, Saguenay–Lac-Saint-Jean

RÔLE ET TÂCHES

L'entreprise pour laquelle Éric travaille est située à Sainte-Claire-de-Bellechasse. Elle est spécialisée dans la fabrication de pièces métalliques intermédiaires en fonte (non finies) pour les freins à disque de voitures et pour les composantes mécaniques des autobus, des tracteurs et des machines fixes en usine. À titre de technicien de laboratoire, Éric est responsable de la qualité des produits usinés. Il doit tenir compte des exigences des clients et veiller à ce que les normes de qualité soient respectées.

Les journées d'Éric sont bien remplies. Malgré cela, il doit constamment faire preuve d'une rigueur exemplaire dans son travail. «Comme le métal liquide est coulé dans un moule en sable, je dois effectuer un test de sable une fois l'heure, explique le diplômé du Cégep de Trois-Rivières. Je dois aussi faire des analyses chimiques d'échantillons de fonte à l'aide d'un spectromètre. Je procède à ces tests en étirant les échantillons sur une machine à traction afin de connaître la résistance mécanique du métal.»

Le travail d'un technicien dans le domaine du contrôle des matériaux s'apparente beaucoup à celui d'un analyste scrutant les différentes étapes de procédés métallurgiques. Travaillant principalement dans des laboratoires et en usines, généralement de concert avec des ingénieurs, le technicien doit être en mesure d'effectuer des contrôles de la qualité des produits en utilisant des tests physiques, chimiques (chaleur), mécaniques (résistance) ou non destructifs (radiographie, ultrasons).

	Salaire hebdo moyen	Proportion de dipl. en emploi	Emploi relié	Chômage	Nombre de diplômés
2000	555 $	66,7 %	100,0 %	25,0 %	11
1999	732 $	100,0 %	66,7 %	0,0 %	7
1998	645 $	92,3 %	91,7 %	7,7 %	13

Statistiques tirées de la Relance - Ministère de l'Éducation. Voir données complémentaires, page 419.

Comment interpréter l'information, page 10.

Le travail du technicien est important, car en plus de l'analyse des produits finis, ou en processus de traitement, il devra veiller à la résistance, à la durabilité et à la conformité des produits aux normes exigées. En fait, il joue un rôle essentiel dans le maintien de la qualité et dans l'amélioration des produits. Il contribue aussi à réduire les coûts inutiles reliés à leur production. Au poste qu'il occupe, Éric explique qu'il n'a aucune autorité sur les employés qui travaillent avec lui. «Je ne peux pas commenter la façon dont ils font leur travail ni les avertir si c'est mal fait, dit-il. Je dois simplement surveiller leur façon de faire et faire un rapport au contremaître responsable.»

«Pour faire fonctionner une usine ou un département, le technologue joue un rôle fondamental.»

— Claude Lord

QUALITÉS RECHERCHÉES

Éric Trottier considère qu'un diplômé espérant occuper un poste comme le sien doit être autonome et responsable. «Il faut prendre en considération le fait qu'on travaille généralement seul en laboratoire, prévient-il. Il faut donc avoir des aptitudes en ce sens.» Il explique que le contremaître intervient très peu dans son travail parce que les tâches à effectuer nécessitent une spécialisation. La minutie et la précision sont également des qualités importantes pour le technicien en laboratoire, car il doit veiller à la conformité des produits aux normes imposées et mener à bien les différents contrôles prévus tout au long du processus de fabrication. La polyvalence, la curiosité, un intérêt pour le travail manuel et pour la science ainsi qu'une bonne gestion du stress et de son temps complètent les atouts nécessaires à un technologue en contrôle des matériaux.

Photo : Claude Rousselle

DÉFIS ET PERSPECTIVES

Ce secteur est rempli de défis pour les diplômés. «Pour faire fonctionner une usine ou un département, le technologue joue un rôle fondamental, affirme Claude Lord, coordonnateur du programme au Cégep de Trois-Rivières. Dans bien des cas, l'ingénieur dépend du technicien, car, à l'université, il n'a pas été formé pour faire des tests chimiques, physiques et métallurgiques. Il est bien sûr responsable de la planification à plus long terme, mais, pour prendre ses décisions, il a besoin des résultats d'essais et d'analyses réalisés par le technicien.» Par conséquent, ces spécialistes occupent une place de choix et sont très recherchés sur le marché du travail, notamment dans le secteur de l'aéronautique, précise M. Lord. 03/01

Ce programme remplace Contrôle de la qualité (métallurgie).

HORAIRES ET MILIEUX DE TRAVAIL

- Les diplômés travailleront en laboratoire ou en usine. Dans ce dernier cas, ils devront s'attendre à travailler dans un environnement bruyant et poussiéreux.
- Les employeurs se retrouvent dans le secteur de la production primaire de métaux (acier, cuivre, aluminium, etc.).
- Les diplômés peuvent aussi trouver du travail auprès des centres de recherche universitaires, gouvernementaux ou privés, auprès des centrales nucléaires, des entreprises du secteur aéronautique, etc.
- Ils peuvent faire de la représentation et de la vente de produits métallurgiques.
- Les employés sont appelés à travailler le jour, le soir ou la nuit.
- Les journées comptent généralement huit heures, et la semaine, cinq jours.

Procédés métallurgiques

Après avoir bourlingué au cégep, à l'université et même dans les mines, Patrick Régimbal a décidé de consacrer ses énergies à une passion de jeunesse : le béton! Seulement une journée après avoir obtenu son diplôme en procédés métallurgiques, il commençait à travailler!

PROG. 270.04
PRÉALABLE : 12, 20, 40, VOIR P. 11

INTÉRÊTS
- aime la physique et la chimie
- aime observer, vérifier, organiser et superviser
- accorde de la valeur au résultat, à la qualité (du produit)
- aime communiquer et travailler en équipe
- aime travailler en usine

APTITUDES
- sens de l'observation, débrouillardise et autonomie
- habiletés manuelles
- sens de la communication et de la coopération
- sens de l'organisation et des responsabilités

OFFRE DU PROGRAMME PAR RÉGIONS
Mauricie, Saguenay–Lac-Saint-Jean

RÔLE ET TÂCHES

Patrick est technicien en contrôle de la qualité chez Corus, une entreprise de Cap-de-la-Madeleine spécialisée dans la fabrication de pièces en aluminium pour l'industrie automobile. On y fabrique entre autres des pièces de radiateurs de voitures, des pièces pour les systèmes de chauffage, des alliages, etc. «Ma responsabilité est de m'assurer de la qualité des produits avant qu'ils soient envoyés aux clients, explique-t-il. Je vérifie les propriétés mécaniques de l'aluminium, comme la traction, et je peux décider de suspendre la production en cas de problème afin que les ingénieurs puissent faire les vérifications nécessaires.» Patrick voit à ce que toutes les procédures soient respectées lors des différentes étapes de la production. Ainsi, dans le cas de la fabrication d'un alliage en aluminium pour un cadre de radiateur, il doit s'assurer que la largeur et l'épaisseur de l'aluminium répondent aux exigences des clients. «Pour certaines pièces conçues pour les systèmes de chauffage ou de climatisation, il faut considérer qu'elles seront exposées à la chaleur ou aux changements de température, dit-il. Il faut donc s'assurer qu'elles pourront résister à ces conditions particulières.» Le technicien en procédés de transformation occupe généralement des postes directement liés à la production. Il est appelé à participer activement à la mise en fabrication, au développement et au contrôle des procédés de production des métaux primaires. Il s'occupe de la préparation d'alliages fins, supervise la fabrication des pièces par moulage, planifie le démoulage, les traitements thermiques et la déformation à chaud ou à froid selon les besoins. Il peut aussi être chargé d'effectuer diverses expériences sur les procédés

	Salaire hebdo moyen	Proportion de dipl. en emploi	Emploi relié	Chômage	Nombre de diplômés
2000	701$	100,0%	100,0%	0,0%	6
1999	628$	100,0%	62,5%	0,0%	10
1998	641$	71,4%	100,0%	16,7%	14

Statistiques tirées de la Relance - Ministère de l'Éducation. Voir données complémentaires, page 419.

Comment interpréter l'information, page 10.

métallurgiques. En marge de ces tâches, le technicien accomplit également du travail de bureau et de laboratoire. C'est là qu'il préparera les alliages ou qu'il procédera au calcul de la charge en fonction des exigences des clients ou selon des normes comme ISO 9000. Le cycle de travail de Patrick s'échelonne sur neuf jours, soit six journées de travail consécutives suivies d'un congé de trois jours. «Il faut aussi être prêt à travailler le soir, la nuit et la fin de semaine, car les postes de jour sont généralement occupés par des techniciens plus expérimentés.» Le technicien peut travailler dans des centres de recherche et de développement comme le Centre de technologie Noranda.

«Ma responsabilité est de m'assurer de la qualité des produits avant qu'ils soient envoyés aux clients.»

— Patrick Régimbal

QUALITÉS RECHERCHÉES

«Pour faire ce métier, il faut être responsable et autonome, explique Patrick, car on travaille souvent seul, surtout le soir et la nuit. La maîtrise de la langue anglaise est aussi importante parce que tous les livres dans le domaine sont en anglais.» Le diplômé insiste également sur la nécessité de bien savoir gérer son temps pour ne pas retarder son travail et, conséquemment, la production en usine. Selon Patrick, la facilité de travailler en équipe, la rigueur, la minutie et une bonne capacité d'adaptation aux situations imprévues sont aussi des habiletés appréciées chez les jeunes diplômés de ce programme.

Photo : PPM

DÉFIS ET PERSPECTIVES

L'un des défis du secteur est certainement de faire connaître le programme à un plus vaste éventail de personnes. «On a beaucoup de difficultés à recruter des élèves pour le programme, indique Bernard Duchesne, enseignant au Cégep de Trois-Rivières. La métallurgie, tant au collégial qu'à l'université, est un secteur mal connu et, par conséquent, le nombre de diplômés est relativement faible.»

M. Duchesne explique que la formation prépare les futurs diplômés pour le marché de l'emploi en leur donnant la base nécessaire leur permettant de répondre immédiatement aux besoins de l'industrie et du marché. Ils sortent du cégep avec une connaissance des métaux et des différents procédés de transformation suffisante pour assister l'ingénieur dans son travail. «Après avoir acquis quelques années d'expérience, si le diplômé a du potentiel, il peut obtenir d'autres responsabilités, par exemple s'occuper des problèmes d'approvisionnement», ajoute l'enseignant. 03/01

HORAIRES ET MILIEUX DE TRAVAIL

- Les principaux employeurs de ce secteur sont les usines de transformation primaire des métaux, les entreprises de production de pièces fabriquées à partir de procédés de fonderie, les entreprises de métaux de toutes sortes (aluminium, zinc, magnésium, cuivre), les aciéries, les centres de recherche en métallurgie.
- Le travail s'effectue principalement le jour et le soir. Il est possible de travailler la nuit, à l'occasion.
- Les journées de travail comptent souvent 12 heures dans les grandes entreprises.

Soudage

La technique en soudage ne forme pas seulement des soudeurs. Les diplômés peuvent aussi être appelés à travailler en usine et dans les bureaux. Le technicien en soudage se situe à mi-chemin entre l'ingénieur et le personnel de production. Il joue un rôle important dans l'inspection des produits finis et le suivi des procédures en usine.

PROG. 270.03
PRÉALABLE : 12, 20, 40, VOIR P. 11

INTÉRÊTS

- aime les sciences (chimie, mécanique, math)
- aime le travail manuel
- aime observer, contrôler, manipuler
- aime se déplacer, travailler en usine et sur un chantier
- aime communiquer, conseiller et écrire
- aime utiliser des logiciels

APTITUDES

- facilité pour la physique, la chimie et les maths
- dextérité et excellent sens de l'observation
- sens des responsabilités, rigueur et méthode
- facilité à communiquer, à convaincre et à rédiger
- mobilité

OFFRE DU PROGRAMME PAR RÉGIONS
Mauricie, Saguenay–Lac-Saint-Jean

RÔLE ET TÂCHES

Sylvain Hubert est inspecteur en assurance qualité pour SABSPEC, une entreprise spécialisée dans la production de vaisseaux pressurisés, de grosses pièces massives en métal comme les plates-formes de forage et dans la fabrication de pièces en métal utilisées dans la construction des barrages. Les tâches sont nombreuses et diversifiées pour le jeune homme qui participe activement à plusieurs étapes de la production.

«Je m'occupe du suivi des contrats avec les clients, du respect des normes, des plans d'inspection, des essais non destructifs et j'assure la communication avec les firmes pour les inspections et la vérification des rapports, explique-t-il. Je dois vérifier tout le matériel qui entre, comme les plaques et les tuyaux. Je dois aussi inspecter visuellement les pièces et m'assurer que les composantes chimiques et les propriétés mécaniques sont conformes aux normes établies.» Le technicien en soudage doit être en mesure de contrôler les soudures par métallographie (structure et propriétés des métaux), par essais mécaniques et non destructifs en plus de collaborer à la conception de différentes pièces soudées. Il sera responsable de l'interprétation des normes et des codes de la profession et veillera au suivi des différentes procédures de soudage.

En plus de toutes ces tâches, Sylvain reçoit les clients qui tiennent à faire un suivi de leur commande et accueille les inspecteurs du gouvernement. La fabrication des vaisseaux pressurisés étant régie par des normes gouvernementales, ces inspecteurs font des radiographies et des inspections internes durant toute la durée des contrats.

	Salaire hebdo moyen	Proportion de dipl. en emploi	Emploi relié	Chômage	Nombre de diplômés
2000	625 $	87,5 %	100,0 %	0,0 %	9
1999	n/d	n/d	n/d	n/d	n/d
1998	n/d	80,0 %	100,0 %	0,0 %	5

Statistiques tirées de la Relance - Ministère de l'Éducation. Voir données complémentaire, page 419.

Comment interpréter l'information, page 10.

QUALITÉS RECHERCHÉES

Le technicien en soudage doit faire preuve de minutie et de précision, car les erreurs peuvent être coûteuses sur le plan de la production. La résistance au stress est aussi indiquée puisque dans ce domaine, on travaille souvent sous pression. Appelé à collaborer tant avec les soudeurs qu'avec les ingénieurs, le diplômé de ce programme devra être en mesure de travailler en équipe et démontrer de bonnes habiletés à communiquer. La capacité d'adaptation, des aptitudes en informatique, la polyvalence ainsi que le sens des responsabilités sont des qualités fortement recommandées pour ceux qui aspirent à la profession. La connaissance de l'anglais est également un outil précieux. «J'ai dû suivre des cours d'anglais parce que je n'étais pas tellement bon, avoue Sylvain. Les manuels sont tous écrits dans cette langue et les trois quarts de nos clients sont anglophones.»

«Je m'occupe du suivi des contrats avec les clients, du respect des normes, des plans d'inspection, des essais non destructifs et j'assure la communication avec les firmes pour les inspections et la vérification des rapports.»

— Sylvain Hubert

DÉFIS ET PERSPECTIVES

La perception qu'ont les gens du domaine de la soudure est souvent biaisée. On présente le métier de soudeur comme un travail sale, baignant dans la fumée et dans la poussière. Stéphane Cossette est professeur en soudage au Cégep de Trois-Rivières. Il croit qu'on devrait y penser deux fois avant de se laisser influencer par ces mythes. «En réalité, c'est un milieu de technologie de pointe qui peut être très propre et, surtout, très intéressant, affirme-t-il. Les usines ont de plus en plus recours à la robotisation, alors qu'avant, les procédés de soudage se faisaient tous manuellement. Les techniciens s'occupent donc davantage, aujourd'hui, de la programmation des machines et de la mise en œuvre de l'équipement nécessaire pour le soudage.» Les diplômés ont de belles perspectives professionnelles, mais ils devront rester attentifs au développement des nouvelles technologies. Robotisation, soudage au laser, etc., sont en voie de devenir incontournables. Mentionnons également que deux secteurs sont actuellement avides de ce type de main-d'œuvre : l'enseignement en soudure au niveau professionnel, ainsi que la représentation et le soutien technique pour les distributeurs de matériel de soudage. 03/01

Photo : Au Dragon forgé

HORAIRES ET MILIEUX DE TRAVAIL

- Les diplômés de ce programme pourront travailler en usine, en laboratoire ou effectuer du travail de bureau.
- Parmi les employeurs figurent les usines de fabrication de produits soudés et les entreprises de distribution et de vente de produits de soudage.
- Les diplômés peuvent devenir techniciens en soudage, inspecteurs en qualité, vendeurs ou représentants techniques. Certains peuvent se diriger vers l'enseignement professionnel.
- Le travail et les horaires sont très diversifiés. Les employés doivent s'attendre à travailler le jour, le soir ou la nuit.

TRANSPORT

Aujourd'hui, les lieux de fabrication, les sources d'approvisionnement et les bassins de consommateurs sont répartis un peu partout sur la planète. En même temps, de nouvelles technologies rendent les moyens de transport plus rapides que jamais.

Le transport routier (camionnage), qui connaît actuellement une bonne progression, est le secteur le plus important en ce qui concerne l'emploi, avec 33 360 employés au Québec en 1998. Selon l'Association du camionnage du Québec, le nombre de postes de conducteurs professionnels à pourvoir se chiffrerait à plus de 4 000 au sein de l'industrie. Une proportion de 80 % des postes vacants sont des emplois permanents à temps plein. Or, il n'y a pas plus de 800 diplômés en transport routier chaque année. En outre, l'âge moyen des conducteurs est plus élevé que la moyenne des travailleurs.

Le transport maritime suit lui aussi le courant en raison de son faible coût et des nouvelles technologies qui l'ont rendu plus rapide. Toutefois, la concurrence avec le transport aérien et routier est intense.

Le transport aérien, pour sa part, est en progression partout dans le monde. Selon Emploi-Québec, entre 2000 et 2004, ce secteur profitera du plus grand revenu disponible des consommateurs et de la meilleure santé financière des entreprises. L'avion est utilisé pour le transport des denrées périssables, des produits à haute valeur ajoutée, des produits pharmaceutiques, des composantes électroniques, entre autres choses.

Le transport routier est le secteur le plus important en ce qui concerne l'emploi.

À la Direction générale de la formation professionnelle et technique du ministère de l'Éducation, on estime que la bonne gestion de toute cette circulation est essentielle à la compétitivité des compagnies de transport sur le marché international. C'est ainsi que, même si elle est récente, la technique de la logistique du transport suscite déjà beaucoup d'intérêt auprès des entreprises. L'industrie connaît d'ailleurs actuellement une pénurie de main-d'œuvre qualifiée dans ce domaine. 05/01

INTÉRÊTS

- aime se déplacer, voyager et se sentir autonome
- aime les véhicules lourds, les domaines de l'aviation ou de la navigation
- aime observer, calculer et planifier
- aime analyser et résoudre des problèmes
- aime prendre des décisions et assumer des responsabilités

APTITUDES

- discernement, initiative et leadership
- excellente coordination et capacité de concentration
- résistance à la fatigue et au stress
- facilité pour le calcul et la résolution de problèmes mathématiques
- aisance avec les équipements électroniques et informatiques
- excellentes facultés d'analyse, de synthèse et de logique
- grande clarté et précision d'expression verbale

LE SAVIEZ-VOUS ?

Selon l'Institut maritime du Québec, les diplômés de la formation collégiale Techniques de la logistique du transport sont à même de gérer l'approvisionnement, de faire la gestion des stocks, l'ordonnancement de production, l'établissement et le suivi des contrôles et indicateurs de performance, en plus de la gestion et de la distribution. Les diplômés œuvrent dans un contexte mondial et doivent notamment connaître les rouages de l'import-export et du crédit à l'international.

Source : *Les carrières d'avenir au Québec*, Le groupe de recherche Ma Carrière, édition 2001.

RESSOURCES INTERNET

DESCRIPTION DES PROGRAMMES DU SECTEUR
http://www.meq.gouv.qc.ca/ens-sup/ens-coll/Cahiers/sect-17.htm
Vous trouverez sur cette page une description des programmes de ce secteur de formation, comprenant les exigences d'admission et un bref résumé de chaque cours. Pour chaque programme, vous pourrez aussi accéder à la liste des établissements qui l'offrent et à la dernière relance de ses diplômés.

CENTRE QUÉBÉCOIS DE FORMATION AÉRONAUTIQUE
http://www.cqfa.ca
Associé au Cégep de Chicoutimi, le Centre est le seul établissement public responsable de la formation des pilotes. En lisant la description des formations, portez une attention particulière au processus de sélection.

INSTITUT MARITIME DU QUÉBEC – NAVIGATION
http://www.imq.qc.ca/Carriere/NAVIGATI.HTM
L'Institut maritime du Québec forme également les officiers de la marine marchande. La description du programme est très complète, incluant les aptitudes et les intérêts nécessaires.

Navigation

«Pour une fille, ça peut paraître difficile de devenir capitaine, mais moi je vois ça comme un rêve et un défi réalisables. Ça prend beaucoup de ténacité et de persévérance, et j'en ai. Je commence à me faire connaître.» Maude Gagnon est troisième officier et aspire à devenir commandant de navire.

PROG. 248.BO
PRÉALABLE : 20, VOIR P. 11

INTÉRÊTS
- aime bouger, découvrir de nouveaux horizons
- aime la mer et la vie en groupe
- aime observer, calculer, analyser et planifier
- aime assumer des responsabilités

APTITUDES
- bonne condition physique et excellente faculté d'adaptation
- intérêt pour le travail à l'étranger, bilinguisme
- jugement, sens des responsabilités et de l'organisation
- habiletés en calcul et pour l'utilisation d'instruments électroniques

OFFRE DU PROGRAMME PAR RÉGIONS
Bas-Saint-Laurent

RÔLE ET TÂCHES

Même s'il peut compter sur l'aide des autres officiers, le capitaine doit être en mesure d'assurer la navigation d'un navire dans les meilleures conditions de sécurité en coordonnant ou en effectuant les manœuvres. Il se préoccupe du bateau dans son ensemble, prend les décisions finales et doit être prêt à en assumer les conséquences. Il doit être capable de résoudre tous les problèmes, autant techniques que logistiques et humains.

Pour accéder au poste de commandant de navire, le cadet devra d'abord obtenir quatre grades, soit ceux de troisième lieutenant, deuxième lieutenant, premier lieutenant, puis capitaine au long cours (commandant). Sur un navire, les fonctions sont différentes suivant le grade : le troisième lieutenant est responsable de la sécurité sur le navire; le deuxième lieutenant s'occupe de la navigation, de l'itinéraire et des routes maritimes; le premier lieutenant est responsable du chargement et de l'entretien du navire; et le capitaine est le grand patron. L'officier de navigation, quel que soit son grade, passe quatre heures à la passerelle deux fois par jour, où se trouvent les équipements de navigation. Il est aussi en lien constant avec les officiers mécaniciens. Pour le moment, Maude voit surtout à ce que toutes les interventions à bord se fassent de façon sécuritaire. «On assure la navigation selon les règlements en vigueur, tant nationaux qu'internationaux. Au port, je participe aux activités de déchargement et de chargement en m'assurant que la stabilité du bateau est maintenue», explique Maude.

	Salaire hebdo moyen	Proportion de dipl. en emploi	Emploi relié	Chômage	Nombre de diplômés
2000	788 $	44,4 %	100,0 %	20,0 %	12
1999	868 $	40,0 %	100,0 %	42,9 %	11
1998	570 $	73,3 %	80,0 %	8,3 %	16

Statistiques tirées de la Relance* - Ministère de l'Éducation. Voir données complémentaires, page 419.

Comment interpréter l'information, page 10.

En mer, une autre tâche de l'officier est de calculer la position et de constamment suivre la route choisie. À la passerelle, beaucoup d'instruments sont électroniques, comme les radars, les systèmes de positionnement du navire, les récepteurs, etc., mais la carte et le sextant sont des outils fondamentaux qu'utilisent encore les officiers. Il y a aussi des travaux manuels. «Pour devenir capitaine, je dois toucher à tout sur le navire», ajoute Maude.

QUALITÉS RECHERCHÉES

Michel Duplain navigue depuis 20 ans. Il est capitaine sur le N. M. Cabot. «Le commandant devient le père, l'ami, le psychologue, le confident. Ça prend des qualités humaines, une main de fer dans un gant de velours...» L'officier de navigation doit avoir un bon jugement, le sens des responsabilités et de l'initiative. L'esprit d'équipe et la discipline sont aussi des qualités essentielles. Les officiers qui ne parlent pas anglais l'apprennent par la force des choses, car c'est souvent dans cette langue qu'ils auront à communiquer à bord. L'espagnol est aussi très utile pour qui travaille sur des bateaux étrangers. Le navigateur doit aimer les sciences, car il devra acquérir des connaissances avancées en cartographie, en météorologie, en stabilité et construction des navires, en navigation astronomique et en navigation à l'aide d'appareils électroniques. Il doit aussi bien supporter la solitude, savoir s'adapter aux différents climats et, bien sûr, avoir le pied marin.

«Pour devenir capitaine, je dois toucher à tout sur le navire.»

— Maude Gagnon

DÉFIS ET PERSPECTIVES

Avec un brevet de capitaine, l'officier de navigation peut être pilote sur le Saint-Laurent ou dans la voie maritime du Saint-Laurent, occuper des postes de gestion dans l'administration portuaire ou dans les compagnies maritimes ou devenir expert maritime auprès d'organismes gouvernementaux tels que Transports Canada. «Le placement de nos diplômés en navigation se fait beaucoup auprès de compagnies étrangères, c'est la tendance du marché actuellement. Même si plusieurs travaillent pour des compagnies canadiennes, le marché n'est pas aussi développé», explique Claude Pagé, aide pédagogique à l'Institut maritime du Québec à Rimouski.

Photo : Les Croisières Richelieu inc.

* *Les statistiques de la Relance sont colligées en hiver alors que plusieurs des diplômés de l'Institut maritime du Québec à Rimouski (IMQ) attendent le début d'un emploi, souvent saisonnier.*

HORAIRES ET MILIEUX DE TRAVAIL

- Les diplômés trouvent du travail auprès de compagnies de navigation.
- Selon les compagnies, l'alternance entre les périodes de travail et de repos se fait à des rythmes différents. La durée de ces périodes peut également varier.
- Certaines compagnies naviguent toute l'année.
- Un exemple d'horaire : deux périodes de quatre heures par jour, sept jours par semaine, soit de 20 h à minuit et de 8 h à midi.

Techniques de la logistique du transport

«Je dois trouver la façon la moins chère possible de transporter de la marchandise et résoudre les problèmes liés à ce transport», explique Robert Delisle, technicien en logistique du transport pour Kraft.

PROG. 410.A0
PRÉALABLE : 11, VOIR PAGE 11

INTÉRÊTS

- aime le commerce, les affaires
- est stimulé par le défi et la compétition
- aime assumer des responsabilités
- aime calculer, évaluer, contrôler, superviser et persuader
- aime avoir une vision d'ensemble sur une situation, un problème donné

APTITUDES

- dynamisme, initiative et leadership
- sens de l'organisation, de la planification et capacité d'analyse
- facilité pour les mathématiques
- bilinguisme et habileté à communiquer
- aisance avec les technologies de l'information

OFFRE DU PROGRAMME PAR RÉGIONS
Bas-Saint-Laurent, Centre-du-Québec, Chaudière-Appalaches, Laurentides, Montérégie, Montréal-Centre, Québec

RÔLE ET TÂCHES

Le diplômé en logistique du transport est un véritable intégrateur qui peut organiser des déplacements de marchandises, de personnes et d'informations autour du monde. Son rôle est principalement de voir à l'acheminement de matières premières, de matières en cours de transformation et de produits finis, du point de départ au point de consommation. Par ces activités, il vise une amélioration du service à la clientèle et un meilleur rapport qualité/prix.

Destiné à œuvrer à l'échelle planétaire, il intervient, entre autres, dans la prévision de la demande, les communications liées à la distribution, la gestion des stocks, la manutention, le traitement des commandes, la localisation d'usines et entrepôts et l'emballage de marchandises. Son but est de minimiser la facture totale de l'entreprise. «C'est un véritable chef d'orchestre, explique Jacques Paquin, coordonnateur du département de logistique du transport de l'Institut maritime de Rimouski. Il peut, par exemple, proposer de substituer des matières plastiques à certaines composantes en métal d'un appareil vidéo pour réduire son poids et ainsi diminuer les coûts de transport.» Dans une entreprise qui assemble un produit à partir de composantes fabriquées à l'étranger, le logisticien organise l'acheminement des pièces vers le lieux d'assemblage et la distribution du produit fini à l'échelle internationale.

«Mon rôle est de faire des analyses de coûts pour trouver la meilleure façon de distribuer un produit, tout en veillant à ce que tout se passe bien lors du

	Salaire hebdo moyen	Proportion de dipl. en emploi	Emploi relié	Chômage	Nombre de diplômés
2000	n/d	n/d	n/d	n/d	n/d
1999	n/d	n/d	n/d	n/d	n/d
1998	n/d	n/d	n/d	n/d	n/d

Statistiques tirées de la Relance - Ministère de l'Éducation. Voir données complémentaires, page 419.

Comment interpréter l'information, page 10.

transport, résume Robert, diplômé de l'Institut maritime. Par exemple, si Kraft veut lancer une nouvelle pizza sur le marché canadien, j'évalue à partir de diverses données (lieux d'entreposage, ventes prévues par région, etc.) ce qu'il sera possible d'offrir comme système de distribution, c'est-à-dire comment la transporter et combien cela va coûter.»

QUALITÉS RECHERCHÉES

Pour être à l'aise dans ce domaine, il faut aimer organiser, contrôler, superviser. Il ne faut craindre ni les défis ni le stress. Le technicien en logistique doit pouvoir travailler au sein d'équipes multidisciplinaires ainsi qu'avec le public. Avoir du tact, de la diplomatie, faire preuve de logique et d'une bonne capacité d'analyse sont aussi des atouts importants. «Il faut avoir le sens des responsabilités, être prêt à travailler selon un horaire irrégulier (parfois même à l'envers des autres!) et à côtoyer d'autres cultures et d'autres langues», ajoute Jacques Paquin. «Le plus important, c'est la débrouillardise, complète Robert. Il faut pouvoir résoudre des problèmes nouveaux et prendre des décisions rapidement. Il est aussi important d'être bon communicateur. Je passe les trois quarts de mes journées de travail au téléphone! Enfin, un logisticien doit être ordonné et minutieux. Dans le domaine de l'importation et de l'exportation, des informations peuvent être exigées en tout temps!»

Pour être à l'aise dans ce domaine, il faut aimer organiser, contrôler, superviser.

Photo : PPM

DÉFIS ET PERSPECTIVES

«Les nouveaux diplômés doivent s'attendre à commencer au bas de l'échelle. De toute façon, cela leur permet de découvrir réellement la nature de leur milieu de travail», constate Robert. «La logistique ne connaît pas de frontières. Pour affronter la concurrence, il faut avoir les mêmes compétences que les étudiants formés ailleurs dans le monde. Les diplômés pourront maintenant se trouver du travail dans un marché international très vaste», s'enthousiasme Jacques Paquin. Selon lui, la logistique vit un véritable essor. S'ils peuvent compter sur un engouement international, les diplômés ont tout de même des défis à relever. «Ils ont un travail de vulgarisation à faire. Ce sont des ambassadeurs qui doivent faire connaître la logistique tout en la développant, en lui faisant prendre de l'ampleur. Catalyseurs de changements, ils pourront insuffler de nouvelles façons de faire dans les entreprises», conclut Jacques Paquin. 09/98

HORAIRES ET MILIEUX DE TRAVAIL

- Le technicien en logistique travaille principalement pour des intermédiaires en transport, des transporteurs, des manufacturiers, des distributeurs.
- Il peut aussi œuvrer dans les entreprises qui prennent en charge leur propre logistique, dans l'import-export ou à titre de consultant.
- En général, les horaires sont réguliers.
- Le diplômé devra faire quelques voyages chaque année (aux États-Unis et au Canada) et se déplacer pour visiter des usines et des centres de distribution.

Techniques de pilotage d'aéronefs

«Quand on pilote en vol à vue et que le soleil brille, c'est exceptionnel. C'est à ces moments que je réalise que je fais le plus beau métier du monde», lance Marie-Josée Boivin, copilote chez Geffair, une entreprise de nolisement et de photographie aérienne.

PROG. 280.A0
PRÉALABLE : 13, 40, 55, VOIR PAGE 11

INTÉRÊTS

- aime les avions
- aime l'action, l'imprévu
- aime conduire, observer et découvrir
- aime assumer des responsabilités et prendre des décisions

APTITUDES

- confiance en soi et facilité à prendre des décisions
- grand sens des responsabilités et beaucoup de rigueur
- excellent sens de l'observation
- très bonne capacité d'analyse et de synthèse
- sang-froid et excellents réflexes
- bilinguisme

OFFRE DU PROGRAMME PAR RÉGIONS
Saguenay–Lac-Saint-Jean

RÔLE ET TÂCHES

Marie-Josée est heureuse d'avoir pu se trouver un emploi immédiatement après avoir terminé sa formation au Centre québécois de formation aéronautique (CQFA) du Cégep de Chicoutimi. Son travail l'enchante. «J'assiste le pilote en vol et je m'occupe de toute la planification, dit-elle. J'élabore un plan de vol, je m'assure que le niveau d'essence est bon, que le calcul des distances est exact, j'effectue le dégivrage de l'avion au besoin, je fais réchauffer le moteur, je m'occupe du confort et de la sécurité des passagers. Bref, je vois à ce que tout soit prêt et en bon état de marche pour le vol. C'est beaucoup de petites choses à penser en même temps.»

Marie-Josée travaille avec un Piper Navao 310, un appareil qui peut transporter entre six et huit personnes incluant les pilotes. Les clients faisant appel aux services de l'entreprise sont principalement des gens d'affaires et leurs déplacements par avion durent généralement une ou deux heures, bien que certains s'étirent parfois jusqu'à trois ou quatre heures. Geffair est en quelque sorte une entreprise qui offre un service de taxi aérien.

«Nous faisons effectivement du transport de passagers sur demande, explique Marie-Josée. Les clients peuvent nous demander de les déposer à New York pour une réunion d'affaires et de les ramener à Montréal en fin de journée. Il peut aussi arriver que les vols se fassent sur deux jours et que certains soient consacrés au transport de marchandises.»

Au CQFA, les élèves en techniques de pilotage d'aéronefs doivent en premier lieu suivre une formation sur les fondements du pilotage et peuvent par la

	Salaire hebdo moyen	Proportion de dipl. en emploi	Emploi relié	Chômage	Nombre de diplômés
2000	455 $	78,3 %	53,8 %	10,0 %	27
1999	489 $	72,2 %	55,6 %	23,5 %	22
1998	520 $	56,0 %	66,7 %	26,3 %	25

Statistiques tirées de la Relance - Ministère de l'Éducation. Voir données complémentaires, page 419.

Comment interpréter l'information, page 10.

suite choisir entre le pilotage d'hélicoptères à turbines, d'appareils multimoteurs ou d'hydravions pouvant transporter quatre ou cinq personnes.

QUALITÉS RECHERCHÉES

«La disponibilité est très importante dans ce métier, considère Marie-Josée. Pour ma part, je suis toujours sur appel. De plus, parce que la sécurité et la vie des gens sont entre mes mains, je dois faire preuve d'un jugement et d'un sens des responsabilités exemplaires.» La jeune femme fait ensuite remarquer combien il est essentiel de bien gérer son stress et de s'adapter facilement et rapidement aux circonstances imprévues. «Les conditions sont parfois difficiles et la visibilité peut être réduite; je dois donc avoir une bonne concentration», ajoute-t-elle.

«Parce que la sécurité et la vie des gens sont entre mes mains, je dois faire preuve d'un jugement et d'un sens des responsabilités exemplaires.»

— Marie-Josée Boivin

La facilité à travailler en équipe et la débrouillardise sont aussi des qualités nécessaires dans ce métier. Il est bien utile également de posséder de bonnes capacités physiques pour ceux qui auront à travailler pour des entreprises de brousse exigeant le chargement de marchandises. Enfin, des habiletés manuelles, de l'assurance et un bon sens de l'organisation sont essentiels.

La mobilité des diplômés est exigée pour certains types de pilotage. Ainsi, les pilotes d'hélicoptères, souvent sous contrat, doivent parfois passer quelques mois en région éloignée afin de faire la navette et assurer le déplacement d'une équipe travaillant, par exemple, pour une mine. Leur tâche consistera à amener les employés du camp où ils séjournent à l'emplacement des travaux.

Archives : Canadair

DÉFIS ET PERSPECTIVES

«Certains élèves croient que, sitôt diplômés, ils dégoteront l'emploi à 200 000 $ par année et se promèneront en Porsche, raconte Serge Boucher, directeur de l'enseignement au Centre de formation québécois en aéronautique du Cégep de Chicoutimi. Il faut être honnête avec eux et reconnaître que les deux premières années de travail ne sont pas faciles; ils décrochent souvent des boulots sous contrat et les salaires ne sont pas très élevés. Sans parler qu'après la formation, pour obtenir leurs licences, les diplômés doivent effectuer entre 1 000 et 1 500 heures de vol. Acquérir cette expérience peut leur prendre jusqu'à deux ans.» Les licences de pilote sont octroyées et réglementées par le gouvernement fédéral. 03/01

HORAIRES ET MILIEUX DE TRAVAIL

- Les principaux employeurs de ces diplômés sont les entreprises de transport aérien et de nolisement (taxi sur demande), de transport de cargos et de courrier, de cartographie et de brousse.
- Les diplômés peuvent aussi piloter des appareils de patrouille de feu, travailler dans des entreprises de sauts en parachute, devenir instructeurs de pilotage, etc.
- Les horaires de travail sont très variés.
- Les pilotes peuvent être appelés à travailler le jour, le soir, la nuit et la fin de semaine. Au Québec, le travail de nuit est toutefois interdit pour les pilotes de brousse.
- Dans ce secteur, le travail est souvent saisonnier, notamment pour les pilotes de brousse.
- Les pilotes de ligne bénéficient d'un horaire plus régulier, et ce milieu offre davantage de postes permanents.

CUIR, TEXTILE ET HABILLEMENT

La modernisation des équipements et des méthodes de production a réveillé cette industrie qui a connu une crise il y a quelques années. Alors qu'il y a 10 ans l'Accord de libre-échange causait des inquiétudes, on se rend compte aujourd'hui qu'il a plutôt permis au Canada de tripler ses exportations. Selon le Comité sectoriel de main-d'œuvre de l'industrie du textile du Québec, les ventes de cette industrie au Canada se sont chiffrées à 10 milliards de dollars en 1999. La popularité du Québec dans le domaine du textile gagne en importance chez nos voisins du Sud, ce qui est de bon augure pour l'emploi, surtout pour la main-d'œuvre spécialisée.

Que ce soit en commercialisation, en design, en gestion de la production de la mode ou en technologie de la production textile ou des matières textiles, les perspectives semblent intéressantes pour les diplômés. Au Cégep de Saint-Hyacinthe, par exemple, le seul établissement à offrir les formations en production textile et en matières textiles, on affiche un taux de placement des diplômés de 100 %. La formule de l'alternance travail-études permet aux élèves d'acquérir de l'expérience en milieu de travail, ce qui faciliterait leur embauche.

La popularité du Québec dans le domaine du textile gagne en importance chez nos voisins du Sud.

Les travailleurs formés aux techniques de pointe ne seraient pas assez nombreux pour suffire à la demande. Selon le Comité sectoriel de main-d'œuvre de l'industrie de l'habillement, l'image qu'ont les étudiants des conditions de travail dans l'industrie serait faussée : ils pensent à tort que l'industrie est moribonde, que tout se fait en Asie, que les employés sont mal traités et travaillent dans des ateliers insalubres[1]. Au contraire, les emplois sont diversifiés et bien rémunérés, et les travailleurs bien formés et performants sont appréciés et trouveraient de l'avancement assez facilement dans ce domaine. 05/01

1. *Les carrières d'avenir au Québec*, Le groupe de recherche Ma Carrière, édition 2001.

INTÉRÊTS

- aime le dessin, les couleurs, les formes, les nouveaux matériaux
- aime les vêtements ou les chaussures
- aime manipuler, couper, assembler les tissus ou le cuir
- aime utiliser des outils, des instruments ou des machines
- accorde de la valeur à la qualité et à l'efficacité de son travail

APTITUDES

- acuité sensorielle (vision et toucher)
- sens de l'observation, de l'analyse et de l'innovation et grande faculté de concentration
- dextérité, grande précision et rapidité d'exécution
- imagination et sens esthétique
- faculté de visualisation en trois dimensions
- connaissances en informatique

LE SAVIEZ-VOUS ?

Dans le domaine de la chimie textile, on effectue désormais des tests afin de mesurer le pourcentage de rayons UVA (responsables du vieillissement prématuré de la peau) et de rayons UVB (causant l'érythème de la peau) que laissent pénétrer les tissus. Ces recherches visent à aider les fabricants de vêtements de plein air, de maillots, de tentes et d'auvents à choisir des matières pouvant jouer le rôle d'écran solaire.

Source : *Les carrières d'avenir au Québec*, Le groupe de recherche Ma Carrière, édition 2001.

RESSOURCES INTERNET

DESCRIPTION DES PROGRAMMES DU SECTEUR
http://www.meq.gouv.qc.ca/ens-sup/ens-coll/Cahiers/sect-18.htm
Vous trouverez sur cette page une description des programmes de ce secteur de formation, comprenant les exigences d'admission et un bref résumé de chaque cours. Pour chaque programme, vous pourrez aussi accéder à la liste des établissements qui l'offrent et à la dernière relance de ses diplômés.

CANADIAN APPAREL FEDERATION
http://www.apparel.org/
Ce site contient des informations sur l'industrie du vêtement, mais surtout une série de descriptions des tâches dans les diverses occupations de cette industrie.

INSTITUT DES MANUFACTURIERS DU VÊTEMENT DU QUÉBEC
http://www.vetementquebec.com/
Vous y découvrirez une foule de renseignements utiles portant sur l'industrie du vêtement au Québec, de même qu'une liste des manufacturiers.

Commercialisation de la mode

«J'ai toujours été passionnée par la mode. Je ne savais pas où ça allait me mener, mais je tenais à travailler dans ce domaine.» Mission accomplie! Nathalie Wilson est aujourd'hui responsable des achats et de la mise en marché des vêtements et des produits des boutiques du Centre de golf UFO.

PROG. 571.04/571.C0
PRÉALABLE : 0, VOIR PAGE 11

INTÉRÊTS

- est passionné par la mode
- aime persuader, négocier, vendre
- aime contrôler, calculer et organiser
- a besoin de créer, d'innover
- aime faire un travail varié

APTITUDES

- dynamisme, initiative, jugement et autonomie
- créativité et grand sens esthétique
- sens de l'observation et intuition
- audace et persévérance
- polyvalence et grand sens de l'organisation
- grande facilité à communiquer (vente, négociation)

OFFRE DU PROGRAMME PAR RÉGIONS
Mauricie, Montréal-Centre, Québec

RÔLE ET TÂCHES

Nathalie Wilson est responsable de la mise en marché des vêtements et des articles vendus dans les cinq boutiques du Centre de golf UFO situées au centre-ville de Montréal ainsi que dans la région environnante. Les tâches sont diversifiées pour Nathalie, qui partage son temps entre le bureau et les magasins dont elle a la responsabilité de la mise en marché. Comme elle est chargée notamment de l'approvisionnement des boutiques, ce n'est certes pas le boulot qui manque. «Je dois penser à long terme et m'assurer que l'on ne manque de rien, dit-elle. Je travaille avec près de 40 fournisseurs. Je dois mettre en valeur les produits, gérer les stocks, créer de nouveaux produits, m'occuper des codes à barres, etc.» Afin de mieux saisir les goûts et les demandes des clients, Nathalie se présente régulièrement dans les boutiques et y travaille. Ce contact direct avec la clientèle lui facilite la tâche lorsque vient le temps de choisir les produits et d'orienter les ventes des saisons à venir. Nathalie doit également être bien au fait des stocks afin d'équilibrer les entrées et les sorties des produits dans les magasins. «C'est un emploi qui exige le sens des responsabilités et une bonne autonomie, dit-elle. Il faut bien gérer son temps et ne pas attendre à la dernière minute pour faire son travail, car la saison de golf ne dure que sept mois. Tout doit être prêt à temps.»

Les diplômés en commercialisation de la mode doivent analyser les besoins du marché, évaluer les fournisseurs et leurs différentes gammes de produits, planifier les budgets, les achats et les collections saisonnières,

	Salaire hebdo moyen	Proportion de dipl. en emploi	Emploi relié	Chômage	Nombre de diplômés
2000	411 $	65,8 %	73,5 %	1,9 %	105
1999	374 $	87,8 %	80,0 %	0,0 %	76
1998	349 $	70,9 %	64,7 %	6,7 %	100

Statistiques tirées de la Relance - Ministère de l'Éducation. Voir données complémentaires, page 419.

Comment interpréter l'information, page 10.

contrôler la distribution, organiser la présentation visuelle et physique et utiliser des stratégies de marketing visant à rendre les produits plus intéressants.

QUALITÉS RECHERCHÉES

Nathalie Wilson estime que, pour travailler dans ce domaine, il faut d'abord être sociable. «Moi, par exemple, je travaille en équipe et je dois souvent entrer en contact avec les fournisseurs et les clients. Il faut que je sois aussi à l'aise avec un type de personne qu'avec un autre, considère-t-elle. La polyvalence est aussi très importante, surtout lorsqu'on gère plusieurs choses en même temps, comme lors de la planification des collections à venir.» Appelée à travailler avec un ordinateur, notamment pour la gestion des stocks, Nathalie doit maîtriser certains logiciels, dont Word et Excel. Une grande partie du travail des diplômés tournant autour de la planification et de la gestion d'un budget, de bonnes notions en gestion sont très utiles. Le sens de l'organisation, l'esprit d'analyse, la capacité de vendre une idée et des habiletés en communication sont des conditions gagnantes pour les gens qui aspirent à travailler dans le domaine de la commercialisation de la mode.

«Actuellement, le nombre de produits offerts dépasse la demande des clients. C'est là que les diplômés devront concentrer leur énergie : trouver différentes stratégies pour rendre les produits plus attrayants aux yeux des consommateurs.»

— Anita Turano

Photo : Collège LaSalle

DÉFIS ET PERSPECTIVES

Le secteur de la commercialisation des produits de la mode propose certains défis stimulants pour les diplômés, particulièrement pour ceux qui ont un esprit créatif. «Actuellement, le nombre de produits offerts dépasse la demande des clients. C'est là que les diplômés devront concentrer leur énergie : trouver différentes stratégies pour rendre les produits plus attrayants aux yeux des consommateurs», explique Anita Turano, directrice du programme de commercialisation de la mode au Collège LaSalle.

Mme Turano insiste sur la nécessité de doter les élèves de bonnes connaissances en gestion et en marketing afin de bien les préparer au marché de l'emploi. À cette fin, les notions enseignées sont souvent accompagnées d'exemples très concrets. «Tous les cours touchant au marketing, comme les achats ou le développement de produits exclusifs, sont appliqués à un produit de la mode», illustre Mme Turano. Un projet final est d'ailleurs prévu; les diplômés auront à démontrer, devant un jury composé de gens de l'industrie de la mode, la pertinence de commercialiser un produit donné. 04/01

HORAIRES ET MILIEUX DE TRAVAIL

- Les débouchés dans ce domaine sont nombreux et diversifiés.
- Les diplômés peuvent travailler comme acheteurs, responsables des ventes, assistants au directeur du marketing.
- Ils peuvent aussi devenir superviseurs, gérants de boutique ou assister la personne responsable de la présentation visuelle.
- Les principaux employeurs sont les grandes compagnies de vêtements et d'accessoires de mode (bijoux, chaussures, produits de la mode), le secteur des cosmétiques et des produits de beauté, et celui des produits et des accessoires de décoration intérieure.
- Les horaires sont variés et fluctuent selon les saisons. Les heures de travail sont nombreuses lors des grosses périodes de l'année, soit celles des commandes, des ventes et de la préparation de nouvelles collections saisonnières.

Design de mode

Diplômée en design de mode du Collège LaSalle, Patricia Moreau est maintenant directrice de production chez Souris Mini, une entreprise de Cap-Rouge spécialisée dans la fabrication de vêtements pour enfants. «J'ai fait un stage pour l'entreprise. À la fin, on m'a proposé un poste de production. Je l'ai accepté sans hésiter!»

PROG. 571.A0
PRÉALABLE : 0, VOIR PAGE 11

INTÉRÊTS

- accorde de la valeur à la beauté et à l'originalité
- aime la mode, les textures, les formes et les couleurs (comme moyens d'expression)
- a un grand besoin de créer, d'innover
- aime communiquer et coopérer

APTITUDES

- créativité, audace et grand talent pour le dessin (organisation picturale)
- grand sens esthétique et beaucoup d'imagination
- facilité à communiquer et à travailler en équipe
- minutie, initiative et débrouillardise
- pragmatisme, polyvalence et persévérance

OFFRE DU PROGRAMME PAR RÉGIONS
Montréal-Centre, Québec

RÔLE ET TÂCHES

Le travail de Patricia débute une fois les vêtements vendus. «Je dois m'assurer du respect des quantités commandées et de la qualité impeccable des vêtements, dit-elle. Je dois aussi vérifier les tailles, la sérigraphie du tissu et m'assurer que le tout soit fait selon les exigences des clients et prêt dans les délais prévus.» Patricia doit également réagir aux nombreux imprévus qui surgissent en cours de route, qu'il s'agisse de problèmes reliés au tissu, de défauts dans la broderie, de difficultés dans la fabrication.

En plus de superviser les différentes étapes de la production, Patricia prépare des dossiers pour des échantillons à produire et s'envole vers l'Europe et l'Asie deux fois par année lors de la sélection des tissus et des modèles pour les collections. Des voyages d'affaires bien intéressants. «Après avoir fait le tour des nouvelles tendances et matières, c'est la designer qui sélectionne les tissus qui seront achetés en Europe, explique la jeune femme. Les modèles pour nos collections sont ensuite fabriqués en Inde.» Le designer est responsable de la création et du suivi de la production des vêtements. Son travail est régi par toutes sortes de contraintes. Ainsi, avant de prendre une quelconque décision, il y a de nombreux éléments à considérer : les périodes de l'année, la recherche des nouvelles tendances et des nouvelles matières premières, la création de modèles et de prototypes, le suivi des collections et l'analyse du marché permettant de mieux connaître la clientèle visée, les nouveautés dans les collections à venir, la concurrence, etc.

	Salaire hebdo moyen	Proportion de dipl. en emploi	Emploi relié	Chômage	Nombre de diplômés
2000	348 $	80,6 %	75,5 %	6,5 %	96
1999	n/d	73,0 %	n/d	9,0 %	151
1998	341 $	68,5 %	76,6 %	11,9 %	196

Statistiques tirées de la Relance - Ministère de l'Éducation. Voir données complémentaires, page 419.

Comment interpréter l'information, page 10.

QUALITÉS RECHERCHÉES

«Quand on travaille dans ce domaine, il faut être polyvalent et avoir un bon sens de l'organisation, car ça bouge beaucoup, dit Patricia. On ne produit pas un vêtement en cinq minutes. Il faut s'assurer que toutes les étapes de la production se déroulent comme prévu. Les clients doivent recevoir les commandes à temps, alors il faut que je veille à ce que tout le processus de production aille bon train.» La débrouillardise et l'esprit d'initiative représentent des qualités importantes pour tout bon designer. «Près de 90 % du travail du designer consiste à solutionner des problèmes, souligne François Bousquet, coordonnateur du programme de design de mode au Collège LaSalle. Il doit être en mesure de faire face aux imprévus et de se retourner rapidement lorsque la situation l'exige.» La minutie et la précision sont des aspects essentiels aux designers, car ils sont appelés à effectuer du travail délicat qui se calcule bien souvent au millimètre près. Enfin, des aptitudes en informatique pour ceux qui auront à dessiner et à faire des patrons par ordinateur, une bonne connaissance de l'anglais et la capacité de travailler en équipe sont des qualités importantes.

Le designer est responsable de la création et du suivi de la production des vêtements.

Photo : Collège LaSalle

DÉFIS ET PERSPECTIVES

Le marché des importations et des exportations représente une avenue intéressante pour les diplômés compte tenu que la production de vêtements se fait de plus en plus à l'étranger. «La récession des années 80 a coûté cher au milieu de la mode au Québec. Par contre, avec les importations, on peut dessiner un modèle par ordinateur le lundi matin, l'envoyer par Internet à Hong Kong où il sera réalisé, et recevoir les morceaux complets à Montréal pour le lundi suivant», indique M. Bousquet.

Il insiste sur le fait que les débouchés sont nombreux dans le domaine et que tout le monde peut y trouver sa place. «Certaines entreprises de production de vêtements industriels exigent un niveau de création moins élevé, mais offrent souvent des salaires plus intéressants. La personne qui fait des pyjamas pour les magasins Zellers, par exemple, peut gagner autant d'argent sinon plus que Marie Saint Pierre, une designer québécoise très connue. Chacun peut donc dénicher le créneau qui lui convient et des défis à sa mesure», considère M. Bousquet. 03/01

HORAIRES ET MILIEUX DE TRAVAIL

- Les principaux employeurs de ce domaine sont les grandes et les petites manufactures, les PME spécialisées dans la production de vêtements, les magazines de mode, les grands magasins.
- Les diplômés peuvent notamment être embauchés comme stylistes pour les grandes chaînes de magasins ou les magazines de mode.
- C'est un domaine cyclique, avec des périodes plus intenses, comme lors de la production. À ces moments, les horaires de travail sont chargés.
- On exige souvent une grande disponibilité de la part des travailleurs.

Gestion de la production du vêtement

Diane Leclerc était attirée par le monde des textiles et désirait entreprendre une technique au cégep. Elle s'est donc inscrite en gestion de la production du vêtement. Aujourd'hui, elle est directrice de la planification au sein du groupe Louis Garneau, une entreprise spécialisée dans la confection de vêtements de sport.

PROG. 571.03/571.B0
PRÉALABLE : 11, VOIR PAGE 11

INTÉRÊTS
- aime organiser et superviser des activités de production
- aime résoudre des problèmes
- aime gérer des équipes de travail
- aime prendre des décisions

APTITUDES
- organisation, discipline et esprit méthodique
- débrouillardise et créativité
- bonne résistance au stress
- ouverture d'esprit aux changements technologiques
- capacité de communication et d'écoute

OFFRE DU PROGRAMME PAR RÉGIONS
Montréal-Centre, Québec

RÔLE ET TÂCHES

Quatre domaines connexes s'offrent au diplômé de ce programme : technicien en génie industriel, gérant de la production, responsable de la planification ou du contrôle de la qualité. La tâche commune à ces différents postes est l'organisation du travail dans une usine de production de vêtements.

Le technicien en génie industriel sera chargé de déterminer les meilleures méthodes de travail ainsi que les équipements nécessaires. Il évaluera le temps requis pour les diverses opérations, de même que les coûts. Il pourra également planifier la disposition des machines afin que la production se déroule le plus facilement possible.

Le gérant de la production, quant à lui, sera responsable de la fabrication des pièces de vêtement. Il devra prendre tous les moyens pour arriver à produire les quantités qu'on lui demande, dans les délais prescrits. Si un employé est malade, ou si une machine brise, c'est à lui de trouver une solution pour que la production n'en soit pas affectée. Cela, toujours en respectant l'échéancier ainsi que les coûts prévus.

Parmi ses tâches possibles, le responsable du contrôle de la qualité pourra être chargé de mettre sur pied la procédure de vérification. Il pourra aussi produire un cahier de normes comprenant les procédures prescrites dans la confection d'une pièce de même que les exigences spécifiques de sa compagnie en matière de qualité. Il sera également chargé de faire subir des tests aux produits, comme le lavage et le repassage.

	Salaire hebdo moyen	Proportion de dipl. en emploi	Emploi relié	Chômage	Nombre de diplômés
2000	n/d	n/d	n/d	n/d	n/d
1999	n/d	n/d	n/d	n/d	n/d
1998	n/d	n/d	n/d	n/d	n/d

Statistiques tirées de la Relance - Ministère de l'Éducation. Voir données complémentaires, page 419.

Comment interpréter l'information, page 10.

Les diplômés peuvent aussi travailler à la planification de la production. C'est ce que fait Diane Leclerc. «Je suis responsable de la planification des sept usines du groupe Louis Garneau, explique-t-elle. Je suis chargée de fournir à chacune du travail, en fonction des dates de livraison. J'ai aussi la responsabilité de l'approvisionnement de ces usines. Je suis donc quotidiennement en contact téléphonique avec tous les contremaîtres, dont je suis le principal patron. Je m'occupe également des sous-traitants qui travaillent pour nous à l'externe. Et tout cela se fait suivant un échéancier établi selon les dates de livraison.»

Le sens de l'organisation est sans aucun doute une qualité primordiale pour le technicien en gestion de la production du vêtement.

QUALITÉS RECHERCHÉES

Le sens de l'organisation est sans aucun doute une qualité primordiale pour le technicien en gestion de la production du vêtement. Son poste l'amenant la plupart du temps à gérer le travail de dizaines ou même de centaines d'employés, il devra donc être discipliné et méthodique afin de mener à bien la production. «Il faut également avoir une très bonne connaissance du produit que l'on fabrique, estime Diane, ainsi qu'une forte dose d'imagination afin de résoudre rapidement les problèmes. De la résistance au stress et une grande ouverture d'esprit sont aussi des qualités importantes.» Voilà qui est utile au technicien qui doit mettre au point de nouvelles méthodes de production ou acquérir de nouvelles machines. De plus, il doit être curieux et constamment à l'affût des nouveautés. Le dynamisme, la diplomatie ainsi que la capacité d'écoute sont d'autres qualités dont il aura besoin.

Photo : Collège LaSalle

DÉFIS ET PERSPECTIVES

«Étant donné notre volume de production, nous ne pouvons pas faire la compétition aux États-Unis, par exemple. Nous devons nous orienter vers d'autres types de produits, estime Line Provencher, professeure en gestion de la production du vêtement au Collège LaSalle. Au lieu d'essayer de les battre sur leur propre terrain, je crois que l'industrie québécoise devrait s'orienter vers des produits haut de gamme, et délaisser un peu le bas de gamme à gros volume. Certaines usines le font déjà; elles produisent moins, mais vendent plus cher, parce que le produit est extrêmement bien fait et bien conçu, et que c'est un modèle original, exclusif. Je crois que c'est notre force et que c'est vers cela qu'on devrait s'orienter.» 09/96

HORAIRES ET MILIEUX DE TRAVAIL

- Le travail du technicien en gestion de la production du vêtement est un travail de bureau, mais qui s'effectue selon les caractéristiques propres à la production en usine.
- Le travail du technicien s'effectue principalement dans l'usine de production même, au milieu de la machinerie et des matières premières.
- La plupart des diplômés se dirigent vers l'industrie textile, qui comprend également des secteurs comme le meuble ou la chaussure.
- L'horaire traditionnel est de 7 h 30 à 16 h 30. Certaines entreprises ont des postes de travail de soir ou de nuit, mais puisque ce technicien est cadre, il travaillera principalement de jour.

Technologie de la production textile

Jonathan Guay est contremaître d'équipe chez Cavalier textiles, une entreprise de Sherbrooke spécialisée dans la production de fils à valeur ajoutée comme le Gore-Tex, le lycra et le polyester. Son rôle? Faire en sorte que le service dont il a la responsabilité soit plus efficace en tenant compte des moyens disponibles.

PROG. 251.BO
PRÉALABLE : 11, 20, VOIR P. 11

INTÉRÊTS

- aime résoudre des problèmes
- accorde de la valeur à la qualité et à l'efficacité
- aime assumer des responsabilités et prendre des décisions
- aime observer, vérifier, superviser, organiser
- aime les rapports humains

APTITUDES

- bon jugement et sens des responsabilités
- dynamisme et leadership
- sens de l'analyse et de l'observation
- sens de l'organisation
- grande facilité à communiquer

OFFRE DU PROGRAMME PAR RÉGIONS
Montérégie

RÔLE ET TÂCHES

Embauché trois semaines après avoir terminé son cours, Jonathan est maintenant en charge de la supervision de l'équipe de production de nuit au service de filage et renvidage. «Je suis responsable des deux dernières étapes de la production, dit-il. Le filage consiste à ouvrir les fibres d'un ballot de coton compressé, à les étirer plusieurs fois pour en faire des rubans de coton et ensuite à fabriquer le fil à partir du ruban; alors que le renvidage consiste à mettre le fil sur des cônes, à l'épurer pour en extraire les défauts passés inaperçus en cours de production et à faire parvenir le produit à nos clients», explique ce diplômé du Cégep de Saint-Hyacinthe. À titre de contremaître, Jonathan veille à ce que la production aille bon train. Il est responsable de 22 employés. Sa journée de travail débute vers 18 h 30, moment où il vérifie les présences et organise son équipe pour la soirée. C'est lui qui prépare l'assignation des tâches pour l'équipe qui prendra la relève le jour venu. Il effectue ensuite la mise à jour des données de production sur ordinateur et procède, s'il y a lieu, à quelques vérifications visant à s'assurer de la qualité ou de l'efficacité du nettoyage des produits. «Les machines fonctionnent 24 heures sur 24 et ne doivent pas s'arrêter. Je dois donc faire en sorte que le département roule à plein régime», souligne Jonathan. L'entreprise peut produire une vingtaine de fils différents au même moment. Le bris d'une machine ou un autre pépin en cours de route peut avoir des conséquences importantes sur la production.

Le technologue en production textile est appelé à superviser le travail de plusieurs personnes, à établir les priorités selon la demande des clients et à

	Salaire hebdo moyen	Proportion de dipl. en emploi	Emploi relié	Chômage	Nombre de diplômés
2000	539 $	80,0 %	75,0 %	20,0 %	5
1999	646 $	100,0 %	100,0 %	0,0 %	9
1998	600 $	66,7 %	100,0 %	20,0 %	7

Statistiques tirées de la Relance - Ministère de l'Éducation. Voir données complémentaires, page 419.

Comment interpréter l'information, page 10.

contrôler les paramètres de production. C'est lui qui s'assure que la température et le taux d'humidité sont adéquats et que les variables, comme la vitesse et les composantes chimiques des solutions de teinture, sont respectées. On le voit, les responsabilités sont grandes pour le technologue, qui doit souvent participer à plusieurs étapes de la production.

QUALITÉS RECHERCHÉES

«Il faut aimer travailler avec les gens et s'assurer d'avoir une belle relation avec les employés. Je supervise le travail de nombreuses personnes et je dois tenir compte des conditions syndicales et les respecter. Je dois aussi régler certains conflits, mais jusqu'à présent ça va bien; je n'ai pas eu de problèmes importants avec les employés», explique Jonathan, qui insiste aussi sur la capacité de gérer son stress et l'importance de ne pas paniquer devant les problèmes qui peuvent survenir en cours de production. Le technologue en production textile doit être en mesure de diriger une équipe de travail et faire preuve de polyvalence. En effet, il arrive souvent qu'il doive s'occuper, de concert avec des planificateurs et des contremaîtres, de la planification et de l'organisation du travail. Le dynamisme et un esprit alerte, qui permettra de repérer rapidement les problèmes et de les résoudre efficacement, sont des atouts importants. À ces qualités s'ajoute une bonne connaissance de l'anglais puisque la plupart de la documentation et des revues dans le domaine sont rédigées essentiellement dans cette langue.

«Les machines fonctionnent 24 heures sur 24 et ne doivent pas s'arrêter. Je dois donc faire en sorte que le département roule à plein régime.»

— Jonathan Guay

Photo : Dominion Textile inc.

DÉFIS ET PERSPECTIVES

Sophie Dorais, professeure au département de textiles au Cégep de Saint-Hyacinthe, constate que la plupart des élèves inscrits au département, et déjà titulaires d'un diplôme de niveau collégial ou universitaire, se dirigent généralement vers le programme en production textile; par contre, les élèves de niveau secondaire optent plutôt pour la formation en matières textiles. Le programme vise notamment à former des futurs contremaîtres d'équipe qui seront en charge de la production. Selon Mme Dorais, ce sont en général de meilleurs candidats pour les entreprises parce qu'ils sont plus mûrs et mieux à même de gérer du personnel. Ce travail comportant d'importantes responsabilités, il est parfois difficile pour un jeune de 18 ans de faire face à la pression que suppose le fait d'être à la tête d'une équipe de travail. 03/01

HORAIRES ET MILIEUX DE TRAVAIL

- Les principaux employeurs de ce secteur sont les usines de textile (tissus, fils, matériaux pour la fabrication de vêtements), les usines de fabrication de carreaux de céramique, l'industrie du tapis (tissus, couleurs), les entreprises de sérigraphie, de peinture ou de teinture et les entreprises spécialisées dans les matériaux servant à la fabrication de vêtements de sport.
- Les horaires sont diversifiés et peuvent s'échelonner sur 24 heures par jour, sept jours par semaine, là où la production l'exige.
- Le travail peut se faire le jour, le soir, la nuit et la fin de semaine.

Technologie des matières textiles

Édith Lajoie travaille pour Les textiles Silver, une entreprise montréalaise spécialisée dans le tricotage circulaire, une étape dans la fabrication de certains vêtements. «C'est le type d'emploi que je cherchais. L'ambiance est super bonne, l'équipe est dynamique et le travail n'est pas répétitif. Quand je me lève le matin, j'ai le goût d'aller travailler!»

PROG. 251.A0
PRÉALABLE : 11,20, VOIR P. 11

INTÉRÊTS

- aime résoudre des problèmes
- aime gérer et superviser des activités de production
- aime améliorer le rendement et la qualité de la production
- aime travailler en équipe

APTITUDES

- facilité à communiquer
- tact et diplomatie
- imagination et créativité
- bon sens de l'observation
- connaissances de base en anglais

OFFRE DU PROGRAMME PAR RÉGIONS
Montérégie

RÔLE ET TÂCHES

Pour Édith, qui possède également un diplôme en design de mode, ce travail se révèle une excellente combinaison de ses deux formations. «Avec ma formation en design de mode, j'ai appris à créer le vêtement, alors que la technique en matières textiles, ajoutée à mon stage au sein de l'entreprise, m'a permis de voir comment se fabriquent les tissus et les tricots.» Les tâches d'Édith sont complexes et diversifiées. De la création à la production, elle est appelée à jouer un rôle important dans toutes les étapes de la fabrication du nouveau produit. «Je touche au design du tricot par ordinateur, je vois aux motifs dans les tissus et aux reliefs dans les tricots, explique-t-elle. Je travaille aussi à la recherche et au développement de nouveaux tissus, de nouveaux fils et de nouvelles idées pour les clients.» La jeune femme s'est déniché un poste à temps plein à peine trois mois après avoir terminé sa formation au Cégep de Saint-Hyacinthe. «Aux Textiles Silver, nos clients sont les grandes chaînes de magasins comme Jacob et San Francisco. Nous sommes en quelque sorte le maillon les reliant aux manufacturiers, dit-elle. La fabrication des tissus varie selon les exigences et les besoins des clients. C'est pourquoi je dois effectuer certains tests de stabilité, de couleur et de poids et faire des rapports aux clients pour m'assurer que le tout répondra à leurs besoins et sera conforme à leur commande.»

Le technicien en matières textiles est appelé à développer des produits en choisissant les matériaux, en établissant certaines recettes de teinture, etc. Il doit faire un contrôle de la qualité des produits en effectuant des essais et

	Salaire hebdo moyen	Proportion de dipl. en emploi	Emploi relié	Chômage	Nombre de diplômés
2000	600 $	100,0 %	86,7 %	0,0 %	18
1999	540 $	100,0 %	83,3 %	0,0 %	7
1998	611 $	100,0 %	100,0 %	0,0 %	6

Statistiques tirées de la Relance - Ministère de l'Éducation. Voir données complémentaires, page 419.

Comment interpréter l'information, page 10.

en vérifiant si les procédures en laboratoire ou les normes, comme les programmes d'assurance qualité ISO, sont respectées. Il doit aussi pouvoir résoudre les problèmes de qualité, remédier aux défauts imprévus, ajuster les nuances de couleur, entre autres. En plus de superviser le travail en laboratoire, le technicien veille à améliorer, à adapter et à optimiser le produit afin de le rendre plus efficace et moins coûteux.

QUALITÉS RECHERCHÉES

Le sens de l'initiative et l'esprit créatif sont deux qualités importantes pour quiconque veut travailler dans ce domaine. «Il faut aussi être capable d'accepter la critique, considère Édith. On travaille en équipe et l'on doit être ouvert aux idées des autres. Il arrive que nos idées soient refusées, mais ça ne doit pas nous empêcher de prendre des risques et de tenter de nouvelles choses.» Puisqu'elle participe à plusieurs étapes de la production, Édith doit faire preuve d'autonomie et d'un vigoureux sens de l'organisation. Appelée à toucher au design de tricot par ordinateur, elle a dû aussi maîtriser rapidement certains logiciels comme Illustrator et PhotoShop. Dans ce domaine, on doit être en mesure de bien gérer son temps pour que tout soit prêt dans les délais imposés. La minutie et la précision sont également des atouts. Une connaissance de base de l'anglais est souhaitée, car la plupart des termes employés sont dans cette langue. Finalement, des aptitudes pour la communication et un goût pour le travail d'équipe sont également des qualités importantes.

En plus de superviser le travail en laboratoire, le technicien veille à améliorer, à adapter et à optimiser le produit afin de le rendre plus efficace et moins coûteux.

Photo : Cégep de Saint-Hyacinthe

DÉFIS ET PERSPECTIVES

Gérard Lombard, coordonnateur et professeur au département de textiles du Cégep de Saint-Hyacinthe, estime que les entreprises spécialisées dans des produits textiles performants, comme le lycra et le Gore-Tex, représentent une voie de sortie intéressante pour les diplômés. M. Lombard souligne que les diplômés peuvent également se diriger vers la production de certains produits plus techniques et à valeur ajoutée, ces produits nécessitant des connaissances plus poussées comme dans le cas des pièces destinées au secteur de la construction.

D'ici à quelques années, l'industrie du textile devra remplacer une partie de sa main-d'œuvre pour qui l'heure de la retraite aura sonné. Les perspectives sont donc encourageantes pour les futurs diplômés du programme. 03/01

HORAIRES ET MILIEUX DE TRAVAIL

- Les principaux employeurs de ces diplômés sont les entreprises spécialisées dans la production textile : vêtements, tapis, peinture, teinture; les secteurs de l'environnement, de la construction et de l'architecture, qui nécessitent des connaissances plus pointues, et le secteur manufacturier.
- Le travail se fait principalement en laboratoire et dans un bureau. Les employés peuvent travailler seuls ou en équipe.
- L'horaire est assez conventionnel, le travail se faisant généralement le jour et par périodes de huit heures.

SANTÉ

Le réseau de la santé a connu de grands bouleversements au cours des dernières années. Il a souffert des compressions de personnel et des réductions budgétaires. Mais l'ère du couperet est derrière nous, et le virage ambulatoire et les départs à la retraite ont ouvert d'autres portes. À court terme, les besoins de remplacement sont importants, mais recruter du personnel demeure un défi de taille.

Le secteur se stabilise donc dans son ensemble, mais les conditions de travail y sont très variables selon les professions et les milieux de travail. La situation de l'embauche s'améliore dans la plupart des techniques touchant à la santé mais, en règle générale, les emplois permanents à temps plein y sont rares. Les nouveaux diplômés travaillent souvent à temps partiel ou sont inscrits sur les listes de rappel de plusieurs établissements. La mobilité permet toutefois d'optimiser ses chances de placement.

Les diplômés devraient bénéficier du vieillissement de la population. On s'attend à ce que tous les services reliés aux personnes âgées ou en perte d'autonomie soient recherchés. Cela touchera notamment les infirmiers et les préposés aux bénéficiaires, non seulement parce que plusieurs ont quitté la profession, mais aussi parce que leurs compétences sont recherchées et correspondent à la philosophie du virage ambulatoire. Par ailleurs, rien n'indique que ces emplois seront nécessairement au sein du réseau public : les soins privés prennent en effet de plus en plus d'importance.

Selon l'Ordre des infirmières et infirmiers du Québec, une grave pénurie d'infirmières pourrait se faire sentir d'ici à 2005, car quelque 1 000 infirmières quitteront leur emploi chaque année et ce nombre devrait s'élever à 1 800 à partir de 2015. Les besoins sont donc très importants mais, là aussi, les conditions de travail restent variables.

On assiste également à la progression des soins à domicile et de la consultation privée. La santé mentale, les soins critiques et la santé communautaire pourraient également prendre de l'importance, toujours en raison du vieillissement de la population. 05/01

INTÉRÊTS

- se soucie du bien-être et de la santé
- aime rendre service ou prendre soin des personnes
- aime les sciences : chimie et biologie
- aime transmettre de l'information (éduquer)

APTITUDES

- habileté pour les sciences
- sens des responsabilités et de l'organisation développés
- dévouement, respect et capacité d'écoute des personnes
- facilité d'apprentissage intellectuel
- connaissances informatiques
- résistance au stress, (physique et/ou émotionnel)

LE SAVIEZ-VOUS ?

La pénurie en radio-oncologie s'explique notamment par l'augmentation des cas de cancer, mais aussi par les départs massifs en préretraite. Pour répondre à leurs besoins, certains hôpitaux ont recruté ces professionnels en France. Selon Gilbert Gagnon, président de l'Ordre des technologues en radiologie du Québec, la pénurie devrait s'atténuer vers 2003. À ce moment-là, on considère que le nombre de cancers sera stable, et que trois ou quatre nouveaux départements de radio-oncologie auront ouvert leurs portes.

Source : *Les carrières d'avenir au Québec*, Le groupe de recherche Ma Carrière, édition 2001.

RESSOURCES INTERNET

DESCRIPTION DES PROGRAMMES DU SECTEUR
http://www.meq.gouv.qc.ca/ens-sup/ens-coll/Cahiers/sect-19.htm
Vous trouverez sur cette page une description des programmes de ce secteur de formation, comprenant les exigences d'admission et un bref résumé de chaque cours.

ORDRE DES TECHNICIENS EN RADIOLOGIE DU QUÉBEC
http://www.otrq.qc.ca/
Les diplômés de techniques de radiothérapie, de technologie de radiodiagnostic et de technologie de médecine nucléaire doivent faire partie de cet ordre professionnel. En plus d'y obtenir les informations nécessaires à l'admission, on y trouvera des dépliants en format PDF qui présentent chacune de ces professions.

ORDRE DES INFIRMIÈRES ET INFIRMIERS DU QUÉBEC (OIIQ)
http://www.oiiq.org/
En plus d'expliquer les procédures d'admission à l'ordre pour les jeunes diplômé(e)s, le site présente son comité jeunesse et une banque de liens très intéressante en nursing et en santé.

Acupuncture traditionnelle

«L'acupuncture me permet de soulager la souffrance. Je lis beaucoup sur le sujet et je discute régulièrement avec des collègues pour me tenir au courant de tout ce qui peut améliorer ma pratique», explique Zoé Lamothe, diplômée en acupuncture traditionnelle.

PROG. 112.01
PRÉALABLE : 20, VOIR PAGE 11

INTÉRÊTS

- aime le domaine de la santé et préfère les médecines «douces»
- aime écouter et aider les personnes
- aime faire un travail autonome
- aime l'observation et les manipulations délicates
- aime apprendre et se perfectionner

APTITUDES

- faculté d'empathie et capacité à créer un lien de confiance
- grande ouverture d'esprit
- grande acuité de perception (visuelle et tactile)
- grande dextérité manuelle
- initiative et persévérance

OFFRE DU PROGRAMME PAR RÉGIONS
Montréal-Centre

RÔLE ET TÂCHES

L'acupuncture est une méthode thérapeutique chinoise qui consiste à rétablir l'équilibre énergétique en implantant de fines aiguilles métalliques à des endroits spécifiques du corps pendant un temps variable. L'état physique et psychologique du patient est attentivement examiné pour poser un diagnostic et déterminer le traitement approprié.

L'acupuncteur évalue d'abord la raison de la consultation et personnalise un plan de traitement. «Le patient veut savoir ce qu'on va faire pour le soulager mais aussi combien de visites seront nécessaires», souligne Zoé. Plusieurs possibilités de traitement s'offrent à l'acupuncteur, dont la moxibustion, qui consiste à faire brûler de l'armoise (une plante aromatique) pour créer de la chaleur sur l'aiguille, la stimulation laser, les ventouses, etc.

Dans beaucoup de cas, l'acupuncteur travaille en étroite collaboration avec le médecin traitant de son patient. «L'acupuncteur ne prescrit pas de médicaments. Une synergie intéressante est possible avec la médecine traditionnelle en utilisant l'acupuncture comme complément à un traitement», explique Ghyslaine Douville, responsable de la coordination du département d'acupuncture traditionnelle au Collège de Rosemont.

QUALITÉS RECHERCHÉES

Pour pratiquer le métier d'acupuncteur, il faut aimer aider les gens, être autonome et avoir confiance en soi. La compassion et la patience sont des qualités humaines essentielles. Dans certains cas, l'acupuncture ne peut être

	Salaire hebdo moyen	Proportion de dipl. en emploi	Emploi relié	Chômage	Nombre de diplômés
2000	548 $	90,0 %	36,4 %	10,0 %	27
1999	n/d	94,4 %	n/d	0,0 %	24
1998	275 $	76,5 %	75,0 %	0,0 %	17

Statistiques tirées de la Relance - Ministère de l'Éducation. Voir données complémentaires, page 419.

Comment interpréter l'information, page 10.

d'aucun secours, ce qui fait dire à Zoé qu'il est important d'apprendre à connaître ses limites et à vivre avec.

La précision et la dextérité servent bien l'acupuncteur dans les délicates manœuvres qu'il a à effectuer, par exemple lors de l'utilisation d'aiguilles.

La majorité des diplômés ouvrent une clinique privée, que ce soit à l'extérieur ou à leur domicile. Un bon sens de l'organisation est donc essentiel, car ils doivent bâtir leur clientèle et prendre en charge tous les aspects administratifs relatifs à la gestion d'une entreprise.

DÉFIS ET PERSPECTIVES

L'acupuncture est une méthode thérapeutique très stable en elle-même; on y utilise peu de technologies modernes. Toutefois, la formation continue offre aux diplômés divers champs de pratique qui peuvent compléter leur savoir, par exemple la diététique ou le massage tuina, utilisé particulièrement pour traiter les enfants, qui ont souvent peur des aiguilles.

«La mise à jour de nos connaissances est très importante.»

— Zoé Lamothe

«La mise à jour de nos connaissances est très importante. Avec quelques autres acupuncteurs, explique Zoé, on a formé un genre de comité. Lors de nos rencontres, nous discutons de certains cas, de nouvelles techniques que nous avons essayées ou développées ou encore de livres intéressants qu'on a lus. Il y a de la place pour l'innovation et on doit s'adapter.»

L'acupuncteur peut aussi parfaire sa formation en assistant à des séminaires de médecine. «Il est important qu'il suive les progrès des approches cliniques de la médecine traditionnelle qui peuvent l'aider dans l'exercice de sa profession.» 09/99

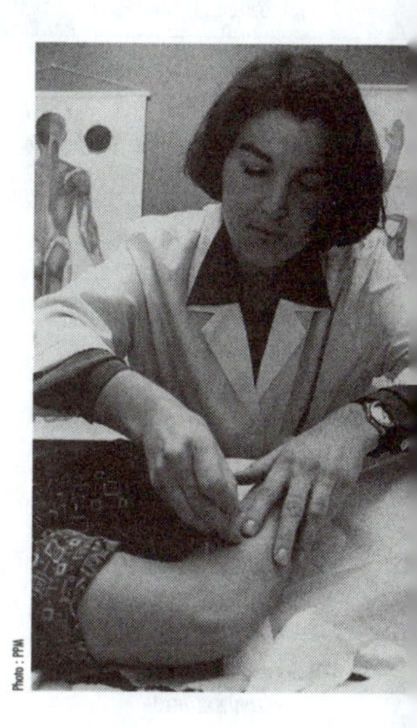

Photo : PPM

HORAIRES ET MILIEUX DE TRAVAIL

- Il y a peu d'ouvertures pour les nouveaux diplômés, car peu de cliniques de médecine traditionnelle les intègrent dans une équipe multidisciplinaire.
- L'acupuncteur doit donc fonder sa propre entreprise ou ouvrir un bureau avec des collègues.
- Les horaires de travail sont variés dans cette profession.
- On peut créer son propre horaire en fonction du genre de pratique que l'on désire.

Archives médicales

«Ce que je préfère dans mon travail, c'est traiter de l'information médicale», raconte Caroline Launière-Chassé, archiviste, qui travaille au Centre hospitalier de Saint-Eustache. «Il faut être un passionné de l'information et ne pas se sentir rebuté par les codes.»

PROG. 411.A0
PRÉALABLE : 11, VOIR PAGE 11

INTÉRÊTS

- aime la médecine, le domaine de la santé
- aime la lecture, l'analyse et le classement
- aime communiquer, coopérer et travailler avec le public
- aime se sentir utile et responsable

APTITUDES

- bonnes connaissances en anatomie et en physiologie
- sens de l'organisation et esprit méthodique
- sens des responsabilités
- habiletés à la communication verbale et écrite

OFFRE DU PROGRAMME PAR RÉGIONS
Lanaudière, Mauricie, Montréal-Centre

RÔLE ET TÂCHES

L'archiviste médical est un professionnel de l'information. Les méthodes de classement qu'il utilise ont été mises sur pied par l'Organisation mondiale de la santé. C'est lui qui est chargé de traiter le dossier d'un usager, à l'hôpital comme partout où l'on peut trouver de l'information médicale (Régie de l'assurance-médicaments, CLSC, bureaux de coronaires, etc.). L'archiviste lit le dossier d'un bout à l'autre et voit à le compléter au besoin. «Tout le dossier du patient vient à nous, que les informations émanent du médecin ou de la radiologie, qu'il s'agisse du protocole opératoire ou d'autre chose, explique Caroline. S'il manque une information, on communique avec le professionnel concerné pour compléter le dossier.»

Après l'analyse, on code les informations pour les entrer dans une banque de données. À chaque maladie correspond un code précis. «On s'en va de plus en plus vers l'informatisation des systèmes d'information», précise Caroline. À partir de ces banques de données, l'archiviste peut produire des rapports statistiques qui serviront à faire des études socio-médico-administratives. Par exemple, on pourra ressortir les données relatives à une maladie quelconque pour fins de recherche médicale. Les observations sont notées sous forme de «registres», comme ceux de traumatologie et d'oncologie.

L'archiviste médical assure aussi la conservation des dossiers : il conçoit et remplit différents formulaires. «On doit traiter les demandes d'information faites par la CSST et la Société de l'assurance automobile du Québec concernant l'état d'un patient, par exemple», ajoute Caroline.

	Salaire hebdo moyen	Proportion de dipl. en emploi	Emploi relié	Chômage	Nombre de diplômés
2000	476 $	85,7 %	89,7 %	3,2 %	46
1999	475 $	86,3 %	84,2 %	4,3 %	66
1998	406 $	80,6 %	68,1 %	6,5 %	82

Statistiques tirées de la Relance - Ministère de l'Éducation. Voir données complémentaires, page 419.

Comment interpréter l'information, page 10.

Un autre aspect de son travail : la divulgation des informations. «C'est nous qui sommes chargés du contrôle, qui consiste à vérifier, à gérer et à transmettre des données. Le travail est notamment régi par la Loi sur l'accès à l'information», précise Caroline. «La protection des renseignements personnels est en effet la première responsabilité de l'archiviste», note Céline-Carole Bilodeau, coordonnatrice du programme au Collège Ahuntsic.

QUALITÉS RECHERCHÉES

«Au départ, il faut avoir un intérêt pour la médecine, la biologie, la psychologie et la sociologie, explique Caroline. Il faut aimer manipuler de l'information, la coder, la lire et la rechercher. C'est un travail de précision qui demande un bon sens de l'organisation.» Étant donné qu'il travaille avec le public, l'archiviste doit aussi faire preuve de diplomatie et de tact.

«La protection des renseignements personnels est la première responsabilité de l'archiviste.»

— Céline-Carole Bilodeau

On communique souvent avec des médecins, des chercheurs et des administrateurs; il faut donc posséder une bonne capacité à travailler en équipe. «La polyvalence est un atout dans le domaine des archives médicales, car on est appelé à travailler ailleurs qu'en milieu hospitalier», souligne Caroline. La discrétion et la conscience professionnelle sont de rigueur. Mme Bilodeau précise que le jugement et la minutie sont aussi nécessaires.

Photo : Collège Ahuntsic

DÉFIS ET PERSPECTIVES

Certains diplômés choisissent de se spécialiser en acquérant une attestation d'études collégiales (AEC). Pour sa part, Caroline suit le programme en registre des tumeurs, car elle aimerait travailler en recherche dans ce domaine. Du côté universitaire, on peut poursuivre ses études en gestion des services de la santé.

En plus de travailler comme employé, l'archiviste médical a la possibilité d'obtenir des postes supérieurs, en tant qu'archiviste en chef ou archiviste-conseil, par exemple.

Selon Mme Bilodeau, des défis attendent les diplômés. Ils auront notamment à promouvoir les différents registres auxquels ils travaillent et à vendre leurs compétences à l'extérieur de leur département. 09/99

HORAIRES ET MILIEUX DE TRAVAIL

- Outre les traditionnels établissements de santé, on peut travailler dans des compagnies pharmaceutiques, la Régie de l'assurance-médicament, les cabinets d'avocats spécialisés en droit médical, les centres de recherche en épidémiologie, les bureaux de coroners et la Croix Rouge.
- Certains offrent leurs services à forfait pour des durées allant de trois à huit mois.
- La plupart des archivistes travaillent de jour, mais il est possible de travailler à temps partiel ou selon une semaine de quatre jours.

Audioprothèse

«Les élèves dans ce domaine ont de très gros défis à relever. Les cours sont extrêmement exigeants, il faut être tenace pour réussir à obtenir son diplôme, mais croyez-moi, ça vaut la peine!» Gaston Girard a trouvé du travail dans un cabinet privé aussitôt son diplôme en poche.

PROG. 160.B0
PRÉALABLE : 13, 40, VOIR PAGE 11

INTÉRÊTS

- aime écouter et aider les personnes, expliquer et vulgariser
- aime la médecine, le domaine de la santé
- aime faire un travail autonome
- aime créer (à partir de problèmes concrets)
- aime le travail manuel et les instruments de précision

APTITUDES

- autonomie et initiative
- patience et sensibilité envers les personnes
- facilité à communiquer (écouter et expliquer)
- grande dextérité et grande acuité de perception visuelle
- grand souci du détail et sens des responsabilités

OFFRE DU PROGRAMME PAR RÉGIONS
Montréal-Centre

RÔLE ET TÂCHES

L'audioprothésiste est un professionnel de la santé qui vend, pose, ajuste et répare les prothèses auditives nécessaires aux personnes atteintes d'un problème d'audition. Il détermine la solution prothétique optimale à partir d'une batterie de tests et de l'analyse des problèmes d'écoute et de communication du patient. Les prothèses sont de plus en plus sophistiquées et esthétiques et peuvent être installées dans l'oreille ou derrière le pavillon de l'oreille.

L'audioprothésiste ne peut vendre d'appareil sans une attestation du besoin d'appareillage émise par un médecin, un oto-rhino-laryngologiste ou un audiologiste; il travaille donc en collaboration avec eux.

Il prépare ensuite l'appareil qu'il a sélectionné et préréglé et reçoit le client pour l'installation et les ajustements finaux. «Plus le problème d'audition est lourd, plus la prothèse peut être grosse. C'est parfois difficile à faire accepter aux patients, car c'est souvent un des premiers signes de perte d'autonomie pour eux», explique Gaston.

QUALITÉS RECHERCHÉES

L'audioprothésiste doit posséder un bon esprit d'analyse qui lui permettra de prendre les décisions qui s'imposent selon le cas qui lui est soumis. «Il s'agit d'optimiser le rendement audioprothétique en tenant compte des choix du patient et des limites de la technologie utilisée. On peut donc dire que notre domaine allie la compétence sur le plan de la technologie et au point de vue de la relation d'aide avec les patients, l'une étant tout aussi

	Salaire hebdo moyen	Proportion de dipl. en emploi	Emploi relié	Chômage	Nombre de diplômés
2000	515 $	100,0 %	90,0 %	0,0 %	15
1999	517 $	90,0 %	85,7 %	10,0 %	11
1998	506 $	93,8 %	86,7 %	0,0 %	16

Statistiques tirées de la Relance - Ministère de l'Éducation. Voir données complémentaires, page 419.

Comment interpréter l'information, page 10.

importante que l'autre», précise Yves Tougas, responsable de la coordination du programme d'audioprothèse et professeur au Collège de Rosemont.

Aimer travailler avec les personnes âgées et être patient sont de précieux atouts, car l'audioprothésiste doit expliquer le fonctionnement de l'appareil et prodiguer des conseils d'adaptation personnalisés. «Les personnes âgées composent la majeure partie de notre clientèle. Ces personnes ont souvent des troubles de mémoire et le soutien de la famille est souhaitable. Ça prend beaucoup de tact, de diplomatie, d'empathie, mais surtout une bonne capacité d'écoute», ajoute Gaston.

«On peut donc dire que notre domaine allie la compétence sur le plan de la technologie et au point de vue de la relation d'aide avec les patients, l'une étant tout aussi importante que l'autre.»

— Yves Tougas

L'audioprothésiste doit être minutieux et habile manuellement, car il est appelé à faire de délicates manipulations sur des prothèses de plus en plus miniaturisées. «Il faut aimer à la fois l'électronique et la technologie», souligne Gaston.

Évidemment, pour le diplômé qui a choisi d'ouvrir son propre cabinet, des qualités de gestionnaire sont essentielles.

DÉFIS ET PERSPECTIVES

L'audioprothésiste doit se mettre à jour continuellement pour suivre l'évolution de la technologie. L'Ordre des audioprothésistes du Québec organise un congrès annuel et convie les diplômés et les étudiants à y assister. «Les appareils sont de plus en plus performants, dit M. Tougas. L'intégration de la technologie numérique à la microamplification permet un ajustement plus raffiné qui optimise le confort dans différents environnements, par exemple quand on est au restaurant ou à l'extérieur. Deux ou trois programmes d'écoute sont possibles.» Après avoir analysé le son, le microprocesseur effectue automatiquement les adaptations selon l'endroit où se trouve le porteur, et ce, de façon continue.

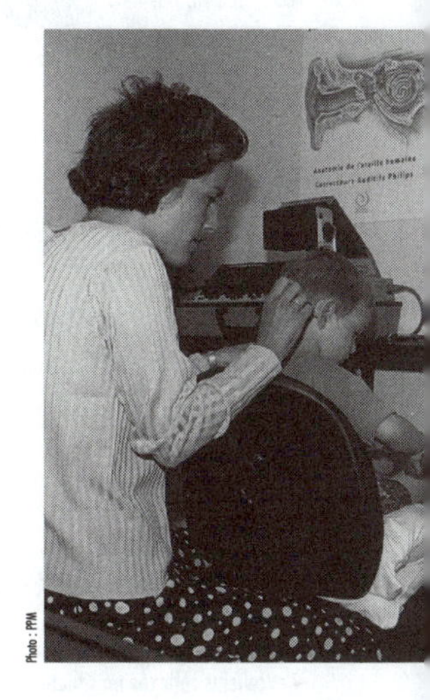

Photo : PPM

Selon M. Tougas, outre la miniaturisation des appareils, l'évolution la plus constante de la technologie se remarque dans la précision de l'ajustement et la qualité du son. «On a le son d'un disque laser, très pur, presque sans distorsion.»

«La nouvelle ère numérique est prometteuse. Nos limites sont constamment repoussées, ce qui permet de répondre toujours plus efficacement aux besoins des personnes malentendantes. C'est motivant de savoir que l'on peut aider de plus en plus de personnes!» conclut Gaston. 09/99

HORAIRES ET MILIEUX DE TRAVAIL

- L'audioprothésiste travaille toujours en pratique privée, que ce soit pour son compte ou en tant qu'employé.
- Certains diplômés choisissent de devenir représentants pour une compagnie de prothèses auditives.
- Les horaires sont très réguliers : jour, du lundi au vendredi, sauf dans certains cabinets qui ouvrent le soir ou le samedi.

Soins infirmiers

«L'important pour moi est de m'assurer du bien-être des patients, de voir à ce que tout contribue à favoriser leur rétablissement», déclare Véronique Boisvert, infirmière à l'hôpital Pierre-Boucher de Longueuil.

PROG. 180.01/180.A0
PRÉALABLE : 20, VOIR PAGE 11

INTÉRÊTS

- se préoccupe de la santé et du bien-être des personnes
- aime se sentir responsable (des personnes)
- aime écouter, encourager, aider et soigner
- aime le travail d'équipe
- aime observer, analyser, évaluer et prendre des décisions

APTITUDES

- empathie et grand sens des responsabilités
- résistance physique et émotionnelle
- bonnes aptitudes aux sciences
- excellents réflexes en situation d'urgence et de stress
- sens de l'organisation, jugement et initiative
- grande disponibilité (horaire)

OFFRE DU PROGRAMME PAR RÉGIONS
Abitibi-Témiscamingue, Bas-Saint-Laurent, Centre-du-Québec, Chaudière-Appalaches, Côte-Nord, Estrie, Gaspésie—Îles-de-la-Madeleine, Lanaudière, Laurentides, Laval, Mauricie, Montérégie, Montréal-Centre, Outaouais, Québec, Saguenay—Lac-Saint-Jean

RÔLE ET TÂCHES

«J'étais fascinée par les hôpitaux depuis mon enfance, poursuit Véronique, et je suis bien heureuse d'être rendue là où je suis. En arrivant au travail, je prends connaissance des rapports sur la situation des patients au poste d'étage et je fais la tournée des patients dont j'ai la charge. J'évalue leur condition, je vérifie les solutés, je vois à ce que les patients soient à l'aise, je veille à ce qu'ils prennent les médicaments qui leur sont prescrits.

«Certains doivent être préparés pour une intervention chirurgicale, et il y a tout un protocole à suivre selon le genre d'opération. Même chose quand ils reviennent de la salle de réveil : je dois les réinstaller aussi confortablement que possible, je surveille les signes vitaux et je donne les soins particuliers à l'intervention. Ce que j'aime le plus, c'est travailler à l'urgence. L'infirmière est en première ligne, c'est elle qui fait la première évaluation du patient : il faut savoir poser les bonnes questions. J'aime la dimension médicale de ce travail, l'observation, la déduction, l'interprétation des symptômes. C'est sûr qu'il n'y a que le médecin qui puisse poser un diagnostic, mais l'infirmière doit en avoir une bonne idée, savoir déduire les probabilités les plus grandes pour prendre les bonnes décisions dès le début. Elle doit savoir évaluer la gravité de la situation.

«J'aime aussi la dimension technique de mon travail : les prélèvements, la manipulation des appareils, l'installation de sondes ou de perfusions. Et puis les contacts humains, les rapports qu'on établit avec les patients; c'est souvent très gratifiant de pouvoir donner du réconfort.»

	Salaire hebdo moyen	Proportion de dipl. en emploi	Emploi relié	Chômage	Nombre de diplômés
2000	589 $	80,7 %	96,4 %	1,1 %	1 139
1999	563 $	76,7 %	95,3 %	3,2 %	1 574
1998	543 $	65,4 %	88,9 %	5,1 %	1 629

Statistiques tirées de la Relance - Ministère de l'Éducation. Voir données complémentaires, page 419.

Comment interpréter l'information, page 10.

QUALITÉS RECHERCHÉES

«Pour être infirmière, il faut aimer les gens, vouloir les aider en les soutenant dans leur recherche d'autonomie, insiste Francine Demers, coordonnatrice du programme de soins infirmiers au Collège de Sherbrooke. Une infirmière doit avoir un excellent sens de l'observation et un bon jugement. Elle ne fait pas qu'exécuter, elle doit être capable de prendre des décisions rapidement dans des situations critiques en faisant appel à ses connaissances. Elle doit aussi avoir le sens de l'initiative, un esprit critique doté de curiosité intellectuelle pour poser des questions, remettre et se remettre en question, ajoute Mme Demers. Il est évident qu'une bonne santé physique et l'équilibre émotionnel sont des atouts, ainsi qu'une aptitude pour les sciences et la capacité de travailler en équipe.» Aisance dans la communication, sens des responsabilités, faculté d'adaptation à des situations diverses, capacité de gérer le stress ainsi qu'une bonne dextérité manuelle sont aussi essentiels. «Ce qui me sert beaucoup, souligne Véronique, c'est la facilité que j'ai à établir rapidement un climat de confiance avec les patients, mon attitude accueillante, humaine je crois.»

«Le plus grand défi, pour moi, est d'offrir la meilleure qualité de soins dans le temps limité que nous impose la conjoncture actuelle.»

— Véronique Boisvert

DÉFIS ET PERSPECTIVES

«Le plus grand défi, pour moi, est d'offrir la meilleure qualité de soins dans le temps limité que nous impose la conjoncture actuelle. Il faut être à la fois plus efficace et davantage humain, soutient Véronique. La relation de confiance est d'autant plus importante que les séjours à l'hôpital sont de moins en moins longs.

«Une des plus intéressantes perspectives qui s'offrent aux infirmières est l'importance accrue de la prévention. Nous sommes maintenant appelées à sortir de plus en plus du contexte hospitalier pour aller dans le milieu, chez les gens, et travailler davantage sur la santé que sur la maladie. Je trouve que c'est une excellente initiative, avec le virage ambulatoire : il faut informer les gens sur les choses à faire pour rester en santé. C'est un très beau rôle pour les infirmières», conclut Véronique, qui ne cache pas son intention de se perfectionner davantage à l'université. 09/99

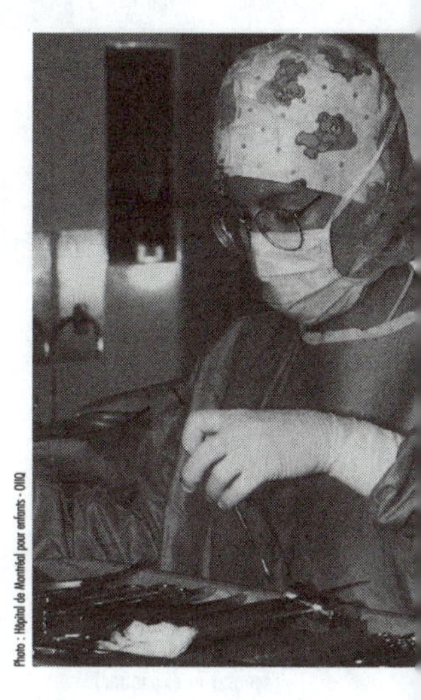

Photo : Hôpital de Montréal pour enfants - OIIQ

HORAIRES ET MILIEUX DE TRAVAIL

- Les heures sont généralement longues et exigeantes. Les infirmières nouvellement diplômées doivent s'attendre à travailler en rotation ou sur appel.
- Les infirmières peuvent œuvrer dans les centres de soins de courte et de longue durée, les résidences pour personnes âgées, les CLSC et les cliniques privées ou pour Info-santé.
- Les soins à domicile sont en progression et peuvent constituer un débouché intéressant.

Techniques de denturologie

«Je cherchais un métier dans le domaine de la santé, avec un aspect manuel et qui me permettrait à la fois d'être autonome et de travailler avec le public.» Manon Boily a donc choisi la denturologie. Elle travaille à la clinique Sourire Art'dent à Beauport.

PROG. 110.BO
PRÉALABLE : 40, VOIR PAGE 11

INTÉRÊTS

- aime écouter et aider les personnes, expliquer et vulgariser
- aime la médecine, le domaine de la santé
- aime faire un travail autonome
- aime créer (à partir de problèmes concrets)
- aime le travail manuel et les instruments de précision

APTITUDES

- autonomie et initiative
- patience et sensibilité envers les personnes
- facilité à communiquer (écouter et expliquer)
- grande dextérité et grande acuité de perception visuelle
- grand souci du détail et sens des responsabilités

OFFRE DU PROGRAMME PAR RÉGIONS
Montérégie

RÔLE ET TÂCHES

Le denturologiste conçoit et fabrique des prothèses dentaires amovibles, complètes ou partielles. «Mon rôle consiste à rétablir la fonction de mastication et à veiller à l'esthétisme de la prothèse en bouche, explique Manon. Je reçois les gens sur rendez-vous pour faire ce qu'on appelle le travail à la chaise. J'analyse et j'évalue les besoins du patient avec lui. Je prends des empreintes et je mesure l'ouverture de sa bouche. Ensuite je coule des modèles et je procède à la fabrication de la prothèse.»

«La denturologie est intéressante parce qu'elle comporte deux volets, ajoute Patrice Deschamps, professeur en techniques de denturologie au Collège Édouard-Montpetit. Il y a un volet public, c'est-à-dire tout le travail d'empreintes, de mesures et d'ajustements avec le client, et un volet solo, qui est la fabrication de la prothèse en laboratoire. Quand le denturologiste n'a pas de client ou qu'un client ne se présente pas à son rendez-vous, il peut travailler en laboratoire.»

Aujourd'hui, il existe une très grande variété de matériaux pour la fabrication de prothèses de meilleure qualité qui reproduisent plus fidèlement les dents originales et le sourire du patient.

«L'esthétisme est un critère fort important dans notre travail, souligne Manon. Il y a certaines règles de base à suivre. Par exemple, si quelqu'un a les cheveux noirs ou la peau très foncée, je ne lui suggérerai pas des dents très blanches parce qu'elles vont être trop apparentes. Il y a d'autres règles à respecter selon la forme du visage et la couleur des yeux du client.»

	Salaire hebdo moyen	Proportion de dipl. en emploi	Emploi relié	Chômage	Nombre de diplômés
2000	370 $	100,0 %	86,7 %	0,0 %	24
1999	n/d	86,4 %	n/d	0,0 %	29
1998	392 $	85,2 %	83,3 %	11,5 %	27

Statistiques tirées de la Relance - Ministère de l'Éducation. Voir données complémentaires, page 419.

Comment interpréter l'information, page 10.

QUALITÉS RECHERCHÉES

«Il faut être bon communicateur, affirme Manon. On parle beaucoup pendant les rendez-vous. Pour prendre les mesures et pendant les ajustements, je dois faire sourire les gens, les faire parler, les mettre à l'aise. C'est important aussi d'être clair dans nos explications. Les clients ont de grandes attentes. Je dois leur faire comprendre qu'une prothèse ne remplacera jamais des dents naturelles. L'acuité visuelle est également nécessaire pour bien choisir la couleur des dents. Il faut aussi avoir une bonne dextérité manuelle et de la facilité à imaginer les objets en trois dimensions.»

«Il faut aimer travailler avec les gens et avoir une bonne santé physique et mentale, ajoute Patrice Deschamps. Le confort buccal est une chose très difficile à expliquer, à mettre en mots. Parfois, il peut y avoir de l'incompréhension ou des malentendus entre le denturologiste et son client. Il faut être patient et essayer de répondre aux besoins du client sans se remettre toujours en cause. Généralement, les gens sont très satisfaits de leur prothèse, mais il y aura toujours des clients qu'il est impossible de contenter.»

«Mon rôle consiste à rétablir la fonction de mastication et à veiller à l'esthétisme de la prothèse en bouche.»

— Manon Boily

DÉFIS ET PERSPECTIVES

Les perspectives d'emploi sont bonnes. «Dans les grands centres, ça commence à être saturé, mais il y a beaucoup de possibilités dans les régions plus à l'est et au nord de Montréal, poursuit M. Deschamps. Il y a plusieurs denturologistes qui ouvrent actuellement leurs bureaux près des frontières des États-Unis et qui attirent une grande clientèle d'Américains à cause de la valeur de notre monnaie.»

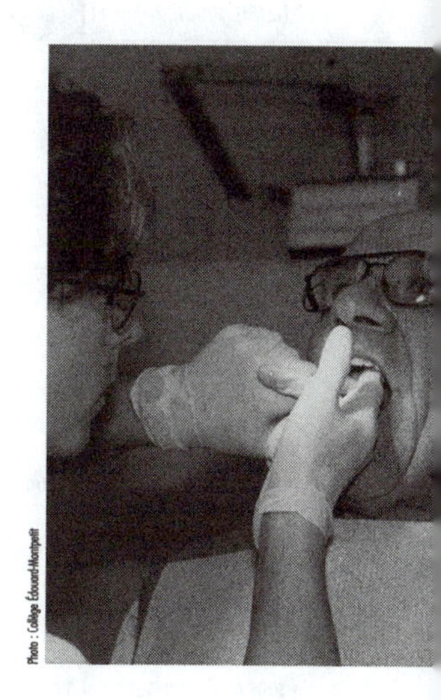

Photo : Collège Édouard-Montpetit

Les denturologistes ne craignent pas de voir leur clientèle diminuer même si les valeurs sociales incitent davantage les gens à conserver leurs dents. «Plusieurs personnes n'ont pas d'assurances et n'ont pas les moyens de payer les coûts de certains traitements dentaires. Ils choisissent une solution moins coûteuse : l'extraction, explique M. Deschamps. Notre clientèle est composée bien sûr de la population du troisième âge, mais surtout de *baby-boomers*. Ce sont des gens qui, pour la plupart, ont de bons régimes d'assurances, sont bien nantis et sont habitués à avoir ce qu'il y a de mieux dans la vie. Certains sont partiellement édentés et veulent des prothèses de qualité.» 09/99

HORAIRES ET MILIEUX DE TRAVAIL

- Plusieurs diplômés choisissent de travailler à pourcentage dans des cliniques de denturologistes ou louent une salle dans un cabinet de dentiste.
- Les horaires sont très variables. Plusieurs denturologistes travaillent le jour et le soir, et même le samedi pour rejoindre une plus grande clientèle.
- C'est un emploi qui permet de travailler à temps plein ou à temps partiel.

Techniques de diététique

Diplômée en techniques de diététique, Lyne Gosselin ne craint pas les heures supplémentaires et travaille souvent de sept heures du matin à neuf heures du soir. «C'est ça, être entrepreneure!» déclare celle qui a démarré sa propre entreprise de conseillers professionnels en alimentation.

PROG. 120.01
PRÉALABLE : 20, VOIR PAGE 11

INTÉRÊTS

- accorde de l'importance à la santé et à l'alimentation
- aime travailler pour et avec les personnes
- aime observer, vérifier, contrôler la qualité
- aime respecter des règles
- aime le travail d'équipe

APTITUDES

- leadership et facilité à communiquer (écouter, motiver)
- souci de la qualité et sens des responsabilités
- jugement et créativité
- minutie et sens de l'observation
- sens de l'organisation et du travail d'équipe (gestion)

OFFRE DU PROGRAMME PAR RÉGIONS
Bas-Saint-Laurent, Laval, Mauricie, Montérégie, Montréal-Centre, Québec, Saguenay–Lac-Saint-Jean

RÔLE ET TÂCHES

Lyne Gosselin n'a jamais chômé depuis la fin de ses études. Aujourd'hui, elle est à la tête d'une petite entreprise prospère nommée COPRAL, qui possède une division en gestion de la qualité et une autre en communication et en nutrition. «Nous agissons comme consultants, notamment auprès des industries qui fabriquent des aliments, des détaillants et des restaurants.» Lyne assume le rôle de gestionnaire de COPRAL, mais se rend aussi dans les entreprises pour superviser les mandats à sa charge. «Par exemple, lors de l'implantation d'un système de contrôle de la qualité dans une industrie, je m'assure que tout est conforme aux normes, que cela répond aux besoins du client et à ceux du marché.»

La formation qu'ont reçue les techniciens en diététique leur permet d'être très polyvalents. Comme le souligne Hélène Asselin, coordonnatrice du département des techniques de diététique au Collège de Maisonneuve, «le programme a trois orientations : l'une en gestion des services alimentaires, l'autre en technologie alimentaire et la dernière en nutrition». Ajoutons l'aspect du service à la clientèle, couvert par la formation. Chacune permet au technicien d'œuvrer dans un milieu professionnel différent, qui engendrera des rôles et des tâches spécifiques.

QUALITÉS RECHERCHÉES

Lyne Gosselin indique que le technicien en diététique doit faire preuve d'une bonne capacité d'analyse, être un bon communicateur et avoir de

	Salaire hebdo moyen	Proportion de dipl. en emploi	Emploi relié	Chômage	Nombre de diplômés
2000	442 $	86,2 %	77,6 %	3,8 %	151
1999	402 $	86,8 %	70,5 %	3,2 %	141
1998	376 $	81,0 %	68,8 %	9,7 %	143

Statistiques tirées de la Relance - Ministère de l'Éducation. Voir données complémentaires, page 419.

Comment interpréter l'information, page 10.

l'entregent. «Il faut aussi être passionné par ce que l'on fait et remettre perpétuellement à jour ses connaissances.» Lyne insiste aussi sur la capacité de vulgariser. «Par exemple, il faut être en mesure d'expliquer clairement aux gens comment déchiffrer les étiquettes nutritionnelles sur les aliments et de les aider à comprendre ce que signifient ces informations.»

Hélène Asselin ajoute également qu'on doit avoir un goût pour les sciences et les aliments. «Si l'on choisit l'orientation de gestion des services alimentaires, il faut s'attendre à travailler avec les aliments et être créatif afin d'être capable de développer de nouvelles recettes. Une grande minutie est aussi à l'honneur dans le volet technologie alimentaire.»

«Par exemple, lors de l'implantation d'un système de contrôle de la qualité dans une industrie, je m'assure que tout est conforme aux normes, que cela répond aux besoins du client et à ceux du marché.»

— Lyne Gosselin

Enfin, en nutrition ou en service à la clientèle, il faut avoir des aptitudes en communication, car on sera en contact avec des clients, des employés, ou même des patients dans des établissements hospitaliers, par exemple. Il faut toutefois noter que le technicien ne crée pas de menu pour un type de patient spécifique, par exemple un diabétique. Ce rôle appartient au diététicien, ou nutritionniste (formation universitaire).

DÉFIS ET PERSPECTIVES

Beaucoup de défis attendent les diplômés en techniques de diététique! Hélène Asselin explique qu'ils doivent principalement travailler à développer le concept de plaisir et de santé dans leur approche professionnelle. «Ils doivent parvenir à faire comprendre aux gens que l'on peut prendre soin de sa santé tout en mangeant une nourriture délicieuse et des aliments savoureux.» Elle ajoute qu'ils devront participer au développement de nouveaux produits, aussi bien à l'échelle des industries qu'à celle de la restauration. «Il n'est pas rare de voir un restaurant faire appel à l'un de nos diplômés pour créer ou améliorer des aliments, des pizzas contenant moins de gras par exemple.»

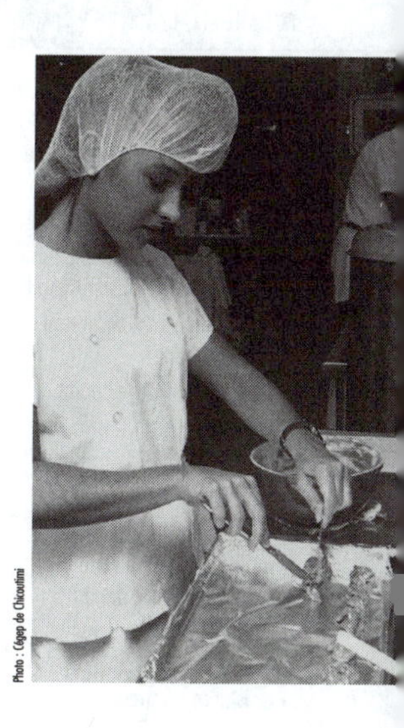
Photo : Cégep de Chicoutimi

Les perspectives professionnelles semblent actuellement assez favorables. «En début de carrière, il faut évidemment s'attendre à travailler les fins de semaine, à effectuer des remplacements, etc., fait valoir Hélène Asselin. Mais la majorité de nos diplômés travaillent dans un secteur directement relié à la diététique.» 09/98

HORAIRES ET MILIEUX DE TRAVAIL

- Selon l'orientation choisie dans le cadre de leurs études, les techniciens en diététique pourront œuvrer dans différents milieux, comme les cafétérias commerciales et institutionnelles, les industries alimentaires ainsi que les établissements hospitaliers et les centres d'accueil.
- Les horaires dépendent beaucoup du milieu dans lequel on exerce ses talents, mais se rapprochent généralement du «9 à 5» traditionnel.
- Toutefois, dans certains environnements comme les hôpitaux et les centres d'accueil, il faut souvent faire preuve de flexibilité et être prêt à travailler les fins de semaine.

Techniques d'électrophysiologie médicale

«Le domaine de la santé m'a toujours intéressée. J'ai rencontré par hasard une diplômée en techniques d'électrophysiologie médicale. Je lui ai posé des questions, j'ai lu de la documentation sur le sujet, j'ai rencontré des professeurs et des élèves, et je me suis inscrite!» raconte Nellie Pelletier.

PROG. 140.A0
PRÉALABLE : 11, 40, VOIR P. 11

INTÉRÊTS

- aime la médecine, le domaine de la santé
- aime se sentir utile
- aime avoir de l'autonomie et de l'initiative dans son travail
- aime chercher en observant et en analysant
- aime les contacts humains

APTITUDES

- facilité pour les sciences de la médecine
- facilité à communiquer (expliquer et rassurer)
- dextérité et grand sens de l'observation
- résistance au stress

OFFRE DU PROGRAMME PAR RÉGIONS
Montréal-Centre

RÔLE ET TÂCHES

Nellie travaille à l'Institut de neurologie de Montréal. «C'est un milieu très stimulant, indique-t-elle. Il y a une bonne collaboration avec les médecins. On sent qu'ils ont besoin de nous et qu'ils nous apprécient.»

Le rôle du technicien (aussi appelé technologue) en électrophysiologie médicale consiste à procéder à différents types d'examens, tels que des électroencéphalogrammes, des électrocardiogrammes et des électromyogrammes, à la suite d'une requête médicale. Lors de ces examens, le technicien enregistre l'activité bioélectrique des organes du corps humain.

«Quand le patient arrive à l'Institut de neurologie, il est vu par un neurologue pour un examen clinique, dit Nellie. Par la suite, je reçois le patient et je lui explique en quoi consiste l'examen. Si c'est une personne qui souffre d'épilepsie et qui doit passer un électroencéphalogramme, j'effectue plusieurs mesures pour bien placer les électrodes. Ces électrodes sont reliées à un appareil qui mesure l'activité électrique de son cerveau. Ensuite je rédige un rapport technique au médecin et dans lequel je décris l'activité électrique enregistrée pendant l'examen.»

La plupart du temps, le technicien travaille seul avec un patient, mais certains tests requièrent la présence du médecin. «Pour plusieurs tests, le technicien a un bon degré d'autonomie, explique Marie Laverdière, professeure en techniques d'électrophysiologie médicale au Collège Ahuntsic. Par exemple, si le technicien note une anomalie de l'activité électrique lors

	Salaire hebdo moyen	Proportion de dipl. en emploi	Emploi relié	Chômage	Nombre de diplômés
2000	538 $	100,0 %	100,0 %	0,0 %	9
1999	512 $	87,5 %	100,0 %	0,0 %	20
1998	527 $	88,2 %	100,0 %	0,0 %	17

Statistiques tirées de la Relance - Ministère de l'Éducation. Voir données complémentaires, page 419.

Comment interpréter l'information, page 419.

d'un test avec un patient, il peut adapter le déroulement de son examen pour mieux révéler cette anomalie.»

QUALITÉS RECHERCHÉES

Le technicien en électrophysiologie médicale doit posséder une bonne vision et un sens auditif développé afin de bien distinguer les signaux visuels et sonores captés lors des examens. Il doit avoir le sens de l'observation et le souci du détail. L'habileté manuelle est aussi nécessaire. «Les tests exigent des mesures très précises, faites au millimètre près, indique Nellie. Si l'électrode n'est pas posée au bon endroit, les résultats ne seront pas justes. Il faut aussi être patient. De temps en temps, le test ne fonctionne pas. Parfois, c'est simplement à cause d'un peu de sueur sur le front du patient. Il faut trouver l'erreur et recommencer le test.» Le technicien doit veiller à la sécurité des patients pendant les examens, avoir une personnalité calme et pouvoir réagir rapidement lors de situations d'urgence ou d'imprévus : crise d'épilepsie, arrêt cardiaque, agression verbale ou physique par un patient confus ou violent. Évidemment, il doit aimer travailler avec les gens de tous les âges et de tous les milieux. «La plupart du temps, les gens sont aimables, mais ça m'arrive de rencontrer des patients peu collaborateurs, souligne Nellie. Certains ont des problèmes de comportement ou ne comprennent pas bien les consignes. Les examens sont alors plus longs et plus difficiles. On rencontre aussi des patients qui ont de gros problèmes de santé. Au début, il m'était difficile, sur le plan émotif, de travailler avec des personnes gravement malades. J'avais parfois les larmes aux yeux, mais on s'habitue.»

«La grande polyvalence des diplômés est un avantage; ils peuvent travailler une ou deux journées en cardiologie, puis deux jours à faire des tests de conduction nerveuse ou enregistrer l'activité électrique du cerveau.»

— Marie Laverdière

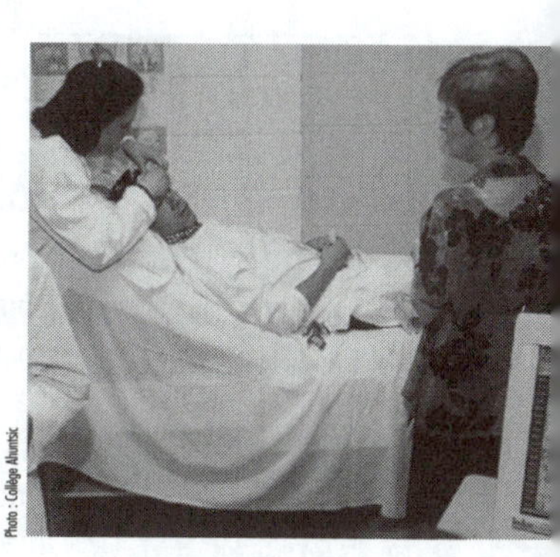
Photo : Collège Ahuntsic

DÉFIS ET PERSPECTIVES

Les perspectives d'emploi sont bonnes. «Je reçois des demandes de plusieurs hôpitaux d'un peu partout au Québec et même des autres provinces canadiennes, souligne Mme Laverdière. La grande polyvalence des diplômés est un avantage; ils peuvent travailler une ou deux journées en cardiologie, puis deux jours à faire des tests de conduction nerveuse ou enregistrer l'activité électrique du cerveau. Cette polyvalence est utile pour les employeurs et elle est intéressante aussi pour les diplômés. Elle rend leur travail beaucoup moins routinier.» 09/99

HORAIRES ET MILIEUX DE TRAVAIL

- La majorité des diplômés travaillent dans les différentes unités des centres hospitaliers.
- Des emplois sont aussi disponibles dans des laboratoires de recherche et chez des fabricants d'appareils ou d'accessoires d'électrophysiologie médicale.
- En général, les techniciens travaillent de jour, 35 heures par semaine.
- Ils peuvent être appelés à travailler le soir, la nuit ou la fin de semaine selon les cliniques et les centres hospitaliers.

Techniques de réadaptation physique

«J'étais entraîneur pour des équipes féminines de volley-ball, raconte Éric Côté, thérapeute en réadaptation physique chez Physio Optima. Ça me décourageait de les voir se blesser et rester sur le banc pendant des semaines. J'étudiais alors en génie civil. J'ai tout lâché et je suis retourné au cégep.»

PROG. 144.A0
PRÉALABLE : 11, 40, VOIR P. 11

INTÉRÊTS

- aime la biologie (humaine)
- aime se sentir utile aux personnes
- aime faire un travail physique et manuel
- aime communiquer : écouter, expliquer, encourager
- aime analyser, évaluer et prendre des décisions

APTITUDES

- facilité pour les sciences (physiologie, neurologie, biomécanique)
- résistance émotionnelle et physique
- aisance dans le contact physique avec les personnes
- bonnes capacités d'observation et d'analyse
- grande curiosité et capacité d'adaptation

OFFRE DU PROGRAMME PAR RÉGIONS
Estrie, Laval, Montréal-Centre, Québec, Saguenay–Lac-Saint-Jean

RÔLE ET TÂCHES

Le thérapeute en réadaptation physique œuvre généralement en étroite collaboration avec les physiothérapeutes et autres spécialistes dans trois principaux champs d'activité : la gériatrie, où il s'efforce de maintenir et de maximiser les fonctions déclinantes des bénéficiaires dans les centres de jour, d'accueil ou de soins prolongés; la neurologie, où il travaille à la rééducation des victimes de traumatismes graves du système neuromoteur, au niveau de la colonne vertébrale ou du cerveau; et l'orthopédie, où il soigne la perte ou l'affaiblissement de fonctions du système musculaire et squelettique, incluant les articulations et les ligaments, à la suite de traumatismes tels que des accidents de la route, de travail ou sportifs. C'est ce dernier champ d'activité qu'a choisi Éric Côté, qui est associé avec un physiothérapeute dans une clinique privée de Sherbrooke. «On travaille beaucoup en équipe, car bien des techniques exigent la présence de deux intervenants. D'abord, on évalue la condition du patient, à partir du rapport du médecin qui l'envoie et de nos propres observations et questions. Puis on fait quelques tests de force, de souplesse et de motricité générale. Ensuite on applique le traitement approprié.»

Celui-ci commence souvent par des séances d'électrothérapie pour combattre l'inflammation et éliminer les spasmes musculaires : diverses stimulations microélectriques, au laser ou aux ultrasons, sont appliquées pour diminuer la douleur, réduire l'enflure ou promouvoir le renforcement. Puis viennent les manipulations thérapeutiques et les exercices spécifiques d'assouplissement et

	Salaire hebdo moyen	Proportion de dipl. en emploi	Emploi relié	Chômage	Nombre de diplômés
2000	427 $	80,9 %	72,4 %	4,3 %	146
1999	403 $	75,5 %	72,3 %	5,4 %	185
1998	385 $	74,6 %	45,3 %	5,4 %	157

Statistiques tirées de la Relance - Ministère de l'Éducation. Voir données complémentaires, page 419.

Comment interpréter l'information, page 10.

de renforcement, soit sur lit de mobilisation, soit dans une sorte de gymnase équipé d'appareils comme des bicyclettes stationnaires, des poids et des appareils de résistance à l'effort, des tapis et des ballons d'exercice.

QUALITÉS RECHERCHÉES

«Il faut aimer les gens, non seulement pour communiquer avec eux, mais pour les toucher. C'est un travail où il y a beaucoup de contacts physiques, explique France Rochette, coordonnatrice du programme de techniques de réadaptation physique au Collège de Sherbrooke. Ça prend beaucoup d'empathie et de maturité pour être thérapeute, ainsi qu'une bonne dextérité manuelle et, surtout, de l'endurance, d'excellentes capacités physiques, car cela exige des efforts soutenus.» J'ajouterais à cela un bon esprit de synthèse, renchérit Éric. On reçoit des informations de plusieurs sources et il faut être en mesure de les analyser logiquement pour arriver au bon traitement. L'autonomie est aussi un atout quand il s'agit de prendre en charge un patient et de le faire progresser pendant plusieurs semaines. C'est utile aussi pour obtenir l'information; il faut oser demander, fouiller. Et je crois que la mémoire est très importante : je dois constamment avoir en tête tout le système musculaire et squelettique, avec les articulations, les points d'attache, etc.»

«Il faut aimer les gens, non seulement pour communiquer avec eux, mais pour les toucher. C'est un travail où il y a beaucoup de contacts physiques.»

— France Rochette

Photo : Collège François-Xavier-Garneau

DÉFIS ET PERSPECTIVES

«La réadaptation physique est un secteur de formation continue, insiste Mme Rochette. De nouvelles méthodes sont constamment mises au point, les techniques de thérapie et les technologies de traitement évoluent, au même titre que les connaissances, d'ailleurs. Non seulement le thérapeute peut-il poursuivre ses études à l'université, mais l'Ordre des thérapeutes en réadaptation physique du Québec offre également des cours de perfectionnement à ses membres.» Avec le virage ambulatoire et l'importance croissante qu'acquièrent les CLSC et les cliniques privées, la gamme des choix qui s'offrent aux thérapeutes va en s'élargissant. «On est même appelé à faire de la consultation auprès d'entreprises qui veulent réduire les risques d'accidents au travail, conclut Éric. Pour ma part, j'insiste beaucoup sur la prévention dans mes rapports avec les patients. Je leur donne toujours des trucs, des exercices à faire chez eux, des façons de travailler ou de faire du sport pour éviter de se blesser à nouveau. La prévention est essentielle.» 09/99

HORAIRES ET MILIEUX DE TRAVAIL

- Bien que le thérapeute soit souvent à la merci des horaires choisis par le médecin qui l'emploie, les horaires sont assez souples dans les cliniques privées.
- Nombre de cliniques sont ouvertes le soir pour recevoir les gens après leur travail.
- En milieu hospitalier, les jeunes diplômés ont généralement moins d'heures régulières et travaillent souvent sur appel, mais l'horaire quotidien correspond la plupart du temps aux heures de consultation.
- Il en va de même en gériatrie, dans les centres où sont offerts des traitements de réadaptation physique.

Techniques de thanatologie

«Dans ce domaine, on nous forme pour effectuer plusieurs tâches, mais les grosses entreprises nous assignent une tâche spécifique. Dans les petites villes, la multidisciplinarité est plus répandue, et on peut avoir un rôle plus élargi qui reflète mieux la diversité de la formation que nous avons reçue», souligne Nicolas Blain, employé d'une grosse entreprise funéraire de Montréal.

PROG. 171.A0
PRÉALABLE : 20, VOIR PAGE 11

INTÉRÊTS

- s'intéresse à l'anatomie et à la physiologie
- aime l'observation et le travail de précision
- aime analyser et comprendre un problème
- aime écouter, expliquer, réconforter
- aime le travail d'équipe
- aime la vente (produits et services)

APTITUDES

- habileté pour la médecine
- dextérité et grand sens de l'observation
- sens esthétique
- sens des responsabilités, tact et facilité à communiquer
- résistance émotionnelle et physique

OFFRE DU PROGRAMME PAR RÉGIONS
Montréal-Centre

RÔLE ET TÂCHES

«Le diplômé en techniques de thanatologie peut faire beaucoup plus que seulement de l'embaumement, comme bien des gens le perçoivent. Sa formation lui permet de prendre en charge tous les aspects de l'administration d'une entreprise funéraire. Les techniques d'embaumement, de restauration et de transport des corps des défunts, tout comme l'organisation et la direction de funérailles, sont des domaines qui lui sont familiers.» André Lépine, professeur et coordonnateur en techniques de thanatologie au Collège de Rosemont, décrit ainsi cette profession en pleine transformation.

Cependant, la réalité est différente pour les diplômés travaillant à Montréal et pour ceux qui exercent en région. Nicolas, par exemple, est au service d'une grosse entreprise funéraire et ne fait que de l'embaumement. «Je reçois le corps, le lave et l'embaume. L'embaumement consiste à injecter un fluide dans les vaisseaux sanguins du cou afin de favoriser la conservation du corps», précise-t-il.

Les détails de finition consistent à habiller, à maquiller et à coiffer la personne. Le thanatologue utilise peu d'instruments, mais il se sert de plusieurs produits cosmétiques, comme de la cire pour cacher les plaies ou les cicatrices. «Quand on a une photo du défunt, ça nous aide, souligne Nicolas. Les gens ont parfois été malades ou ont eu un accident. Il est important de bien réparer les détériorations ainsi causées, surtout au visage, afin de laisser un bon souvenir aux proches.»

	Salaire hebdo moyen	Proportion de dipl. en emploi	Emploi relié	Chômage	Nombre de diplômés
2000	554 $	100,0 %	90,9 %	0,0 %	21
1999	n/d	93,3 %	n/d	6,7 %	20
1998	489 $	100,0 %	80,0 %	0,0 %	17

Statistiques tirées de la Relance - Ministère de l'Éducation. Voir données complémentaires, page 419.

Comment interpréter l'information, page 10.

QUALITÉS RECHERCHÉES

Le diplômé doit posséder une sensibilité qui lui permet de comprendre le chagrin humain, selon M. Lépine. «Le deuil cause une perturbation intense des proches, il faut savoir les écouter et les aider à exprimer leurs sentiments afin d'être en mesure d'offrir le service le plus personnalisé possible.»

Selon Nicolas, un grand détachement est essentiel dans cette profession. «Si on se laisse aller à être triste chaque fois qu'on est en contact avec une personne décédée, notre moral ne tiendra pas le coup.» Il faut aussi être minutieux et avoir un bon sens de l'esthétique pour les détails de finition de l'embaumement. Le diplômé doit aussi démontrer beaucoup de délicatesse et une grande capacité à communiquer avec les personnes qui font appel à ses services. Bien sûr, les aptitudes en gestion et la polyvalence sont des qualités importantes s'il lui faut prendre en charge l'administration d'une entreprise funéraire.

«Les techniques d'embaumement, de restauration et de transport des corps des défunts, tout comme l'organisation et la direction de funérailles, sont des domaines qui sont familiers au diplomé.»

— André Lépine

DÉFIS ET PERSPECTIVES

Le programme de techniques en thanatologie a été réorganisé en fonction de la nouvelle orientation que l'on veut donner au rôle du technicien. Il est plus axé sur la qualité du service et son interrelation avec les familles. Des cours de gestion informatique et de mise en marché font partie du programme, mais aussi des cours d'éthique et de communications. «Il faut démythifier le rôle du technicien en thanatologie. Il est beaucoup plus multidimensionnel et complet qu'on ne le croit, confie M. Lépine. Peu de diplômés ouvrent des petites entreprises dans ce domaine, pourtant il y a de la place pour de nouveaux concepts, de nouvelles façons de procéder», ajoute-t-il.

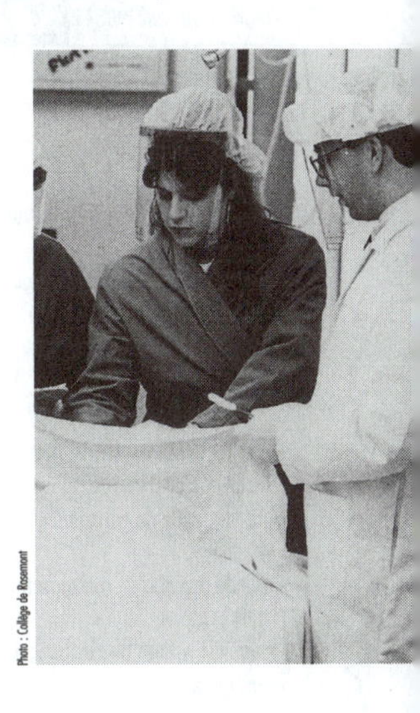
Photo : Collège de Rosemont

Représenter les entreprises funéraires avec une information de qualité, être plus présent au sein de la population et procurer aux Québécois des services plus personnalisés sont des défis intéressants pour le diplômé. Dans les prochaines années, une nouvelle génération de techniciens, formés à la gestion mais aussi plus sensibilisés au facteur humain de leur profession, apportera sans contredit une autre façon de concevoir les services funéraires.

«Le temps des vendeurs de cercueils à commission est révolu, conclut M. Lépine. La venue d'un spécialiste des services funéraires est plus que souhaitable afin de favoriser le respect des familles en deuil. C'est la place que doit occuper le diplômé en thanatologie.» 09/99

HORAIRES ET MILIEUX DE TRAVAIL

- Les diplômés en thanatologie peuvent occuper un poste de thanatologue, de thanatopracteur, de directeur de funérailles, d'administrateur ou de directeur de salon funéraire.
- Les entreprises funéraires, les cimetières, les crématoriums et les columbariums sont autant de milieux de travail accessibles.
- Les fournisseurs de matériel et d'équipement spécialisés font aussi appel à leurs compétences.
- Le technicien en thanatologie doit être disponible en tout temps. Il faut oublier la semaine de 40 h.

Techniques dentaires

Le travail du technicien dentaire pourrait s'apparenter à celui du bijoutier tant on parle de finesse et de précision. Même si, au premier coup d'œil, la fabrication de prothèses dentaires peut paraître aisée, il s'agit d'appareils très sophistiqués, et chaque cas est unique.

PROG. 110.A0
PRÉALABLE : 20, VOIR PAGE 11

INTÉRÊTS

- aime se sentir utile aux personnes
- accorde de la valeur à un travail très fignolé
- aime faire un travail autonome
- aime travailler en laboratoire
- aime créer à partir d'un besoin précis

APTITUDES

- excellente dextérité
- grande acuité de perception visuelle
- grande capacité de concentration et de précision
- créativité et sens de l'esthétique
- sens de la responsabilité

OFFRE DU PROGRAMME PAR RÉGIONS
Montérégie

RÔLE ET TÂCHES

Le technicien dentaire fabrique et répare tous les types de prothèses dentaires : complètes ou partielles, fixes ou amovibles, orthodontiques (qui servent à corriger la malposition des dents). Par exemple, c'est lui qui confectionne une prothèse visant à remplacer une dent manquante. Il réalise également les moules à partir desquels il fabriquera les prothèses.

Le technicien travaille à partir des empreintes et d'ordonnances que lui font parvenir les dentistes. Il s'agit d'un travail manuel au cours duquel il utilise des matériaux de divers types, comme différents alliages métalliques ou de porcelaine. Une autre tâche du technicien dentaire est le modelage en cire de la prothèse (l'armature sur laquelle seront déposées les «fausses dents»). Une fois coulé, le modèle est mis en articulation sur une structure qui reproduit les mouvements de la bouche (articulateur). Le technicien dentaire vérifie alors les données prescrites et ajuste l'appareil en conséquence.

«Les prothèses dentaires sont en quelque sorte des béquilles; elles servent à remplacer ce qui a été perdu. Mais il ne faut pas perdre de vue un autre aspect très important du travail : la conservation de ce qui reste», explique M. Raymond Haché, coordonnateur du département de techniques dentaires au Collège Édouard-Montpetit.

Karim Halaby est gérant du département de porcelaine chez CRH Oral Design. Il est en contact constant avec les dentistes pour s'assurer de la bonne marche du travail. «Lorsque survient un doute concernant l'exécution de la

	Salaire hebdo moyen	Proportion de dipl. en emploi	Emploi relié	Chômage	Nombre de diplômés
2000	438 $	94,1 %	93,8 %	0,0 %	21
1999	444 $	90,0 %	88,9 %	0,0 %	13
1998	408 $	93,3 %	85,7 %	6,7 %	15

Statistiques tirées de la Relance - Ministère de l'Éducation. Voir données complémentaires, page 419.

Comment interpréter l'information, page 10.

commande, on communique tout de suite avec eux», poursuit-il. Par exemple, s'il détecte, grâce à l'empreinte, une usure anormale d'une dent ou d'une partie de la dentition, le technicien appelle le dentiste pour essayer de régler le problème.

Karim travaille pour une entreprise de taille où chaque employé est affecté à une étape particulière de la production; on y fonctionne par départements. La fabrication des prothèses est soumise à des protocoles précis pour chaque type de produit, mais les techniciens dentaires sont cependant formés pour pouvoir évoluer à tous les stades de la production.

«Les prothèses dentaires sont en quelque sorte des béquilles; elles servent à remplacer ce qui a été perdu. Mais il ne faut pas perdre de vue un autre aspect très important du travail : la conservation de ce qui reste.»

— Raymond Haché

QUALITÉS RECHERCHÉES

Le technicien dentaire doit posséder une excellente dextérité manuelle et avoir le souci du détail. Il exécute un travail de précision à l'aide d'instruments délicats. Selon Karim, il faut faire preuve de beaucoup de patience.

Le sens de l'observation et un bon jugement sont également utiles pour déceler les qualités inhérentes à donner à chaque prothèse. Il est parfois difficile, pour les dentistes et les denturologistes (voir aussi Techniques de denturologie, page 332), de transmettre sur papier les caractéristiques de chaque cas. Le technicien doit ainsi être perspicace et aller chercher l'information manquante afin d'exécuter le travail de façon précise. «Il ne peut cependant décider seul de faire des changements à l'ordonnance, note Raymond Haché. Cette responsabilité incombe aux dentistes et aux denturologistes.»

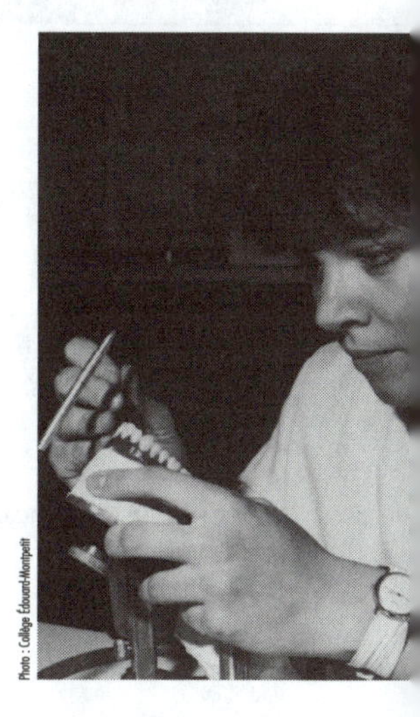
Photo : Collège Édouard-Montpetit

DÉFIS ET PERSPECTIVES

«Tout évolue rapidement dans le milieu de la dentisterie. Il est important que les professionnels de ce domaine se tiennent au courant des nouveautés», soutient M. Haché.

Malgré le fait qu'il n'existe actuellement aucun programme universitaire leur permettant de parfaire leurs connaissances, les professionnels qui évoluent dans le domaine peuvent compter sur le soutien de l'Ordre des techniciens dentaires, qui offre de façon continue de la formation à ses membres. On peut aussi assister à différents congrès qui ont lieu un peu partout en Amérique du Nord et de l'autre côté de l'Atlantique. 09/99

HORAIRES ET MILIEUX DE TRAVAIL

- La majorité des diplômés sont employés dans des laboratoires de fabrication de prothèses. Il est rare, en effet, que des cabinets de dentistes emploient ces travailleurs.
- Le technicien dentaire travaille selon des horaires normaux, soit de 9 h à 17 h, du lundi au vendredi, et en fonction des heures d'ouverture des bureaux de dentistes.

Techniques d'hygiène dentaire

«C'est une très belle profession pour s'épanouir, on ne s'ennuie pas et ce n'est pas monotone!» Isabelle Archambault ne tarit pas d'éloges sur sa profession. Elle travaille à temps plein et, hormis les horaires de soir, elle ne changerait absolument rien à sa situation.

PROG. 111.A0
PRÉALABLE : 30, 40, VOIR PAGE 11

INTÉRÊTS

- se soucie de la santé et de l'hygiène
- aime se sentir utile aux personnes
- aime transmettre de l'information (éduquer)
- aime le travail d'observation et la manipulation d'instruments

APTITUDES

- facilité à communiquer (écouter, expliquer et convaincre)
- esprit d'équipe et autonomie
- grande dextérité et faculté de concentration
- sens des responsabilités et minutie
- précision et rapidité d'exécution

OFFRE DU PROGRAMME PAR RÉGIONS
Mauricie, Montérégie, Montréal-Centre, Outaouais, Québec, Saguenay–Lac-Saint-Jean

RÔLE ET TÂCHES

L'hygiéniste dentaire dépiste les maladies des dents et de la bouche, en promeut la prévention en inculquant aux gens de bonnes habitudes d'hygiène buccale et applique certains traitements de contrôle et de prophylaxie (prévention). L'hygiéniste peut poser certains actes intrabuccaux sous la direction ou la supervision du dentiste, dans le cas du détartrage par exemple, ou pour l'application de scellant sur une dent ou la gencive. L'orthodontie (traitement des anomalies de la position des dents) et la parodontie (traitement des gencives) font aussi partie des connaissances qu'il doit posséder.

Des notions de gestion sont un atout, car l'hygiéniste doit souvent voir à l'achat de son matériel, comme les brosses à dents, la soie dentaire, etc. En effet, plusieurs cabinets privés lui laissent le choix des produits qu'il utilise ou qu'il recommande. Il doit alors être en mesure de négocier avec les représentants et gérer son stock. De plus, l'informatisation des dossiers demande à l'hygiéniste dentaire d'effectuer certaines tâches de secrétariat. «Ça prend de l'organisation, sinon c'est le contact humain qui sera négligé», selon Isabelle.

Le rôle le moins connu de l'hygiéniste dentaire est de faire connaître les principes d'une bonne hygiène buccale, que ce soit en expliquant les techniques de brossage des dents ou d'utilisation de la soie dentaire ou encore en conseillant sur le choix des produits appropriés.

	Salaire hebdo moyen	Proportion de dipl. en emploi	Emploi relié	Chômage	Nombre de diplômés
2000	483 $	93,3 %	87,2 %	1,6 %	260
1999	463 $	93,9 %	87,0 %	2,3 %	242
1998	431 $	89,2 %	78,6 %	4,6 %	261

Statistiques tirées de la Relance - Ministère de l'Éducation. Voir données complémentaires, page 419.

Comment interpréter l'information, page 419.

QUALITÉS RECHERCHÉES

Les tâches étant variées, l'hygiéniste dentaire doit être polyvalent et ouvert à un apprentissage constant. Les progrès continuels des techniques d'hygiène dentaire l'obligent à se perfectionner sans relâche.

Il doit être à l'aise avec les gens et savoir être rassurant. «En orthodontie, quand un enfant apprend qu'il aura à porter des broches pendant quelques années, il faut trouver les mots pour l'encourager», dit Isabelle. Évidemment, la délicatesse et la précision des gestes sont des qualités essentielles, la bouche étant un endroit particulièrement sensible.

Un bon esprit d'équipe sert aussi l'hygiéniste dentaire, car il travaille en étroite collaboration avec le dentiste et son assistant.

DÉFIS ET PERSPECTIVES

Selon Mme Chagnon, les prochaines années verront apparaître sur le marché des techniciens en hygiène dentaire mieux formés aux nouvelles technologies. «Le programme a été réorganisé en fonction des nouveaux besoins créés par l'essor technologique. Les diplômés auront des connaissances sur les technologies de pointe, par exemple la radiologie numérique ou les caméras intrabuccales. Cette réorganisation constitue un grand pas dans l'adaptation de la formation aux besoins réels de la profession.»

Afin d'assurer la mise à jour des connaissances des diplômés sur les nouveaux traitements ou les nouvelles technologies, l'Ordre des hygiénistes dentaires du Québec offre de la formation continue. Selon Mme Chagnon, «si l'on ne se renouvelle pas de cette manière, on est rapidement dépassé».

Pour Isabelle, faire connaître la facette humaine du rôle de l'hygiéniste dentaire demeure une priorité. «Parler aux gens, les conseiller et parfaire leurs connaissances en matière d'hygiène buccale leur fait prendre conscience de la variété des services et de l'aide que nous sommes en mesure d'offrir, outre les traitements comme tels.» 09/99

«Parler aux gens, les conseiller et parfaire leurs connaissances en matière d'hygiène buccale leur fait prendre conscience de la variété des services et de l'aide que nous sommes en mesure d'offrir, outre les traitements comme tels.»

— Isabelle Archambault

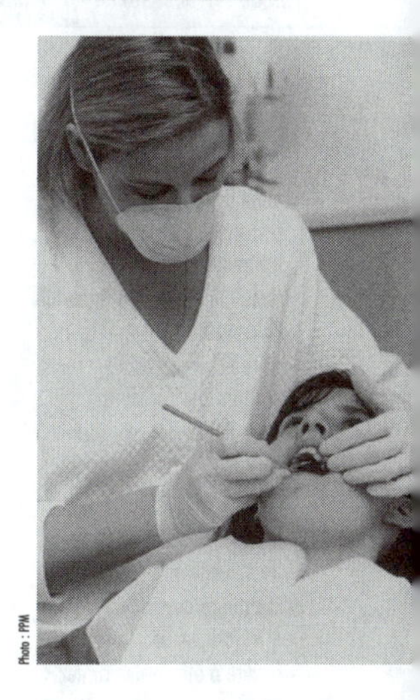

Photo : PPM

HORAIRES ET MILIEUX DE TRAVAIL

- L'hygiéniste dentaire est recruté surtout par les cabinets privés et les cliniques d'orthodontie ou de parodontie. Les hôpitaux et les centres locaux de services communautaires (CLSC) font aussi appel à lui.
- Certains optent pour une carrière de représentant commercial pour des entreprises de produits reliés à la dentisterie.
- Les horaires sont très chargés. Travailler le soir et les fins de semaine est monnaie courante dans cette profession.
- De plus en plus de cabinets ouvrent même le dimanche.

Techniques d'inhalothérapie

«Je crois que je m'intéresse au domaine de la santé parce que ma mère est infirmière, raconte Annie Quenneville, inhalothérapeute au Centre universitaire de santé de l'Estrie. Mais dès le début, je voulais faire quelque chose de différent : avoir un contact avec les patients, mais dans les situations d'urgence par exemple.»

PROG. 141.A0
PRÉALABLE : 11, 20, 30, VOIR P. 11

INTÉRÊTS

- aime la médecine et le travail en milieu hospitalier
- aime se sentir utile et responsable du bien-être des personnes
- aime manipuler des appareils de précision
- aime observer, évaluer et prendre des décisions
- aime assister et coopérer

APTITUDES

- habileté pour les sciences de la santé
- résistance physique et émotionnelle
- facilité à établir des contacts humains et à rassurer les gens
- initiative, jugement et bons réflexes
- aisance avec les appareils de technologie de pointe

OFFRE DU PROGRAMME PAR RÉGIONS
Estrie, Montréal-Centre, Québec, Saguenay–Lac-Saint-Jean

RÔLE ET TÂCHES

L'inhalothérapeute est un spécialiste du système cardiorespiratoire. «Je touche pas mal à tout ce qui s'appelle inhalothérapie en milieu hospitalier : je m'assure de la bonne ventilation des patients aux soins intensifs, où je vérifie leurs appareils et veille à ce qu'ils soient bien, que leurs poumons soient suffisamment alimentés en oxygène. Je prépare aussi le matériel au bloc opératoire, j'assiste l'anesthésiste et je surveille tous les signes vitaux des opérés durant l'intervention : respiration, battements cardiaques, pression sanguine, solutés, etc. J'installe les électrodes, les canules artérielles et autres sondes servant au monitorage, explique Annie.

«Je peux aussi être appelée à participer à une équipe multidisciplinaire de réanimation à l'urgence, où chaque seconde est comptée et où chacun doit effectuer des gestes bien précis, en parfaite coordination. Il y a aussi la néopédiatrie, où on veille sur des bébés nés avant terme ou qui ont des problèmes respiratoires, pour s'assurer que leur développement ne sera pas entravé par un manque d'oxygène, au cerveau notamment. Il m'arrive d'effectuer des tests des fonctions respiratoires en laboratoire, pour aider les médecins à poser leur diagnostic et suivre l'évolution de l'état des bénéficiaires. Et puis, je vais faire des tournées sur les étages, pour visiter les patients sous ventilation et voir à l'administration des traitements respiratoires qui leur sont prescrits. Bref, je touche un peu à tout.»

	Salaire hebdo moyen	Proportion de dipl. en emploi	Emploi relié	Chômage	Nombre de diplômés
2000	551 $	97,8 %	92,6 %	0,0 %	124
1999	539 $	92,8 %	89,3 %	0,0 %	129
1998	513 $	87,1 %	76,9 %	5,6 %	130

Statistiques tirées de la Relance - Ministère de l'Éducation. Voir données complémentaires, page 419.

Comment interpréter l'information, page 10.

QUALITÉS RECHERCHÉES

«À mon avis, l'inhalothérapeute doit avoir un excellent esprit d'initiative, avoir les gestes sûrs et savoir prendre des décisions rapidement, estime Diane Bernard-Cusson, coordonnatrice du programme des techniques d'inhalothérapie au Collège de Sherbrooke. Il doit savoir gérer le stress, en situation d'urgence tout particulièrement, et être capable de travailler en équipe. Cela demande de l'entregent et de l'empathie pour les patients. La curiosité, le goût d'apprendre et de toujours se perfectionner sont aussi importants, car c'est une profession en constante évolution et les exigences sont énormes.»

Annie insiste pour sa part sur la polyvalence et l'énergie nécessaires pour accomplir ses multiples tâches : «Une journée de travail ne se termine jamais comme elle avait commencé; je ne sais pas d'avance où je vais me retrouver, en salle d'opération ou à l'urgence... Je cours beaucoup pour avoir le temps de respirer! Ça prend également beaucoup de débrouillardise : il n'y a pas toujours quelqu'un à côté pour nous aider. Dans le travail en équipe, il faut savoir prendre sa place aussi, faire valoir son point de vue et les solutions qu'on propose, tout en respectant les directives du médecin, évidemment.»

«Une journée de travail ne se termine jamais comme elle avait commencé; je ne sais pas d'avance où je vais me retrouver, en salle d'opération ou à l'urgence...»

— Annie Quenneville

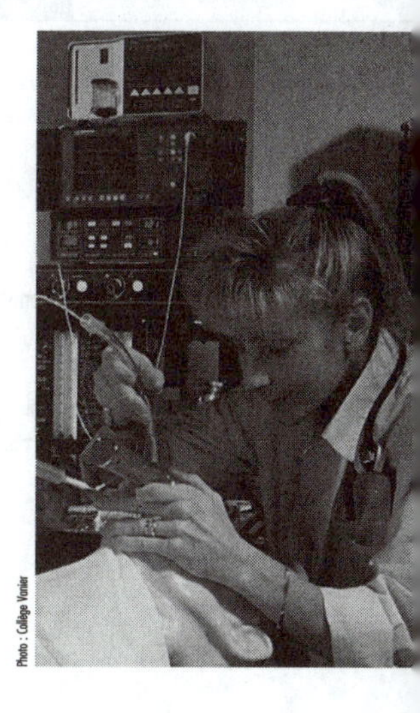

Photo : Collège Vanier

DÉFIS ET PERSPECTIVES

«On assiste actuellement à une réorganisation de bien des services dans le domaine de la santé, et les programmes d'enseignement sont orientés en fonction des nouvelles structures, souligne Diane Bernard-Cusson. Par exemple, les inhalothérapeutes s'occupent de plus en plus de la surveillance des fonctions cardiaques et de l'électrocardiographie. Par ailleurs, pour le maintien à domicile, les médecins font davantage d'ordonnances permanentes et délèguent aux inhalothérapeutes le mandat d'assurer le suivi du traitement auprès des patients.»

«J'aurai sans doute un choix à faire, un jour ou l'autre, entre tel ou tel champ d'activité, avoue Annie, mais pour l'instant, je compte continuer de me perfectionner. Suivre des cours plus poussés, profiter des programmes de formation continue offerts par l'Ordre professionnel des inhalothérapeutes du Québec. Je ne veux pas arrêter d'évoluer.» 09/99

HORAIRES ET MILIEUX DE TRAVAIL

- On retrouve les inhalothérapeutes dans les centres hospitaliers. Avec le virage ambulatoire, les CLSC et les services de maintien à domicile font de plus en plus appel à eux.
- Dans les grands centres hospitaliers, l'inhalothérapeute est appelé à travailler selon un horaire variable.
- Dans le secteur des entreprises de soins à domicile, les horaires sont plus réguliers que dans les hôpitaux.

Techniques d'orthèses et de prothèses orthopédiques

Un jour, Catherine Vallée a entendu parler du programme d'orthèses et de prothèses orthopédiques du Collège Montmorency. Élevée avec une petite sœur amputée, Catherine était déjà sensibilisée à la question. Elle n'a pas hésité longtemps et s'est inscrite aussitôt!

PROG. 144.B0
PRÉALABLE : 0, VOIR PAGE 11

INTÉRÊTS

- aime la biologie, l'anatomie et la biomécanique
- aime concevoir, fabriquer et entretenir du matériel
- aime résoudre des problèmes
- aime le contact avec les patients

APTITUDES

- précision et dextérité manuelle
- bonne capacité de communication et d'écoute
- patience et empathie
- débrouillardise et créativité

OFFRE DU PROGRAMME PAR RÉGIONS
Laval

RÔLE ET TÂCHES

Le rôle fondamental d'un orthésiste-prothésiste est de concevoir et de fabriquer de l'appareillage orthopédique. Sa formation en biologie, en anatomie, de même qu'en biomécanique, en conception et en fabrication, lui permet de mettre au point des orthèses (appareils conçus pour un membre ayant besoin d'être redressé ou solidifié) ainsi que des prothèses (appareils destinés à remplacer un segment de membre). Dans les deux cas, il s'agit d'un appareillage externe.

Catherine Vallée est aujourd'hui prothésiste à l'Institut de réadaptation de Montréal. Son travail s'effectue en contact étroit avec les patients. «Je rencontre en clinique des patients qui arrivent avec une ordonnance de leur spécialiste. Pour exécuter cette ordonnance, je prends des mesures et je fais des plâtres qui me serviront d'empreintes. Je procède ainsi à une évaluation complète. Ensuite, je fais des essayages prothétiques, des ajustements et des réparations. Il arrive parfois que j'aie à réaliser moi-même les orthèses ou les prothèses dont j'ai besoin, mais je fais surtout de la clinique, des évaluations de patients. Une fois que la prothèse ou l'orthèse est livrée, je dois aussi faire une série d'ajustements, parce qu'au fur et à mesure que le patient progresse dans son adaptation, sa marche se modifie.»

Le travail de l'orthésiste-prothésiste comporte donc une dimension manuelle ainsi qu'une dimension intellectuelle, parce qu'il doit créer un appareil. Il doit être capable de choisir le bon modèle et savoir l'adapter en fonction des besoins de la clientèle. La proportion de travail clinique,

	Salaire hebdo moyen	Proportion de dipl. en emploi	Emploi relié	Chômage	Nombre de diplômés
2000	519 $	90,0 %	93,8 %	0,0 %	25
1999	533 $	88,2 %	92,9 %	0,0 %	21
1998	467 $	95,0 %	100,0 %	0,0 %	20

Statistiques tirées de la Relance - Ministère de l'Éducation. Voir données complémentaires, page 419.

Comment interpréter l'information, page 10.

comparée aux tâches de fabrication comme telles, varie selon les lieux de travail. De toute façon, le technicien doit pouvoir fabriquer et entretenir différents appareillages en résine de polyester ou d'acrylique, en mousse de polyuréthane, en bois ou en caoutchouc mousse de densités diverses. Pour cela, il aura à manipuler des pinces coupantes, des tournevis, des perceuses, des fusils à air chaud.

QUALITÉS RECHERCHÉES

«La principale qualité dans ce domaine est d'être à l'écoute des patients, croit Catherine Vallée. Quatre-vingts pour cent d'entre eux sont des personnes âgées, surtout pour les prothèses. Il faut faire preuve de patience et être capable d'empathie, sans toutefois tomber dans l'excès. Par ailleurs, il faut posséder une bonne dextérité manuelle; mais de toute façon, ça s'apprend.»

Le travail de l'orthésiste-prothésiste comporte une dimension manuelle ainsi qu'une dimension intellectuelle, parce qu'il doit créer un appareil.

L'orthésiste-prothésiste doit également aimer rendre service. Il faut aussi aimer travailler avec le public, avoir un bon esprit de synthèse et être débrouillard. Comme le matériel a parfois besoin d'être modifié, il faut être inventif et habile dans la résolution de problèmes.

Photo : PPM

DÉFIS ET PERSPECTIVES

Selon Claude Tardif, enseignant au département d'orthèses et de prothèses du Collège Montmorency, les défis qui attendent les futurs diplômés sont de plusieurs ordres. «Il faudra d'abord faire face à la réforme de la santé ainsi qu'à l'avènement des nouvelles technologies et des nouveaux matériaux, dans le domaine des plastiques, entre autres. L'orthésiste-prothésiste devra se tenir constamment au courant des nouveaux appareils de plus en plus performants qui vont arriver sur le marché; cela risque de changer beaucoup la pratique. La prise de mesures et la fabrication seront toujours davantage assistées par ordinateur. Il faudra donc que le diplômé connaisse toutes ces nouveautés.» 09/96

HORAIRES ET MILIEUX DE TRAVAIL

- Le diplômé trouvera du travail dans les centres de réadaptation privés ou publics, ainsi que dans les laboratoires privés d'orthèses et de prothèses.
- Il peut aussi devenir propriétaire de son propre laboratoire, mais il doit d'abord travailler durant cinq ans dans un autre laboratoire, pour ensuite faire une demande de permis.
- Certains diplômés feront surtout de la clinique, et d'autres travailleront uniquement en fabrication.
- Les horaires sont généralement réguliers, soit de 9 h à 17 h environ.
- Il est également possible de travailler sur appel, le soir ou les fins de semaine, en période de production intensive.

Techniques d'orthèses visuelles

«C'est un très beau métier! Il y a toujours des nouveautés, il faut constamment se tenir à jour et aimer en apprendre plus. Par exemple, on a sorti sur le marché des verres de contact avec doubles foyers», explique Pascale Pieraut, opticienne chez Iris.

PROG. 160.A0
PRÉALABLE : 11, 20, 30, VOIR P. 11

INTÉRÊTS

- aime le domaine de la santé
- aime le contact avec le public : service et vente
- aime apprendre et se perfectionner
- aime calculer, mesurer et manipuler des appareils électroniques
- aime faire un travail de précision

APTITUDES

- habileté pour les sciences de la santé
- capacité d'écoute (compréhension des besoins)
- savoir expliquer et convaincre
- dextérité et acuité visuelle
- sens esthétique

OFFRE DU PROGRAMME PAR RÉGIONS
Montérégie

RÔLE ET TÂCHES

Le diplômé en techniques d'orthèses visuelles travaille à titre d'opticien. C'est lui qui reçoit le client et l'aide à faire un choix entre des verres de contact et des lunettes, selon ses besoins. C'est aussi lui qui commande les lentilles auprès des laboratoires de fabrication d'après l'ordonnance de l'optométriste. Cependant, tout le travail de taillage des verres, qui est fait selon la monture choisie par le client, lui revient. Il fait aussi les derniers ajustements (coussinets, angles des lunettes, courbures des branches). De plus, il veille à ce que le taillage des verres respecte ce qu'on appelle la «charte de tolérance», qui indique le niveau de perfection qui doit être atteint. Dans le cas de verres de contact, l'opticien mesure la courbure de l'œil à l'aide d'appareils spécialisés pour assurer aux clients le maximum de confort.

«Ce qui est important pour moi, dit Pascale, c'est que mon client soit satisfait du service qu'il a reçu, que j'aie répondu à ses besoins. Il faut aimer travailler avec le public. J'ai terminé il y a deux ans, mais j'avais travaillé comme réceptionniste dans le même domaine pendant trois ans. Un conseil à ceux qui veulent se diriger vers le métier d'opticien : bien s'informer sur tous les aspects du métier.» Notamment sur celui de la vente, qui semble moins connu chez les élèves, selon elle.

Pierre Trahan, responsable du programme au Collège Édouard-Montpetit, estime que même si le travail premier d'un opticien est d'exécuter les ordonnances des ophtalmologistes et des optométristes, il joue un rôle essentiel envers la clientèle qu'il dessert : celui d'éducateur. Il doit déterminer

	Salaire hebdo moyen	Proportion de dipl. en emploi	Emploi relié	Chômage	Nombre de diplômés
2000	527 $	100,0 %	100,0 %	0,0 %	51
1999	552 $	100,0 %	97,0 %	0,0 %	50
1998	516 $	95,2 %	100,0 %	0,0 %	46

Statistiques tirées de la Relance - Ministère de l'Éducation. Voir données complémentaires, page 419.

Comment interpréter l'information, page 10.

avec précision les besoins de chaque personne qui vient consulter. Par exemple, une personne qui travaille dans le domaine du transport et un travailleur en ébénisterie n'ont pas nécessairement des besoins identiques, même si leurs carences visuelles sont semblables. En plus de répondre aux questions de ses clients, l'opticien cherchera des informations complémentaires afin de bien les diriger.

QUALITÉS RECHERCHÉES

L'opticien d'ordonnances doit allier de solides connaissances techniques à de bonnes qualités humaines. «Les relations interpersonnelles avec les clients étant omniprésentes dans son métier, il doit être capable de vulgariser des concepts très abstraits, selon M. Trahan. La minutie et la dextérité manuelle sont essentielles dans la mesure où on travaille avec des objets fragiles et d'une extrême précision.» Le sens de l'observation et la capacité d'écoute permettront à l'opticien de répondre le plus efficacement possible aux besoins de son client.

«La minutie et la dextérité manuelle sont essentielles dans la mesure où on travaille avec des objets fragiles et d'une extrême précision.»

— PierreTrahan

Et lorsqu'on parle de montures, on touche aussi à la mode. C'est pourquoi des aptitudes dans ce domaine et en design sont importantes. «Les lunettes sont aujourd'hui une façon d'afficher sa personnalité. Certaines personnes optent même pour des lunettes plutôt que pour des verres de contact pour cette raison», fait remarquer Pascale. Un opticien doit donc faire preuve d'un minimum de sens critique pour bien conseiller son client à ce sujet. Finalement, l'opticien qui espère ouvrir son propre bureau doit développer des qualités d'entrepreneur, ne pas avoir peur de faire de l'administration et... de la paperasse!

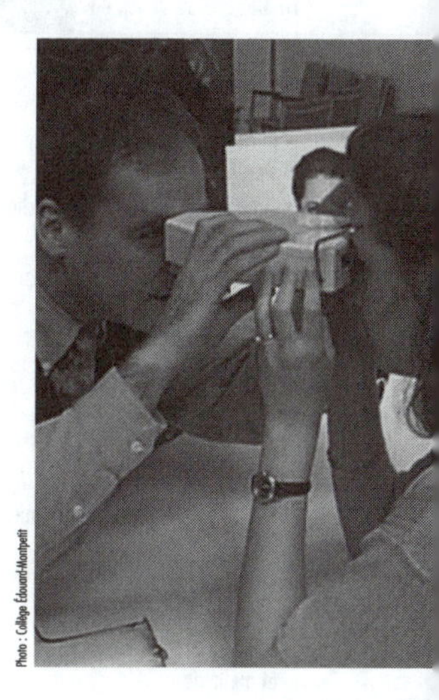

Photo : Collège Édouard-Montpetit

DÉFIS ET PERSPECTIVES

La clientèle d'un opticien est assez variée et, selon les secteurs, on est appelé à travailler avec différents groupes d'âge. Les barrières interprofessionnelles qui avaient cours dans le domaine entre opticiens, optométristes et ophtalmologistes tendent à s'amenuiser. «La profession d'opticien est à la hausse. De plus en plus, on s'allie aux optométristes», explique Renaud Loisel, opticien d'ordonnances. «De nouveaux produits, comme les verres de contact, envahissent le marché et il faut vite s'adapter pour rester compétitifs», conclut Pascale. 09/99

HORAIRES ET MILIEUX DE TRAVAIL

- Un diplômé a le choix d'aller travailler comme opticien dans les grosses chaînes de lunetteries ou de se lancer en affaires.
- Il peut aussi travailler en étroite collaboration avec des optométristes pour offrir un service plus complet à ses clients.
- Il est également possible de devenir représentant chez les différents fournisseurs qui ont comme clients des bureaux d'opticiens, ou encore de travailler dans les gros laboratoires, où l'on effectuera du taillage de lentilles et de verres de contact.
- Dans ce domaine on doit s'attendre à travailler le jour, le soir et les fins de semaine.

Technologie de laboratoire médical

«Avant, je travaillais dans une pharmacie, raconte Francis Shaunt, technologiste de laboratoire médical et instituteur clinique auprès des stagiaires au Centre universitaire de santé de l'Estrie (CUSE). C'est là que j'ai commencé à m'intéresser au lien entre le diagnostic et le traitement, à l'importance des dosages. Ma curiosité, ma dextérité manuelle et mon acuité visuelle ont fait le reste...»

PROG. 140.01
PRÉALABLE : 13, 30, 40, VOIR P. 11

INTÉRÊTS

- s'intéresse à la santé et au bien-être des personnes
- aime les sciences et la recherche
- aime travailler dans un laboratoire
- aime observer, analyser, chercher, calculer
- aime manipuler des appareils de précision

APTITUDES

- facilité pour les sciences (chimie, biologie, physique, math)
- grandes capacités de concentration et d'analyse
- forte curiosité, rigueur et méthode
- sens aigu des responsabilités
- dextérité et acuité visuelle

OFFRE DU PROGRAMME PAR RÉGIONS
Bas-Saint-Laurent, Estrie, Laurentides
Mauricie, Montérégie, Montréal-Centre
Québec, Saguenay–Lac-Saint-Jean

RÔLE ET TÂCHES

«J'étais aussi fascinée par la médecine, mais surtout par le rapport entre le cerveau et la main, la logique et la manipulation d'éléments concrets, précise Julie Gingras, conjointe de Francis et également technologiste de laboratoire médical. Et vous pouvez me croire, on en manipule des éprouvettes, des lamelles et des tubes! Et on se fait aller les méninges, aussi!»

«Le rôle du technologiste de laboratoire médical est d'effectuer des analyses d'échantillons biologiques divers, soit de sang, de sérum, de plasma, d'urine, de sels et de sucres de provenance humaine, animale, environnementale ou agroalimentaire, selon le secteur choisi, explique Jacques Fortier, coordonnateur de programme en technologies de laboratoire médical au Collège de Sherbrooke. Les analyses, effectuées sur demande spécifique, par exemple du médecin, aident ce dernier à établir un diagnostic. Il s'agit donc, par des tests précis en laboratoire, de déterminer la présence, l'absence ou la proportion de certaines substances dans les échantillons.»

«Je travaille sur appel dans trois centres hospitaliers de la région, souligne Julie, et à chaque endroit, c'est différent. À la Providence, à Magog, je fais moi-même les prélèvements auprès des patients, ce qui me permet de mieux assurer la qualité des analyses parce qu'il n'y a pas de retard ni d'intermédiaire, et je contrôle toute la chaîne d'identification des échantillons. Au CUSE, où ce sont les infirmières qui font les prélèvements, j'ai souvent l'horaire de nuit, alors qu'on en profite pour rattraper les retards de la journée et effectuer les analyses plus spécialisées, qui demandent plus de temps, tout en desservant l'urgence.»

	Salaire hebdo moyen	Proportion de dipl. en emploi	Emploi relié	Chômage	Nombre de diplômés
2000	516 $	85,7 %	87,5 %	5,3 %	193
1999	504 $	88,4 %	87,7 %	5,6 %	234
1998	491 $	77,9 %	84,5 %	9,4 %	217

Statistiques tirées de la Relance - Ministère de l'Éducation. Voir données complémentaires, page 419.

Comment interpréter l'information, page 10.

QUALITÉS RECHERCHÉES

«La principale qualité d'un bon technologiste est la débrouillardise, s'exclame Julie. Quand on commence, on est souvent seul, de nuit, et on doit se démêler sans l'aide de personne. Il faut donc être bien organisé et avoir le sens des responsabilités, être très rigoureux et savoir se remettre en question, vérifier de nouveau ses résultats, car le diagnostic du médecin dépend de ceux-ci. C'est sérieux!»

Dextérité manuelle, acuité visuelle et bonne perception des couleurs pour détecter les nuances – ce n'est pas la place des daltoniens –, curiosité intellectuelle, ouverture d'esprit, aptitude au changement et au travail d'équipe, capacité de résoudre des problèmes, humanisme et compassion, sens de l'organisation et bonne planification des tâches, facilité à communiquer les résultats, sont autant de qualités sur lesquelles insiste M. Fortier. «Il faut être extrêmement rigoureux, ajoute-t-il, et savoir faire preuve d'initiative tout en respectant scrupuleusement les protocoles, qui sont les étapes et les règles à suivre dans un processus d'analyse. L'éthique professionnelle est aussi importante : le technologiste doit savoir respecter la confidentialité.»

«Notre formation s'oriente aussi davantage sur la biologie moléculaire, pour que les diplômés puissent effectuer des tests d'ADN, de plus en plus utilisés pour le dépistage des maladies ou conditions héréditaires, des déficiences du système immunitaire, de certains cancers.»

— Jacques Fortier

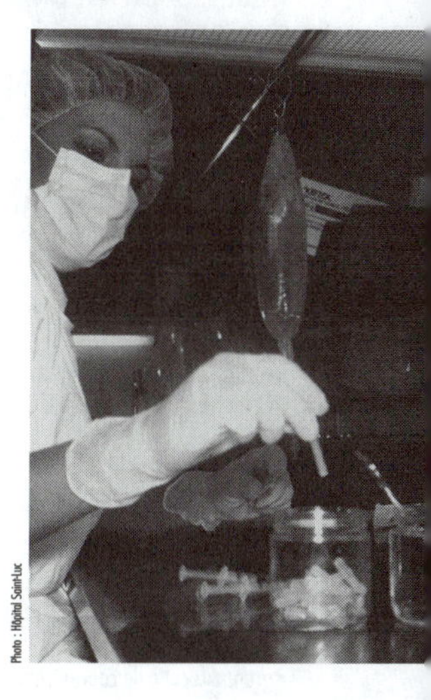

Photo : Hôpital Saint-Luc

DÉFIS ET PERSPECTIVES

«Nos diplômés sont de plus en plus formés pour analyser les résultats en plus de les produire, affirme M. Fortier. Ils sont ainsi en mesure de les évaluer, de les contrôler avant de les soumettre. C'est la tendance actuelle dans les hôpitaux. Notre formation s'oriente aussi davantage sur la biologie moléculaire, pour que les diplômés puissent effectuer des tests d'ADN, de plus en plus utilisés pour le dépistage des maladies ou conditions héréditaires, des déficiences du système immunitaire, de certains cancers.»

Le boum des biotechnologies ouvre des avenues intéressantes aux technologistes de laboratoire médical, que ce soit immédiatement après l'obtention de leur diplôme ou à la suite d'études plus poussées à l'université. Tout aussi prometteuses sont la privatisation de certains services de santé, la relance de la recherche universitaire, la protection de l'environnement et l'application des normes gouvernementales dans l'industrie agroalimentaire en pleine croissance. 09/99

HORAIRES ET MILIEUX DE TRAVAIL

- C'est le secteur hospitalier qui embauche le plus, mais le diplômé peut aussi exercer son métier dans le domaine environnemental et dans les laboratoires privés qui font de la sous-traitance.
- Dans les grands laboratoires de recherche universitaires ou privés, comme en biotechnologie, dans l'industrie pharmaceutique ou agroalimentaire, les horaires sont beaucoup plus réguliers que dans le domaine hospitalier.

Technologie de médecine nucléaire

«Je crois que le terme "médecine nucléaire" peut faire peur. Pourtant, on peut aider beaucoup de gens et le développement des technologies nous permet d'y parvenir de mieux en mieux.» Geneviève Lapointe est technologue en médecine nucléaire à la Cité de la Santé de Laval.

PROG. 142.BO
PRÉALABLE : 13, 30, VOIR PAGE 11

INTÉRÊTS

- aime apprendre et se perfectionner
- aime le domaine médical et les sciences en général
- aime la technologie
- aime faire un travail précis et minutieux
- aime être utile aux personnes et assumer des responsabilités

APTITUDES

- facilité pour les sciences (math, chimie, physique et biologie) et bonne dextérité
- grande capacité d'apprentissage et d'adaptation
- grande faculté de concentration
- prudence, minutie et sens des responsabilités
- facilité à établir des contacts humains

OFFRE DU PROGRAMME PAR RÉGIONS
Montréal-Centre

RÔLE ET TÂCHES

Le technologue en médecine nucléaire reçoit les patients envoyés par les médecins traitants qui ont prescrit l'examen. Après analyse de l'ordonnance, le technologue prépare le produit radiopharmaceutique nécessaire à la réalisation de l'examen et l'administre, le plus souvent par injection intraveineuse ou par voie orale. Le produit radiopharmaceutique administré est choisi selon l'organe ou le système qu'on veut examiner. Les rayonnements émis par le produit sont captés par une caméra à scintillation afin de produire des images (des scintigraphies) dont se servira le médecin nucléiste pour poser un diagnostic.

Lors de la préparation de l'injection, le technologue doit calculer la dose administrée pour chaque patient. Le produit pharmaceutique est rendu radioactif par l'ajout lors de sa préparation d'une substance radioactive, c'est-à-dire émettrice de rayonnement. En médecine nucléaire, la substance radioactive la plus utilisée est le technicium-99 m.

«La dose est déterminée en fonction du poids du patient, autant que possible. C'est un produit qui a une durée de vie très courte et qui s'élimine bien par les reins. Le technologue doit donner quelques consignes à ses patients, dont celle de boire beaucoup d'eau pour accélérer l'élimination. La personne est radioactive pendant un court laps de temps, mais il n'y a aucun danger pour elle ou son entourage», explique Chantal Asselin, responsable de la coordination du programme de technologie de médecine nucléaire au Collège Ahuntsic.

	Salaire hebdo moyen	Proportion de dipl. en emploi	Emploi relié	Chômage	Nombre de diplômés
2000	554 $	87,5 %	100,0 %	0,0 %	9
1999	431 $	83,3 %	57,1 %	9,1 %	16
1998	482 $	77,8 %	69,2 %	6,7 %	19

Statistiques tirées de la Relance - Ministère de l'Éducation. Voir données complémentaires, page 419.

Comment interpréter l'information, page 10.

QUALITÉS RECHERCHÉES

Beaucoup d'aisance avec les gens touchés par la maladie et un sens du détail marqué sont des qualités indispensables pour le technologue. Il faut de la patience, de l'empathie et de la compassion. «Le patient est souvent angoissé. Il faut lui expliquer la nature de l'examen, ce qu'on va faire, quel produit on va utiliser et pourquoi. On doit l'amener à se détendre et à nous faire confiance», explique Geneviève. Des aptitudes en biologie et en sciences sont aussi importantes.

La justesse du dosage et le choix du produit à administrer déterminent la qualité de la scintigraphie et sont primordiaux aussi bien pour le patient que pour le technologue. En effet, la minutie et une bonne concentration lui permettent d'effectuer son travail en toute sécurité. «On n'est pas en danger, on a tout ce qu'il faut pour se protéger : tabliers, gaines en plomb, etc.», souligne Geneviève.

«Le patient est souvent angoissé. Il faut lui expliquer la nature de l'examen, ce qu'on va faire, quel produit on va utiliser et pourquoi. On doit l'amener à se détendre et à nous faire confiance.»

— Geneviève Lapointe

DÉFIS ET PERSPECTIVES

Le technologue en médecine nucléaire doit parfaire sa formation de façon constante. «Au cours des dix dernières années, explique Mme Asselin, un essor considérable des technologies a obligé le technologue à se tenir au courant des nouveautés. Ça change beaucoup et très rapidement, qu'on parle des appareils ou des produits utilisés. Le diplômé doit être alerte et prêt à découvrir lui-même les nouveautés qui lui seront utiles dans sa pratique.»

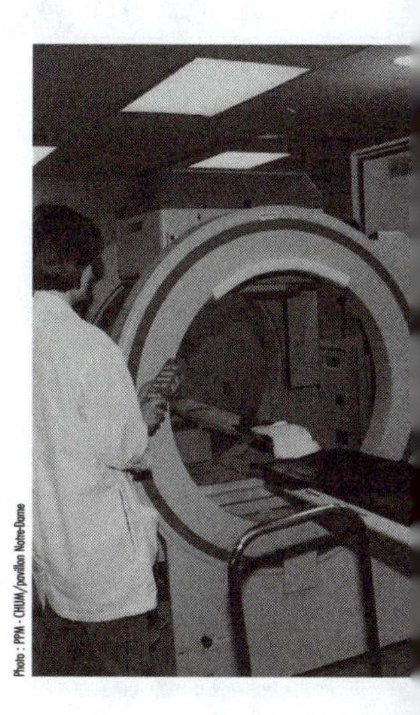
Photo : PPM - CHUM/pavillon Notre-Dame

La médecine nucléaire repose exclusivement sur les nouvelles technologies. «C'est motivant de constater les progrès. Par exemple, la scintimammographie permet de détecter des tumeurs au sein. Quand il y a un doute, c'est là un outil de plus dans le dépistage du cancer du sein. Nous n'avions pas ce recours il y a cinq ou six ans», explique Mme Asselin.

Le technologue en médecine nucléaire continue son apprentissage avec la collaboration du chef du département et du chef technologue, qui reçoivent l'information sur les nouvelles technologies et la partagent avec les technologues. «Le milieu demande une grande capacité d'adaptation, mais il est très stimulant, justement parce qu'il évolue continuellement», conclut Geneviève. 09/99

HORAIRES ET MILIEUX DE TRAVAIL

- Le technologue en médecine nucléaire travaille strictement en milieu hospitalier.
- Un département de médecine nucléaire fonctionne surtout de jour.
- Le technologue peut être de garde les fins de semaine ou travailler le soir.

Technologie de radiodiagnostic

«Je n'ai jamais manqué de travail depuis que je suis diplômé. Même en début de carrière, je travaillais à trois endroits et je cumulais plus de 60 heures par semaine!» Alain Fortier est au service du centre hospitalier Angrignon-Pavillon Verdun, ainsi que de l'hôpital Charles-Lemoyne sur la Rive-Sud de Montréal.

PROG. 142.A0
PRÉALABLE : 11, 20, VOIR P. 11

INTÉRÊTS

- aime se sentir utile et responsable
- aime chercher et détecter la source d'un problème (diagnostic)
- aime observer et analyser des données et des images
- aime communiquer : écouter, expliquer, encourager
- aime calculer et utiliser des appareils sophistiqués

APTITUDES

- précision, minutie et dextérité
- sens des responsabilités très développé
- habileté à communiquer
- habileté pour les sciences (chimie, physique, anatomie)
- excellent sens de l'observation et de l'analyse

OFFRE DU PROGRAMME PAR RÉGIONS
Bas-Saint-Laurent, Montréal-Centre, Québec

RÔLE ET TÂCHES

«La situation est différente d'un patient à l'autre, et c'est parfois difficile. À mes débuts, par exemple, j'étais très impressionné quand je recevais des victimes d'accidents de moto ou d'auto. Il ne faut pas avoir peur des os ni du sang», raconte Alain. À titre de technologue en radiodiagnostic, Alain est appelé à travailler sur prescription médicale, parfois en salle d'urgence et même en salle d'opération.

Le technologue peut travailler dans différentes spécialités : radiologie conventionnelle; ultrasonographie (échographie); tomodensitométrie (scanner), imagerie par résonance magnétique et radiologie d'intervention. Il travaille avec des appareils sophistiqués qui demandent de la précision. Quelle que soit sa spécialité, le technologue doit d'abord lire et évaluer les renseignements inscrits sur l'ordonnance médicale, expliquer l'examen au patient et le positionner. Ensuite, il choisit les accessoires nécessaires à la réalisation de l'examen demandé, il sélectionne les paramètres d'exposition, puis actionne l'appareil à rayons X.

Le technologue doit respecter les normes de sécurité concernant l'exposition aux radiations, tant pour le patient que pour lui-même. Il évalue ensuite la qualité des radiographies et en produit d'autres, au besoin. «J'adore travailler en salle d'opération, où mon rôle est de guider le chirurgien. Par exemple dans un cas de fracture, on fait de la radioscopie pour localiser la fracture, ce qui permettra au chirurgien orthopédiste de la réduire adéquatement. Les médecins se fient à notre travail parce que nous sommes un peu leurs yeux», poursuit Alain.

	Salaire hebdo moyen	Proportion de dipl. en emploi	Emploi relié	Chômage	Nombre de diplômés
2000	554 $	92,0 %	97,1 %	2,1 %	66
1999	478 $	90,7 %	82,5 %	4,2 %	102
1998	540 $	89,0 %	80,0 %	5,8 %	84

Statistiques tirées de la Relance - Ministère de l'Éducation. Voir données complémentaires, page 419.

Comment interpréter l'information, page 10.

QUALITÉS RECHERCHÉES

Le technologue en radiodiagnostic doit être à l'aise dans les relations humaines. Il fait partie, avec d'autres spécialistes (médecins, infirmières, etc.), de l'équipe multidisciplinaire qui entoure le patient. «Le contact est important avec les autres membres de l'équipe, qui savent que le technologue est un professionnel à part entière. Il doit faire preuve d'un esprit de synthèse et d'analyse pour assurer les meilleurs services aux patients», explique Jean-Yves Giguère, co-coordonnateur du programme au Collège Ahuntsic.

«La situation est différente d'un patient à l'autre, et c'est parfois difficile. À mes débuts, par exemple, j'étais très impressionné quand je recevais des victimes d'accidents de moto ou d'auto. Il ne faut pas avoir peur des os ni du sang.»

— Alain Fortier

Le technologue doit agir avec une grande précision, selon l'exigence de l'examen, de sorte que le médecin ait une bonne vision de la maladie. Cela demande de la dextérité et parfois de la force physique et de l'endurance, mais aussi une préparation efficace. La troisième et dernière année du DEC se fait sous forme de stage non rémunéré en milieu hospitalier. Elle sert à préparer le futur technologue à toutes les situations possibles. «Après notre DEC, nous sommes très bien préparés à affronter les défis qui se présentent. Disons que le stage nous confirme qu'on est bien à notre place», mentionne Alain.

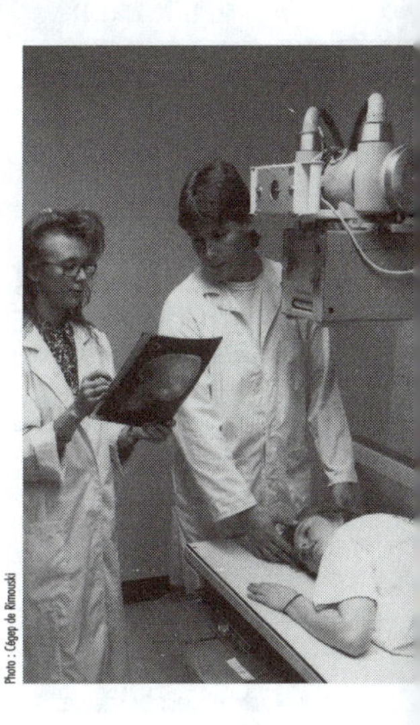
Photo : Cégep de Rimouski

DÉFIS ET PERSPECTIVES

«Le technologue formé ici peut travailler partout au Canada et même ailleurs dans le monde. Toutefois, au Québec, depuis quelques années, les centres hospitaliers ont des postes à pourvoir et les technologues sont demandés», ajoute M. Giguère. En ce qui concerne la formation pratique, les collèges offrent des stages couvrant plus d'une année de formation, ce qui prépare très bien le futur technologue au milieu professionnel. À son arrivée sur le marché du travail, il possède déjà les habiletés requises pour répondre aux exigences du milieu et il développera de la rapidité d'exécution avec le temps.

Il est toujours possible de se spécialiser en radiodiagnostic. L'Ordre des technologues en radiologie du Québec et les collèges offrent plusieurs cours de spécialisation qui permettent aux intéressés d'occuper d'autres fonctions dans le département de radiologie. 09/99

HORAIRES ET MILIEUX DE TRAVAIL

- Le technologue exerce en CLSC, dans un hôpital, en clinique privée, etc.
- Il peut travailler la nuit et les fins de semaine, puisque habituellement les services du technologue en radiodiagnostic sont demandés dans des établissements où l'on prodigue des soins sept jours sur sept, 24 heures sur 24.
- Le technologue doit avoir la capacité de s'adapter aux changements d'horaire.

Technologie de radio-oncologie

Lorsqu'elle fréquentait encore l'école secondaire, Sylvie Poirier adorait la physique. Sa passion pour les sciences l'a conduite en radio-oncologie au Collège Ahuntsic. Aujourd'hui, elle est coordonnatrice technique du département de radio-oncologie à l'hôpital Notre-Dame.

PROG. 142.CO
PRÉALABLE : 12, 20, VOIR P. 11

INTÉRÊTS

- aime se sentir utile et responsable
- aime chercher et détecter la source d'un problème
- aime observer et analyser des données et des images
- aime écouter, parler, expliquer et réconforter les personnes
- aime calculer et utiliser des appareils sophistiqués

APTITUDES

- précision, minutie et dextérité
- sens des responsabilités très développé
- habileté à communiquer
- habileté pour les sciences (chimie, physique, anatomie)
- excellent sens de l'observation et de l'analyse

OFFRE DU PROGRAMME PAR RÉGIONS
Montréal-Centre, Québec

RÔLE ET TÂCHES

À l'aide de radiations, le technologue en radiologie – radio-oncologie fait le traitement des maladies connues, principalement le cancer. En collaboration avec le médecin radio-oncologue, il planifie pour l'usager le meilleur traitement possible en tenant compte de plusieurs variables : dose de radiations à donner et situation de la tumeur.

«Je manipule les appareils, j'effectue les calculs pour donner la bonne dose de radiations à l'usager. Je m'occupe de lui autant au point de vue physique qu'au point de vue psychique», explique Sylvie.

Le technologue en radiologie – radio-oncologie suit attentivement l'évolution de l'usager au moyen de son dossier médical. Il est investi de responsabilités importantes : si un usager n'est pas convenablement traité, les conséquences sur sa santé seront majeures, d'autant plus qu'il est exposé à des radiations qui peuvent devenir nocives si elles sont mal administrées.

Pour prévenir les incidents fâcheux, le technologue en radiologie – radio-oncologie fabrique des accessoires de protection, comme des blocs en plomb, pour protéger les parties saines du corps. Il peut aussi concevoir un moule en plâtre pour aider l'usager à maintenir une position sans bouger.

	Salaire hebdo moyen	Proportion de dipl. en emploi	Emploi relié	Chômage	Nombre de diplômés
2000	569 $	100,0 %	100,0 %	0,0 %	16
1999	573 $	100,0 %	90,9 %	0,0 %	17
1998	544 $	83,9 %	89,5 %	10,3 %	33

Statistiques tirées de la Relance - Ministère de l'Éducation. Voir données complémentaires, page 419.

Comment interpréter l'information, page 10.

QUALITÉS RECHERCHÉES

Le technologue en radiologie – radio-oncologie travaille auprès des usagers qui se battent pour leur vie. Il doit faire preuve de dévouement et de compassion, question d'apporter un peu de soutien moral à ces personnes.

Il doit stimuler les usagers et tenter de les réconforter. Cela demande aussi beaucoup d'entregent. «Il faut faire preuve d'empathie et aimer les contacts humains. On travaille avec des gens qui sont parfois dans un état dépressif. Nous sommes leur bouée de sauvetage», confie Sylvie.

«Je manipule les appareils, j'effectue les calculs pour donner la bonne dose de radiations à l'usager. Je m'occupe de lui autant au point de vue physique qu'au point de vue psychique.»

— Sylvie Poirier

L'élève qui envisage de devenir un jour technologue dans cette discipline doit s'intéresser à la biologie et à la physique dès l'école secondaire.

Une connaissance précise de l'anatomie humaine aide à bien positionner l'usager pour le traitement au moment de prendre la radiographie.

«La précision est l'une des qualités les plus importantes. Il faut aimer la minutie, on travaille au millimètre près», lance Sylvie.

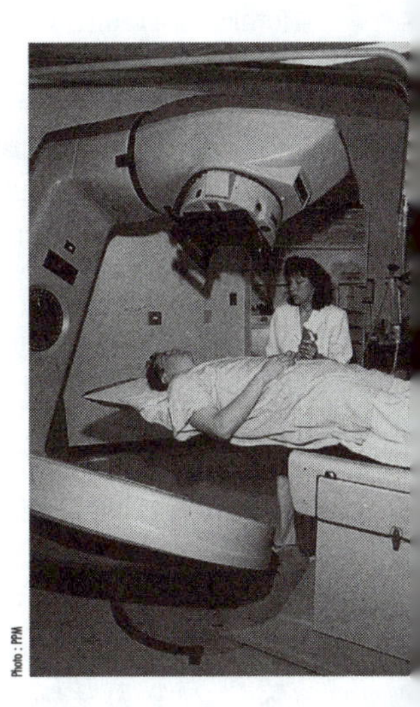

Photo : PPM

DÉFIS ET PERSPECTIVES

Sylvie Poirier a des sentiments partagés. Elle envisage l'avenir des technologues dans cette discipline avec optimisme, mais elle dresse un sombre portrait de la santé des Québécois.

«Si je me fie au rythme de vie que l'on mène, il va y avoir de plus en plus d'usagers atteints de cancer à un âge toujours plus jeune, parce qu'on mène une vie de fous! Les gens s'alimentent mal, il y a plus de pollution et de stress», estime-t-elle. 09/99

HORAIRES ET MILIEUX DE TRAVAIL

- Seuls les hôpitaux embauchent les technologues en radiologie – radio-oncologie.
- L'horaire de travail du technologue est plutôt stable. De 8 h à 16 h du lundi au vendredi, quelquefois le soir, mais jamais les fins de semaine.

SECTEUR 20

PAGES 362 ⇓ 377

SERVICES SOCIAUX, ÉDUCATIFS ET JURIDIQUES

La situation de l'emploi dans le secteur des techniques humaines varie d'un champ de formation à l'autre. Dans le secteur de l'éducation (éducation en services de garde et spécialisée), on assiste actuellement à une recrudescence de l'emploi. Les perspectives d'emploi sont bonnes et le délai pour décrocher un poste permanent diminue. Au niveau préscolaire, par exemple, l'ouverture de milliers de places en garderie pour les enfants de quatre et cinq ans ont nettement amélioré l'embauche dans ce secteur et on parle actuellement d'un manque de main-d'œuvre spécialisée en services de garde.

Selon l'Ordre des travailleurs sociaux du Québec, le secteur social, soit tout ce qui est relié à la famille et à la jeunesse (travail social et intervention en délinquance, entre autres), est prioritaire pour le gouvernement, et au fur et à mesure que la transformation du réseau de la santé et des services sociaux se réalise, on réinvestit dans ce type de soins. Néanmoins, il demeure difficile de décrocher des emplois stables et à temps plein dans ce domaine. Cependant, les emplois à temps partiel, en remplacement ou à forfait sont nombreux.

Les techniciens en recherche, enquête et sondage se placent assez facilement. C'est une technique encore peu connue, mais de plus en plus d'associations ayant des besoins en recherche sont intéressées par cette main-d'œuvre.

L'emploi dans le secteur des techniques humaines varie d'un champ de formation à l'autre.

En techniques policières, le taux de placement semble jouer aux montagnes russes, mais la réorganisation des corps policiers, les départs à la retraite et l'émergence des postes de quartier peuvent réserver des surprises.

Finalement, les techniques d'intervention en loisir, avec un nombre de diplômés assez restreint, est lui aussi un domaine vaste et varié. Les possibilités d'emploi sont multiples, mais les diplômés doivent faire preuve d'un grand dynamisme. Le loisir en milieu industriel serait un secteur à développer. 05/01

INTÉRÊTS

- aime se sentir utile et responsable
- aime faire un travail diversifié
- aime communiquer et travailler en équipe
- aime les relations humaines
- intérêt pour les phénomènes et l'actualité à caractère social

APTITUDES

- grande facilité à communiquer et à coopérer
- sens du devoir et de la responsabilité
- ouverture d'esprit, faculté d'adaptation
- sens de l'observation et de l'analyse

LE SAVIEZ-VOUS ?

Les centres de la petite enfance recherchent des candidats titulaires d'un diplôme d'études collégiales en services de garde. En effet, depuis l'automne 1999, le ministère de la Famille et de l'Enfance exige que tout nouveau personnel possède ce type de formation.

Source : *Les carrières d'avenir au Québec*, Le groupe de recherche Ma Carrière, édition 2001.

RESSOURCES INTERNET

DESCRIPTION DES PROGRAMMES DU SECTEUR
http://www.meq.gouv.qc.ca/ens-sup/ens-coll/Cahiers/sect-20.htm
Vous trouverez sur cette page une description des programmes de ce secteur de formation, comprenant les exigences d'admission et un bref résumé de chaque cours.

CENTRE INTERNATIONAL POUR LA PRÉVENTION DE LA CRIMINALITÉ
http://www.crime-prevention-intl.org/francais/
Ce site pourra intéresser ceux qui se destinent aux techniques d'intervention en délinquance, d'éducation spécialisée ou de travail social. On y trouvera des exemples pratiques, une bibliographie commentée, une introduction à la prévention du crime, etc.

MINISTÈRE DE L'ÉDUCATION – BULLETINS STATISTIQUES
http://www.meq.gouv.qc.ca/m_stat.htm
Mettez à jour vos connaissances sur le domaine de l'éducation en consultant notamment les enquêtes «Relance» qui répondront à vos questions sur le marché du travail.

Techniques d'éducation à l'enfance

David Proteau travaille comme éducateur en services de garde à l'École de la Clairière à Boisbriand. Chaque jour, il doit préparer et organiser différentes activités pour les enfants, entre leurs périodes de classe.

PROG. 322.03/322.A0
PRÉALABLE : 0, VOIR PAGE 11

INTÉRÊTS

- aime les enfants et le jeu
- aime captiver l'attention, animer et enseigner
- aime imaginer et planifier des activités et des jeux
- aime se sentir utile et assumer des responsabilités

APTITUDES

- dynamisme, humour, autonomie et leadership
- ouverture d'esprit et empathie envers les enfants
- grande facilité à communiquer verbalement
- polyvalence, sens de l'organisation et créativité
- sens des responsabilités et patience
- résistance physique et émotionnelle

OFFRE DU PROGRAMME PAR RÉGIONS
Bas-Saint-Laurent, Chaudière-Appalaches, Estrie, Lanaudière, Laurentides, Laval, Mauricie, Montérégie, Montréal-Centre, Outaouais, Québec, Saguenay–Lac-Saint-Jean

RÔLE ET TÂCHES

Pour ce diplômé du Collège de Sherbrooke, le choix du programme en techniques d'éducation à l'enfance a été une bonne décision. «Le programme est vraiment complet et les notions apprises lors de ma formation me sont utiles tous les jours», explique-t-il.

L'éducateur intervient auprès d'enfants âgés de 12 ans et moins. Son rôle consiste à organiser, à planifier et à animer des activités sportives, culturelles et artistiques. «Je dois encadrer les enfants et les aider à régler les conflits entre eux. Je suis aussi un confident pour certains. Je dois donc non seulement être créatif dans l'organisation des activités, mais également dans la façon dont j'aborde l'enfant pour discuter d'un problème», souligne David.

Il arrive à l'école à 6 h 45 le matin et quitte généralement autour de 18 h. Il travaille avec les enfants avant les classes, le midi ainsi que durant les journées pédagogiques pour les jeunes qui y sont inscrits.

David profite des périodes où les enfants sont en classe pour préparer des jeux, des activités de bricolage ou d'arts plastiques, des ateliers scientifiques ainsi que des activités à caractère plus culturel comme l'art dramatique, les chansons, etc.

Dans l'exercice de ses fonctions, l'éducateur peut également être appelé à déceler certains problèmes chez les enfants dont il est responsable. Il signalera les conclusions de ses observations aux parents de l'enfant concerné et enverra celui-ci à un spécialiste ou à un psychoéducateur qui pourra élaborer un plan d'intervention approprié.

	Salaire hebdo moyen	Proportion de dipl. en emploi	Emploi relié	Chômage	Nombre de diplômés
2000	410 $	87,8 %	97,3 %	1,8 %	475
1999	354 $	82,8 %	94,2 %	1,2 %	401
1998	342 $	83,2 %	92,9 %	3,4 %	436

Statistiques tirées de la Relance - Ministère de l'Éducation. Voir données complémentaires, page 419.

Comment interpréter l'information, page 10.

QUALITÉS RECHERCHÉES

Chargé de la planification des activités pour les enfants, David doit être créatif et imaginatif. Il estime que la polyvalence et la facilité d'adaptation sont aussi des qualités à posséder. L'éducateur doit être en mesure de travailler en équipe, être à l'écoute des enfants et faire preuve d'autonomie. Appelé à côtoyer des gens de différents groupes d'âges, des enfants aux parents en passant par les autres membres du personnel, l'éducateur doit avoir une facilité à communiquer avec tout ce beau monde. Enfin, une bonne santé psychologique et physique ainsi qu'une certaine maturité affective s'ajoutent aux caractéristiques recherchées pour la profession.

L'éducateur doit être en mesure de travailler en équipe, être à l'écoute des enfants et faire preuve d'autonomie.

David s'implique activement à l'école où il travaille. Ça lui a permis de devenir au fil des mois une personne-ressource importante. «Je fais maintenant partie de la vie étudiante et l'on me donne plus de responsabilités. Par exemple, l'année prochaine, je serai en charge de l'inscription des enfants à la maternelle, indique-t-il. J'en fais plus que ce qui est exigé, mais ça m'est bénéfique, car mon salaire est ajusté en conséquence.»

Photo : Bibliothèque Montarville, Boucher-de-la-Bruère

DÉFIS ET PERSPECTIVES

«Depuis 1999, les éducateurs ont eu droit à un réajustement salarial qui s'est traduit par une augmentation de 40 %, faisant passer leur salaire annuel de base de 15 000 $ à 25 000 $, explique Richard Moisan, coordonnateur du programme en techniques d'éducation à l'enfance au Cégep de Sherbrooke. En fait, depuis la mise en application de la politique familiale en 1997, mieux connue sous le nom des "garderies à cinq dollars", on exige que deux employés sur trois possèdent un DEC et l'on estime que, d'ici à quelques années, tout le personnel devra être formé, tant en milieu institutionnel que familial. Ça augure bien pour les futurs diplômés.»

De plus, selon M. Moisan, le gouvernement compte ajouter 100 000 nouvelles places dans les centres de la petite enfance d'ici à 2005 pour faire face à une demande croissante. Quant aux garderies qui fonctionnaient avant l'application de la politique familiale, elles sont invitées à se transformer en centres de la petite enfance dont la gestion sera assumée par un conseil administratif composé des parents des enfants qui y sont inscrits. 03/01

HORAIRES ET MILIEUX DE TRAVAIL

- Les employeurs de ces diplômés sont les centres de la petite enfance, les services de garde en milieu scolaire et les jardins d'enfants.
- Les diplômés peuvent aussi travailler à titre de conseillers pédagogiques auprès des centres de la petite enfance ou en milieu familial.
- L'horaire est régulier.
- Les techniciens travaillent le jour, sur des périodes s'étalant de 8 à 10 heures.
- Ceux qui travaillent en milieu scolaire ont un horaire entrecoupé de périodes d'arrêt. Ainsi, ils peuvent travailler en début de journée, pendant l'heure du dîner et à la fin des classes, mais être libres lors des périodes de classe.

Techniques d'éducation spécialisée

«J'adore ça!» C'est la première chose qui vient à l'esprit de Dominique Decelles lorsqu'elle parle de son travail. La jeune femme est éducatrice au centre de jour de l'Hôtel-Dieu à Saint-Jérôme. Elle remplace une employée en congé de maternité. «Ça répond à mes goûts, ajoute-t-elle. J'aime aider les gens et j'ai toujours voulu travailler avec des enfants.»

PROG. 351.03/ 351.A0
PRÉALABLE : 0, VOIR PAGE 11

INTÉRÊTS

- aime la psychologie et l'enseignement
- aime comprendre et aider les personnes en difficulté
- aime animer, imaginer et organiser des activités
- aime assumer des responsabilités et coopérer

APTITUDES

- grande faculté d'adaptation et grande ouverture d'esprit
- forte habileté à la communication verbale
- grande capacité d'écoute et d'empathie
- sens des responsabilités (à l'égard des personnes)
- dynamisme et leadership
- autonomie, sens de l'organisation et créativité

OFFRE DU PROGRAMME PAR RÉGIONS
Abitibi-Témiscamingue, Bas-Saint-Laurent, Chaudière-Appalaches, Côte-Nord, Estrie, Gaspésie–Îles-de-la-Madeleine, Lanaudière, Laurentides, Mauricie, Montérégie, Montréal-Centre, Outaouais, Québec, Saguenay–Lac-Saint-Jean

RÔLE ET TÂCHES

Dominique travaille en psychiatrie infantile auprès d'enfants âgés de quatre à sept ans. Ces enfants souffrent de troubles affectifs et sociaux rendant difficile leur intégration à la société. «Mon rôle est de leur donner des outils pour les aider à fonctionner dans la société, dit-elle. Je suis en quelque sorte un lien entre eux et le monde extérieur», explique la jeune diplômée du Cégep de Saint-Jérôme.

Les journées de travail de Dominique débutent autour de 8 h, avec l'arrivée des enfants, et se terminent vers 16 h. La journée est divisée en périodes de classe et en périodes de vie de groupe auxquelles doivent obligatoirement assister les enfants. Dominique est chargée de planifier, d'animer et d'élaborer différentes activités comme le bricolage, les jeux de société, la lecture de contes, les jeux en gymnase, etc. Elle travaille de concert avec des infirmières, des psychoéducateurs, des éducateurs et des enseignants.

Les enfants partis, Dominique discute de la journée avec les autres membres du personnel afin d'apporter, au besoin, certains ajustements aux plans d'intervention préparés par un psychoéducateur. «Il ne s'agit pas de regarder passivement les enfants à longueur de journée, explique-t-elle. Il faut bien observer leur comportement pour évaluer les progrès réalisés. Il faut aussi les aider. Par exemple, on va inciter les enfants qui ont de la difficulté à entrer en contact avec les autres, ceux qui jouent généralement seuls dans leur coin, à jouer avec d'autres enfants en les jumelant à des équipes ou en leur assignant des partenaires.»

	Salaire hebdo moyen	Proportion de dipl. en emploi	Emploi relié	Chômage	Nombre de diplômés
2000	439 $	82,9 %	87,1 %	1,9 %	815
1999	426 $	81,6 %	82,2 %	2,9 %	829
1998	390 $	76,0 %	67,0 %	7,4 %	777

Statistiques tirées de la Relance - Ministère de l'Éducation. Voir données complémentaires, page 419.

Comment interpréter l'information, page 10.

Les diplômés en techniques d'éducation spécialisée sont appelés à travailler quotidiennement avec des gens de tous âges aux prises avec des difficultés d'adaptation généralement liées à des désordres affectifs, physiques, intellectuels ou sociaux.

QUALITÉS RECHERCHÉES

«Il faut être souple et avoir l'esprit ouvert, affirme Dominique. Il y a des enfants avec lesquels ce n'est pas évident de travailler. Il arrive aussi que certains d'entre eux ne soient pas toujours propres. Il faut être capable d'imposer ses limites, car si on ne le fait pas, ils vont prendre avantage de notre faiblesse, et ce n'est pas bon pour eux non plus.»

«Mon rôle est de leur donner des outils pour les aider à fonctionner dans la société.»

— Dominique Decelles

Puisque Dominique forme un «couple thérapeutique» avec un autre éducateur, elle doit évidemment être en mesure de s'ajuster à l'autre et ne pas démontrer de rigidité dans sa façon de penser ou de gérer différentes situations. Elle doit également faire preuve de créativité en planifiant des activités de toutes sortes pour occuper les enfants chaque jour.

Le diplômé en techniques d'éducation spécialisée doit posséder une excellente capacité d'adaptation, une bonne rigueur intellectuelle, une certaine maturité et de l'autonomie, car il doit souvent travailler seul avec les clients.

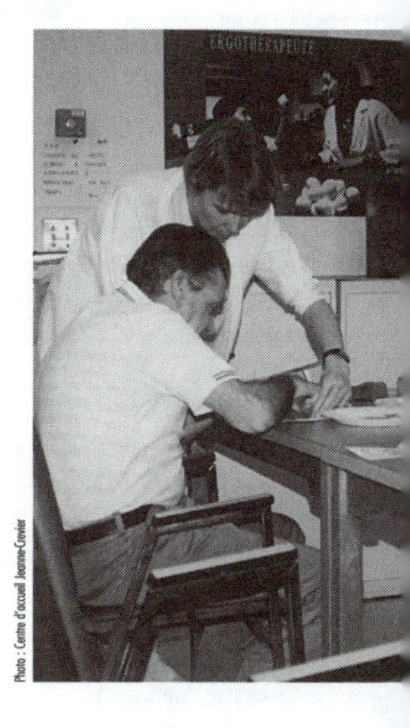

Photo : Centre d'accueil Jeanne-Crevier

DÉFIS ET PERSPECTIVES

«Le principal défi que doivent relever les diplômés est la nécessité d'acquérir rapidement autonomie et maturité», souligne Lise Boivin, coordonnatrice du programme au Cégep de Saint-Jérôme. En effet, les techniciens travaillent avec des clientèles difficiles et doivent être en mesure d'assumer psychologiquement cet aspect du métier.

Mme Boivin ajoute que ces spécialistes devraient avoir de belles années devant eux, étant donné le phénomène de désinstitutionnalisation qui implique le recours de plus en plus fréquent à leurs services.

Enfin, elle constate que la demande d'éducateurs de sexe masculin est en croissance au sein de la profession. Ceux-ci reçoivent des offres d'emploi avant même d'avoir fini leurs études. Avis aux intéressés! 03/01

HORAIRES ET MILIEUX DE TRAVAIL

- Les diplômés de ce programme sont appelés à travailler avec des enfants, des adolescents et des adultes.
- Ils peuvent trouver de l'emploi dans le réseau scolaire (écoles primaires et secondaires), dans le secteur des services sociaux et de santé mentale, auprès des organismes publics et parapublics et au sein du milieu communautaire.
- Plus spécifiquement, ils peuvent travailler pour les centres de réadaptation ou d'hébergement, les centres jeunesse, les services de protection de la jeunesse, les foyers de groupe, les CLSC ou CHSLD (centre hospitalier de soins longue durée), les maisons de jeunes.
- Le travail se fait le jour, le soir et la fin de semaine.
- L'horaire est souvent diversifié.

Techniques de recherche, enquête et sondage

«C'est un programme intéressant offrant plusieurs possibilités de travail, dit Francis Pelletier. On me demande souvent si je connais des diplômés parce qu'on aimerait leur offrir un emploi...» Le jeune homme occupe un poste contractuel au ministère de l'Éducation du Québec. Il travaille à titre de technicien en statistiques.

PROG. 384.01
PRÉALABLE : 11, VOIR PAGE 11

INTÉRÊTS

- aime chercher et traiter de l'information
- aime analyser et classer des données numériques
- aime travailler sur ordinateur
- aime travailler avec le public, parler et écouter

APTITUDES

- esprit d'analyse et de synthèse
- curiosité, autonomie et sens de l'organisation
- minutie et méthode
- aisance avec les outils informatiques
- facilité pour les mathématiques (calcul et statistiques)
- dynamisme et facilité à communiquer verbalement

OFFRE DU PROGRAMME PAR RÉGIONS
Bas-Saint-Laurent, Montréal-Centre, Québec

RÔLE ET TÂCHES

Le technicien en recherche, enquête et sondage est en fait un spécialiste de la recherche, de la cueillette de données et de la rédaction technique. Il élabore des questionnaires pour des entrevues individuelles ou de groupe, prépare des programmes et des tableaux de saisie de données, traite ces mêmes données et rédige des rapports statistiques.

Francis veille à la préparation et à la supervision de collectes de données. «Je dois préparer la recherche, dit-il. J'élabore des questionnaires ainsi que des guides pour les superviseurs de la recherche ou du sondage. Je fais ensuite un suivi en plus de la préparation et de la supervision de la collecte de données.» Les questionnaires préparés par Francis s'adressent aux anciens élèves en formation professionnelle et les résultats obtenus permettent de dresser un portrait du marché du travail des jeunes diplômés.

«Je dois assurer le traitement informatique des données recueillies et en faire une analyse descriptive seulement. Mon rôle n'est pas d'interpréter les données, mais plutôt de créer une base de données avec l'aide de logiciels comme SPSS, Word et Excel», poursuit le diplômé du Cégep de Rimouski.

Contrairement à une idée répandue, son travail ne consiste pas à mener des entrevues téléphoniques, un mythe tenace souvent associé au programme de techniques de recherche, enquête et sondage. «C'est un programme mal connu; je n'ai pas à faire d'entrevues téléphoniques, tient à préciser Francis. Peut-être en ai-je fait seulement un peu au début, se reprend-il. Mais après, on ne touche plus à cela.»

	Salaire hebdo moyen	Proportion de dipl. en emploi	Emploi relié	Chômage	Nombre de diplômés
2000	506 $	83,3 %	87,0 %	0,0 %	40
1999	n/d	61,9 %	n/d	18,8 %	27
1998	392 $	77,8 %	58,3 %	6,7 %	18

Statistiques tirées de la Relance - Ministère de l'Éducation. Voir données complémentaires, page 419.

Comment interpréter l'information, page 10.

QUALITÉS RECHERCHÉES

Une bonne capacité de concentration est requise pour exercer ce type de métier parce que la qualité des résultats dépend largement du travail du technicien en statistiques. «Ça demande beaucoup de minutie et de précision, surtout dans la vérification des données, dit Francis. La marge d'erreur est mince. En fait, on doit limiter les erreurs le plus possible.»

Appelé à travailler en équipe, le technicien doit également posséder de bonnes habiletés en communication. De plus, la majeure partie du travail étant effectuée par ordinateur, il est important pour les diplômés de ce programme de maîtriser l'utilisation de certains logiciels en traitement statistique et en présentation graphique. «Je conseille aux élèves d'acquérir des notions de base en informatique, dit Francis. Plus ils en sauront, mieux ça ira dans leur travail. L'utilisation de l'informatique permet de gagner beaucoup de temps.»

Contrairement à une idée répandue, son travail ne consiste pas à mener des entrevues téléphoniques, un mythe tenace souvent associé au programme de techniques de recherche, enquête et sondage.

DÉFIS ET PERSPECTIVES

Les emplois pour les diplômés sont particulièrement concentrés au sein des firmes de sondage, des instituts de la statistique, de même que dans certains ministères comme celui de l'Éducation. «Des entreprises sont spécialisées dans certaines étapes et tâches spécifiques de la recherche, comme la cueillette des données ou l'analyse, et elles font de la sous-traitance pour des firmes de sondage, par exemple, indique Louis Benoit, coordonnateur du programme de techniques de recherche, enquête et sondage au Cégep de Rimouski. Par contre, il ne s'agit pas du principal type d'employeur pour les diplômés.»

Photo : Collège de Rosemont

M. Benoit insiste, lui aussi, sur le fait que le programme ne vise pas à former des techniciens qui auront à mener des entrevues téléphoniques, la proportion de ceux-ci oscillant autour de seulement 10 % des diplômés. Il préfère plutôt mettre l'accent sur le fait qu'après quelques années d'expérience, ces diplômés occupent généralement des postes de supervision, que ce soit pour la cueillette des données téléphoniques, l'organisation du travail, les protocoles à suivre, etc. «Il faut qu'ils apprennent à développer leurs compétences en communication, mais c'est parce qu'ils pourront avoir à mener des entrevues en personne, individuellement ou en groupe», ajoute-t-il. 03/01

HORAIRES ET MILIEUX DE TRAVAIL

- Les principaux employeurs de ces diplômés sont le ministère de l'Éducation, de même que les autres ministères, l'Institut de la statistique du Canada, l'Institut de la statistique du Québec et les firmes de sondage.
- Ces techniciens peuvent aussi trouver de l'emploi auprès des entreprises de sous-traitance en enquête et sondage, spécialisées dans la cueillette de données et d'information ou en analyse.
- Le travail s'effectue selon un horaire régulier, généralement le jour entre 9 h et 17 h.

Techniques de travail social

Intervenante auprès des femmes en difficulté à l'Auberge Madeleine, à Montréal, Marie Huard ne regrette certainement pas d'avoir opté pour le programme de techniques de travail social. «Le domaine est tellement intéressant que je reprendrais des cours simplement pour me revitaliser», lance la diplômée du Cégep du Vieux Montréal.

PROG. 388.01/388.A0
PRÉALABLE : 0, VOIR PAGE 11

INTÉRÊTS

- aime se sentir utile aux personnes
- aime écouter, comprendre et aider les personnes en difficulté
- aime communiquer et coopérer

APTITUDES

- bon équilibre psychique et émotionnel
- polyvalence et capacité d'adaptation
- ouverture d'esprit et grande faculté d'empathie
- grande capacité d'écoute et d'analyse
- facilité à communiquer et à coopérer

OFFRE DU PROGRAMME PAR RÉGIONS
Abitibi-Témiscamingue, Bas-Saint-Laurent, Chaudière-Appalaches, Estrie, Gaspésie–Îles-de-la-Madeleine, Laurentides, Mauricie, Montréal-Centre, Québec, Saguenay–Lac-Saint-Jean

RÔLE ET TÂCHES

L'Auberge Madeleine peut accueillir jusqu'à 19 femmes de 18 ans et plus. «Nous intervenons auprès de femmes qui sont victimes de violence, qui ont des problèmes de toxicomanie, de prostitution, des problèmes sociaux, des difficultés à se loger, etc., explique Marie. Ces femmes viennent à l'Auberge pour des périodes de quelques jours ou de quelques semaines. Nous intervenons de façon ponctuelle pour les aider à combler certains besoins fondamentaux comme le logement, les vêtements, la nourriture.»

En plus d'offrir du soutien et de veiller à la sécurité des femmes, l'Auberge Madeleine tente de les aider à se prendre en main. C'est d'ailleurs le premier but visé. «Les démarches doivent être faites par elles et non par nous, précise Marie. On aide les femmes à se responsabiliser. On est là pour les écouter, discuter avec elles et les soutenir dans la poursuite de leur cheminement.»

Le technicien en travail social intervient auprès des personnes, familles, groupes ou communautés de tous âges aux prises avec des problèmes sociaux liés à leurs conditions de vie, leurs difficultés d'adaptation et les inégalités sociales dont elles sont victimes. Il les aidera à répondre à leurs besoins et à défendre leurs droits. Les problématiques sont multiples. Il peut s'agir de personnes vivant des difficultés liées au vieillissement, à la perte d'autonomie, à l'isolement, au suicide, ou vivant des problèmes de violence conjugale, de santé mentale, etc. Le travailleur social doit être en mesure d'accueillir ces gens, de les diriger vers les ressources susceptibles de leur venir en aide et d'amorcer un processus d'intégration sociale.

	Salaire hebdo moyen	Proportion de dipl. en emploi	Emploi relié	Chômage	Nombre de diplômés
2000	415 $	73,2 %	80,1 %	8,2 %	303
1999	396 $	75,2 %	72,7 %	8,3 %	354
1998	424 $	69,0 %	78,2 %	11,9 %	306

Statistiques tirées de la Relance - Ministère de l'Éducation. Voir données complémentaires, page 419.

Comment interpréter l'information, page 10.

QUALITÉS RECHERCHÉES

L'écoute et l'ouverture d'esprit sont des qualités importantes de la profession. «Dans le travail que je fais, il ne faut pas avoir de préjugés et bien connaître les différentes problématiques des sans-abri afin de répondre aux besoins des femmes, dit Marie. Il faut aussi être sociable et ne pas avoir peur d'aller vers les gens.»

Marie doit faire preuve de polyvalence et être en mesure de gérer certaines situations particulièrement difficiles, surtout lorsque des problèmes surgissent en cours de route. «C'est très stressant, dit-elle. Il se produit parfois des situations difficiles à vivre, comme lorsqu'on doit appeler les policiers pour une femme très violente qui ne peut pas se maîtriser.»

«Nous intervenons auprès de femmes qui sont victimes de violence, qui ont des problèmes de toxicomanie, de prostitution, des problèmes sociaux, des difficultés à se loger, etc.»

— Marie Huard

La capacité de remettre en question ses préjugés et ses perceptions, un bon sens de l'organisation et de la planification, la débrouillardise et un esprit critique sont des atouts. Pour les diplômés de ce programme qui auront à travailler dans la région de Montréal, le bilinguisme est également conseillé.

DÉFIS ET PERSPECTIVES

Murielle Lanciault, coordonnatrice du programme en technique de travail social au Cégep du Vieux Montréal, estime que le secteur communautaire se développe bien actuellement et génère plusieurs emplois pour les diplômés. «Nous recevons beaucoup de demandes de la part de maisons de la famille, de maisons pour les femmes, de centres pour immigrants, etc. Des perspectives intéressantes attendent donc nos élèves.»

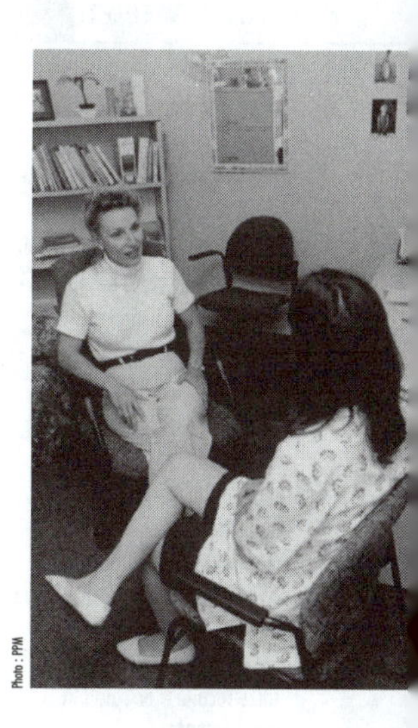
Photo : PPM

Toutefois, il faut savoir que les techniciens sont appelés à changer souvent de milieu de travail; la stabilité des emplois est assez rare dans ce domaine. Ils doivent donc faire preuve d'une bonne polyvalence et d'une grande capacité d'adaptation. Personnes âgées, personnes aux prises avec des problèmes de pauvreté, de maladie ou d'intégration… autant de problématiques pour lesquelles les intervenants devront chaque fois jouer un rôle actif et différent. 03/01

HORAIRES ET MILIEUX DE TRAVAIL

- Les diplômés trouveront de l'emploi au sein du milieu communautaire comme dans les centres pour personnes âgées, les maisons pour femmes victimes de violence, les centres d'accueil pour immigrants, les maisons d'hébergement et les centres de la famille.
- Les organismes publics administrant des programmes sociaux et le milieu institutionnel offrent aussi du travail à ces techniciens, qui pourront être embauchés, par exemple, par un centre de protection de l'enfance et de la jeunesse, un CLSC, le réseau scolaire ou un hôpital.
- La semaine de travail dure normalement 35 heures.
- Certains employeurs permettent aux techniciens de planifier eux-mêmes leur horaire de travail.
- Il est possible de travailler le jour, le soir, la nuit et la fin de semaine.

Techniques d'intervention en délinquance

«J'adore mon travail, lance Isabelle Kanash, éducatrice au Centre jeunesse de la Montérégie à Chambly. C'est stimulant. Et si j'avais à recommencer, je suivrais ce programme sans hésiter!» Il faut dire que, lorsqu'on a toujours été porté à aider les gens, ce type de travail répond à nos aspirations...

PROG. 310.02
PRÉALABLE : 10, VOIR PAGE 11

INTÉRÊTS

- s'intéresse à la psychologie et à la sociologie
- aime analyser et trouver des solutions aux problèmes des personnes (surtout des jeunes)
- aime écouter, analyser et comprendre
- aime expliquer, conseiller et coopérer

APTITUDES

- équilibre psychique et émotionnel, patience
- doué de psychologie et capable de fermeté
- grande ouverture d'esprit et forte faculté d'adaptation aux personnes
- sens des responsabilités et de la justice sociale
- habileté pour l'analyse et la communication

OFFRE DU PROGRAMME PAR RÉGIONS
Montréal-Centre, Québec

RÔLE ET TÂCHES

«Je travaille auprès de jeunes placés sous la Loi de la protection de la jeunesse ou sous la Loi des jeunes contrevenants, précise Isabelle. Ce sont des jeunes présentant des troubles de comportement et de délinquance; des enfants ayant souffert de problèmes familiaux, scolaires, de toxicomanie ou qui sont en situation d'abandon.»

Le premier mandat d'Isabelle est de protéger la société. Elle doit donc s'assurer de limiter les risques de récidive des jeunes, particulièrement en ce qui a trait à la toxicomanie, problème à l'origine de plusieurs délits. «On doit structurer la journée des jeunes de façon qu'ils aient toujours quelque chose à faire, explique-t-elle. On prépare des activités pour les conscientiser aux torts faits à leurs victimes, aux implications et aux conséquences de leurs gestes par rapport à leur entourage, etc. À cette fin, on peut organiser, par exemple, des discussions à la suite de l'écoute d'émissions de télévision comme *Tag* ou *Deux frères*.»

La plupart des activités sont réalisées en groupe, mais des interventions individuelles, appelées tutorat, sont également menées. Lors de ces interventions, Isabelle doit prendre en charge deux jeunes et suivre leur cheminement personnel en accentuant l'intervention sur les délits commis. «Ce sont des interventions quotidiennes qui tiennent compte de la façon de se parler, des notions de civisme, d'hygiène, etc. Les jeunes participent aussi à des activités de groupe intégrant des programmes axés sur la sexualité et sur la violence.»

	Salaire hebdo moyen	Proportion de dipl. en emploi	Emploi relié	Chômage	Nombre de diplômés
2000	473 $	77,5 %	75,9 %	3,7 %	135
1999	465 $	72,2 %	82,7 %	3,0 %	124
1998	411 $	80,6 %	61,1 %	1,3 %	106

Statistiques tirées de la Relance - Ministère de l'Éducation. Voir données complémentaires, page 419.

Comment interpréter l'information, page 10.

Les diplômés en techniques d'intervention en délinquance gèrent et encadrent la vie quotidienne des personnes placées sous leur responsabilité afin de les sensibiliser à leurs comportements et aux gestes inadéquats qu'ils ont posés.

QUALITÉS RECHERCHÉES

Isabelle considère que pour travailler dans ce domaine, on doit faire preuve d'un bon sens de l'humour. «C'est important, car c'est une bonne façon d'entrer en contact avec les jeunes, dit-elle. Il faut aussi être ouvert d'esprit puisqu'il arrive des moments où nos propres valeurs sont confrontées au comportement des jeunes, comme dans les cas de délits sexuels.»

«La réalité du milieu exige de plus en plus des notions en santé mentale, en toxicomanie et en droit de la part des diplômés.»

— Diane Valcourt

Une qualité également très importante pour exercer ce métier est la connaissance des différentes lois auxquelles sont assujettis les jeunes. Les interventions dépendent largement des raisons, parfois des délits, pour lesquels ces jeunes ont été admis dans les centres de réadaptation ou les centres jeunesse; les diplômés doivent donc bien maîtriser les lois régissant les délits commis. Puisque les jeunes ne choisissent pas volontairement d'être en centre de réadaptation ou en centre jeunesse, il faut démontrer de la fermeté auprès de ces derniers et être en mesure de composer avec différents problèmes, tels la toxicomanie, les troubles de comportement, etc. «Mais attention! Fermeté ne veut pas dire absence de souplesse, tient à préciser Isabelle. En fait, il faut s'ajuster à chaque jeune...»

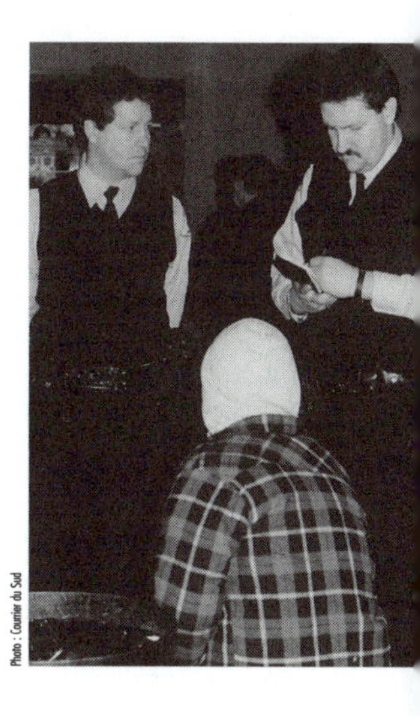

Photo : Courrier du Sud

DÉFIS ET PERSPECTIVES

Diane Valcourt, responsable des stages et professeure en techniques d'intervention en délinquance au Collège de Maisonneuve, constate que la réalité du milieu exige de plus en plus des notions en santé mentale, en toxicomanie et en droit de la part des diplômés. «La clientèle est plus jeune et plus mal en point, particulièrement en toxicomanie et en santé mentale, dit-elle. Les lois changent et il faut s'ajuster afin de répondre aux nouvelles réalités sociales.» À son avis, les diplômés doivent être dotés d'une bonne force de caractère et ne pas entretenir de préjugés. C'est le principal défi qu'ils ont à relever puisqu'ils ont à composer avec une large clientèle affectée par toutes sortes de problématiques. Ils peuvent ainsi être appelés à intervenir auprès de toxicomanes, de personnes coupables de délits de toutes sortes, de jeunes de la rue, de femmes victimes de violence, etc. 03/01

HORAIRES ET MILIEUX DE TRAVAIL

- Les principaux employeurs de ces diplômés sont les centres jeunesse et les centres de réadaptation, les centres pour femmes victimes de violence, les centres d'accueil, les foyers de groupe et différents autres organismes communautaires.
- Le réseau scolaire emploie aussi ces techniciens pour travailler auprès des élèves présentant des troubles de comportement.
- Les diplômés peuvent également travailler comme agents de correction dans les pénitenciers.
- Ces techniciens travaillent en collaboration avec diverses personnes : intervenants, psychologues, parents, jeunes, travailleurs sociaux, etc. Leur clientèle est principalement composée d'enfants et d'adolescents.
- Le travail s'étend généralement sur 40 heures par semaine.
- Il est possible d'occuper des postes de jour, de soir ou de fin de semaine. Le travail de nuit est plutôt rare.

Techniques d'intervention en loisir

«J'adore mon travail, c'est le plus beau défi du monde», affirme Carol Gilbert, directeur général de la Corporation secondaire en spectacle, un organisme sans but lucratif visant à promouvoir les arts de la scène et la culture en général auprès des jeunes des écoles secondaires du Québec.

PROG. 391.01/391.A0
PRÉALABLE : 0, VOIR PAGE 11

INTÉRÊTS

- aime l'action, «faire bouger les choses»
- aime les relations humaines et les activités en groupe
- aime l'organisation et la planification
- aime s'exprimer, créer au moyen du jeu, de l'animation
- aime se sentir utile et assumer des responsabilités

APTITUDES

- beaucoup de dynamisme et de leadership
- imagination et créativité
- sens de l'organisation et de la coopération
- grande facilité pour les relations humaines

OFFRE DU PROGRAMME PAR RÉGIONS
Bas-Saint-Laurent, Montréal-Centre

RÔLE ET TÂCHES

À titre de directeur général de la Corporation, Carol supervise une quinzaine de personnes. Il voit au développement de l'organisme à l'échelle de la province. «Il y a deux ans, j'étais tout seul et l'organisme comptait seulement 14 écoles parmi ses membres. Maintenant, on se retrouve dans 12 des 17 régions du Québec et l'on compte 112 écoles membres», énumère-t-il fièrement, histoire de démontrer la vitesse avec laquelle l'organisme s'est développé au cours des dernières années.

Responsable des ressources humaines, Carol est également en charge de la gestion financière de l'organisme, de la recherche de subventions et de commandites auprès des entreprises, de la planification des budgets, de la gestion du plan d'intervention annuel et du développement. «En plus d'amasser et d'organiser la documentation nécessaire pour obtenir des subventions allant de 2 000 $ à 250 000 $, je dois porter une attention particulière aux conditions des entreprises que je sollicite afin de leur accorder une bonne visibilité, explique-t-il. On offre aussi un soutien aux écoles pour les aider à planifier des stratégies de promotion à la télévision et à la radio.»

Les diplômés de ce programme peuvent travailler autant en animation qu'en gestion dans le secteur des loisirs. Ils peuvent être appelés à animer des activités récréatives, sportives, culturelles, parascolaires et de plein air, pour ne nommer que celles-ci. Ils s'occuperont de recruter et d'encadrer du personnel, de gérer des ressources matérielles. On les verra organiser des forfaits en tourisme à des fins récréatives, prévoir des activités dans le cadre

	Salaire hebdo moyen	Proportion de dipl. en emploi	Emploi relié	Chômage	Nombre de diplômés
2000	428 $	74,0 %	81,0 %	6,1 %	138
1999	403 $	71,7 %	66,0 %	7,8 %	131
1998	389 $	71,3 %	61,4 %	10,1 %	108

Statistiques tirées de la Relance - Ministère de l'Éducation. Voir données complémentaires, page 419.

Comment interpréter l'information, page 10.

d'événements comme le carnaval de Québec ou planifier les horaires d'une patinoire municipale.

QUALITÉS RECHERCHÉES

Chargé de la planification à moyen et à long terme, Carol souligne l'importance d'être doté d'une bonne vision d'avenir et d'un sens du développement pour exercer son métier. «Il faut avoir le goût de relever des défis, dit-il. Et l'esprit d'équipe doit être fort lorsque vient le temps de lancer un projet. De plus, la gestion des ressources humaines est un défi constant, car il faut tenir compte des particularités de chacun tout en jouant un rôle de rassembleur. Cet aspect de mon travail est parfois difficile à gérer parce qu'il nécessite une implication émotive», poursuit Carol.

«En loisir, il est impossible de tout faire seul. Il faut savoir déléguer certaines tâches et être en mesure d'aider les gens à s'organiser.»

— Carol Gilbert

Le leadership, de bonnes habiletés à communiquer et des qualités de rassembleur sont des combinaisons gagnantes pour un diplômé en techniques d'intervention en loisir. Un esprit créatif, l'autonomie, des notions en informatique et une capacité de s'adapter rapidement aux différents types de clientèles et d'activités se révèlent des atouts essentiels.

Photo : Jardin botanique de Montréal

DÉFIS ET PERSPECTIVES

Le programme permet dorénavant aux élèves de choisir parmi différentes voies. Ainsi, ils peuvent opter pour une spécialisation en milieu scolaire, en milieu institutionnel ou en «récréotourisme»; ils peuvent aussi choisir une formation débouchant sur un emploi dans le secteur municipal ou une autre les amenant au travail autonome (à la pige). Ces subdivisions visent à mieux orienter l'élève dans son cheminement professionnel parmi les principaux secteurs d'emploi. De plus, des cours ont été ajoutés au programme afin de mettre à jour certaines notions importantes pour le travail, comme l'informatique. «On sait qu'il existe maintenant beaucoup de logiciels pour gérer les locaux, indique Lucie Bernier, responsable du programme en techniques d'intervention en loisir au Cégep de Rivière-du-Loup. Dans les municipalités, par exemple, les horaires des centres sportifs sont gérés par un système informatique. On a donc ajouté des cours mieux adaptés à cette réalité.» 03/01

HORAIRES ET MILIEUX DE TRAVAIL

- Plusieurs voies s'offrent aux diplômés de ce programme. Ils peuvent travailler dans le réseau scolaire, en milieu institutionnel, dans les maisons de jeunes, dans les centres pour personnes âgées.
- Il y a aussi des emplois dans les secteurs récréatif et touristique. On retrouvera donc des techniciens d'intervention en loisir dans les offices de tourisme, les stations de ski et les colonies de vacances pour jeunes et moins jeunes.
- Le travail et les horaires sont diversifiés.
- Il est possible de travailler le jour, le soir ou la fin de semaine.

Techniques juridiques

«J'ai toujours aimé les questions juridiques et l'argumentation. Le choix du programme en techniques juridiques a donc été facile», lance Sandra Dubois, maintenant au service de Monti Coulombe, un cabinet d'avocats de Sherbrooke. «Lorsqu'on est capable de gérer son stress et son temps, c'est un travail vraiment intéressant.»

PROG. 310.03
PRÉALABLE : 0, VOIR PAGE 11

INTÉRÊTS

- aime coopérer et assister
- aime le droit
- aime la lecture, l'analyse et la recherche
- aime se sentir utile et responsable

APTITUDES

- entregent et initiative
- grande curiosité intellectuelle
- sens de l'analyse
- sens des responsabilités, de la précision et de la coopération
- maîtrise de la communication orale et écrite

OFFRE DU PROGRAMME PAR RÉGIONS
Centre-du-Québec, Estrie, Lanaudière
Montréal-Centre, Québec

RÔLE ET TÂCHES

Le technicien juridique est en quelque sorte le bras droit de juristes tels que les avocats, les notaires et les juges. Il doit, sous leur supervision, préparer et monter des dossiers tout en effectuant les recherches nécessaires. «Par exemple, les avocats me confient des dossiers et c'est moi qui m'occupe de la recherche et de la rédaction des documents pour eux. Dans le cas d'une poursuite, c'est à moi que revient la charge d'effectuer la recherche de jurisprudence, de lois et de règlements. Je peux aussi effectuer de la recherche auprès des bureaux de publicité pour vérifier des informations pertinentes concernant les actes de vente d'un immeuble. Ainsi, je peux découvrir l'identité des anciens ou des nouveaux propriétaires ou déterminer s'il reste encore une hypothèque sur l'immeuble.»

En plus de la recherche, Sandra, qui a obtenu son diplôme au Séminaire de Sherbrooke, doit également s'occuper de la rédaction de documents comme les procédures qui regroupent les griefs des plaignants, les procès-verbaux de l'interrogatoire de l'accusé, les dépositions et les expertises qui seront présentés à la cour de justice, etc.

Sandra joue un rôle très important auprès des avocats et elle doit assumer de nombreuses responsabilités. C'est un travail qui se fait dans l'ombre, mais qui est absolument essentiel, car la préparation des dossiers est une étape fondamentale dans le processus juridique. Après quelques années d'expérience, le technicien peut recevoir les clients pour recueillir des informations, mais il ne peut pas leur donner de conseils, cette tâche incombant aux avocats.

	Salaire hebdo moyen	Proportion de dipl. en emploi	Emploi relié	Chômage	Nombre de diplômés
2000	428 $	71,1 %	72,3 %	8,3 %	268
1999	413 $	70,7 %	57,9 %	5,8 %	274
1998	413 $	70,7 %	68,8 %	68,8 %	296

Statistiques tirées de la Relance - Ministère de l'Éducation. Voir données complémentaires, page 419.

Comment interpréter l'information, page 10.

QUALITÉS RECHERCHÉES

Le technicien juridique doit posséder une bonne maîtrise de l'anglais et du français, tant à l'oral qu'à l'écrit. «Bien écrire dans les deux langues est essentiel, car les documents présentés à la cour sont à l'image du bureau d'avocats», indique Sandra. La débrouillardise, l'autonomie, la minutie et une bonne capacité d'analyse et de concentration sont également exigées.

Devant toutes ces tâches de travail, Sandra a un conseil à donner aux jeunes aspirants techniciens juridiques : il faut viser la polyvalence. «Les lois sont vastes et complexes et l'on doit être prêt à toucher à différents aspects comme l'immobilier, le droit civil, le droit criminel, etc.» De plus, de bonnes habiletés en informatique sont fortement recommandées puisque, pour la recherche, Internet est un outil indispensable.

«Les lois sont vastes et complexes et l'on doit être prêt à toucher à différents aspects comme l'immobilier, le droit civil, le droit criminel, etc.»

— Sandra Dubois

Le travail de technicien juridique exigeant beaucoup de recherche, celui-ci doit donc aimer la lecture. Enfin, une grande capacité à gérer son stress et son temps s'ajoute aux nombreuses qualités pour exercer ce métier.

DÉFIS ET PERSPECTIVES

Compte tenu des coûts parfois exorbitants des honoraires professionnels, de plus en plus d'entreprises font maintenant appel à un conseiller juridique pour les guider sur les questions de droit, une tâche que peut assumer un technicien juridique. Cependant, celui-ci ne peut agir en tant que juriste, sa formation ne le lui permettant pas.

«Les bureaux d'avocats et les entreprises commencent à connaître les techniciens juridiques, ce qui augure bien pour nos élèves», explique Françoise Creusot, coordonnatrice du programme au Séminaire de Sherbrooke. Celle-ci estime que le travail des techniciens est très important. «Le plus gros du travail consiste à faire de la recherche de jurisprudence et de la préparation de documents pour les avocats ou les juristes. Le travail de ces derniers dépend beaucoup de celui des techniciens juridiques.» 03/01

Photo : PPM

HORAIRES ET MILIEUX DE TRAVAIL

- Les principaux employeurs de ces diplômés sont les cabinets d'avocats, les bureaux de notaires, les huissiers (qui exigent le DEC), les compagnies qui ont un service d'affaires juridiques, les banques (testaments fiduciaires).
- Les diplômés peuvent aussi trouver du travail dans le secteur public (service de greffier, petites créances, cour municipale, rédaction de jugements), auprès du ministère de la Justice, ou agir comme conseillers juridiques pour certaines entreprises.
- Ils travaillent le jour, selon un horaire régulier. Ceux qui œuvrent pour le secteur public travaillent généralement de 9 h à 16 h.
- Il est possible d'effectuer des heures supplémentaires pour certains dossiers importants qu'il faut compléter.

Techniques policières

Pour Jimmy Bélanger, le choix du programme en techniques policières s'inscrivait dans une tradition familiale. «Mon oncle, mon père, ma sœur et mon beau-frère sont policiers et ma petite sœur est en techniques policières», dit ce policier auxiliaire pour la Sûreté du Québec, diplômé du Collège d'Alma.

PROG. 310.A0
PRÉALABLE : 0, VOIR PAGE 11

INTÉRÊTS
- aime se sentir responsable et utile aux personnes et à la société
- aime l'action, faire un travail varié, parfois imprévisible
- aime communiquer et travailler en équipe
- aime relever des défis, analyser et résoudre des problèmes

APTITUDES
- équilibre psychique et émotionnel
- bons réflexes et résistance physique
- grande facilité à communiquer et à coopérer
- sens du devoir, de la responsabilité et de la justice
- ouverture d'esprit et grande faculté d'adaptation
- sens de l'observation, de l'analyse et de la synthèse

OFFRE DU PROGRAMME PAR RÉGIONS
Bas-Saint-Laurent, Estrie, Mauricie, Montréal-Centre, Outaouais, Québec, Saguenay–Lac-Saint-Jean

RÔLE ET TÂCHES

Jimmy est passionné de son métier. «Mon rôle est de maintenir la paix et d'assurer la sécurité publique. Je fais de la patrouille sur les routes la majeure partie du temps et je participe parfois à des opérations de radar», explique Jimmy, qui cumule également une expérience de près de deux ans à la Sûreté municipale d'Alma.

Ce type de travail n'est pas toujours rose, surtout lorsque le policier doit faire face à des situations où des gens ont perdu la vie. «Il faut se concentrer sur les étapes à suivre comme se présenter sur les lieux, faire un rapport de l'accident et de la situation, appeler une ambulance, faire remorquer les véhicules impliqués, accompagner les familles pour identifier le corps des victimes, etc. Avec le temps, on vient à s'y faire, mais sur le coup, ce n'est pas évident du tout. Voilà pourquoi les nouveaux sont jumelés avec des policiers d'expérience. Ça facilite l'intégration des jeunes.»

Les policiers-patrouilleurs jouent un rôle important dans le maintien de la paix au sein de la société. Ils doivent veiller à la protection de la vie et des biens des citoyens tout en tenant compte du respect des libertés individuelles et collectives.

QUALITÉS RECHERCHÉES

Les règles de conduite et de déontologie sont strictes dans ce métier et Jimmy doit veiller à bien les respecter dans l'exercice de son travail. Le sens des responsabilités et beaucoup d'autonomie sont des qualités essentielles pour

	Salaire hebdo moyen	Proportion de dipl. en emploi	Emploi relié	Chômage	Nombre de diplômés
2000	520 $	54,6 %	77,0 %	16,4 %	596
1999	484 $	51,5 %	69,7 %	19,0 %	582
1998	444 $	58,6 %	62,0 %	13,3 %	612

Statistiques tirées de la Relance - Ministère de l'Éducation. Voir données complémentaires, page 419.

Comment interpréter l'information, page 10.

lui. L'honnêteté, la tolérance, la discipline, le respect, la maîtrise de soi, de solides habiletés physiques ainsi qu'une bonne capacité de jugement sont aussi des atouts importants pour les futurs patrouilleurs.

«Il faut s'adapter rapidement aux différents types de clients et de situations. L'attitude est aussi très importante. On doit porter une attention particulière à nos gestes et à notre façon d'interpeller les gens.» De bonnes habiletés en communication sont donc recommandées, le policier étant appelé à interagir avec des citoyens et à témoigner en cour en plus d'être responsable de la rédaction de rapports écrits.

Conscient des préjugés envers les policiers, Jimmy ne s'en formalise pas outre mesure. «J'ai un tempérament très patient, dit-il. Au début, il n'est pas évident d'accepter les insultes, mais on finit par se bâtir une carapace. Après un certain temps, ça ne nous affecte plus.»

«Le DEC en techniques policières est le strict minimum requis pour être policier. Il faut vraiment s'assurer de poursuivre une formation continue.»

— Sylvie Savard

DÉFIS ET PERSPECTIVES

Sylvie Savard, responsable du programme en techniques policières au Cégep d'Alma, insiste sur la nécessité pour les policiers de suivre des programmes de formation continue. À son avis, ils doivent acquérir une expertise plus poussée dans différents domaines, par exemple la psychologie, la criminologie ou les techniques d'enquête. Ça leur permettra d'être à la fine pointe des connaissances compte tenu de l'évolution rapide des lois et du droit criminel en regard, notamment, de la Charte des droits et libertés, des droits des citoyens et des procédures d'arrestation. «Le DEC en techniques policières est le strict minimum requis pour être policier. Il faut vraiment s'assurer de poursuivre une formation continue», affirme-t-elle.

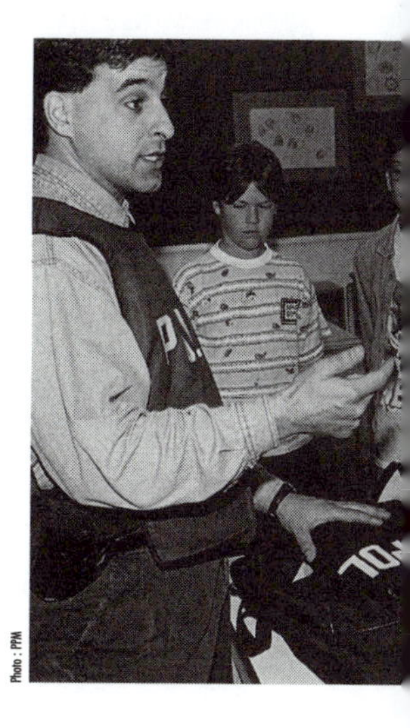
Photo : PPM

En ce qui concerne les perspectives d'emploi, Mme Savard précise que le milieu évolue généralement par cycles de sept ans. «Lorsqu'il y a de l'embauche à la Sûreté du Québec et au Service de police de la communauté urbaine de Montréal, cela provoque des ouvertures dans les postes municipaux qui perdent des candidats potentiels et des employés au profit de ces grosses organisations policières, explique Mme Savard. Là, on vit le plein emploi depuis le début des années 2000. On peut donc s'attendre à ce que cela soit suivi d'une diminution de la demande.» 03/01

HORAIRES ET MILIEUX DE TRAVAIL

- Les employeurs de ces diplômés sont évidemment les différents corps policiers de la province.
- Le travail se fait le jour, le soir, la nuit, la fin de semaine et pendant les jours fériés.
- Les journées de travail s'étalent sur une période de 9 à 12 heures.
- Le climat de travail est parfois difficile (conditions climatiques, situations de crise, de violence).

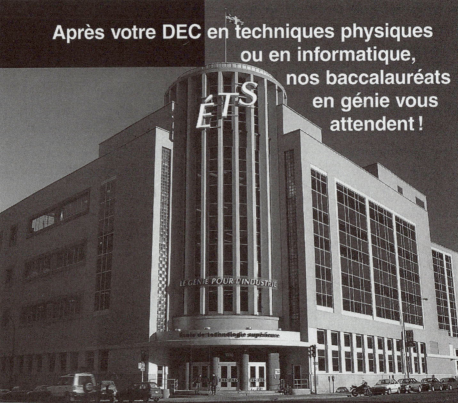

PAGES 380 ⇓ 410

Le grand répertoire des collèges du Québec

Mon choix, ma carrière, mon collège!

Choisir un programme d'études collégiales, c'est faire un pas de plus vers la profession ou la carrière convoitée. Vrai, mais c'est en même temps, et surtout, choisir un milieu de vie, comme en témoigne cette troisième édition de notre grand répertoire des collèges.

Un milieu de vie qui naît d'objectifs d'apprentissage, de réalisation de soi, et qui se concrétise au fil d'échanges avec des professeurs, des copains, à travers un entraînement sportif ou un stage en entreprise, dans les corridors des résidences ou d'une bibliothèque... Les possibilités sont infinies et les collèges sont nombreux!

Afin de vous aider à y voir plus clair, Le groupe de recherche Ma Carrière a distribué un questionnaire à près d'une centaine d'établissements entre avril et juin 2001. Fruit de la compilation des renseignements reçus, ce répertoire consiste donc en un «instantané» des principales caractéristiques de chacune des institutions d'enseignement.

Coordonnées, site Internet, nombre d'élèves, nombre de programmes offerts, programmes de DEC exclusifs, formule alternance travail-études, cheminements sport-études, résidences, équipes sportives... Les collèges se racontent : il n'en tient qu'à vous de choisir!

Le groupe de recherche Ma Carrière,
juin 2001

Répertoire des collèges du Québec

ÉTABLISSEMENTS PUBLICS

ÉTABLISSEMENTS PRIVÉS

LES COLLÈGES OFFRANT DE LA FORMATION EN LANGUE ANGLAISE

AUTRES ÉTABLISSEMENTS OFFRANT DE LA FORMATION COLLÉGIALE

Centennial Academy / L'Académie Centennale .... (514) 486-5533
Centre d'études collégiales de Montmagny .... (418) 248-7164
Centre matapédien d'études collégiales .... (418) 629-4190
Centre national d'animation et de design .... (514) 288-3447
Collège April-Fortier (Centre de formation en tourisme inc.) .... (514) 521-1600
Collège CDI de technologie des affaires .... (450) 662-9090
Collège dans la cité (CDC) de la Villa Sainte-Marcelline .... (514) 488-0031
Collège de la Chambre immobilière du Grand Montréal .... (514) 762-1862
Collège français .... (514) 495-2581

Collège Inter-Dec	(514) 939-4444
Collège Jean-de-Brébeuf	(514) 342-1320
Collège Marsan	(514) 525-3030
Collège Salette	(514) 388-5725
Conservatoire Lassalle	(514) 288-4140
École de musique Vincent-D'Indy	(514) 735-5261
Institut d'enregistrement du Canada	(450) 224-8363
Marianopolis	(514) 931-8792
Petit Séminaire de Québec	(418) 694-1020

AUTRES RESSOURCES

Association des collèges privés du Québec	(514) 381-8891
Association québécoise d'information scolaire et professionnelle	(418) 847-1781
Conseil interprofessionnel du Québec	(514) 288-3574
Fédération des cégeps	(514) 381-8631
Fédération nationale des enseignant(e)s du Québec	(514) 598-2241
Ministère de l'Éducation (renseignements généraux)	(418) 643-7095
Ordre des conseillers et conseillères d'orientation du Québec	(514) 737-4717
Ordre des technologues professionnels du Québec	(514) 845-3247
SRAM (Service régional d'admission du Montréal métropolitain)	(514) 271-2454
SRAQ (Service régional d'admission de Québec)	(418) 659-4873
SRAS (Service régional d'admission du Saguenay–Lac-Saint-Jean)	(418) 548-7191

ÉTABLISSEMENTS PUBLICS RELEVANT DU MINISTÈRE DE L'ÉDUCATION DU QUÉBEC

CÉGEP ANDRÉ-LAURENDEAU

1111, rue Lapierre
LaSalle (Québec) H8N 2J4
(514) 364-3320
www.claurendeau.qc.ca

Fondation : 1969

Nombre d'élèves inscrits en 2000-2001 : 2 650

Nombre de programmes offerts

- DEC préuniversitaires : (6) Arts et lettres (profils communications, arts visuels, lettres); Baccalauréat international en sciences de la nature (volets sciences de la santé, sciences pures et appliquées); Baccalauréat international en sciences humaines (volets psychologie et anthropologie sociale); Sciences de l'administration; Sciences de la nature (volets sciences de la santé, sciences pures et appliquées); Sciences humaines (profils individu, société et monde)
- DEC techniques : 10
  (voir le tableau inséré dans ce guide)
- AEC : 9

Programmes en alternance travail-études

Technique de production manufacturière et Technologie du génie civil selon le mode coopératif, incluant des stages rémunérés en entreprise

Programmes sport-études

Toutes les disciplines sportives sont admissibles dans tous les programmes.

Équipes sportives

Badminton mixte AA, natation mixte AA, soccer intérieur féminin et masculin AA, volley-ball féminin AAA

Résidences étudiantes

74 places - (514) 594-9868
52 studios simples et 11 studios doubles

CÉGEP BEAUCE-APPALACHES

1055, 116e Rue
Ville de Saint-Georges (Québec) G5Y 3G1
(418) 228-8896
www.cegepbceapp.qc.ca

Fondation : 1946

Nombre d'élèves inscrits en 2000-2001 : 1 486

Nombre de programmes offerts

- DEC préuniversitaires : (3) Arts et lettres (profils arts visuels, communication, langues); Sciences de la nature (profils sciences de la santé, sciences pures et appliquées); Sciences humaines (profils économie et gestion, étude des sociétés, comportement humain)
- DEC techniques : 8
  (voir le tableau inséré dans ce guide)

Programmes en alternance travail-études

Techniques de l'informatique
Techniques de gestion de l'imprimerie

Équipes sportives

Badminton mixte A, basket-ball féminin et masculin A, football AAA, rugby féminin A, soccer féminin A, soccer masculin A, volley-ball AAA, volley-ball féminin AA et AAA, volley-ball masculin AA

Résidences étudiantes

112 chambres
(418) 228-8896, poste 226

CÉGEP DE L'ABITIBI-TÉMISCAMINGUE

Campus Rouyn-Noranda
425, boulevard du Collège
Rouyn-Noranda (Québec) J9X 5E5
(819) 762-0931

Campus Amos
341, avenue Principale Nord
Amos (Québec) J9T 2L8
(819) 732-5218

Campus Val-d'Or
675, 1re Avenue Est
Val-d'Or (Québec) J9P 1Y3
(819) 874-3837
www.cegepat.qc.ca

▶ **Fondation** : 1967

Nombre d'élèves inscrits en 2000-2001 : 2 350

Nombre de programmes offerts
- DEC préuniversitaires : (4) Arts plastiques; Lettres; Sciences de la nature; Sciences humaines
- DEC techniques : 12 (voir le tableau inséré dans ce guide)
- AEC : 8

Programmes en alternance travail-études
Exploitation
Technologie de maintenance industrielle
Technologie forestière

Programme sport-études
Hockey junior majeur

Équipes sportives
Badminton mixte, basket-ball féminin et masculin, soccer féminin et masculin, volley-ball féminin et masculin

Résidences étudiantes
250 places
Gaétane Coulombe : (819) 764-6788

CÉGEP DE BAIE-COMEAU

537, boulevard Blanche
Baie-Comeau (Québec) G5C 2B2
(418) 589-5707
www.cegep-baie-comeau.qc.ca

Fondation : 1980

Nombre d'élèves inscrits en 2000-2001 : 778

Nombre de programmes offerts
- DEC préuniversitaires : (3) Arts et lettres (profil langue); Sciences de la nature; Sciences humaines
- DEC techniques : 8 (voir le tableau inséré dans ce guide)
- AEC : 11

PROGRAMME UNIQUE
Techniques d'aménagement cynégétique et halieutique

Programmes en alternance travail-études
Techniques d'aménagement cynégétique et halieutique
Technologie du génie civil
Technologie forestière

Programme sport-études
Hockey junior majeur

Équipes sportives
Basket-ball masculin, soccer masculin, volley-ball féminin

Résidences étudiantes
1 résidence pour garçons - 1 résidence pour filles
106 chambres
Luc Rioux : (418) 589-5707, poste 253

CÉGEP DE CHICOUTIMI

534, rue Jacques-Cartier Est
Chicoutimi (Québec) G7H 1Z6
(418) 549-9520
www.cegep-chicoutimi.qc.ca

Fondation : 1967

Nombre d'élèves inscrits en 2000-2001 : 3 084

Nombre de programmes offerts
- DEC préuniversitaires : (5) Arts et lettres; Arts plastiques; Histoire et civilisation; Sciences de la nature; Sciences humaines;
- DEC intensif : Informatique
- DEC techniques : 16 (voir le tableau inséré dans ce guide)
- DEC/bac
  Administration
  Informatique
  Sciences comptables
- AEC : 3 ou 4 par année

PROGRAMME UNIQUE
Pilotage d'aéronefs

Programmes en alternance travail-études
Technologie forestière
Technologie de l'électronique
Technologie de l'électronique industrielle
Technologie du génie civil

Programmes sport-études
Membre de l'École Sport-Études

Équipes sportives
Badminton, basket-ball, cross-country, natation, soccer, volley-ball

Résidences étudiantes
2 résidences (250 chambres)
(418) 549-9520, poste 258
resid@cegep-chicoutimi.qc.ca

CÉGEP DE DRUMMONDVILLE

960, rue Saint-Georges
Drummondville (Québec) J2C 6A2
(819) 478-4671
www.cdrummond.qc.ca

Fondation : 1968

Nombre d'élèves inscrits en 2000-2001 : 1 560

Nombre de programmes offerts
- DEC préuniversitaires : (5) Danse; Arts et lettres; Musique; Sciences de la nature (sciences de la santé, sciences pures et appliquées); Sciences humaines (profils administration, individu, société, monde)
- DEC techniques : 8
(voir le tableau inséré dans ce guide)
- AEC : 10

Programmes en alternance travail-études
Techniques de bureautique
Techniques de génie mécanique
Techniques de la logistique du transport
Technologie de l'électronique
Technologie de l'estimation et de l'évaluation en bâtiment

Équipes sportives
Badminton mixte, basket-ball féminin et masculin, natation mixte, soccer féminin et masculin, volley-ball féminin et masculin

CÉGEP DE GRANBY–HAUTE-YAMASKA

235, rue Saint-Jacques
C. P. 7000
Granby (Québec) J2G 9H7
(450) 372-6614
www.college-granby-hy.qc.ca

Fondation : 1980

Nombre d'élèves inscrits en 2000-2001 : 1 351

Nombre de programmes offerts
- DEC préuniversitaires : (3) Arts et lettres (profils lettres, arts visuels); Sciences de la nature (profils sciences de la santé, sciences pures et appliquées); Sciences humaines (profils administration avec mathématiques, individu, société, monde)
- DEC techniques : 7
(voir le tableau inséré dans ce guide)
- AEC : 23

Programmes en alternance travail-études
Soins infirmiers
Techniques administratives
Techniques administratives : option finance
Techniques de bureautique
Techniques de conception en électronique
Techniques de l'électronique industrielle
Techniques de l'informatique
Techniques de production manufacturière
Techniques de tourisme

Équipes sportives
Badminton, basket-ball, golf, soccer, volley-ball

CÉGEP DE JONQUIÈRE

2505, rue Saint-Hubert
Jonquière (Québec) G7X 7W2
(418) 547-2191
http://cjonquiere.qc.ca

Fondation : 1967

Nombre d'élèves inscrits en 2000-2001 : 3 847

Nombre de programmes offerts
- DEC préuniversitaires : (5) Arts et lettres; Arts plastiques; Sciences de la nature; Sciences humaines; Sciences, lettres et arts
- DEC techniques : 18
(voir le tableau inséré dans ce guide)
- DEC/bac (avec l'UQAC)
Administration
Chimie
Électronique industrielle (électrodynamique) et génie électrique
Électronique (ordinateur) et génie informatique
- AEC : 7

PROGRAMME UNIQUE
Art et technologie des médias

Programmes en alternance travail-études
Assainissement et sécurité industriels
Technologie de la mécanique du bâtiment
Technologie de l'électronique
(option télécommunications)
Technologie du génie industriel

▷ **Équipes sportives**
Badminton AA, basket-ball féminin et masculin AA, football AA, hockey AA, judo AA, natation AA, soccer intérieur féminin et masculin, volley-ball féminin et masculin AA, volley-ball masculin AAA

Résidences étudiantes
181 places
Pavillon Piékouagami
Louise Lessard : (418) 547-2191, poste 369

CÉGEP DE LA GASPÉSIE ET DES ÎLES

96, rue Jacques-Cartier
Gaspé (Québec) G4X 2S8
(418) 368-2201
www.cgaspesie.qc.ca

Fondation : 1968

Nombre d'élèves inscrits en 2000-2001 : 1 431

Nombre de programmes offerts
- DEC préuniversitaires : (3) Arts et lettres; Sciences de la nature; Sciences humaines
- DEC techniques : 13
  (voir le tableau inséré dans ce guide)
- AEC : 5

PROGRAMMES UNIQUES
Exploitation et production des ressources marines (aquiculture)
Transformation des produits de la mer

Programme en alternance travail-études
Technologie de maintenance industrielle

Programme sport-études
Judo

Équipes sportives
Badminton, basket-ball, hockey, sauvetage, volley-ball

Résidences étudiantes
325 places
Alphonsine Bouchard : (418) 368-2201, poste 414

CÉGEP DE LA POCATIÈRE

140, 4e Avenue
La Pocatière (Québec) G0R 1Z0
(418) 856-1525
www.cglapocatiere.qc.ca

Fondation : 1969

Nombre d'élèves inscrits en 2000-2001 : 1 229

Nombre de programmes offerts
- DEC préuniversitaires : (4) Arts et lettres (profil théâtre); Arts plastiques; Sciences de la nature; Sciences humaines
- DEC techniques : 9
  (voir le tableau inséré dans ce guide)
- AEC : 15

Programme en alternance travail-études
Technologie du génie industriel

Équipes sportives
Basket-ball masculin AA, judo AA, natation mixte AA, volley-ball féminin AA et juvénile féminin AAA

Résidences étudiantes
244 chambres simples
32 appartements de 4 chambres
26 appartements de 3 chambres
(418) 856-1525, poste 2221 (jour)
(418) 856-3828 (soir)

CÉGEP DE LÉVIS-LAUZON

205, Mgr Bourget
Lévis (Québec) G6V 6Z9
(418) 833-5110
www.clevislauzon.qc.ca

Fondation : 1969

Nombre d'élèves inscrits en 2000-2001 : 3 239

Nombre de programmes offerts
- DEC préuniversitaires : (7) Sciences de la nature; Sciences et langues; Sciences humaines (profil individu/société, profil administration/économie); Sciences humaines et langues; Arts et lettres (profil littérature, théâtre et technologie, profil langues); Arts plastiques et médiatiques; Histoire et civilisation
- DEC techniques : 14
  (voir le tableau inséré dans ce guide)
- DEC/bac
  Finance et Comptabilité
  Finance et Sciences comptables
  Informatique
- AEC : 32

Programmes en alternance travail-études
Techniques de génie mécanique
Techniques de la logistique du transport

Équipes sportives
Les Faucons : badminton mixte, basket-ball A féminin, basket-ball AA masculin, hockey AA masculin, judo AA mixte, soccer A féminin et masculin, volley-ball AA féminin et masculin

Résidences étudiantes
5 résidences pouvant accueillir 125 filles et 125 garçons

CÉGEP DE LIMOILOU

Campus de Québec (siège social)
1300, 8e Avenue
Québec (Québec) G1J 5L5
(418) 647-6600
www.climoilou.qc.ca
Infogrogrammes (418) 647-6612

Fondation : 1967

Nombre d'élèves inscrits en 2000-2001 : 4 320

Nombre de programmes offerts
- DEC préuniversitaires : (3) Arts et lettres (profil cinéma et communication, lettres et langues); Sciences de la nature; Sciences humaines (profils économie et administration, international, psychologie et sociologie)
- DEC techniques : 22
  (voir le tableau inséré dans ce guide)
- DEC/bac comptabilité
- DES/DEC : 1
- AEC : 12

Programmes en alternance travail-études
Techniques administratives – option finance (coopératif); Techniques de bureautique; Techniques de tourisme – option mise en valeur des produits touristiques; Techniques de génie mécanique (coopératif); Techniques de l'informatique (coopératif); Techniques de production manufacturière; Technologie de la cartographie; Technologie de la mécanique du bâtiment (coopératif); Technologie de l'électronique (coopératif); Technologie de l'électronique industrielle (coopératif); Technologie du génie industriel (coopératif)

Programme sport-études
Programme adapté pour le cheminement de l'élève qui pratique une activité sportive de plus de 12 heures par semaine et membre de l'École Sport-Études

Équipes sportives
L'intercollégial, Les Titans de Limoilou
Équipes masculines : basket-ball A et AA, soccer A (extérieur), volley-ball AA et AAA; équipes féminines : hockey, soccer A (intérieur), volley-ball AA; équipes mixtes : badminton, natation A, ski alpin A

Campus de Charlesbourg
7600, 3e Avenue Est
Charlesbourg (Québec) G1H 7L4
(418) 624-3700
www.climoilou.qc.ca

Fondation : 1991

Nombre d'élèves inscrits en 2000-2001 : 1 347

Nombre de programmes offerts
- DEC préuniversitaires : (2) Sciences de la nature; Sciences humaines (profils économie et administration, international, psychologie et sociologie)
- DEC techniques : 4
  (voir le tableau inséré dans ce guide)

CÉGEP DE MATANE

616, avenue Saint-Rédempteur
Matane (Québec) G4W 1L1
(418) 562-1240, poste 2186
www.cgmatane.qc.ca

Fondation : 1970

Nombre d'élèves inscrits en 2000-2001
Enseignement régulier : 637
Formation continue : 281

Nombre de programmes offerts
- DEC préuniversitaires : (3) Arts et lettres (profils arts visuels, lettres); Sciences de la nature; Sciences humaines
- DEC techniques : 9
  (voir le tableau inséré dans ce guide)
- DEC/bac
  Finance
  Soins infirmiers
- AEC : 12

▷ **Programmes en alternance travail-études**
Techniques administratives, option finance
Techniques d'aménagement du territoire
Techniques de tourisme
Techniques d'intégration multimédia

Équipes sportives
Badminton, hockey-boule, volley-ball

Résidences étudiantes
236 places disponibles
(418) 562-1240, poste 2174
residence@cgmatane.qc.ca

Centre matapédien d'études collégiales
92, rue Desbiens
Amqui (Québec) G0J 1B0
(418) 629-4190
www.cemec.qc.ca
cemecl@cgmatane.qc.ca

Fondation : août 1995

Nombre d'élèves inscrits en 2000-2001 : 162

Nombre de programmes offerts
- DEC préuniversitaire : (2) Sciences de la nature et Sciences humaines – DEC techniques : (2) Techniques administratives (spécialité Gestion des PME) et Transformation des produits forestiers

CÉGEP DE RIMOUSKI

60, rue de l'Évêché Ouest
Rimouski (Québec) G5L 4H6
(418) 723-1880
www.cegep-rimouski.qc.ca

Fondation : 1967

Nombre d'élèves inscrits en 2000-2001 : 2 704

Nombre de programmes offerts
- DEC préuniversitaires : (5) Arts et lettres; Arts plastiques; Sciences de la nature; Sciences humaines (profils économie et gestion, espaces et temps humains, société et individu); Sciences, lettres et arts
- DEC techniques : 20
(voir le tableau inséré dans ce guide)
- AEC : 31

Programmes en alternance travail-études
Technologie de la mécanique du bâtiment
Technologie forestière

Programmes sport-études
École Sport-Études pour les athlètes de pointe des fédérations sportives
Programme excellence scolaire et sportive pour les élèves de l'intercollégial A et AA

Équipes sportives
Les Pionnières et Les Pionniers : badminton, basket-ball féminin et masculin, soccer intérieur féminin, soccer extérieur masculin, volley-ball féminin et masculin

Résidences étudiantes
600 places
www.cegep-rimouski.qc.ca/residenc

CÉGEP DE RIVIÈRE-DU-LOUP

80, rue Frontenac
Rivière-du-Loup (Québec) G5R 1R1
(418) 862-6903
www.cegep-rdl.qc.ca

Fondation : 1969

Nombre d'élèves inscrits en 2000-2001 : 1 566

Nombre de programmes offerts
- DEC préuniversitaires : (4) Arts et lettres; Arts plastiques; Sciences de la nature; Sciences humaines (profils avec mathématiques/sans mathématiques)
- DEC techniques : 10
(voir le tableau inséré dans ce guide)
- AEC : 21

Programmes en alternance travail-études
Techniques de bureautique, option microédition et hypermédia
Techniques de l'informatique

Équipes sportives
Les Portageurs et Portageuses : badminton, basket-ball, natation

Résidences étudiantes
204 chambres
(418) 862-6903, poste 297

CÉGEP DE SAINT-FÉLICIEN

1105, boulevard Hamel
C. P. 7300
Saint-Félicien (Québec) G8K 2R8
(418) 679-5412
Renseignements et admission : poste 296
www.cstfelicien.qc.ca

Fondation : 1971

Nombre d'élèves inscrits en 2000-2001 : 1 419

Nombre de programmes offerts

- DEC préuniversitaires : (4) Arts et lettres; Sciences de la nature; Sciences humaines (profils individu et société, économie et gestion); Sciences, lettres et arts
- DEC techniques : 7 (voir le tableau inséré dans ce guide)
- AEC : 12

Programme en alternance travail-études
Techniques de l'informatique

CÉGEP DE SAINT-HYACINTHE

3000, avenue Boullé
Saint-Hyacinthe (Québec) J2S 1H9
(450) 773-6800
www.cegepsth.qc.ca

Fondation : 1968

Nombre d'élèves inscrits en 2000-2001 : 3 008

Nombre de programmes offerts

- DEC préuniversitaires : (3) Arts et lettres (profils cinéma, art de l'interprétation/exploration théâtrale, lettres, arts visuels et médiatiques); Sciences de la nature; Sciences humaines
- DEC techniques : 13 (voir le tableau inséré dans ce guide)
- AEC : 25

PROGRAMMES UNIQUES
Technologie de la production textile
Technologie des matières textiles

Programmes en alternance travail-études
Techniques administratives, option finance
Technologie de la mécanique du bâtiment
Technologie de la production textile
Technologie des matières textiles

Programmes sport-études
Membre de l'École Sport-Études

Équipes sportives
Badminton mixte AA, basket-ball féminin et masculin AA, golf A, hockey A, judo mixte AA, natation mixte AA, soccer féminin et masculin AA, volley-ball féminin et masculin AA

CÉGEP DE SAINT-JÉRÔME

455, rue Fournier
Saint-Jérôme (Québec) J7Z 4V2
(450) 436-1580
www.cegep-st-jerome.qc.ca

Fondation : 1970

Nombre d'élèves inscrits en 2000-2001 : 3 375

Nombre de programmes offerts

- DEC préuniversitaires : (6) Arts et cinéma; Baccalauréat international; Langues modernes; Lettres françaises; Sciences de la nature; Sciences humaines
- DEC techniques : 12 (voir le tableau inséré dans ce guide)
- DEC intensif : Techniques d'éducation en services de garde
- AEC : 9
- Autre : Accueil et intégration

PROGRAMME UNIQUE
Techniques de transformation des matériaux composites

Programme en alternance travail-études
Techniques administratives, option gestion

Équipes sportives
Basket-ball féminin et masculin, hockey féminin, ski alpin féminin et masculin, soccer masculin, volley-ball féminin et masculin

Productions étudiantes
Danse, musique, théâtre

Résidences étudiantes
288 chambres
(450) 436-1580, poste 309

CÉGEP DE SAINT-LAURENT

625, avenue Sainte-Croix
Saint-Laurent (Québec) H4L 3X7
(514) 747-6521
www.cegep-st-laurent.qc.ca

Fondation : 1968

Nombre d'élèves inscrits en 2000-2001 : 3 319

Nombre de programmes offerts
- DEC préuniversitaires : (6) Arts et lettres (profils art dramatique, cinéma, lettres, langues); Arts plastiques; Danse; Musique; Sciences de la nature; Sciences humaines
- DEC techniques : 11
  (voir le tableau inséré dans ce guide)
- DEC intensif :
  Soins infirmiers
- Autres : Doubles DEC : Arts plastiques et Sciences de la nature ou Sciences humaines; Danse et Sciences de la nature ou Sciences humaines; Musique et Sciences de la nature ou Sciences humaines
- AEC : 10

PROGRAMME UNIQUE
Assainissement de l'eau

Programme en alternance travail-études
Technologie de l'électronique

Activités socioculturelles et interculturelles
Danse, photo, échecs, théâtre, poésie, radio, journal, improvisation, etc.

Équipes sportives
Hockey féminin et masculin, natation, ski alpin, soccer féminin et masculin, touch football féminin, volley-ball féminin, masculin et mixte

CÉGEP DE SAINTE-FOY

2410, chemin Sainte-Foy
Sainte-Foy (Québec) G1V 1T3
(418) 659-6600
www.cegep-ste-foy.qc.ca

Fondation : 1967

Nombre d'élèves inscrits en 2000-2001 : 6 250

Nombre de programmes offerts
- DEC préuniversitaires : (8) Arts plastiques; Histoire et civilisation; Littérature et arts (options arts et lettres, langues et culture); Musique; Musique et sciences; Sciences de la nature; Sciences humaines; Sciences, lettres et arts
- DEC techniques : 19
  (voir le tableau inséré dans ce guide)
- DEC/bac
  Comptabilité
  Informatique
  Sciences comptables
- AEC : 11

Programme en alternance travail-études
Techniques administratives, option assurances

Programmes sport-études
Possibilité avec encadrement pédagogique et horaire adapté

Équipes sportives
Badminton AA, basket-ball A , AA et AAA, natation AA, ski alpin A, soccer A, volley-ball AA

CÉGEP DE SEPT-ÎLES

175, de la Vérendrye
Sept-Îles (Québec) G4R 5B7
(418) 962-9848
www.cegep-sept-iles.qc.ca

Fondation : 1971

Nombre d'élèves inscrits en 2000-2001 : 765

Nombre de programmes offerts
- DEC préuniversitaires : (4) Arts plastiques; Arts et lettres; Sciences de la nature; Sciences humaines (profils monde et société, société et individu, cultures et société, sciences administratives)
- DEC techniques : 7
  (voir le tableau inséré dans ce guide)
- AEC : 4

PROGRAMME UNIQUE
Cultures et société (DEC offert aux autochtones)

Programmes en alternance travail-études
Technologie de l'électronique industrielle
Technologie de maintenance industrielle

Équipes sportives
Badminton, basket-ball, soccer, volley-ball

Résidences étudiantes
Diane Thériault, poste 261

CÉGEP DE SOREL-TRACY

3000, boulevard de la Mairie
Tracy (Québec) J3R 5B9
(450) 742-6651
www.cegep-sorel-tracy.qc.ca

Fondation : 1980

Nombre d'élèves inscrits en 2000-2001 : 2 098

Nombre de programmes offerts
- DEC préuniversitaires : (3) Arts et lettres; Sciences de la nature; Sciences humaines (profils universel avec et sans mathématiques, administration)
- DEC techniques : 6
(voir le tableau inséré dans ce guide)
- AEC : 19

Programmes en alternance travail-études
Techniques administratives
Techniques administratives, options assurances, finance, marketing
Techniques de bureautique
Techniques de génie mécanique
Technologie de l'électronique industrielle

CÉGEP DE TROIS-RIVIÈRES

3500, rue de Courval
C. P. 97
Trois-Rivières (Québec) G9A 5E6
(819) 376-1721
www.cegeptr.qc.ca

Fondation : 1968

Nombre d'élèves inscrits en 2000-2001
Enseignement régulier : 4 562
Formation continue : 2 712

Nombre de programmes offerts
- DEC préuniversitaires : (8) Arts et lettres (profils littérature, arts et communication, langues, théâtre); Arts plastiques; Musique; Sciences de la nature (profils sciences de la santé, sciences pures et appliquées); Sciences de la nature - Musique (3 ans); Sciences humaines et Musique (3 ans); Sciences humaines; Sciences, lettres et arts
- DEC techniques : 24
(voir le tableau inséré dans ce guide)
- DEC/bac
Sciences comptables
- AEC : 25
- Autre : Accueil et intégration

PROGRAMME UNIQUE
Technologies des pâtes et papiers

Programmes en alternance travail-études
Fabrications mécano-soudées
Technologies des pâtes et papiers
Technologie du génie industriel

Programmes sport-études
Affilié à l'École Sport-Études

Équipes sportives
Les Diablos : basket-ball féminin et masculin AA, football masculin AA, natation mixte, soccer féminin et masculin AA, volley-ball féminin et masculin AA

Résidences étudiantes
Six résidences pour 200 personnes
(819) 376-1721, poste 2518
danielle.begin@cegeptr.qc.ca

CÉGEP DE VICTORIAVILLE

475, rue Notre-Dame Est
Victoriaville (Québec) G6P 4B3
(819) 758-6401
www.cgpvicto.qc.ca

École québécoise du meuble et du bois ouvré
Campus de Victoriaville
765, rue Notre-Dame Est
Victoriaville (Québec) G6P 4B3
(819) 758-6401

Campus de Montréal
5445, rue De Lorimier
Montréal (Québec) H2C 2C3
(514) 528-8687

Programmes offerts à l'École du meuble
Techniques d'ébénisterie et de menuiserie architecturale
Techniques du meuble et du bois ouvré
Plusieurs programmes de la formation professionnelle sont également offerts.

▷ **Fondation (Cégep de Victoriaville)** : 1969

Nombre d'élèves inscrits en 2000-2001 : 1 725

Nombre de programmes offerts
- DEC préuniversitaires : (3) Arts et lettres (profils lettres françaises; langues modernes); Sciences de la nature (profils sciences de la santé; sciences pures et appliquées); Sciences humaines (profils administration; individu, monde et société)
- DEC techniques : 8
  (voir le tableau inséré dans ce guide)
- AEC : 8

PROGRAMME UNIQUE
Techniques du meuble et du bois ouvré

Programme en alternance travail-études
Technologie de l'électronique industrielle

Programme sport-études
Ligue de hockey junior majeur
du Québec (Tigres de Victoriaville)

Équipes sportives
Badminton mixte AA, basket-ball féminin AA, football masculin AA, judo mixte AA, natation mixte AA, soccer féminin et masculin AA, tennis mixte A, volley-ball féminin et masculin AA

Résidences étudiantes
108 chambres - (819) 752-6176
(819) 758-6401, poste 2459

CÉGEP DU VIEUX MONTRÉAL

255, rue Ontario Est
Montréal (Québec) H2X 1X6
(514) 982-3437
www.cvm.qc.ca

Fondation : 1975

Nombre d'élèves inscrits en 2000-2001 : 6 233

Nombre de programmes offerts
- DEC préuniversitaires : (7) Arts et lettres; Arts plastiques; Double DEC (sciences de la nature et sciences humaines, profil optimonde); Histoire et civilisation; Sciences de la nature; Sciences de la nature (profil informatique); Sciences humaines
- DEC techniques : 20
  (voir le tableau inséré dans ce guide)
- AEC : 15

PROGRAMME UNIQUE
Dessin animé

Programmes en alternance travail-études
Techniques administratives – options assurances, gestion
Techniques de génie mécanique
Techniques de l'informatique
Technologie de l'électronique
Technologie de l'électronique industrielle

Équipe sportive
Les Spartiates : football AAA

Résidences étudiantes
Service de logement :
Mireille Langevin, poste 2049

CÉGEP HERITAGE COLLEGE

325, boulevard Cité-des-Jeunes
Hull (Québec) J8Y 6T3
(819) 778-2270
www.cegep-heritage.qc.ca

Fondation : 1988

Nombre d'élèves inscrits en 2000-2001 : 750

Nombre de programmes offerts
- DEC préuniversitaires : (4) Arts plastiques; Liberal Arts; Sciences; Sciences humaines
- DEC techniques : 6
  (voir le tableau inséré dans ce guide)
- AEC : 6

Équipe sportive
Les Hurricane : basket-ball féminin et masculin AA

CÉGEP JOHN ABBOTT COLLEGE

21275, chemin Lakeshore
C. P. 2000
Sainte-Anne-de-Bellevue (Québec) H9X 3L9
(514) 457-6610
www.johnabbott.qc.ca

Fondation : 1970

Nombre d'élèves inscrits en 2000-2001 : 5 000

Nombre de programmes offerts
- DEC préuniversitaires : (6) Arts et lettres; Commerce/Sciences sociales; Fine Arts; Liberal Arts; Sciences; Sciences de la nature

- DEC techniques : 12
  (voir le tableau inséré dans ce guide)
- AEC : 12

Équipes sportives
Les Islanders : basket-ball féminin et masculin, football masculin, golf, hockey féminin, natation, rugby féminin et masculin, ski, soccer féminin et masculin, tennis, touch football féminin et masculin, volley-ball féminin et masculin

Résidences étudiantes
191 places
Housing services : (514) 457-6610, poste 234

CÉGEP MARIE-VICTORIN

7000, rue Marie-Victorin
Montréal (Québec) H1G 2J6
(514) 325-0150
www.collegemv.qc.ca

Fondation : 1969

Nombre d'élèves inscrits en 2000-2001 : 2 892

Nombre de programmes offerts
- DEC préuniversitaires : (5) Arts et lettres; Arts plastiques; Musique; Sciences de la nature; Sciences humaines
- DEC techniques : 12
  (voir le tableau inséré dans ce guide)
- Autres : Doubles DEC : (4) Arts plastiques et Sciences de la nature; Arts plastiques et Sciences humaines; Musique classique ou jazz et Sciences de la nature; Musique classique ou jazz et Sciences humaines

Équipes sportives
Équipe intercollégiale de basket-ball masculin et de volley-ball féminin, hockey féminin AA, natation mixte AA, soccer intérieur masculin AA

Résidences étudiantes
Résidence Campus Marie-Victorin inc.
(514) 955-3715

CÉGEP RÉGIONAL DE LANAUDIÈRE

Fondation : 1998
- AEC : 17

Programme sport-études
Hockey sur glace à Joliette

Équipes sportives
Badminton, basket-ball, curling, flag-football, hockey cosom, hockey sur glace, natation, raquetball, soccer, taekwondo, tir à l'arc, volley-ball

Collège constituant de Joliette
20, rue Saint-Charles Sud
Joliette (Québec) J6E 4T1
(450) 759-1661
www.collanaud.qc.ca/joliette

Nombre d'élèves inscrit en 2000-2001 : 1 997

Nombre de programmes offerts
- DEC préuniversitaires : (7) Arts et lettres (options cinéma, arts visuels, lettres et langues); Arts plastiques; Musique (classique ou jazz-pop); Sciences de la nature et Musique (double DEC); Sciences de la nature et Sciences humaines (double DEC); Sciences humaines (profil administration, individu et société); Sciences humaines et Musique (double DEC)
- DEC techniques : 11
  (voir le tableau inséré dans ce guide)

Collège constituant de l'Assomption
240, boulevard l'Ange-Gardien
L'Assomption (Québec) J5W 4M5
(450) 470-0922
www.collanaud.qc.ca/lassomption

Nombre d'élèves inscrits en 2000-2001 : 1 000

Nombre de programmes offerts
- DEC préuniversitaires : (4) Arts et lettres (option arts et lettres); Baccalauréat international (profils sciences de la nature, sciences humaines); Sciences de la nature (profils sciences de la santé et sciences pures); Sciences humaines (profil administration, individu et société)
- DEC techniques : 5
  (voir le tableau inséré dans ce guide)

Collège constituant de Terrebonne
2906, boulevard Sainte-Marie
Mascouche (Québec) J7K 1N7
(450) 470-0933
www.collanaud.qc.ca/terrebonne

▷ **Nombre d'élèves inscrits en 2000-2001** : 140

Nombre de programmes offerts
- DEC préuniversitaires : (2) Sciences de la nature; Sciences humaines (profil individu, monde, société)
- DEC techniques : 2
(voir le tableau inséré dans ce guide)

CÉGEP SAINT-JEAN-SUR-RICHELIEU

30, boulevard du Séminaire
C. P. 1018
Saint-Jean-sur-Richelieu (Québec) J3B 7B1
(450) 347-5301
www.cstjean.qc.ca

Fondation : 1968

Nombre d'élèves inscrits en 2000-2001 : 2 218

Nombre de programmes offerts
- DEC préuniversitaires : (4) Arts et lettres (majeures culture et langue, culture et littérature); Arts plastiques; Sciences de la nature; Sciences humaines (profils avec mathématiques/sans mathématiques, administration)
- DEC techniques : 10
(voir le tableau inséré dans ce guide)
- AEC : 22

Programmes en alternance travail-études
Gestion et exploitation d'entreprise agricole
Techniques administratives – options finance, marketing
Techniques de bureautique
Techniques de génie mécanique
Technologie de l'électronique

Programmes sport-études
Membre de l'École Sport-Études

Équipes sportives
Badminton mixte AA, basket-ball masculin AA, flag football féminin A, football AAA, volley-ball féminin et masculin AA

Résidences étudiantes
152 chambres
(450) 347-5301, poste 2360
(514) 990-5558, poste 2360

CENTRE COLLÉGIAL DE FORMATION À DISTANCE

7100, rue Jean-Talon Est
7e étage
Anjou (Québec) H1M 3S3
(514) 864-6464 / 1 800 665-6400
www.ccfd.crosemont.qc.ca

Fondation : 1991

Nombre d'élèves inscrits en 2000-2001 : 12 000

Nombre de programmes offerts
- DEC préuniversitaire : (1) Sciences humaines (avec mathématiques/sans mathématiques)
- DEC technique : 1
(voir le tableau inséré dans ce guide)
- AEC : 8
- Autres : cours à la carte

CENTRE DE FORMATION ET DE CONSULTATION EN MÉTIERS D'ART

Collège de Limoilou
299, 3e Avenue
Québec (Québec) G1L 2V7
(418) 647-0567
www.climoilou.qc.ca
Infoprogrammes : (418) 647-6612

Fondation : 1984

Nombre d'élèves inscrits en 2000-2001 : 338

Nombre de programmes offerts
- DEC technique : 1
(voir le tableau inséré dans ce guide)
- AEC : 2
- **PROGRAMMES UNIQUES**
Techniques de métiers d'art, options céramique, lutherie, sculpture sur bois

CENTRE SPÉCIALISÉ DES PÊCHES

167, La Grande-Allée Est, C. P. 220
Grande-Rivière (Québec) G0C 1V0
(418) 385-2241
www.cgaspesie.qc.ca

Fondation : 1948

Nombre d'élèves inscrits en 2000-2001 : 83

Nombre de programmes offerts
- DEC techniques : 2
  (voir le tableau inséré dans ce guide)
- AEC : 4

PROGRAMMES UNIQUES
Tous les programmes sont exclusifs.

COLLÈGE CHAMPLAIN REGIONAL

1301, boulevard Portland
Sherbrooke (Québec) J1J 1S2
(819) 564-3636

Campus Saint-Lambert
900, Riverside Drive
Saint-Lambert (Québec) J4P 3P2
(450) 672-7360
www.champlainonline.com

Fondation : 1972

Nombre d'élèves inscrits en 2000-2001 : 2 500

Nombre de programmes offerts
- DEC préuniversitaires : (8) Creative Arts; Finance; Langues modernes; Liberal Arts; Sciences; Sciences humaines; Sciences humaines et Mathématiques; Baccalauréat international (profils Sciences humaines avec mathématiques et sciences)
- DEC techniques : 4
  (voir le tableau inséré dans ce guide)
- AEC : 4

PROGRAMMES UNIQUES (en anglais)
Baccalauréat international (sciences et commerce)
Information Technology Program (adultes seulement)

Équipes sportives
Basket-ball féminin et masculin, rugby féminin et masculin, soccer féminin et masculin, volley-ball féminin et masculin

Campus Lennoxville
Lennoxville (Québec) J1M 2A1
(819) 564-3666
www.lennox.champlaincollege.qc.ca

Fondation : 1971

Nombre d'élèves inscrits en 2000-2001 : 1 150

Nombre de programmes offerts
- DEC préuniversitaires (6) : Creative Arts; Fine Arts; Langues et littérature; Liberal Arts; Sciences; Sciences sociales
- DEC techniques : 3
  (voir le tableau inséré dans ce guide)

Programmes en alternance travail-études
Administrative Techniques
Computer Information System
Special Care Counselling

Équipes sportives
Basket-ball féminin AA, basket-ball masculin AAA, football AAA, hockey féminin, hockey masculin AA

Résidences étudiantes
317 places
(819) 564-3675, poste 2675

Campus St. Lawrence
790, Nérée-Tremblay
Sainte-Foy (Québec) G1V 4K2
(418) 656-6921
www.slc.qc.ca

Fondation : 1972

Nombre d'élèves inscrits en 2000-2001 : 915

Nombre de programmes offerts
- DEC préuniversitaires : (4) Langues et littérature; Sciences de la nature; Sciences humaines (profil général, administration); Sciences pures
- DEC technique : 1
  (voir le tableau inséré dans ce guide)
- AEC : 1

Équipes sportives
Basket-ball féminin et masculin A et AA, golf, hockey masculin, rugby féminin et masculin, soccer extérieur masculin, soccer intérieur féminin, volley-ball féminin et masculin A

COLLÈGE AHUNTSIC

9155, rue Saint-Hubert
Montréal (Québec) H2M 1Y8
(514) 389-5921
www.collegeahuntsic.qc.ca

Fondation : 1967

Nombre d'élèves inscrits en 2000-2001 : 6 700

Nombre de programmes offerts

- DEC préuniversitaires : (3) Arts et lettres (profils cinéma, lettres, langues) Sciences de la nature; Sciences humaines (profils administration, individu et psychologie, société et environnement, monde et vie internationale)
- DEC techniques : 23
(voir le tableau inséré dans ce guide)
- AEC : 16

PROGRAMMES UNIQUES

Infographie en préimpression
Techniques d'électrophysiologie médicale
Technologie de l'impression
Technologie de médecine nucléaire

Programmes en alternance travail-études

Chimie-biologie
Techniques de transformation des matières plastiques
Technologie du génie civil
Technologie du génie industriel

Programmes sport-études

Affilié à l'École Sport-Études

Équipes sportives

Les Indiens et Les Indiennes : badminton mixte AA, basket-ball féminin et masculin AA, natation mixte AA, soccer féminin AA, soccer extérieur masculin AAA

COLLÈGE D'ALMA

675, boulevard Auger Ouest
Alma (Québec) G8B 2B7
(418) 668-2387
www.calma.qc.ca

Fondation : 1980

Nombre d'élèves inscrits en 2000-2001 : 1 535

Nombre de programmes offerts

- DEC préuniversitaires : (5) Arts et lettres; Arts plastiques (arts et technologies informatisées); Musique; Sciences de la nature; Sciences humaines
- DEC techniques : 10
(voir le tableau inséré dans ce guide)
- AEC : 17

Programmes en alternance travail-études

Fabrications mécano-soudées
Gestion et exploitation d'entreprise agricole
Techniques administratives – options finance, gestion

Équipes sportives

Badminton féminin et masculin, basket-ball féminin, football masculin, judo féminin et masculin, natation féminine et masculine, soccer féminin et masculin, volley-ball féminin et masculin

COLLÈGE DE BOIS-DE-BOULOGNE

10555, avenue de Bois-de-Boulogne
Montréal (Québec) H4N 1L4
(514) 332-3000
Admission, renseignements : poste 313
www.bdeb.qc.ca

Fondation : 1968

Nombre d'élèves inscrits en 2000-2001 :
Enseignement régulier : 2 600
Formation continue : 1 625

Nombre de programmes offerts

- DEC préuniversitaires : (4) Arts et lettres (profils lettres, cinéma, communication, arts visuels, langues); Sciences de la nature (profils sciences de la santé et sciences pures et appliquées); Sciences humaines (administration, individu, monde, société); Sciences, lettres et arts
- DEC techniques : 5
(voir le tableau inséré dans ce guide)
- AEC : 15

PROGRAMME UNIQUE

Techniques administratives, option services financiers

Équipes sportives

Badminton mixte AA, basket-ball féminin et masculin, escrime féminine et masculine, flag football féminin A, natation mixte AA, soccer féminin et masculin A et AA, volley-ball féminin AA et AAA, volley-ball mixte AA

Résidences étudiantes

Une résidence pour filles (157 places)
Marie-Josée Beaulieu : (514) 332-3000, poste 356

COLLÈGE GÉRALD-GODIN

15615, boulevard Gouin Ouest
Sainte-Geneviève (Québec) H9H 5K8
(514) 626-2666
www.college-gerald-godin.qc.ca

Fondation : 1995

Nombre d'élèves inscrits en 2000-2001 : 700

Nombre de programmes offerts

- DEC préuniversitaires : (3) Arts et lettres (profil cinéma et communication); Sciences de la nature; Sciences humaines (profils fondements, administration)
- DEC techniques : 3
  (voir le tableau inséré dans ce guide)
- AEC : 3

Programmes en alternance travail-études
Techniques administratives, option finance
Techniques de l'informatique
Technologie de conception en électronique

Équipes sportives
Flag football féminin A, soccer intérieur masculin, volley-ball mixte multicollège

COLLÈGE DE L'OUTAOUAIS

Campus Gabrielle-Roy
333, boulevard Cité-des-Jeunes
Hull (Québec) J8Y 6M5
(819) 770-4012

Campus Félix-Leclerc
820, boulevard La Gappe
Gatineau (Québec) J8T 7T7
(819) 243-9007

Campus Louis-Reboul
125, boulevard Sacré-Cœur
Hull (Québec) J8X 1C5
(819) 777-7594
www.coll-outao.qc.ca

Fondation : 1967

Nombre d'élèves inscrits en 2000-2001 : 3 906

Nombre de programmes offerts

- DEC préuniversitaires : (5) Arts et lettres; Arts plastiques; Sciences de la nature; Sciences humaines (profils études économiques et administratives, études sociales et psychologiques, études des civilisations et de l'environnement); Sciences, lettres et arts
- DEC techniques : 19
  (voir le tableau inséré dans ce guide)
- AEC : 10

Programmes en alternance travail-études
Techniques de chimie analytique
Technologie du génie civil
Technologie de la mécanique du bâtiment

Programmes sport-études
Membre de l'École Sport-Études

Équipes sportives
Badminton mixte niveau AA, basket-ball féminin et masculin, volley-ball masculin AAA

COLLÈGE DE LA RÉGION DE L'AMIANTE

671, boulevard Smith Sud
Thetford Mines (Québec) G6G 1N1
(418) 338-8591
www.cegep-ra.qc.ca

Fondation : 1969

Nombre d'élèves inscrits en 2000-2001 : 1 031

Nombre de programmes offerts

- DEC préuniversitaires : (5) Accueil et intégration; Transition; Arts et lettres; Sciences de la nature; Sciences humaines (profils général, administration)
- DEC techniques : 9
  (voir le tableau inséré dans ce guide)
- AEC : 17

PROGRAMMES UNIQUES
Géologie appliquée
Minéralurgie

Programmes en alternance travail-études
Techniques administratives, options finance et gestion
Techniques de génie mécanique
Techniques de transformation des matières plastiques
Technologie minérale (géologie appliquée, exploitation, minéralurgie)
Technologie de l'électronique industrielle

Programmes sport-études
Le collège collabore avec les élèves désireux de suivre un programme sport-études en offrant des programmes allégés et des horaires adaptés.

▷ **Équipes sportives**
Badminton, basket-ball féminin et masculin, handball féminin et masculin, hockey, natation, ski alpin, soccer extérieur et intérieur, volley-ball féminin et masculin

Résidences étudiantes
(Jour) (418) 338-8591
(Soir) (418) 338-8596

COLLÈGE DE MAISONNEUVE

Institut des technologies de l'information
3800, rue Sherbrooke Est
Montréal (Québec) H1X 2A2
(514) 254-7131
www.cmaisonneuve.qc.ca

Institut de chimie et de pétrochimie
6220, rue Sherbrooke Est
Montréal (Québec) H1N 1C1
(514) 255-4444

Fondation : 1967

Nombre d'élèves inscrits en 2000-2001 : 5 890

Nombre de programmes offerts
- DEC préuniversitaires : (3) Arts et lettres (profils cinéma et communication, lettres, langues - allemand, espagnol, anglais); Sciences de la nature (profils sciences de la santé, sciences pures et appliquées); Sciences humaines (profils individu, profil monde avec stage à Cap-Haïtien, sciences de l'administration, société)
- DEC techniques : 13
(voir le tableau inséré dans ce guide)
- Autre : Double DEC : Sciences de la nature et Sciences humaines
- AEC : 21

Équipes sportives
Les Vikings : badminton mixte AA, basket-ball féminin AA, cheerleaders, football AA, flag football féminin A, golf mixte, soccer intérieur masculin AA, soccer extérieur féminin AA, volley-ball féminin AA et masculin AAA, équipes multicollégiales (hockey cosom et volley-ball mixte)

PROGRAMMES UNIQUES
Techniques administratives, option personnel
Techniques de procédés chimiques

Programmes en alternance travail-études
Technologie de conception en électronique
Technologie de l'électronique, option télécommunication et ordinateur

COLLÈGE MONTMORENCY

475, boulevard de l'Avenir
Laval (Québec) H7N 5H9
(450) 975-6100
www.cmontmorency.qc.ca

Fondation : 1969

Nombre d'élèves inscrits en 2000-2001 : 4 800

Nombre de programmes offerts
- DEC préuniversitaires : (6) Arts et lettres (profils cinéma, littérature, langues, cultures et traduction, communication); Arts plastiques; Cinéma; Danse; Sciences de la nature (profils sciences biologiques et de la santé, sciences pures et appliquées); Sciences humaines (profils administration, individu, société, monde)
- DEC techniques : 17
(voir le tableau inséré dans ce guide)
- DEC intensifs :
Informatique
Technologie de l'électronique, option ordinateurs et réseaux
Techniques de l'estimation et de l'évaluation en bâtiment
- Autres : Doubles DEC : Sciences de la nature et Arts plastiques; Sciences de la nature et Danse; Sciences de la nature et Sciences humaines; Sciences humaines et Arts plastiques; Sciences humaines et Danse
- AEC : 14

PROGRAMMES UNIQUES
Techniques de muséologie
Techniques d'orthèses et de prothèses orthopédiques

Programmes en alternance travail-études
Paysage et commercialisation en horticulture ornementale; Sécurité incendie; Soins infirmiers; Techniques administratives; Techniques administratives - options assurance, finance, gestion et marketing; Techniques de bureautique - option microédition et hypermédia; Techniques de diététique; Techniques d'éducation à l'enfance;

Techniques de l'informatique; Techniques d'orthèses et de prothèses; Techniques de réadaptation physique; Techniques de tourisme; Technologie de l'architecture; Technologie de l'électronique industrielle; Technologie de l'électronique - option ordinateurs; Technologie du génie civil

Programmes sport-études
Membre de l'École Sport-Études

Équipes sportives
Les Nomades : badminton mixte AA, basket-ball féminin et masculin AA et AAA, football masculin AA, golf, volley-ball féminin et masculin AA, volley-ball masculin AAA

Résidences étudiantes
(450) 975-6363
www.sae.cjb.net

COLLÈGE DE ROSEMONT

6400, 16e Avenue
Montréal (Québec) H1X 2S9
(514) 376-1620
www.crosemont.qc.ca

Fondation : 1968

Nombre d'élèves inscrits en 2000-2001 : 2 570

Nombre de programmes offerts
- DEC préuniversitaires : (3) Arts et lettres (profils cinéma et communication, arts visuels, littérature en mouvement, langues modernes); Sciences de la nature (profils groupe d'excellence en sciences, sciences de la santé, sciences pures et appliquées); Sciences humaines (profil administration)
- DEC techniques : 10
  (voir le tableau inséré dans ce guide)
- AEC : 12

PROGRAMMES UNIQUES
Acupuncture traditionnelle
Audioprothèse
Techniques de thanatologie

Programme en alternance travail-études
Techniques de bureautique

Programmes sport-études
Membre de l'École Sport-Études

Équipes sportives
Les Gaulois et Gauloises : basket-ball féminin et masculin AA, soccer extérieur féminin et masculin AA, soccer intérieur féminin et masculin A, volley-ball mixte A

COLLÈGE DE SHERBROOKE

475, rue du Parc
Sherbrooke (Québec) J1E 4K1
(819) 564-6350
www.collegesherbrooke.qc.ca

Fondation : 1968

Nombre d'élèves inscrits en 2000-2001 : 4 835

Nombre de programmes offerts
- DEC préuniversitaires : (6) Arts et lettres; Arts plastiques; Musique; Sciences de la nature; Sciences humaines; Sciences, lettres et arts
- DEC techniques : 19
  (voir le tableau inséré dans ce guide)
- AEC : 10

Programmes en alternance travail-études
Techniques de bureautique
Techniques de génie mécanique
Technologie de maintenance industrielle

Programmes sport-études
Athlétisme, boxe, canoé-kayak de vitesse, cyclisme, hockey, judo, natation, patinage de vitesse, tir à l'arc, triathlon, vélo de montagne, volley-ball

Équipes sportives
Les Volontaires : basket-ball féminin et masculin, natation, soccer féminin et masculin, volley-ball féminin et masculin

Résidences étudiantes
217 chambres simples
(819) 564-6350, poste 248

COLLÈGE DE VALLEYFIELD

169, rue Champlain
Valleyfield (Québec) J6T 1X6
(450) 373-9441
www.colval.qc.ca

Fondation : 1967

Nombre d'élèves inscrits en 2000-2001 : 1 850

Nombre de programmes offerts

- DEC préuniversitaires : (4) Arts et lettres (profils cinéma/communication, arts visuels, lettres, arts d'interprétation, théâtre); Arts plastiques; Sciences de la nature (profils sciences de la santé, sciences pures et appliquées); Sciences humaines (profils général, sciences sociales, administration)
- DEC techniques : 10
  (voir le tableau inséré dans ce guide)
- AEC : 8

Programmes en alternance travail-études

Techniques de bureautique
Techniques de chimie analytique
Techniques de génie mécanique
Techniques de l'informatique
Technologie de l'électronique industrielle
Technologie du génie industriel

Programmes sport-études

Membre de l'École Sport-Études
Badminton, baseball, canoé-kayak, natation

Équipes sportives

Badminton mixte AA, basket-ball masculin et féminin A, football AA, golf AA, hockey cosom, soccer féminin et masculin AA, volley-ball féminin et masculin AA

Résidences étudiantes

80 chambres
(450) 373-9441, poste 476

COLLÈGE ÉDOUARD-MONTPETIT

945, chemin de Chambly
Longueuil (Québec) J4H 3M6
(450) 679-2630
www.collegeem.qc.ca

École nationale d'aérotechnique

5555, place de la Savane
Saint-Hubert (Québec) J3Y 5K2
(450) 678-3560

Fondation : 1967

Nombre d'élèves inscrits en 2000-2001 : 6 959

Nombre de programmes offerts

- DEC préuniversitaires : (4) Arts plastiques; Arts et lettres (profils langues, lettres, littérature et cinéma, théâtre, arts d'interprétation); Sciences de la nature (profils sciences de la santé, sciences pures et appliquées); Sciences humaines (profils administration, international, défis contemporains, intervention et éducation)
- DEC techniques : 14 (incluant ceux de l'École nationale d'aérotechnique)
  (voir le tableau inséré dans ce guide)
- AEC : 13

PROGRAMMES UNIQUES

Avionique
Construction aéronautique
Gestion commerciale
Techniques de comptabilité et de gestion
Techniques de denturologie
Techniques dentaires
Techniques d'orthèses visuelles

Programmes en alternance travail-études

Avionique
Construction aéronautique
Entretien d'aéronefs

Programmes sport-études

Aviron, baseball, basket-ball, biathlon, canoé/kayak, curling, escrime, golf, gymnastique, hockey, karaté, patinage artistique, patinage de vitesse, plongeon, racketball, ski acrobatique, soccer, sports équestres, tennis, triathlon

Équipes sportives

Badminton, basket-ball AA et AAA, football, natation, flag football, volley-ball mixte AA

COLLÈGE FRANÇOIS-XAVIER-GARNEAU

1660, boulevard de l'Entente
Québec (Québec) G1S 4S3
(418) 688-8310
www.cegep-fxg.qc.ca

Fondation : 1969

Nombre d'élèves inscrits en 2000-2001 : 6 782

Nombre de programmes offerts

- DEC préuniversitaires : (5) Accueil et intégration; Arts et lettres (profils arts visuels, cinéma, littérature, langue); Baccalauréat international; Sciences de la nature (profils sciences de la vie et de la santé, sciences et génie); Sciences humaines (profils international-interculturel, gestion des organisations, interaction et société, Méditerranée, espace et histoires)
- DEC techniques : 15 (voir le tableau inséré dans ce guide)
- DEC/bac : Comptabilité
- AEC : 26

Programmes en alternance travail-études

Techniques administratives, option commerce international
Techniques de la logistique du transport

Programmes sport-études

Membre de l'École Sport-Études

Équipes sportives

Badminton mixte AA, basket-ball féminin et masculin A et AA, football AA, natation mixte AA, ski alpin mixte A, soccer extérieur féminin AA, soccer extérieur masculin A et AAA, volley-ball féminin et masculin AA, volley-ball féminin AAA

Résidences étudiantes

Les Résidences du Vieux Château inc.
(418) 686-8843

COLLÈGE LIONEL-GROULX

100, rue Duquet
Sainte-Thérèse (Québec) J7E 3G6
(450) 430-3120
www.clg.qc.ca

Fondation : 1967

Nombre d'élèves inscrits en 2000-2001 : 3 768

Nombre de programmes offerts

- DEC préuniversitaires : (10) Art d'interprétation; Arts plastiques; Communication et cinéma; Langues; Lettres; Musique; Sciences de la nature; Sciences humaines; Sciences, lettres et arts (DEC intégré); Sciences de l'administration
- DEC techniques : 15 (voir le tableau inséré dans ce guide)
- AEC : 18
- DEC exclusif : Théâtre musical

Programmes en alternance travail-études

Gestion et exploitation d'entreprise agricole
Techniques de bureautique
Techniques de la logistique du transport
Techniques de production manufacturière

Programme sport-études

Basket-ball féminin

Équipes sportives

Basket-ball féminin et masculin, cross-country féminin et masculin, golf féminin et masculin, soccer masculin, volley-ball masculin et féminin, natation

Résidences étudiantes

281 places
Tél. : (450) 971-7808
Téléc. : (450) 971-7816

COLLÈGE DE SHAWINIGAN

2263, avenue du Collège
C. P. 610
Shawinigan (Québec) G9N 6V8
(819) 539-6401
www.collegeshawinigan.qc.ca

Fondation : 1968

Nombre d'élèves inscrits en 2000-2001 : 1 510

Nombre de programmes offerts

- DEC préuniversitaires : (3) Arts et lettres; Sciences de la nature; Sciences humaines (profils individu, société, monde, administration)
- DEC techniques : 10 (voir le tableau inséré dans ce guide)
- AEC : 7

Programmes en alternance travail-études

Techniques de génie mécanique
Techniques de l'informatique
Technologie de l'électronique

Programmes sport-études

Membre de l'École Sport-Études

▷ **Équipes sportives**
Les Électriks : badminton mixte, basket-ball féminin et masculin, natation mixte, rugby féminin, volley-ball féminin et mixte

Résidences étudiantes
Service de logements
Service aux étudiants : (819) 539-6401, poste 2247
gingras@collegeshawinigan.qc.ca

COLLÈGE DAWSON

3040, rue Sherbrooke Ouest
Westmount (Québec) H3Z 1A4
(514) 931-8731
www.dawsoncollege.qc.ca

Fondation : 1969

Nombre d'élèves inscrits en 2000-2001 : 7 400

Nombre de programmes offerts
- DEC préuniversitaires : (9) Commerce; Creative Arts; Fine Arts; Langues et littérature; Liberal Arts; Sciences de la santé; Sciences pures et appliquées; Sciences sociales; Arts et lettres
- DEC techniques : 19 (voir le tableau inséré dans ce guide)
- AEC : 6

Programme en alternance travail-études
Technologie du génie civil

Équipes sportives
Canotage, basket-ball féminin et masculin AA et AAA, hockey féminin, rugby féminin et masculin, soccer extérieur féminin, soccer extérieur masculin AA et AAA, soccer intérieur féminin et masculin, squash, tennis, volley-ball féminin et masculin

CAMPUS MACDONALD

Édifice Harrison House
21111, chemin Lakeshore
C. P. 204
Saint-Anne-de-Bellevue (Québec) H9X 3V9
(514) 398-7814
www.agrenv.mcgill.ca

Fondation : 1905

Nombre d'élèves inscrits en 2000-2001 : 102

Nombre de programmes offerts
- DEC technique : 1 (voir le tableau inséré dans ce guide)

Équipes sportives
Ballon-balai, hockey, rugby, softball, volley-ball

Résidences étudiantes
Laird Hall, 250 places
(514) 398-7814

COLLÈGE VANIER

821, avenue Sainte-Croix
Saint-Laurent (Québec) H4L 3X9
(514) 744-7100
www.vaniercollege.qc.ca

Fondation : 1970

Nombre d'élèves inscrits en 2000-2001 : 4 756

Nombre de programmes offerts
- DEC préuniversitaires (8) : Commerce; Communication; Langues et littérature; Liberal Arts; Musique; Sciences de la santé; Sciences pures et appliquées; Sciences humaines
- DEC techniques : 14 (voir le tableau inséré dans ce guide)
- AEC : 10

PROGRAMMES UNIQUES (en anglais)
Écologie appliquée; Musique populaire; Santé animale; Techniques d'éducation en services de garde; Techniques d'éducation spécialisée; Techniques d'inhalothérapie et d'anesthésie; Technologie de la mécanique de bâtiment; Technologie de l'architecture; Technologie de l'électronique industrielle; Technologie de systèmes ordinés

Programmes sport-études
Les inscriptions des élèves dans un programme sport-études sont acceptées et sont intégrées dans les programmes existants.

Équipes sportives
Basket-ball féminin et masculin AAA et masculin AA, flag football féminin A, football masculin AAA, rugby féminin et masculin A, soccer féminin et masculin AA

INSTITUT MARITIME DU QUÉBEC

53, rue Saint-Germain Ouest
Rimouski (Québec) G5L 4B4
(418) 724-2822
www.imq.qc.ca

Fondation : 1944

Nombre d'élèves inscrits en 2000-2001 : 380

Nombre de programmes offerts
- DEC techniques : 4
  (voir le tableau inséré dans ce guide)
- AEC : 1
- **PROGRAMMES UNIQUES**
  Navigation
  Plongée professionnelle
  Techniques d'architecture navale
  Techniques de génie mécanique de marine

Programmes coopératifs (stages en mer)
Navigation
Techniques de génie mécanique de marine

Équipes sportives
Badminton, hockey, soccer, volley-ball

Résidences étudiantes
26 chambres (occupation simple)
5 chambres (occupation double)
(418) 724-2822, poste 2067
(Voir aussi Cégep de Rimouski)

ÉTABLISSEMENTS RELEVANT D'AUTRES MINISTÈRES

INSTITUT DE TECHNOLOGIE AGROALIMENTAIRE DE LA POCATIÈRE

401, rue Poiré
La Pocatière (Québec) G0R 1Z0
(418) 856-1110
www.italp.qc.ca/ita

Fondation : 1859

Nombre d'élèves inscrits en 2000-2001 : 450

Nombre de programmes offerts
- DEC techniques : 5
  (voir le tableau inséré dans ce guide)

PROGRAMMES UNIQUES
Techniques équines (profils équitation western, équitation classique, courses de chevaux attelés, randonnée équestre)

Résidences étudiantes
(418) 856-3828 (Cégep de La Pocatière)

INSTITUT DE TECHNOLOGIE AGROALIMENTAIRE DE SAINT-HYACINTHE

3230, rue Sicotte
C. P. 70
Saint-Hyacinthe (Québec) J2S 7B3
(450) 778-6504
www.ita.qc.ca

Fondation : 1962

Nombre d'élèves inscrits en 2000-2001 : 750

Nombre de programmes offerts
- DEC techniques : 6
  (voir le tableau inséré dans ce guide)
- AEC : 3

PROGRAMME UNIQUE
Technologie des équipements agricoles

Programmes en alternance travail-études
Gestion et exploitation d'entreprise agricole
Technologie des équipements agricoles

INSTITUT DE TOURISME ET D'HÔTELLERIE DU QUÉBEC

401, rue de Rigaud
Montréal (Québec) H2L 4P3
(514) 282-5108
www.ithq.qc.ca

Fondation : 1968

Nombre d'élèves inscrits en 2000-2001 : 482

Nombre de programmes offerts
- DEC techniques : 3
  (voir le tableau inséré dans ce guide)
- AEC : 1

ÉTABLISSEMENTS PRIVÉS

CAMPUS NOTRE-DAME-DE-FOY (MULTICOLLÈGE DE L'OUEST)

5000, rue Clément-Lockquell
Saint-Augustin-de-Desmaures (Québec) G3A 1B3
(418) 872-8041 / 1 800 463-8041
www.cndf.qc.ca

Fondation : 1965

Nombre d'élèves inscrits en 2000-2001 : 1 050

Nombre de programmes offerts
- DEC préuniversitaires : (10) Arts plastiques; Langues et traduction (stages d'immersion); Sciences de la nature; Sciences humaines (profils général, communications et journalisme, sciences de l'administration, police et sécurité); Musique; Doubles DEC : Musique-Sciences, Musique-Sciences humaines, Musique-Sciences de l'administration, Musique-Langues et traduction, Musique-Arts plastiques
- DEC techniques : 8 (voir le tableau inséré dans ce guide)
- AEC (régulières et intensives) : 10
- DEP : Diplôme d'intervention en sécurité incendie

Équipes sportives
Intercollégiales A : badminton, basket-ball, rugby, ski alpin, soccer, volley-ball

Résidences étudiantes
Résidence De-La-Mennais :
100 chambres, mixte
Résidence Champagnat :
110 chambres, mixte
Renseignements : Marc Bordeleau
(418) 872-8041, poste 307

COLLÈGE ANDRÉ-GRASSET

1001, boulevard Crémazie Est
Montréal (Québec) H2M 1M3
(514) 381-4293
www.grasset.qc.ca

Fondation : 1927

Nombre d'élèves inscrits en 2000-2001 : 1 286

Nombre de programmes offerts
- DEC préuniversitaires : (5) Arts et lettres (profils cinéma et communication); Sciences de la nature - DEC et DEC Plus offerts (profils s'appliquant aux deux programmes : sciences de la santé et de la vie, sciences pures et appliquées); Sciences humaines (profils Le monde des affaires et de l'administration, La connaissance de soi : l'individu et la société, L'international : le monde contemporain); Programme intégré en Sciences, lettres et arts
- DEC techniques : 2 (centre de formation continue seulement) (voir le tableau inséré dans ce guide)
- AEC : 6

Programmes en alternance travail-études
Technologie de l'estimation et de l'évaluation en bâtiment

Programmes sport-études
Possibilité d'établir un horaire d'études en fonction des compétitions sportives.

Équipes sportives
Basket-ball féminin et masculin AA, flag-football féminin A, football masculin AA, ski alpin mixte A, volley-ball mixte

COLLÈGE BART

751, côte d'Abraham
Québec (Québec) G1R 1A2
(418) 522-3906
www.bart.qc.ca

Fondation : 1917

Nombre d'élèves inscrits en 2000-2001 : 320

Nombre de programmes offerts
- DEC techniques : 2 (voir le tableau inséré dans ce guide)
- AEC : 6

Programmes en alternance travail-études :
Techniques juridiques
Techniques de bureautique

COLLÈGE D'AFFAIRES ELLIS

400, rue Heriot
Drummondville (Québec) J2B 1B3
(819) 477-3113/1 800 869-3113
www.ellis.qc.ca

Fondation : 1930

Nombre d'élèves inscrits en 2000-2001 : 304

Nombre de programmes offerts

- DEC techniques : 4
  (voir le tableau inséré dans ce guide)
- AEC : 4
- AUTRE : formation axée sur l'apprentissage de l'anglais

COLLÈGE DE LÉVIS

9, Mgr Gosselin
Lévis (Québec) G6V 5K1
(418) 833-1249
info@collegedelevis.qc.ca

Fondation : 1853

Nombre d'élèves inscrits en 2000-2001 : 250

Nombre de programmes offerts

- DEC préuniversitaires : (4) Communications visuelles; Création multimédia; Sciences de la nature (profils sciences de la santé, sciences et génie); Sciences humaines (profil général, éducation et psychologie, administration, volet international)
- DEC techniques : 3
  (voir le tableau inséré dans ce guide)
- DEC/bac : Administration
  (gestion des services financiers)

Programmes art-études
Théâtre, musique

Programmes sport-études
Basket-ball, soccer

Équipes sportives
Basket-ball A masculin, soccer A masculin, volley-ball A féminin et masculin

COLLÈGE DELTA

416, boulevard de Maisonneuve Ouest
Bureau 700
Montréal (Québec) H3A 1L2
(514) 849-1234
www.collegedelta.qc.ca

Autres campus
2525, boulevard Daniel-Johnson
Bureau 200
Laval (Québec) H7T 1S9

7005, boulevard Taschereau
Bureau 300
Brossard (Québec) J4Z 1A7

Fondation : 1967

Nombre d'élèves inscrits en 2000-2001 : 1 000

Nombre de programmes offerts

- AEC : (6) Administration des affaires; Gestion financière; Gestionnaire en réseautique; Programmeur-analyste; Techniques de graphisme multimédia; Microédition et hypermédia

COLLÈGE LAFLÈCHE

1687, boulevard du Carmel
Trois-Rivières (Québec) G8Z 3R8
(819) 375-7346
www.clafleche.qc.ca

Fondation : 1969

Nombre d'élèves inscrits en 2000-2001 : 1 150

Nombre de programmes offerts

- DEC préuniversitaires : (5) Baccalauréat international (sciences et sciences humaines); Communication et lettres; Sciences de la nature; Sciences humaines; Sciences, lettres et arts
- DEC intensifs : 2
  Techniques de santé animale
  Techniques d'éducation spécialisée
- DEC techniques : 8
  (voir le tableau inséré dans ce guide)
- AEC : 1

Programmes en alternance travail-études
Administration et coopération; Commercialisation de la mode

▷ **Programmes sport-études**
Administration et coopération; Communication et lettres; Sciences de la nature; Sciences humaines

Équipes sportives
Badminton mixte, basket-ball AA féminin, hockey masculin et féminin, volley-ball féminin

Résidences étudiantes
76 studios
Pauline Richard : (819) 375-7346

COLLÈGE LASALLE

2000, rue Sainte-Catherine Ouest
Montréal (Québec) H3T 2T2
(514) 939-2006
www.clasalle.com

Fondation : 1959

Nombre d'élèves inscrits en 2000-2001 : 2 400

Nombre de programmes offerts
- DEC techniques : 9
  (voir le tableau inséré dans ce guide)
- AEC : 26

Programmes en alternance travail-études
Commercialisation de la mode
Gestion, production de vêtements
Techniques de l'informatique
Techniques de gestion hôtelière
Techniques de gestion des services alimentaires et de restauration

Équipe sportive
Soccer

COLLÈGE O'SULLIVAN DE MONTRÉAL

1191, rue de la Montagne
Montréal (Québec) H3G 1Z2
(514) 866-4622 / 1 800 621-8055
www.osullivan.edu

Fondation : 1916

Nombre d'élèves inscrits en 2000-2001 : 500

Nombre de programmes offerts
- DEC techniques : 4
  (voir le tableau inséré dans ce guide)
- AEC : 4

PROGRAMME UNIQUE
Techniques juridiques en anglais

Programme en alternance travail-études
Techniques administratives, options marketing, commerce international, gestion (offert en immersion anglaise et en coopération)

COLLÈGE O'SULLIVAN DE QUÉBEC

840, rue Saint-Jean
Québec (Québec) G1R 1R3
(418) 529-3355
www.osullivan-quebec.qc.ca

Fondation : 1942

Nombre d'élèves inscrits en 2000-2001 : 375

Nombre de programmes offerts
- DEC technique : 1
  (voir le tableau inséré dans ce guide)
- AEC : 1

Programme en alternance travail-études
Techniques de bureautique (DEC et AEC)

Équipe sportive
Volley-ball

COLLÈGE MÉRICI (MULTICOLLÈGE DE L'OUEST)

755, chemin Saint-Louis
Québec (Québec) G1S 1C1
(418) 683-1591 / 1 800 208-1463
www.college-merici.qc.ca

Fondation : 1930

Nombre d'élèves inscrits en 2000-2001 : 900

Nombre de programmes offerts
- DEC préuniversitaires : (4) Arts et lettres (profil mixte); Histoire et civilisation; Sciences de la nature; Sciences humaines (profil international)
- DEC techniques : 5
  (voir le tableau inséré dans ce guide)
- AEC : 6

Programme en alternance travail-études
Techniques de recherche, enquête et sondage

Programme sport-études
Basket-ball AA féminin

Équipes sportives
Basket-ball féminin AA et A et masculin A, ski alpin mixte, soccer féminin A, volley-ball féminin et masculin A

Résidences étudiantes
24 logements (90 personnes)

ÉCOLE COMMERCIALE DU CAP

155, rue Latreille
Cap-de-la-Madeleine (Québec) G8T 3E8
(819) 691-2600
www.ecc.qc.ca

Fondation : 1951

Nombre d'élèves inscrits en 2000-2001 : 250

Nombre de programmes offerts
- DEC techniques : 2
  (voir le tableau inséré dans ce guide)
- AEC : 2

Programmes en alternance travail-études
Techniques de bureautique (coopératif)
Techniques administratives, option commerce international (coopératif)

ÉCOLE NATIONALE DE CIRQUE

417, rue Berri
Montréal (Québec) H2Y 3E1
(514) 982-0859 / 1 800 267-0859
www.enc.qc.ca

Fondation : 1981

Nombre d'élèves inscrits en 2000-2001 : 64

Nombre de programmes offerts
- DEC technique : 1
  (voir le tableau inséré dans ce guide)

PROGRAMME UNIQUE
Arts du cirque

INSTITUT QUÉBÉCOIS D'ÉBÉNISTERIE (IQÉ)

101, rue Arago Est
Québec (Québec) G1K 3T6
(418) 525-7060
www.iqe.edu

Fondation : 1992

Nombre d'élèves inscrits en 2000-2001 : 75

Programme offert
- DEC technique : Techniques de métiers d'art, option ébénisterie artisanale du Collège de Limoilou

INSTITUT TECCART INC. (MULTICOLLÈGE DE L'OUEST)

3155, rue Hochelaga
Montréal (Québec) H1W 1G4
(514) 526-2501 / 1 866-Teccart (sans frais)
www.teccart.qc.ca

Fondation : 1945

Nombre d'élèves inscrits en 2000-2001 : 460

Nombre de programmes offerts
- DEC techniques : 4
  (voir le tableau inséré dans ce guide)
- AEC : 3

Programme en alternance travail-études
Techniques de l'informatique

INSTITUT TREBAS

451, rue Saint-Jean
Montréal (Québec) H2Y 2R5
(514) 845-4141
www.trebas.com

Fondation : 1979

Nombre d'élèves inscrits en 2000-2001 : 220

Programmes offerts
Techniques du son (AEC)
Conception sonore (AEC)
Gestion artistique (AEC)
Film et télévision multimédia

MULTICOLLÈGE DE L'OUEST DU QUÉBEC

217, rue Montcalm
Hull (Québec) J8Y 6X1
(819) 595-1115
info@multicollege.qc.ca

Siège social regroupant :
Campus Notre-Dame-de-Foy
Campus Mérici
Institut Teccart
Petit Séminaire de Québec

MUSITECHNIC SERVICES ÉDUCATIFS INC.

888, boul. de Maisonneuve Est
Bureau 440
Montréal (Québec) H2L 4S8
(514) 521-2060 / 1 800 824-2060
www.musitechnic.com

Fondation : 1987

Nombre d'élèves inscrits en 2000-2001 : 200

Programme offert
Conception sonore assistée par ordinateur (AEC)

SÉMINAIRE DE SHERBROOKE

195, rue Marquette
Sherbrooke (Québec) J1H 1L6
(819) 563-2050
www.seminaire-sherbrooke.qc.ca

Fondation : 1875

Nombre d'élèves inscrits en 2000-2001 : 400

Nombre de programmes offerts
- DEC préuniversitaires : (4) Arts et lettres (profil théâtre); Sciences de la nature; Sciences humaines; Baccalauréat international (profils sciences humaines, sciences de la nature)
- DEC/bac Gestion des services financiers
- DEC techniques : 2
  (voir le tableau inséré dans ce guide)
- AEC : 3

Programmes sport-études
Basket-ball, volley-ball

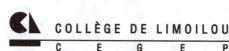

STATISTIQUES

PAGES 420 ⇓ 425

La Relance au collégial

Cette section présente des données complémentaires extraites de *La Relance au collégial*. Diffusée par le ministère de l'Éducation, cette publication a pour but de faire connaître les résultats d'une enquête sur la situation des sortantes et des sortants diplômés des programmes d'études préuniversitaires et techniques. La période de référence est le 31 mars, soit 10 mois après la fin de leurs études collégiales.

Pour obtenir des renseignements complémentaires sur les programmes cités ou sur les autres programmes non mentionnés dans la liste qui suit, pour les promotions de 1997-1998 et de 1998-1999, il faut se référer aux parutions antérieures de *La Relance au collégial.* Il est aussi possible de consulter des données dans Internet, notamment celles concernant la promotion de 1999-2000. L'adresse du site est http://www.gouv.qc.ca (sous les rubriques Ministères et organismes, Ministère de l'Éducation, Statistiques, Enquêtes Relance).

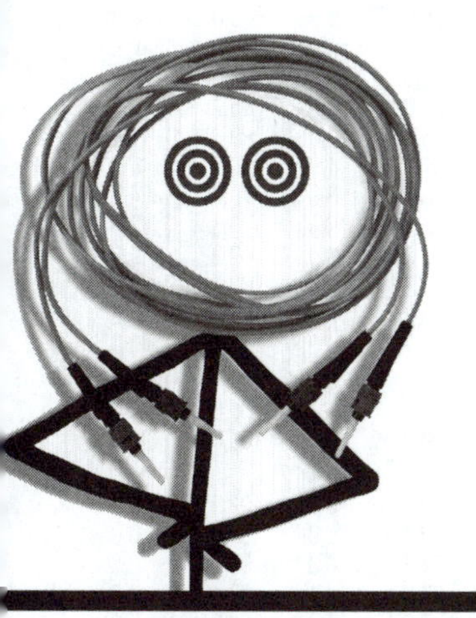

Notes

1. L'abréviation n.d. signifie «données non disponibles».
2. Tous les pourcentages ont été calculés à la seconde décimale et arrondis ensuite à la première décimale supérieure.
3. Les numéros des programmes correspondent généralement à ceux utilisés dans la plus récente enquête *Relance* figurant ici (2000). Nous avons ajouté (le cas échéant) les noms et les numéros des programmes des années antérieures pour les promotions correspondantes.

SECTEURS ET DISCIPLINES	SITUATION EN 2000 Promotion 1998-1999				
	Personnes diplômées	En emploi %	À la recherche d'un emploi %	À temps plein %	Taux de chômage %
ADMINISTRATION, COMMERCE ET INFORMATIQUE					
410.12 Techniques administratives	571	52,9	2,1	89,5	3,8
412.A0 Techniques de bureautique	745	81,3	7,8	92,5	8,8
413.01 Administration et coopération	48	52,8	0,0	94,7	0,0
415.11 Techniques administratives : marketing	287	47,5	3,7	89,3	7,2
415.12 Techniques administratives : personnel	17	78,6	7,1	90,9	8,3
415.13 Techniques administratives : finance	1 047	50,1	3,9	87,6	7,3
415.14 Techniques administratives : gestion industrielle	35	70,4	0,0	94,7	0,0
415.15 Techniques administratives : assurances	104	78,2	3,8	93,4	4,7
415.16 Techniques administratives : gestion	232	67,6	5,7	85,7	7,8
415.17 Techniques administratives : transport (voir secteur Transport)	n.d.	n.d.	n.d.	n.d.	n.d.
420.01 Techniques de l'informatique	1 068	80,5	4,7	98,2	5,5
420.86 Techniques de l'informatique : informatique de gestion	170	76,0	5,4	93,9	6,7
420.87 Techniques de l'informatique : informatique industrielle	23	57,9	15,8	100,0	21,4
AGRICULTURE ET PÊCHES					
145.A0 Techniques de santé animale	200	89,5	2,6	89,1	2,8
152.03 Gestion et exploitation d'entreprise agricole	84	84,1	1,6	96,2	1,9
152.86 Gestion et exploitation d'entreprise agricole : productions animales	14	91,7	0,0	100,0	0,0
152.87 Gestion et exploitation d'entreprise agricole : productions végétales	5	40,0	20,0	100,0	33,3
153.A0 Technologie des productions animales	n.d.	n.d.	n.d.	n.d.	n.d.
153.B0 Technologie de la production horticole et de l'environnement	n.d.	n.d.	n.d.	n.d.	n.d.
Technologie de la production horticole et de l'environnement : cultures horticoles, légumières, fruitières et ornementales	11	66,7	0,0	100,0	0,0
153.C0 Paysage et commercialisation en horticulture ornementale	n.d.	n.d.	n.d.	n.d.	n.d.
153.D0 Technologie des équipements agricoles	5	100,0	0,0	100,0	0,0
155.A0 Techniques équines	11	88,9	0,0	62,5	0,0
231.04 Exploitation et production des ressources marines	5	80,0	0,0	100,0	0,0
ALIMENTATION ET TOURISME					
154.A0 Technologie de la transformation des aliments	32	87,5	0,0	100,0	0,0
414.A0 Techniques de tourisme	322	80,3	5,4	89,4	6,3
430.01 Techniques de gestion hôtelière	193	81,5	5,5	89,1	6,3
430.02 Techniques de gestion des services alimentaires et de restauration	74	82,1	1,8	91,3	2,1
ARTS					
551.02 Musique populaire	45	17,6	2,9	83,3	14,3
561.01 Interprétation théâtrale	19	87,5	0,0	78,6	0,0
561.08 Arts du cirque	6	75,0	0,0	0,0	0,0
561.A0 Théâtre - production	n.d.	n.d.	n.d.	n.d.	n.d.
561.AA Théâtre - production : décor et costume	6	80,0	20,0	100,0	20,0
561.AB Théâtre - production : gestion et techniques de scène	8	100,0	0,0	85,7	0,0
570.02 Design de présentation	64	76,0	10,0	89,5	11,6
570.03 Design d'intérieur	185	81,0	4,9	80,9	5,7
570.04 Photographie	69	76,9	3,8	70,0	4,8
570.C0 Techniques de design industriel	42	68,8	9,4	95,5	12,0
573.11 Techniques de métiers d'art : ébénisterie artisanale	20	93,8	0,0	93,3	0,0
573.14 Techniques de métiers d'art : impression textile	7	83,3	0,0	100,0	0,0
573.15 Techniques de métiers d'art : construction textile	5	60,0	0,0	33,3	0,0
573.16 Techniques de métiers d'art : joaillerie	16	85,7	0,0	75,0	0,0
BOIS ET MATÉRIAUX CONNEXES					
233.01 Techniques du meuble et du bois ouvré	6	80,0	0,0	100,0	0,0
233.A0 Techniques d'ébénisterie et de menuiserie architecturale	10	100,0	0,0	100,0	0,0
CHIMIE ET BIOLOGIE					
210.01 Techniques de chimie analytique	149	69,6	6,3	92,3	8,2
210.02 Techniques de génie chimique	23	68,4	0,0	92,3	0,0
210.03 Techniques de chimie-biologie	84	71,4	4,8	93,3	6,3
210.04 Techniques de procédés chimiques	55	83,3	7,1	97,1	7,9
260.01 Assainissement de l'eau	30	79,2	4,2	100,0	5,0

	SITUATION EN 1999 Promotion 1997-1998					SITUATION EN 1998 Promotion 1996-1997				
	Personnes diplômées	En emploi %	À la recherche d'un emploi %	À temps plein %	Taux de chômage %	Personnes diplômées	En emploi %	À la recherche d'un emploi %	À temps plein %	Taux de chômage %
410.12	574	50,3	4,8	88,2	8,8	574	56,1	5,5	83,1	8,9
412.A0	705	80,6	9,0	91,1	10,0	668	77,6	12,1	86,9	13,5
413.01	32	45,8	8,3	70,0	15,4	30	57,1	0,0	62,5	0,0
415.11	230	50,6	2,9	86,9	5,5	170	53,7	4,7	91,3	8,0
415.12	25	68,4	0,0	92,3	0,0	14	57,1	7,1	87,5	11,1
415.13	1 021	57,1	4,8	86,2	7,7	770	59,4	5,3	86,2	8,2
415.14	23	84,2	0,0	100,0	0,0	31	87,1	6,5	92,6	6,9
415.15	85	81,3	4,7	95,9	5,5	57	84,9	7,5	95,6	8,2
415.16	207	67,5	1,3	89,8	1,9	180	63,1	7,6	85,9	10,8
415.17	n.d.	n.d.	n.d.	n.d.	n.d.	n.d.	n.d.	n.d.	n.d.	n.d.
420.01	879	80,8	3,8	98,9	4,5	777	79,4	4,7	97,3	5,6
420.86	n.d.	n.d.	n.d.	n.d.	n.d.	n.d.	n.d.	n.d.	n.d.	n.d.
420.87	n.d.	n.d.	n.d.	n.d.	n.d.	n.d.	n.d.	n.d.	n.d.	n.d.
145.A0	149	86,6	3,6	90,5	4,0	135	89,1	4,2	93,4	4,5
152.03	97	83,6	8,2	n.d.	9,0	92	85,1	5,7	93,2	6,3
152.86	n.d.	n.d.	n.d.	n.d.	n.d.	n.d.	n.d.	n.d.	n.d.	n.d.
152.87	n.d.	n.d.	n.d.	n.d.	n.d.	n.d.	n.d.	n.d.	n.d.	n.d.
153.A0	51	82,1	5,1	100,0	5,9	79	82,6	5,8	98,2	6,6
153.B0	32	70,8	8,3	93,8	10,5	16	73,3	6,7	90,9	8,3
153.BC	n.d.	n.d.	n.d.	n.d.	n.d.	n.d.	n.d.	n.d.	n.d.	n.d.
153.C0	48	72,2	5,6	n.d.	7,1	41	61,1	13,9	90,9	18,5
153.D0	10	100,0	0,0	100,0	0,0	13	53,8	7,7	100,0	12,5
155.A0	11	88,9	0,0	100,0	0,0	12	83,3	16,7	80,0	16,7
231.04	n.d.	n.d.	n.d.	n.d.	n.d.	n.d.	n.d.	n.d.	n.d.	n.d.
154.A0	30	91,3	4,3	100,0	4,5	31	96,8	3,2	96,7	3,2
414.A0	284	83,7	6,9	81,1	7,6	275	76,6	6,8	84,4	8,2
430.01	145	92,1	2,0	83,9	2,1	125	75,5	3,9	87,0	4,9
430.02	42	75,9	3,4	90,5	4,3	39	93,8	3,1	90,0	3,2
551.02	35	33,3	7,4	14,3	18,2	33	26,7	3,3	50,0	11,1
561.01	31	76,0	16,0	n.d.	17,4	33	69,0	17,2	50,0	20,0
561.08	n.d.	n.d.	n.d.	n.d.	n.d.	n.d.	n.d.	n.d.	n.d.	n.d.
561.A0	19	93,3	0,0	n.d.	0,0	9	100,0	0,0	88,9	0,0
561.AA	n.d.	n.d.	n.d.	n.d.	n.d.	n.d.	n.d.	n.d.	n.d.	n.d.
561.AB	n.d.	n.d.	n.d.	n.d.	n.d.	n.d.	n.d.	n.d.	n.d.	n.d.
570.02	77	68,3	11,7	86,1	14,6	72	80,3	11,5	79,6	12,5
570.03	168	74,4	7,8	86,9	9,4	165	73,0	9,9	77,7	12,0
570.04	54	67,6	11,8	n.d.	14,8	42	67,6	8,1	68,0	10,7
570.C0	45	75,8	6,1	96,0	7,4	32	79,3	3,4	95,7	4,2
573.11	17	84,6	7,7	n.d.	8,3	n.d.	n.d.	n.d.	n.d.	n.d.
573.14	n.d.	n.d.	n.d.	n.d.	n.d.	n.d.	n.d.	n.d.	n.d.	n.d.
573.15	9	85,7	0,0	n.d.	0,0	n.d.	n.d.	n.d.	n.d.	n.d.
573.16	11	55,6	11,1	n.d.	16,7	n.d.	n.d.	n.d.	n.d.	n.d.
233.01	n.d.	n.d.	n.d.	n.d.	n.d.	n.d.	n.d.	n.d.	n.d.	n.d.
233.A0	n.d.	n.d.	n.d.	n.d.	n.d.	n.d.	n.d.	n.d.	n.d.	n.d.
210.01	111	84,5	3,6	95,7	4,1	108	76,4	10,1	97,1	11,7
210.02	18	57,1	28,6	100,0	33,3	16	86,7	6,7	100,0	7,1
210.03	59	82,2	6,7	83,8	7,5	57	71,4	6,1	97,1	7,9
210.04	56	73,8	2,4	96,8	3,1	36	81,3	9,4	96,2	10,3
260.01	50	79,5	5,1	96,7	6,1	43	86,1	11,1	80,6	11,4

SECTEURS ET DISCIPLINES	SITUATION EN 2000 Promotion 1998-1999				
	Personnes diplômées	En emploi %	À la recherche d'un emploi %	À temps plein %	Taux de chômage %
260.03 Assainissement et sécurité industriels	42	75,0	9,4	87,5	11,1
BÂTIMENT ET TRAVAUX PUBLICS					
221.01 Technologie de l'architecture	202	67,3	2,0	92,2	2,8
221.02 Technologie du génie civil	190	53,4	5,5	98,7	9,3
221.03 Technologie de la mécanique du bâtiment	95	76,4	1,4	100,0	1,8
221.04 Technologie de l'estimation et de l'évaluation en bâtiment	15	83,3	0,0	100,0	0,0
230.01 Technologie de la cartographie	44	90,9	0,0	96,7	0,0
230.02 Technologie de la géodésie	33	84,0	4,0	90,5	4,5
311.A0 Sécurité incendie (programme expérimental)	7	83,3	0,0	100,0	0,0
ENVIRONNEMENT ET AMÉNAGEMENT DU TERRITOIRE					
145.01 Techniques d'écologie appliquée	47	48,6	14,3	88,2	22,7
145.02 Techniques d'inventaire et de recherche en biologie	32	50,0	12,5	91,7	20,0
145.04 Techniques d'aménagement cynégétique et halieutique	23	47,4	26,3	100,0	35,7
147.11 Techniques du milieu naturel : exploitation forestière	6	20,0	40,0	100,0	66,7
147.14 Techniques du milieu naturel : aménagement de la faune	13	18,2	36,4	100,0	66,7
147.15 Techniques du milieu naturel : aménagement et interprétation du patrimoine	11	77,8	0,0	85,7	0,0
147.16 Techniques du milieu naturel : santé animale	21	88,2	5,9	86,7	6,3
147.18 Techniques du milieu naturel : protection de l'environnement	11	44,4	22,2	100,0	33,3
147.19 Techniques du milieu naturel : aquiculture	5	60,0	40,0	100,0	40,0
222.01 Techniques d'aménagement du territoire	21	76,5	0,0	84,6	0,0
ÉLECTROTECHNIQUE					
243.06 Technologie de l'électronique industrielle	207	82,4	5,7	96,9	6,4
243.11 Technologie de l'électronique	310	72,5	4,3	98,2	5,6
243.14 Technologie physique	33	68,0	0,0	100,0	0,0
243.15 Technologie de systèmes ordinés	125	66,3	2,1	100,0	3,1
243.16 Technologie de conception électronique	39	60,0	0,0	94,4	0,0
243.86 Technologie de l'électronique industrielle : électrodynamique	91	69,6	4,3	97,9	5,9
243.87 Technologie de l'électronique industrielle : instrumentation et automatisation	91	76,5	5,9	100,0	7,1
243.93 Tech. de l'électronique : spécialisation en télécommunications	113	80,2	1,2	100,0	1,4
243.94 Technologie de l'électronique : spécialisation en ordinateurs	19	81,3	0,0	100,0	0,0
243.95 Technologie de l'électronique : spécialisation en audiovisuel	28	73,9	13,0	94,1	15,0
280.04 Avionique	61	84,8	0,0	100,0	0,0
ENTRETIEN D'ÉQUIPEMENT MOTORISÉ					
248.C0 Techniques de génie mécanique de marine	n.d.	n.d.	n.d.	n.d.	n.d.
280.03 Entretien d'aéronefs	148	83,8	6,3	97,8	7,0
FABRICATION MÉCANIQUE					
235.01 Technologie du génie industriel	46	68,4	0,0	96,2	0,0
235.A0 Techniques de production manufacturière	9	100,0	0,0	100,0	0,0
241.11 Techniques de transformation des matériaux composites	n.d.	n.d.	n.d.	n.d.	n.d.
241.12 Techniques de transformation des matières plastiques	38	72,4	13,8	100,0	16,0
241.A0 Techniques de génie mécanique	383	72,6	2,8	98,1	3,7
248.01 Techniques d'architecture navale	n.d.	n.d.	n.d.	n.d.	n.d.
280.B0 Techniques de construction aéronautique	109	65,1	1,2	96,3	1,8
FORESTERIE ET PAPIER					
190.86 Aménagement forestier : spécialisation en aménagement forestier	7	33,3	33,3	100,0	50,0
190.B0 Technologie forestière	121	56,5	23,9	100,0	29,7
232.01 Techniques papetières	36	77,8	3,7	100,0	4,5
COMMUNICATION ET DOCUMENTATION					
393.A0 Techniques de la documentation	138	74,3	13,3	85,9	15,2
570.A0 Graphisme	256	75,1	4,7	89,7	5,8
570.B0 Techniques de muséologie	14	100,0	0,0	70,0	0,0
581.04 Techniques de l'impression	9	87,5	0,0	100,0	0,0
581.08 Techniques de gestion de l'imprimerie	20	81,3	6,3	100,0	7,1
581.A0 Infographie en préimpression	67	86,3	2,0	90,9	2,2

	SITUATION EN 1999 Promotion 1997-1998					SITUATION EN 1998 Promotion 1996-1997				
	Personnes diplômées	En emploi %	À la recherche d'un emploi %	À temps plein %	Taux de chômage %	Personnes diplômées	En emploi %	À la recherche d'un emploi %	À temps plein %	Taux de chômage %
260.03	33	68,0	20,0	94,1	22,7	35	76,7	6,7	91,3	8,0
221.01	202	59,4	6,5	97,6	9,8	248	60,3	5,7	93,7	8,7
221.02	242	53,1	7,9	96,7	13,0	271	56,3	12,6	94,2	18,2
221.03	96	68,1	4,2	100,0	5,8	133	80,8	1,7	95,9	2,0
221.04	32	79,2	0,0	100,0	0,0	43	81,0	7,1	91,2	8,1
230.01	36	81,5	7,4	100,0	8,3	23	95,5	4,5	95,2	4,5
230.02	45	79,4	0,0	100,0	0,0	25	84,0	4,0	100,0	4,5
311.A0	n.d.	n.d.	n.d.	n.d.	n.d.	n.d.	n.d.	n.d.	n.d.	n.d.
145.01	38	46,7	10,0	100,0	17,6	39	47,1	14,7	62,5	23,8
145.02	25	75,0	0,0	100,0	0,0	23	45,5	31,8	80,0	41,2
145.04	25	36,8	31,6	83,3	46,2	25	58,3	8,3	71,4	12,5
147.11	13	50,0	20,0	100,0	28,6	n.d.	n.d.	n.d.	n.d.	n.d.
147.14	10	50,0	25,0	100,0	33,3	n.d.	n.d.	n.d.	n.d.	n.d.
147.15	10	25,0	50,0	100,0	66,7	n.d.	n.d.	n.d.	n.d.	n.d.
147.16	9	85,7	0,0	n.d.	0,0	n.d.	n.d.	n.d.	n.d.	n.d.
147.18	14	63,6	18,2	85,7	22,2	n.d.	n.d.	n.d.	n.d.	n.d.
147.19	n.d.	n.d.	n.d.	n.d.	n.d.	n.d.	n.d.	n.d.	n.d.	n.d.
222.01	18	50,0	7,1	100,0	12,5	20	60,0	10,0	66,7	14,3
243.06	344	80,2	7,3	98,1	8,3	384	76,4	9,1	96,8	10,6
243.11	425	74,4	6,0	95,6	7,5	488	73,6	6,1	93,0	7,6
243.14	45	64,5	0,0	100,0	0,0	32	75,0	6,3	95,8	7,7
243.15	127	70,8	2,1	95,5	2,9	122	71,3	5,6	93,5	7,2
243.16	29	31,8	0,0	100,0	0,0	18	50,0	0,0	100,0	0,0
243.86	n.d.	n.d.	n.d.	n.d.	n.d.	n.d.	n.d.	n.d.	n.d.	n.d.
243.87	n.d.	n.d.	n.d.	n.d.	n.d.	n.d.	n.d.	n.d.	n.d.	n.d.
243.93	n.d.	n.d.	n.d.	n.d.	n.d.	n.d.	n.d.	n.d.	n.d.	n.d.
243.94	n.d.	n.d.	n.d.	n.d.	n.d.	n.d.	n.d.	n.d.	n.d.	n.d.
243.95	n.d.	n.d.	n.d.	n.d.	n.d.	n.d.	n.d.	n.d.	n.d.	n.d.
280.04	50	81,6	0,0	96,8	0,0	34	69,7	9,1	100,0	11,5
248.C0	19	73,3	20,0	100,0	21,4	21	61,1	5,6	100,0	8,3
280.03	120	83,1	2,2	100,0	2,6	117	78,8	7,1	92,3	8,2
235.01	50	84,2	2,6	100,0	3,0	46	81,0	2,4	100,0	2,9
235.A0	n.d.	n.d.	n.d.	n.d.	n.d.	n.d.	n.d.	n.d.	n.d.	n.d.
241.11	6	20,0	20,0	100,0	50,0	8	87,5	0,0	100,0	0,0
241.12	28	66,7	4,8	100,0	6,7	29	79,3	0,0	100,0	0,0
241.A0	331	74,0	2,9	98,3	3,8	371	69,6	3,3	98,7	4,5
248.01	7	66,7	0,0	100,0	0,0	11	45,5	0,0	100,0	0,0
280.B0	99	62,3	2,9	100,0	4,4	60	78,8	1,9	97,6	2,4
190.86	n.d.	n.d.	n.d.	n.d.	n.d.	n.d.	n.d.	n.d.	n.d.	n.d.
190.B0	117	48,8	31,7	97,5	39,4	91	50,0	29,7	94,6	37,3
232.01	20	86,7	6,7	100,0	7,1	12	91,7	0,0	81,8	0,0
393.A0	158	71,4	16,0	78,8	18,3	166	63,7	21,9	79,6	25,6
570.A0	236	66,3	8,9	89,5	11,8	203	70,9	11,6	83,6	14,1
570.B0	18	78,6	7,1	90,9	8,3	7	85,7	0,0	100,0	0,0
581.04	n.d.	n.d.	n.d.	n.d.	n.d.	8	85,7	14,3	100,0	14,3
581.08	8	100,0	0,0	100,0	0,0	11	90,0	0,0	100,0	0,0
581.A0	64	87,8	6,1	95,2	6,5	53	94,0	4,0	93,6	4,1

SECTEURS ET DISCIPLINES	SITUATION EN 2000 Promotion 1998-1999				
	Personnes diplômées	En emploi %	À la recherche d'un emploi %	À temps plein %	Taux de chômage %
589.01 Art et technologie des médias	n.d.	n.d.	n.d.	n.d.	n.d.
589.86 Art et technologie des médias : télévision	59	93,3	0,0	92,9	0,0
589.87 Art et technologie des médias : information écrite	41	77,4	0,0	91,7	0,0
589.88 Art et technologie des médias : radio	25	80,0	0,0	62,5	0,0
589.89 Art et technologie des médias : publicité	21	70,6	0,0	91,7	0,0
MÉCANIQUE D'ENTRETIEN					
241.05 Technologie de maintenance industrielle	94	86,5	2,7	95,3	3,0
MINES ET TRAVAUX DE CHANTIER					
271.01 Géologie appliquée	13	45,5	9,1	60,0	16,7
271.02 Exploitation (technologie minérale)	14	58,3	25,0	100,0	30,0
271.03 Minéralurgie	6	100,0	0,0	80,0	0,0
MÉTALLURGIE					
270.02 Contrôle de la qualité (métallurgie)	11	66,7	22,2	100,0	25,0
270.03 Soudage	9	87,5	0,0	100,0	0,0
270.04 Procédés métallurgiques	6	100,0	0,0	100,0	0,0
TRANSPORT					
248.B0 Navigation	12	44,4	11,1	75,0	20,0
280.A0 Techniques de pilotage d'aéronefs	27	78,3	8,7	72,2	10,0
415.17 Techniques administratives : transport	48	75,0	2,8	100,0	3,6
CUIR, TEXTILE ET HABILLEMENT					
251.A0 Technologie des matières textiles	18	100,0	0,0	100,0	0,0
251.B0 Technologie de la production textile	5	80,0	20,0	100,0	20,0
571.86 Design de mode : mode masculine	17	64,3	0,0	77,8	0,0
571.87 Design de mode : mode féminine	57	70,5	6,8	87,1	8,8
571.A0 Design de mode	96	80,6	5,6	91,4	6,5
571.C0 Commercialisation de la mode	105	65,8	1,3	94,2	1,9
SANTÉ					
110.A0 Techniques dentaires	21	94,1	0,0	100,0	0,0
110.B0 Techniques de denturologie	24	100,0	0,0	75,0	0,0
111.A0 Techniques d'hygiène dentaire	260	93,3	1,5	64,3	1,6
112.01 Acupuncture traditionnelle	27	90,0	10,0	61,1	10,0
120.01 Techniques de diététique	151	86,2	3,4	76,0	3,8
140.01 Technologie de laboratoire médical	193	85,7	4,8	69,8	5,3
140.A0 Techniques d'électrophysiologie médicale	9	100,0	0,0	62,5	0,0
141.A0 Techniques d'inhalothérapie	124	97,8	0,0	74,7	0,0
142.A0 Technologie de radiodiagnostic	66	92,0	2,0	76,1	2,1
142.B0 Technologie de médecine nucléaire	9	87,5	0,0	42,9	0,0
142.C0 Technologie de radio-oncologie	16	100,0	0,0	100,0	0,0
144.A0 Techniques de réadaptation physique	146	80,9	3,6	65,2	4,3
144.B0 Techniques d'orthèses et de prothèses orthopédiques	25	90,0	0,0	88,9	0,0
160.A0 Techniques d'orthèses visuelles	51	100,0	0,0	100,0	0,0
160.B0 Audioprothèse	15	100,0	0,0	100,0	0,0
171.A0 Techniques de thanatologie	21	100,0	0,0	64,7	0,0
180.01 Soins infirmiers	1 139	80,7	0,9	79,7	1,1
180.21 Soins infirmiers (programme de passage)	60	100,0	0,0	93,3	0,0
411.A0 Archives médicales	46	85,7	2,9	96,7	3,2
SERVICES SOCIAUX, ÉDUCATIFS ET JURIDIQUES					
310.02 Techniques d'intervention en délinquance	135	77,5	2,9	73,4	3,7
310.03 Techniques juridiques	268	71,1	6,5	90,9	8,3
310.A0 Techniques policières	596	54,6	10,7	81,6	16,4
322.A0 Techniques d'éducation à l'enfance	475	87,8	1,6	80,6	1,8
351.A0 Techniques d'éducation spécialisée	815	82,9	1,6	61,0	1,9
384.01 Techniques de recherche, enquête et sondage	40	83,3	0,0	92,0	0,0
388.A0 Techniques de travail social	303	73,2	6,6	81,4	8,2
391.A0 Techniques d'intervention en loisir	138	74,0	4,8	75,3	6,1

	SITUATION EN 1999 Promotion 1997-1998					SITUATION EN 1998 Promotion 1996-1997				
	Personnes diplômées	En emploi %	À la recherche d'un emploi %	À temps plein %	Taux de chômage %	Personnes diplômées	En emploi %	À la recherche d'un emploi %	À temps plein %	Taux de chômage %
589.01	138	75,0	1,0	85,1	1,3	143	79,2	4,2	83,2	5,0
589.86	n.d.	n.d.	n.d.	n.d.	n.d.	n.d.	n.d.	n.d.	n.d.	n.d.
589.87	n.d.	n.d.	n.d.	n.d.	n.d.	n.d.	n.d.	n.d.	n.d.	n.d.
589.88	n.d.	n.d.	n.d.	n.d.	n.d.	n.d.	n.d.	n.d.	n.d.	n.d.
589.89	n.d.	n.d.	n.d.	n.d.	n.d.	n.d.	n.d.	n.d.	n.d.	n.d.
241.05	63	71,7	6,5	93,9	8,3	56	70,2	10,6	100,0	13,2
271.01	n.d.	n.d.	n.d.	n.d.	n.d.	n.d.	n.d.	n.d.	n.d.	n.d.
271.02	n.d.	n.d.	n.d.	n.d.	n.d.	n.d.	n.d.	n.d.	n.d.	n.d.
271.03	n.d.	n.d.	n.d.	n.d.	n.d.	n.d.	n.d.	n.d.	n.d.	n.d.
270.02	7	100,0	0,0	100,0	0,0	13	92,3	7,7	100,0	7,7
270.03	n.d.	n.d.	n.d.	n.d.	n.d.	n.d.	n.d.	n.d.	n.d.	n.d.
270.04	10	100,0	0,0	100,0	0,0	14	71,4	14,3	90,0	16,7
248.B0	11	40,0	30,0	100,0	42,9	16	73,3	6,7	90,9	8,3
280.A0	22	72,2	22,2	69,2	23,5	25	56,0	20,0	85,7	26,3
415.17	37	78,6	10,7	90,5	12,0	35	75,8	9,1	84,0	10,7
251.A0	7	100,0	0,0	100,0	0,0	6	100,0	0,0	100,0	0,0
251.B0	9	100,0	0,0	100,0	0,0	7	66,7	16,7	100,0	20,0
571.86	n.d.	n.d.	n.d.	n.d.	n.d.	n.d.	n.d.	n.d.	n.d.	n.d.
571.87	n.d.	n.d.	n.d.	n.d.	n.d.	n.d.	n.d.	n.d.	n.d.	n.d.
571.A0	151	73,0	7,2	n.d.	9,0	196	68,5	9,3	84,7	11,9
571.C0	76	87,8	0,0	83,3	0,0	100	70,9	5,1	91,1	6,7
110.A0	13	90,0	0,0	100,0	0,0	15	93,3	6,7	100,0	6,7
110.B0	29	86,4	0,0	n.d.	0,0	27	85,2	11,1	78,3	11,5
111.A0	242	93,9	2,2	59,5	2,3	261	89,2	4,3	54,1	4,6
112.01	24	94,4	0,0	n.d.	0,0	17	76,5	0,0	30,8	0,0
120.01	141	86,8	2,8	68,5	3,2	143	81,0	8,7	75,5	9,7
140.01	234	88,4	5,2	82,2	5,6	217	77,9	8,0	74,8	9,4
140.A0	20	87,5	0,0	50,0	0,0	17	88,2	0,0	60,0	0,0
141.A0	129	92,8	0,0	62,2	0,0	130	87,1	5,2	64,4	5,6
142.A0	102	90,7	4,0	58,8	4,2	84	89,0	5,5	53,8	5,8
142.B0	16	83,3	8,3	70,0	9,1	19	77,8	5,6	92,9	6,7
142.C0	17	100,0	0,0	84,6	0,0	33	83,9	9,7	73,1	10,3
144.A0	185	75,5	4,3	63,7	5,4	157	74,6	4,2	60,4	5,4
144.B0	21	88,2	0,0	93,3	0,0	20	95,0	0,0	100,0	0,0
160.A0	50	100,0	0,0	91,7	0,0	46	95,2	0,0	97,5	0,0
160.B0	11	90,0	10,0	87,5	10,0	16	93,8	0,0	100,0	0,0
171.A0	20	93,3	6,7	n.d.	6,7	17	100,0	0,0	88,2	0,0
180.01	1 574	76,7	2,5	76,9	3,2	1 570	64,5	3,5	71,5	5,2
180.21	63	93,8	0,0	82,2	0,0	59	90,0	2,0	82,2	2,2
411.A0	66	86,3	3,9	88,4	4,3	82	80,6	5,6	81,0	6,5
310.02	124	72,2	2,2	80,0	3,0	106	80,6	1,0	68,4	1,3
310.03	274	70,7	4,4	90,3	5,8	296	70,7	5,8	84,2	7,6
310.A0	582	51,5	12,1	79,5	19,0	612	58,6	9,0	70,5	13,3
322.A0	401	82,8	1,0	78,5	1,2	436	83,2	2,9	76,0	3,4
351.A0	829	81,6	2,4	60,6	2,9	777	76,0	6,1	60,0	7,4
384.01	27	61,9	14,3	n.d.	18,8	18	77,8	5,6	85,7	6,7
388.A0	354	75,2	6,8	77,8	8,3	306	69,0	9,3	74,7	11,9
391.A0	131	71,7	6,1	71,4	7,8	108	71,3	8,0	71,0	10,1

INDEX DES PROGRAMMES

Classement par ordre alphabétique suivi du numéro de programme correspondant

Afin de privilégier une classification thématique, sauf exception, nous avons omis d'inscrire la mention «techniques» ou «technologie» dans les titres de programmes.

INDEX DES PROGRAMMES

Classement par numéro de programme suivi de la page correspondante

LES CARRIÈRES DU COLLÉGIAL

Rédaction

Directrice, recherche et rédaction Annick Poitras • **Coordonnatrice de la publication** Emmanuelle Gril • **Rédactrice en chef** Lise-Marie Gravel • **Adjointe à la rédaction** Marie-Hélène Hallé • **Collaborateurs** Guylaine Boucher, Guillaume Forget, Julie Leduc, Mathieu Prud'homme, Kareen Quesada • **Réviseures** Johanne Girard, Sylviane Hesry

Production

Coordonnatrice de la production Valérie Lapointe • **Coordonnatrice adjointe à la production** Nathalie Renauld • **Conception de la grille graphique** Geneviève Pineau • **Graphiste** Catherine Duparcq • **Photographie** PPM Photos

Ventes publicitaires

Directrice, ventes publicitaires et partenariats stratégiques Marilyne Morrow • **Représentants** Geneviève Déry, France Guilbault, Karine Henry, Marie-Josée Ladouceur, Sophie Lalumière, Marcelle Rousseau, Christelle Sourisse, Nancy Talbot, Jean-Sébastien Tremblay

Courriel : ventes@jobboom.com

Dépôt légal

Bibliothèque nationale du Québec • ISBN 2-921564-82-3
Bibliothèque nationale du Canada • ISSN 1198-5887
Août 2001

Les carrières du collégial est publié une fois l'an par Le groupe de recherche Ma Carrière et Les éditions Jobboom, divisions de Jobboom inc. Le genre masculin est utilisé au sens neutre et désigne aussi bien les femmes que les hommes.

• • •

Jobboom inc.

Président Bruno Leclaire • **Vice-président Éditeur** François Cartier • **Vice-président Production & Diffusion** Marcel Sanscartier • **Vice-président Technologies** Luc Bellerive • **Vice-présidente Ventes** Louise Bourbonnais • **Directrice - Groupe de recherche Ma Carrière** Patricia Richard

800, Place-Victoria, bureau RC-007, C. P. 289, Montréal QC H4Z 1E8
Téléphone : (514) 871-0222 • Télécopieur : (514) 890-1456 • www.jobboom.com

De la même collection

• Les métiers de la formation professionnelle • **Les carrières du collégial** • Les carrières de la formation universitaire

INDEX DES ANNONCEURS

Québec
Ministère de l'Éducation

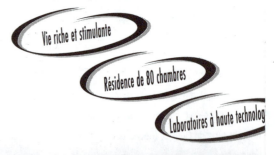